TARGUM DU PENTATEUQUE

SOURCES CHRÉTIENNES

Fondateurs: H. de Lubac, s.j. et † J. Daniélou, s.i.
Directeur: C. Mondésert, s.j.

N° 261

TARGUM

DU

PENTATEUQUE

*TRADUCTION DES DEUX RECENSIONS
PALESTINIENNES COMPLÈTES
AVEC
INTRODUCTION, PARALLÈLES, NOTES ET INDEX*

PAR

Roger LE DÉAUT

AVEC LA COLLABORATION DE JACQUES ROBERT

TOME III

NOMBRES

*Ce volume est publié avec le concours
du Centre National de la Recherche Scientifique*

LES ÉDITIONS DU CERF, 29, bd de Latour-Maubourg, PARIS
1979

*La publication de cet ouvrage a été préparée
avec le concours de l'Institut des Sources Chrétiennes
(E.R.A. 645 du C.N.R.S.)*

NIHIL OBSTAT
IMPRIMI POTEST :
Rome, 21 janvier 1978
Frans TIMMERMANS
Supérieur général C.S.Sp.

IMPRIMATUR
Lyon, 1er Mars 1978

Jean SOULCIÉ, *p.s.s.*

© *Les Éditions du Cerf,* 1979
[ISBN 2-204-01450-8]

ABRÉVIATIONS

A. Périodiques

ALUOS	*Annual of Leeds University Oriental Society*, Leiden.
BJRL	*Bulletin of the John Rylands Library*, Manchester.
BThB	*Biblical Theology Bulletin*, Rome.
BZ	*Biblische Zeitschrift*, Paderborn.
CBQ	*Catholic Biblical Quarterly*, Washington (D.C.).
EThL	*Ephemerides Theologicae Lovanienses*, Louvain.
ExpT	*Expository Times*, Edinburgh.
HTR	*Harvard Theological Review*, Cambridge, Mass.
HUCA	*Hebrew Union College Annual*, Cincinnati.
JANES	*Journal of the Ancient Near Eastern Society* (Columbia Univ.), New York.
JAOS	*Journal of the American Oriental Society*, New Haven.
JBL	*Journal of Biblical Literature*, Philadelphia.
JJS	*Journal of Jewish Studies*, Oxford.
JNES	*Journal of Near Eastern Studies*, Chicago.
JQR	*Jewish Quarterly Review*, Philadelphia.
JSJ	*Journal for the Study of Judaism*, Leiden.
JSS	*Journal of Semitic Studies*, Manchester.
JThS	*Journal of Theological Studies*, Oxford.
MGWJ	*Monatsschrift für Geschichte und Wissenschaft des Judentums*, Breslau.
Nov. Test.	*Novum Testamentum*, Leiden.
NRTh	*Nouvelle Revue Théologique*, Louvain.
NTSt	*New Testament Studies*, Cambridge.
RB	*Revue Biblique*, Paris.
REJ	*Revue des Études Juives*, Paris.
RevSR	*Revue des Sciences Religieuses*, Strasbourg.
RHPR	*Revue d'Histoire et de Philosophie Religieuses*, Paris.
RHR	*Revue de l'Histoire des Religions*, Paris.
RSPT	*Revue des Sciences Philosophiques et Théologiques*, Paris.
RSR	*Recherches de Science Religieuse*, Paris.

Supp. to VT	*Supplements to Vetus Testamentum*, Leiden.
VT	*Vetus Testamentum*, Leiden.
ZAW	*Zeitschrift für die Alttestamentliche Wissenschaft*, Berlin.
ZDMG	*Zeitschrift der Deutschen Morgenländischen Gesellschaft*, Wiesbaden.
ZNW	*Zeitschrift für die Neutestamentliche Wissenschaft*, Berlin.

B. Collections, encyclopédies, auteurs cités en abrégé

Ant. : Antiquités juives de FLAVIUS JOSÈPHE (cité d'après le livre et le paragraphe : e.g. *Ant.* I, § 80).

BACHER, *Terminologie* : W. BACHER, *Die exegetische Terminologie der jüdischen Traditionsliteratur*, 2 vol., Leipzig 1899 et 1905.

BERLINER, *Onkelos* : A. BERLINER, *Targum Onkelos*, Berlin 1884.

BLACK, *Aramaic Approach* : M. BLACK, *An Aramaic Approach to the Gospels and Acts*, 3e éd., Oxford 1967.

BOWKER, *Targums* : J. BOWKER, *The Targums and Rabbinic Literature*, Cambridge 1969.

CHARLES, *Apocrypha* : R. H. CHARLES, *The Apocrypha and Pseudepigrapha of the Old Testament in English*, Oxford 1913.

DALMAN, *Grammatik* : G. DALMAN, *Grammatik des jüdisch-palästinischen Aramäisch*, Leipzig 1905 (réimpr. Darmstadt 1960).

DBS : Dictionnaire de la Bible, Supplément (éd. L. PIROT, A. ROBERT, H. CAZELLES), Paris.

DÍEZ MACHO, *Neophyti 1* : A. DÍEZ MACHO, *Ms. Neophyti 1*, 5 volumes, Madrid-Barcelona 1968-1978.

— *El Targum* : A. DÍEZ MACHO, *El Targum, Introducción a las traducciones aramaicas de la Biblia*, Barcelona 1972.

ELBOGEN, *Der jüdische Gottesdienst* : I. ELBOGEN, *Der jüdische Gottesdienst in seiner geschichtlichen Entwicklung*, 3e éd., Frankfurt am Main 1931 (réimpr. Hildesheim 1967).

FRANKEL, *Vorstudien* : Z. FRANKEL, *Vorstudien zu der Septuaginta*, Leipzig 1841.

— *Einfluss* : Z. FRANKEL, *Ueber den Einfluss der palästinischen Exegese auf die alexandrinische Hermeneutik*, Leipzig 1851.

GEIGER, *Urschrift* : A. GEIGER, *Urschrift und Übersetzungen der Bibel*, 2e éd., Frankfurt am Main 1928.

GINZBERG, *Legends* : L. GINZBERG, *The Legends of the Jews*, 7 vol., Philadelphia 1909-1946.

Introduction : R. LE DÉAUT, *Introduction à la littérature targumique*, Rome 1966.

Jastrow : M. Jastrow, *A Dictionary of the Targumim, the Talmud Babli and Yerushalmi and the Midrashic Literature*, New York 1950.

J.E. : *The Jewish Encyclopedia*, New York 1901-1906.

Jérôme, *Quaestiones* : Jérôme, *Hebraicae quaestiones in libro Geneseos* (cité d'après la page du *Corpus Christianorum*, series latina LXXII, Turnhout 1959).

LAB : *Liber Antiquitatum Biblicarum* du Pseudo-Philon.

Levy : *Chaldäisches Wörterbuch über die Targumim*, 2 vol., Leipzig 1867 (réimpr. Köln 1959).

Lieberman, *Hellenism* : S. Lieberman, *Hellenism in Jewish Palestine*, New York 1962.

— *Greek* : S. Lieberman, *Greek in Jewish Palestine*, New York 1965.

McNamara, *New Test. and Pal. Targum* : M. McNamara, *The New Testament and the Palestinian Targum to the Pentateuch*, Rome 1966 (réimpr. 1978).

— *Targum* : M. McNamara, *Targum and Testament*, Shannon 1972.

Moore, *Judaism* : G. F. Moore, *Judaism in the First Centuries of the Christian Era*, 3 vol., Cambridge 1927-1930 (réimpr. New York 1971).

Or. Sib. : *Oracles Sibyllins*.

PG : *Patrologia Graeca* (J. P. Migne), Paris.

PL : *Patrologia Latina* (J. P. Migne), Paris.

Rashi : Rashi, *Commentaire du Pentateuque*. Cf. M. Rosenbaum - A. M. Silbermann, *Pentateuch with Targum Onkelos, Haphtaroth and Rashi's Commentary*, London 1929 (réimpr. Jérusalem 1973). Traduction française, Paris 1957.

SB : H. L. Strack - P. Billerbeck, *Kommentar zum Neuen Testament aus Talmud und Midrasch*, Munich 1922-1961.

SC : *Sources Chrétiennes*, Paris.

Schürer, *Geschichte* : E. Schürer, *Geschichte des jüdischen Volkes im Zeitalter Jesu Christi*, 4e éd., Leipzig 1901-1911 (réimpr. Hildesheim 1964).

TWNT : G. Kittel, *Theologisches Wörterbuch zum Neuen Testament*, Stuttgart 1932-1976.

Urbach, *The Sages* : E. E. Urbach, *The Sages- Their Concepts and Beliefs*, Jerusalem 1975.

Vermes, *Scripture and Tradition* : G. Vermes, *Scripture and Tradition in Judaism*, Leiden 1961 (réimpr. 1973).

Zunz, *Vorträge* : L. Zunz, *Die gottesdienstlichen Vorträge der Juden historisch entwickelt*, Berlin 1832 ; 2e éd., Frankfurt am Main 1892 (réimpr. Hildesheim 1966).

C. Littérature rabbinique

1. Mishnah et Talmud

J : *Talmud de Jérusalem*, cité
d'après le chapitre et folio
de l'édition de Krotoschin
(1866) : *J Hag.* II 77a.
M : *Mishnah.* Citée : *M Sanh.*
VI, 2.

Ar.	= *Arakin*
A.Z.	= *Abodah Zara*
B.B.	= *Baba Bathra*
Bek.	= *Bekoroth*
Ber.	= *Berakoth*
Bes.	= *Besah*
Bikk.	= *Bikkurim*
B.M.	= *Baba Mesia*
B.Q.	= *Baba Qamma*
Dem.	= *Demai*
Ed.	= *Eduyoth*
Er.	= *Erubim*
Git.	= *Gittin*
Hag.	= *Hagigah*
Hal.	= *Hallah*
Hor.	= *Horayoth*
Hul.	= *Hullin*
Kel.	= *Kelim*
Ker.	= *Keritoth*
Ket.	= *Ketuboth*
Kil.	= *Kilaim*
Maas.	= *Maaseroth*
Maas.Sh.	= *Maaser Sheni*
Mak.	= *Makkoth*
Maksh.	= *Makshirim*
Meg.	= *Megillah*
Meil.	= *Meilah*
Menah.	= *Menahoth*
Mid.	= *Middoth*
Miq.	= *Miqwaoth*

M.Q.	= *Moed Qatan*
Naz.	= *Nazir*
Ned.	= *Nedarim*
Neg.	= *Negaim*
Nid.	= *Niddah*
Ohol.	= *Oholoth*
Orl.	= *Orlah*
Par.	= *Parah*
Pes.	= *Pesahim*
Qid.	= *Qiddushin*
R.H.	= *Rosh ha-Shanah*
Sanh.	= *Sanhedrin*
Shab.	= *Shabbath*
Sheb.	= *Shebiith*
Shebu.	= *Shebuoth*
Sheq.	= *Sheqalim*
Sot.	= *Sotah*
Suk.	= *Sukkah*
Taan.	= *Taanith*
Tam.	= *Tamid*
Tem.	= *Temurah*
Ter.	= *Terumoth*
Toho.	= *Tohoroth*
T.Y.	= *Tebul Yom*
Yad.	= *Yadaïm*
Yeb.	= *Yebamoth*
Zab.	= *Zabim*
Zeb.	= *Zebahim*

Petits traités du Talmud

ARN	= *Aboth de-Rabbi. Nathan* (trad. J. Goldin, New Haven 1955).
D.E.Z.	= *Derek Eretz Zutta*

2. MIDRASHIM

Gen. R//Ex. R//Lév. R, etc. = *Midrash Rabba,* cité d'après le chapitre et verset commentés, avec renvoi aux pages de la traduction anglaise par H. FREEDMAN - M. SIMON,*Midrash Rabbah,* 10 vol., London 1939 (réimpr. 1961).

Mekh. Ex. = *Mekhilta de-Rabbi Ishmaël,* citée d'après chapitre et verset bibliques et pages de l'édition de J. Z. LAUTERBACH, 3 vol., Philadelphia 1933-1935 (réimpr. 1976).

Mid. Ps. = Midrash sur les *Psaumes* cité avec référence à la traduction de W. G. BRAUDE, *The Midrash on Psalms,* 2 vol., New Haven 1959.

PRE = *Pirqé de Rabbi Éliézer,* cité d'après la traduction anglaise de G. FRIEDLANDER, *Pirḳé de Rabbi Eliezer,* London 1916 (réimpr. New York 1970).

PRK = *Pesiqta de Rab Kahana,* cité d'après la version anglaise de W. G. BRAUDE - I. J. KAPSTEIN, *Pesiḳta de-Rab Kahana,* Philadelphia-London 1975.

Sifra = Midrash sur le *Lévitique,* cité d'après chap. et versets bibliques et pages de la traduction allemande de J.WINTER, *Sifra,* Breslau, 1938.

Sifré Deut. = Midrash sur le *Deutéronome,* cité d'après le chapitre et le verset bibliques.

Sifré Nombr. = Midrash sur les *Nombres,* cité comme précédemment, avec pages de la trad. allemande de K. G. KUHN, *Sifre zu Numeri,* Stuttgart 1959.

Tanh. Bu = *Tanhuma,* midrash sur le Pentateuque, selon l'édition de S. BUBER, Vilna 1885.

Yashar = *Sepher ha-Yashar,* avec référence à M. M. NOAH, *The Book of Yasher,* New York 1840 (réimpr. 1972). On peut consulter la traduction française de P. L. B. DRACH, dans J. P. MIGNE, *Dictionnaire des Apocryphes,* vol. II, Paris 1858, col. 1070-1310.

D. **Textes de Qumrân**

DJD	=	*Discoveries in the Judaean Desert,* Oxford 1955 s.
1 QGenAp	=	*Apocryphe de la Genèse* de la grotte 1.
1 QH	=	*Hymnes* ou *Hôdāyôth.*
1 QM	=	Livre de la *Guerre.*
1 QpHab	=	*Commentaire d'Habacuc.*
1 QS	=	*Manuel de discipline* ou *Règle.*
1 QSa	=	*Règle annexe.*
4 QFlor	=	*Florilège* de la grotte 4.

4 QpNah   = *Commentaire de Nahum.*
4 QPatr. Bless. = *Bénédictions patriarcales.*
4 QtgJob   = Fragments d'un *Targum de Job.*
4 QtgLev   = Fragments d'un *Targum du Lévitique.*
11 QtgJob = *Targum de Job* de la grotte 11.

    N. B. Pour les œuvres de Philon, nous utilisons les abréviations
adoptées dans : R. Arnaldez - J. Pouilloux - C. Mondésert, *Les œuvres
de Philon d'Alexandrie,* Paris 1961 s.

E. Abréviations et sigles des versions bibliques
et des manuscrits targumiques

LXX : Version grecque de la Septante.
Pesh. : *Peshitta.*
*Sam*ᵀ. : Targum samaritain.
V   : Vulgate.
(*TM* désigne le texte massorétique, *Sam.* le Pentateuque samaritain).
C   : Fragments de Targum palestinien de la Guénizah du Caire.
F   : *Targum fragmentaire.*
I   : Glose interlinéaire du *Codex Neofiti 1.*
Jo   : Targum dit du *Pseudo-Jonathan* (Pentateuque).
L   : Targum fragmentaire du codex I de la *Universitätsbibliothek*
      de Leipzig.
M   : Glose marginale du *Codex Neofiti 1.*
N   : *Codex Neofiti 1* (Biblioteca Vaticana).
Nur : Codex 1 de la *Stadtbibliothek* de Nuremberg.
O   : Targum *Onqelos* (d'après l'édition de A. SPERBER).
Oᵛᵃʳ : Variante de O.
T   : Targum.
TP   : Targum palestinien.
Vitry : Fragments de Targum du *Maḥzor Vitry* (éd. S. HURWITZ,
      Berlin 1923).
110 : Ms. Hebr. 110 de la *Bibliothèque nationale* (Paris).
440 : Ms. Ebr. 440 de la *Biblioteca Vaticana.*
605 : Ms. 605 du *Jewish Theological Seminary* (New York).
656 : Ms. 656 du *Jewish Theological Seminary* (New York).
27031 : Manuscrit *Add. 27031* du *British Museum* (Londres).

NOMBRES

NOMBRES

CHAPITRE I

1. *La Parole de* Yahvé parla à Moïse, dans le désert du Sinaï, dans la Tente de Réunion, le premier du second mois, la seconde année de la sortie *des enfants d'Israël libérés* du pays d'Égypte, en disant : **2.** « Relevez le *montant* total de toute l'assemblée des enfants d'Israël, suivant leurs familles, d'après leurs clans, en comptant les noms de tous les mâles, tête par tête. **3.** Depuis l'âge de vingt ans et au-dessus, tous ceux qui en Israël peuvent sortir au combat, vous les recenserez selon leurs formations, toi et Aaron. **4.** Avec <vous>⁵ il y aura un homme de *chaque* tribu, un homme qui soit chef de son clan. **5.** Et voici les noms des hommes qui se tiendront avec vous. *De la tribu des fils* de Ruben : Élisour, fils de Shedêyour. **6.** *De la tribu des fils* de Siméon : Sheloumiël, fils de Souri Shaddaï. **7.** *De la tribu des fils* de Juda : Nakhashon, fils d'Amminadab. **8.** *De la tribu des fils* d'Issachar : Netanêl, fils de

---

a. = O. Id. v. 49

α. Nombr. R (15)

---

* Les spécialistes peuvent désormais trouver tous les *textes originaux* du Targum du Pentateuque, pour le livre des *Nombres,* commodément édités en synopse par A. Díez Macho et son équipe : *Neofiti 1,* recensions du Targum fragmentaire (avec le *ms.* 110 de Paris à part), *Pseudo-Jonathan* (d'après le *Ms. British Museum Add. 27031,* avec une version espagnole de Teresa Martinez Saiz) dans *Biblia Polyglotta Matritensia,* Series IV, *Targum palaestinense in Pentateuchum,* L. 4 Numeri, xvi-355 p., Madrid 1977.

NOMBRES

CHAPITRE I

1. Yahvé parla à Moïse, dans le désert du Sinaï, dans la Tente de Réunion, le premier du *mois d'iyyar*[1α], *c'est-à-dire* le second mois de la seconde année de leur sortie du pays d'Égypte, en disant : **2.** « Relevez *le compte*[a] de toute l'assemblée des enfants d'Israël, selon leurs parentés[2], d'après leurs clans[3], en comptant les noms de tous les mâles, tête par tête. **3.** Depuis l'âge de vingt ans et au-delà, quiconque en Israël est bon pour la milice[4], vous les compterez selon leurs formations, toi et Aaron. **4.** Avec vous il y aura un homme par tribu, un homme qui soit chef de son clan. **5.** Et voici les noms des hommes qui se tiendront avec vous. Pour Ruben : *chef*[6], Élisour, fils de Shedêyour. **6.** Pour Siméon : *chef*, Sheloumiël, fils de Souri Shaddaï[7]. **7.** Pour Juda : *chef*, Nakhashon, fils d'Amminadab. **8.** Pour Issachar : *chef*, Netanêl, fils de

---

1. Sur la prédilection de Jo pour les repères chronologiques (cf. 1,18 ; 7,1 ; 9,11, etc.), voir note à *Gen.* 7,11. C'est l'un des traits constants dans cette recension par ailleurs si hétéroclite.

2. Jo emploie d'ordinaire le terme *gnsy'* (cf. γένος) et N *zr'yt* (= O).

3. *Litt.* : « maisons paternelles » (= TM).

4. *Litt.* : « quiconque sortant pour l'armée » (= TM).

5. Texte : « avec eux ».

6. *'mrkwl* : manque dans *ed. pr.* Cf. *T Is.* 22,23 ; *T Jér.* 1,1 ; *T Zach.* 11,13. Voir K. KOHLER, dans *J.E.* I, 485 s. et note à *Lév.* 4, 15.

7. Les deux parties du nom sont séparées (*id.* dans N et O) ; de même pour Pedah Sour (v. 10) et Ammi Shaddaï (v. 12). Pourtant *Sopherim* 37 b demande que l'on écrive Sourishaddaï.

Souar. **9.** *De la tribu des fils* de Zabulon : Éliab, fils de
Hélon. **10.** Des fils[b] de Joseph, *c'est-à-dire (de) la tribu
de la maison* d'Éphraïm : Élishama, fils d'Ammihoud.
De la tribu des fils de Manassé : Gamliël, fils de Pedah Sour.
11. *De la tribu des fils* de Benjamin : Abidan, fils de Gideoni.
12. *De la tribu des fils* de Dan : Akhiézér, fils d'Ammi
Shaddaï. **13.** *De la tribu des fils* d'Aser : Pageïêl, fils
d'Okran. **14.** *De la tribu des fils* de Gad : Élyasaph, fils
de Deouêl[s]. **15.** *De la tribu des fils* de Nephtali : Akhira,
fils d'Eynan. **16.** Ce sont là ceux qui furent désignés par
le peuple de la communauté, les princes de leurs tribus
paternelles ; ce sont les chefs de milliers *des enfants* d'Israël.
17. Moïse et Aaron prirent ces hommes qui avaient été
distingués par (leurs) noms, **18.** et ils réunirent tout *le
peuple de* la communauté, le premier du second mois. Ils
furent enregistrés d'après leurs familles, selon leurs clans,
en comptant les noms depuis l'âge de vingt ans et au-dessus,
tête par tête. **19.** Ainsi que Yahvé[c] l'avait prescrit à Moïse,
celui-ci les recensa dans le désert du Sinaï. **20.** Les fils de
Ruben, premier-né d'Israël, d'après leurs généalogies,
selon leurs familles et leurs clans, en comptant les noms,
tête par tête, (de) tous les mâles depuis l'âge de vingt ans
et au-dessus, tous ceux qui pouvaient sortir au combat,
21. firent un *total*[d], pour la tribu *des fils* de Ruben, de
46.500. **22.** Pour les fils de Siméon, d'après leurs généalogies, selon leurs familles et leurs clans, en recensant le
compte[9] des noms, tête par tête, (de) tous les mâles depuis
l'âge de vingt ans et au-dessus, tous ceux qui pouvaient
sortir au combat, **23.** <leur>[10] *total* fut, pour la tribu
des fils de Siméon, de 59.300. **24.** Pour les fils de Gad,
d'après leurs généalogies, selon leurs familles et leurs clans,
en comptant les noms, depuis l'âge de vingt ans et au-

b. M : de la tribu des fils de Joseph. Id. v. 32   c. M : la Parole de
Y. Id. v. 48.54   d. = F ‖ O : leurs nombres (id. par la suite)

Souar. **9.** Pour Zabulon : *chef*, Éliab, fils de Hélon. **10.** Pour
les fils de Joseph ; pour Éphraïm : *chef*, Élishama, fils
d'Ammihoud. Pour Manassé : *chef*, Gamliël, fils de Pedah
Sour. **11.** Pour Benjamin : *chef*, Abidan, fils de Gideoni.
12. Pour Dan : *chef*, Akhiézér, fils d'Ammi Shaddaï.
13. Pour Aser : *chef*, Pageïêl, fils d'Okran. **14.** Pour Gad :
chef, Élyasaph, fils de Deouêl. **15.** Pour Nephtali : *chef*,
Akhira, fils d'Eynan. **16.** Ce sont là ceux qui furent désignés
par *le peuple de* la communauté, les princes de leurs tribus
paternelles ; ce sont les chefs des milliers d'Israël.
17. Moïse et Aaron prirent ces hommes qui avaient été
distingués par (leurs) noms, **18.** et ils réunirent toute
l'assemblée, le premier *jour du mois d'iyyar, c'est-à-dire*
le second mois. Ils furent enregistrés d'après leurs familles,
selon leurs clans, en comptant les noms depuis l'âge de
vingt ans et au-delà, tête par tête. **19.** Ainsi que Yahvé
l'avait prescrit à Moïse, celui-ci les compta dans le désert
du Sinaï. **20.** Les fils de Ruben, premier-né d'Israël,
d'après leurs généalogies, selon leurs parentés et leurs
clans, en comptant les noms, tête par tête, (de) tous les
mâles depuis l'âge de vingt ans et au-delà, quiconque
était bon pour la milice, **21.** firent un *total*, pour la tribu
de Ruben, de 46.500. **22.** Pour les fils de Siméon, d'après
leurs généalogies, selon leurs parentés et leurs clans, en
comptant les noms, tête par tête, (de) tous les mâles
depuis l'âge de vingt ans et au-delà, quiconque était bon
pour la milice, **23.** leur *total* fut, pour la tribu de Siméon,
de 59.300. **24.** Pour les fils de Gad, d'après leurs généalogies,
selon leurs parentés et leurs clans, en comptant les noms,
tête par tête, (de) tous les mâles[11] depuis l'âge de vingt ans

---

8. Comparer 2,14 (Reouêl) et TM.
9. N suit plus fidèlement TM que Jo qui supprime *pqdyw*
(cf. *LXX* et *Pesh.*). Cf. GEIGER, *Urschrift*, 470.
10. Texte : « vos totaux ».
11. Même ajout dans *LXX* et *Pesh.*

dessus, tous ceux qui pouvaient sortir au combat, **25.** leur *total* fut, pour la tribu *des fils* de Gad, de 45.650ᵉ. **26.** Pour les fils de Juda, d'après leurs généalogies, selon leurs familles et leurs clans, en comptant les noms, depuis l'âge de vingt ans et au-dessus, tous ceux qui pouvaient sortir au combat, **27.** leur *total* fut, pour la tribu de Juda, de 74.600. **28.** Pour les fils d'Issachar, d'après leurs généalogies, selon leurs clans¹³, en comptant les noms, depuis l'âge de vingt ans et au-dessus, tous ceux qui pouvaient sortir au combat, **29.** leur *total* fut, pour la tribu *des fils* d'Issachar, de 54.400. **30.** Pour les fils de Zabulon, d'après leurs généalogies, selon leurs familles et leurs clans, en comptant les noms, depuis l'âge de vingt ans et au-dessus, tous ceux qui pouvaient sortir au combat, **31.** leur *total* fut, pour la tribu *des fils* de Zabulon, de 57.400. **32.** Pour les fils de Joseph, *à savoir la tribu de la maison* d'Éphraïm, d'après leurs généalogies, selon leurs familles et leurs clans, en comptant les noms, depuis l'âge de vingt ans et au-dessus, tous ceux qui pouvaient sortir au combat, **33.** le *total* de la tribu d'Éphraïm fut de 40.500. **34.** Pour les fils de Manassé, d'après leurs généalogies, selon leurs familles et leurs clans, en comptant les noms, depuis l'âge de vingt ans et au-dessus, tous ceux qui pouvaient sortir au combat, **35.** le *total* de la tribu *des fils* de Manassé fut de 32.200. **36.** Pour les fils de Benjamin, d'après leurs généalogies, selon leurs familles et leurs clans, en comptant les noms, depuis l'âge de vingt ans et au-dessus, tous ceux qui pouvaient sortir au combat, **37.** le *total* de la tribu *des fils* de Benjamin fut de 35.400. **38.** Pour les fils de Dan, d'après leurs généalogies, selon leurs familles et leurs clans, en comptant les noms, depuis l'âge de vingt

e.M = 45.600

---

12. Même erreur dans nos deux témoins.

et au-delà, quiconque était bon pour la milice, **25.** leur *total* fut, pour la tribu de Gad, de 45.650. **26.** Pour les fils de Juda, d'après leurs généalogies, selon leurs parentés et leurs clans, en comptant les noms, *tête par tête, (de) tous les mâles* depuis l'âge de vingt ans et au-delà, quiconque était bon pour la milice, **27.** leur *total* fut, pour la tribu de Juda, de *47.600*[12]. **28.** Pour les fils d'Issachar, d'après leurs généalogies, selon leurs parentés et leurs clans, en comptant les noms, *tête par tête, (de) tous les mâles* depuis l'âge de vingt ans et au-delà, quiconque était bon pour la milice, **29.** leur *total* fut, pour la tribu d'Issachar, de *45.400*[14]. **30.** Pour les fils de Zabulon, d'après leurs généalogies, selon leurs parentés et leurs clans, en comptant les noms, *tête par tête, (de) tous les mâles* depuis l'âge de vingt ans et au-delà, quiconque était bon pour la milice, **31.** leur *total* fut, pour la tribu de Zabulon, de 57.400. **32.** Pour les fils de Joseph ; pour les fils d'Éphraïm, d'après leurs généalogies, selon leurs parentés et leurs clans, en comptant les noms, *tête par tête, (de) tous les mâles* depuis l'âge de vingt ans et au-delà, quiconque était bon pour la milice, **33.** leur *total* fut, pour la tribu d'Éphraïm, de 40.500. **34.** Pour les fils de Manassé, d'après leurs généalogies, selon leurs parentés et leurs clans, en comptant les noms, *tête par tête, (de) tous les mâles* depuis l'âge de vingt ans et au-delà, quiconque était bon pour la milice, **35.** leur *total* fut, pour la tribu de Manassé, de 32.200. **36.** Pour les fils de Benjamin, d'après leurs généalogies, selon leurs parentés et leurs clans, en comptant les noms, depuis l'âge de vingt ans et au-delà, quiconque était bon pour la milice, **37.** leur *total* fut, pour la tribu de Benjamin, de 35.400. **38.** Pour les fils de Dan, d'après leurs généalogies, selon leurs parentés et leurs clans, en comptant les noms, depuis l'âge de vingt ans et au-delà,

13. « selon leurs familles » du TM n'est pas traduit. Donné par M.
14. Sic 27031 (= M). *Ed. pr.* : 54.600.

ans et au-dessus, tous ceux qui pouvaient sortir au combat,
39. le *total* de la tribu *des fils* de Dan fut de 62.700. **40.** Pour
les fils d'Aser, d'après leurs généalogies, selon leurs familles
et leurs clans, en comptant les noms, depuis l'âge de vingt
ans et au-dessus, tous ceux qui pouvaient sortir au combat,
41. le *total* de la tribu *des fils* d'Aser fut de 41.500.
42. *Pour*[15] les fils de Nephtali, d'après leurs généalogies,
selon leurs familles et leurs clans, en comptant les noms,
depuis l'âge de vingt ans et au-dessus, tous ceux qui pouvaient sortir au combat, **43.** le *total* de la tribu *des fils*
de Nephtali fut de 53.400. **44.** Telles sont les *sommes* que
totalisèrent Moïse et Aaron, ainsi que les princes d'Israël,
douze hommes qui étaient chacun *chef* de son clan.
45. Quant à la *somme* totale des enfants d'Israël, selon
leurs clans, depuis l'âge de vingt <ans>[16] et au-dessus,
tous ceux qui pouvaient sortir au combat, **46.** la *somme*
totale fut de 603.550. **47.** Mais les Lévites ne furent point
inclus parmi eux, d'après la tribu de leurs ancêtres.
48. Yahvé parla à Moïse, en disant : **49.** « Ne fais pourtant
pas le compte de la tribu de Lévi et tu n'en feras point
le *dénombrement* total au milieu des enfants d'Israël.
50. Mais toi, prépose les Lévites à la Tente du Témoignage,
à tous ses accessoires et tout ce qui lui appartient : ce sont
eux qui porteront le tabernacle et tous ses accessoires, eux
qui en assureront le service et ils camperont tout autour
du tabernacle. **51.** Quand le tabernacle partira, les Lévites
le démonteront, et, quand le tabernacle fera halte, les
Lévites l'érigeront. Le profane qui s'approcherait *pour
(en) assurer le service* sera mis à mort. **52.** Les enfants
d'Israël camperont chacun selon son campement et chacun
près de son étendard, suivant leurs formations. **53.** Mais
les Lévites camperont tout autour de la Tente du

15. Le *lamed* (= pour) qui se trouve dans le lemme hébreu (comparer *Sam.*, *LXX* et *Pesh.*) a été gratté dans le Targum.
16. Mot non traduit ; de même « en Israël » (à la fin).

quiconque était bon pour la milice, **39.** leur *total* fut,
pour la tribu de Dan, de 62.700. **40.** Pour les fils d'Aser,
d'après leurs généalogies, selon leurs parentés et leurs
clans, en comptant les noms, depuis l'âge de vingt ans
et au-delà, quiconque était bon pour la milice, **41.** leur
total fut, pour la tribu d'Aser, de 41.500. **42.** Les fils de
Nephtali, d'après leurs généalogies, selon leurs parentés
et leurs clans, en comptant les noms, depuis l'âge de vingt
ans et au-delà, quiconque était bon pour la milice, **43.** leur
total fut, pour la tribu de Nephtali, de 53.400. **44.** Telles
sont les *sommes des nombres* que calculèrent Moïse et
Aaron, ainsi que les princes d'Israël, douze hommes qui
étaient chacun pour son clan. **45.** Quant à la *somme*
totale *des nombres* des enfants d'Israël, selon leurs clans,
depuis l'âge de vingt ans et au-delà, quiconque était
bon pour la milice en Israël, **46.** la *somme* totale fut
de 603.550. **47.** Mais les Lévites ne furent point comptés
parmi eux, d'après la tribu de leurs ancêtres. **48.** Yahvé
parla à Moïse, en disant : **49.** « Toutefois ne recense point
la tribu de Lévi et tu n'en relèveras point le *compte* au
milieu des enfants d'Israël. **50.** Mais toi, prépose les
Lévites à la Tente du Témoignage, à tous ses accessoires
et à tout ce qui lui appartient : ce sont eux qui transporteront le tabernacle et tous ses accessoires, eux qui en
assureront le service et ils camperont tout autour du
tabernacle. **51.** Lorsque partira le tabernacle, les Lévites
le démonteront[17], et, lorsque le tabernacle fera halte,
les Lévites l'érigeront. Le profane qui s'en approcherait
sera mis à mort *dans un feu ardent de devant Yahvé.*
52. Les enfants d'Israël camperont chacun selon son *point
de* campement et chacun près de son étendard, suivant
leurs formations. **53.** Mais les Lévites camperont tout
autour de la Tente du Témoignage, afin que la colère

17. Noter l'emploi de *prq* dans ce sens (cf. note à *Ex.* 12,42) et
comparer *Jn* 2,19 : λύσατε τὸν ναὸν τοῦτον.

Témoignage, afin que la colère (divine) ne (frappe) point *le peuple de* la communauté des enfants d'Israël et les Lévites assureront la garde <de la Tente>[18] du Témoignage.» **54.** Les enfants d'Israël s'exécutèrent : selon tout ce que Yahvé avait prescrit à Moïse, ainsi firent-ils.

CHAPITRE II

1. Yahvé[a] parla à Moïse et à Aaron, en disant : **2.** « Les enfants d'Israël camperont chacun près de son étendard, sous les enseignes de leurs clans ; ils camperont face à la Tente de Réunion, tout autour. » **3.** Ceux qui campent les premiers, à l'est, (étaient ceux de) l'étendard du campement *de la tribu des fils* de Juda, selon leurs formations ; le prince *de la tribu*[b] des fils de Juda étant Nakhashon, fils d'Amminadab, **4.** et sa troupe se montant à 74.600. **5.** Ceux qui campent à côté de lui (étaient ceux de) la tribu *des fils* d'Issachar, le prince *de la tribu* des fils d'Issachar étant Netanêl, fils de Souar, **6.** et sa troupe

a. M : la Parole de Y. Id. v. 34   b. M : le prince qui fut préposé aux troupes de la tribu des fils. Id. v. 5

α. Nombr. R (28) ; Tanh. B Nombr. (11) ; *1 QM* III-IV   β. Nombr. R 2,2 (29)

---

18. Mot oublié ; se trouve dans M.

1. Pour les étendards et leurs inscriptions, comparer *1 QM* 3,13 - 4,14 (cf. G. R. Driver, *The Judaean Scrolls*, Oxford 1965, 180 s.). Selon C. C. Torrey (dans *ZAW* 65, 1953, 235), il faut lire aussi « étendard » et non « cuisse » dans *Apoc.* 19,16 (confusion entre *dglh* et *rglh*). Cf. Ginzberg, *Legends* III, 230-236 ; VI, 83.

2. La fin du v. manque dans 27031 ; *ed. pr.* semble avoir complété par O.

3. Cf. Levy II, 402.

4. *myll* : cf. note à *Lév.* 16,4.

5. Cf. *T Ex.* 28,17 (Jo-N).

(divine) ne (frappe) point la communauté des enfants
d'Israël et les Lévites assureront la garde de la Tente
du Témoignage. » **54.** Les enfants d'Israël s'exécutèrent :
selon tout ce que Yahvé avait prescrit à Moïse, ainsi
firent-ils.

CHAPITRE II

1. Yahvé parla à Moïse et à Aaron, en disant : **2.** « Les
enfants d'Israël camperont chacun près de son étendard,
sous les enseignes *qui seront marquées sur leurs étendards*[1α],
d'après leurs clans ; ils camperont[2] face à la Tente de
Réunion, tout autour. » **3.** *Le camp d'Israël avait une
longueur de douze milles et une largeur de douze milles.*
Ceux qui campent en avant, à l'est, (étaient ceux de)
l'étendard du campement de Juda, selon leurs formations,
établis en carré sur quatre milles[3]. *Son étendard était de
fine étoffe*[4], *de trois couleurs, correspondant aux trois gemmes
qui se trouvaient sur le pectoral, cornaline, topaze et escar-
boucle*[5] *; et s'y trouvaient tracés en toutes lettres les noms
des trois tribus de Juda, Issachar et Zabulon. En son milieu,
il était écrit: Que Yahvé se lève et que soient dispersés ceux
qui te haïssent et que tes ennemis fuient de devant toi*[6] *!
Il s'y trouvait aussi tracé la figure d'un lion*[β], car le prince
des fils de Juda était Nakhashon, fils d'Amminadab.
4. Sa troupe et la somme *de sa tribu*[7] (était de) 74.600.
5. Ceux qui campent à côté de lui (étaient ceux de) la
tribu d'Issachar[8] et le prince *qui fut préposé aux troupes
de la tribu* des fils d'Issachar (était) Netanêl, fils de Souar.
6. Sa troupe et la somme *de sa tribu*[9] (était de) 54.400.

---

6. Cf. *Nombr.* 10,35 où Jo paraphrase différemment.
7. Même faute (« des tribus ») dans 27031 et *ed. pr.*
8. Par erreur 27031 écrit « Israël ».
9. Oublié dans 27031.

se montant à 54.400 ; **7.** *ainsi que*[10] la tribu *des fils* de
Zabulon ; le prince *qui fut préposé au campement de la tribu*
de Zabulon (était) Éliab, fils de Hélon, **8.** sa troupe se
montant à 57.400. **9.** *Somme* totale du camp *de la tribu
des fils* de Juda : 186.400, selon leurs formations. Ils levaient
le camp les premiers. **10.** L'étendard du camp *de la tribu
des fils* de Ruben (était) au sud, suivant leurs formations,
et le prince *qui fut préposé à la tribu* des fils de Ruben (était)
Élisour, fils de Shedêyour, **11.** sa troupe se montant à
46.500. **12.** Ceux qui campent à côté de lui (étaient ceux de)
la tribu *des fils* de Siméon — le prince *qui fut préposé au
campement de la tribu* des fils de Siméon (était) Sheloumiël,
fils de Souri Shaddaï, **13.** sa troupe se montant à 59.300 —
14. ainsi que la tribu *des fils* de Gad. Le prince *qui fut
préposé au campement de la tribu* des fils de Gad (était)
Élyasaph, fils de Reouêl, **15.** sa troupe se montant à
45.650. **16.** *Somme* totale du camp *de la tribu des fils* de
Ruben : 150.450[17], selon leurs formations. Ils levaient[18]
le camp les seconds. **17.** Ensuite partait la Tente de
Réunion, le camp des Lévites (placé) au milieu des (autres)
camps. Comme l'on avait campé, ainsi on partait, chacun
à sa place[c], d'après leurs étendards. **18.** L'étendard du camp
de la tribu des fils d'Éphraïm (était) *à l'ouest*, suivant leurs

c. = O

---

10. Des mss hébreux ont ici le *waw* comme aux vv. 14.22.29
(cf. *Sam.* et *Pesh*). Une partie du v. oubliée est transcrite dans la
marge (en écriture carrée) avec les variantes.

11. 27031 écrit : 180.400 et *ed. pr.* : 158.400 (?).

12. Cf. *T Ex.* 28,18 (O) (les noms sont différents dans Jo-N).

13. Cf. *Deut.* 6,4.

14. *br 'yl'*. GINZBERG (*Legends* VI, 83) corrige en *brwl'* = *brwn'* =
« little son ».

15. Versets sautés (vv. 11 et 13 commencent par le même mot).

16. Le mot « cinquante » est sans doute oublié. TM : 46.650.

17. Chiffre sans doute erroné (« et un » a été oublié). Lire avec M :
151.450 (= TM).

7. (Puis) la tribu de Zabulon ; le prince *qui fut préposé aux troupes de la tribu* des fils de Zabulon (était) Éliab, fils de Hélon. **8.** Sa troupe et la somme *de sa tribu* (était de) 57.400. **9.** *Nombre* total pour le camp de Juda : 186.400[11], selon leurs formations, levant le camp en premier. **10.** L'étendard du camp de Ruben (est) au sud ; *ils campent*, selon leurs formations, *établis en carré sur quatre milles. Son étendard était de fine étoffe, de trois couleurs, correspondant aux trois gemmes qui se trouvaient sur le pectoral, émeraude, saphir et diamant*[12] *; et s'y trouvaient tracés en toutes lettres les noms des trois tribus de Ruben, Siméon, Gad. En son milieu, il était écrit: Écoute, Israël ! Yahvé (est) notre Dieu, Yahvé (est) un*[13] *! Il s'y trouvait aussi tracée la figure d'un cerf*[14]. *Il aurait dû porter la figure d'un taureau; mais Moïse, le prophète, la fit changer, pour que ne fût point rappelé contre eux le péché du veau (d'or).* Le prince *qui fut préposé aux troupes de la tribu* de Ruben (était) Élisour, fils de Shedêyour. **11. 12.** [manquent][15] **13.** Sa troupe et la somme *de sa tribu* (était de) 59.300. **14.** Puis la tribu de Gad ; le prince *qui fut préposé aux troupes de la tribu* des fils de Gad (était) Élyasaph, fils de *Deouêl.* **15.** Sa troupe et la somme *de sa tribu* (était de) 45.600[16]. **16.** *Somme* totale *des chiffres* pour le camp de Ruben : 151.450, selon leurs formations, levant le camp en second. **17.** Ensuite part la Tente de Réunion, le camp des Lévites (placé) au milieu des (autres) camps — *leur espace de campement établi en carré sur quatre milles; ils marchaient au milieu.* Comme l'on campait, ainsi on partait, chacun à son *emplacement*, d'après leurs étendards. **18.** L'étendard du camp d'Éphraïm : selon leurs formations, *ils campent à l'ouest, et leurs campements établis en carré sur quatre milles. Son étendard était de fine étoffe, de trois couleurs, correspondant aux trois*

---

18. Noter l'absence de conjonction (« et ») dans N et Jo (et O) : cf. *LXX, Pesh.*

formations, et le prince *qui fut préposé au campement de la tribu* des fils d'Éphraïm (était) Élishama, fils d'Ammi-houd, **19.** sa troupe se montant à 40.500. **20.** *Ceux qui étaient à côté* de lui (étaient ceux de) la tribu de Manassé — le prince *qui fut préposé au campement de la tribu* de Manassé (était) Gamliël, fils de Pedah Sour, **21.** sa troupe se montant à <32.200>²³ — **22.** ainsi que la tribu *des fils* de Benjamin. Le prince *qui fut préposé au campement de la tribu* de Benjamin (était) Abidan, fils de Gideoni, **23.** sa troupe se montant à 35.400. **24.** *Somme* totale du camp *de la tribu des fils* d'Éphraïm : 108.100, selon leurs formations. Et ils levaient le camp les troisièmes. **25.** L'étendard du camp *de la tribu des fils* de Dan (était) au nord, suivant leurs formations, et le prince *qui fut préposé au campement de la tribu* des fils de Dan (était) Akhiézér, fils d'Ammi Shaddaï, **26.** sa troupe se montant à 62.700. **27.** Ceux qui campaient à côté de lui (étaient ceux) de <la tribu>²⁶ *des fils* d'Aser — le prince *qui fut préposé au campement de la tribu* des fils d'Aser (était) Pageïêl, fils d'Okran, **28.** sa troupe se montant à 41.500 — **29.** ainsi

γ. Nombr. R 2,2 (30) δ. Nombr. R 2,2 (29)

---

19. Cf. *T Ex.* 28,19 (Jo-O).
20. Cf. *Nombr.* 10,34.
21. Cf. *Gen.* 49,27. Rieder lit *ryb'* ; Ginsburger propose *dg'* (poisson).
22. Tout le v. manque dans 27031.
23. Le copiste écrit 35.400 comme au v. 23.
24. Cf. *T Ex.* 28,20 (Jo-N).
25. Cf. *T Nombr.* 10,36 (O).
26. Le copiste écrit « prince » *(rbh)* au lieu de « tribu ».

*gemmes qui se trouvaient sur le pectoral, opale, turquoise
et « œil-de-veau »*[19] *; et s'y trouvaient tracés en toutes lettres
les noms des trois tribus d'Éphraïm, Manassé et Benjamin.
En son milieu, il était écrit: Et la nuée de Yahvé était
au-dessus d'eux pendant le jour, quand ils partaient du
camp*[20]. *Il s'y trouvait aussi tracée la figure d'un loup*[21]ץ.
Le prince *qui fut préposé aux troupes de la tribu* des fils
d'Éphraïm (était) Élishama, fils d'Ammihoud. **19.** Sa
troupe et la somme *de sa tribu* (était de) 40.500. **20.** *Ceux
qui étaient près* de lui (étaient ceux de) la tribu de Manassé
et le prince *qui fut préposé aux troupes de la tribu* des fils
de Manassé (était) Gamliël, fils de Pedah Sour. **21.** Sa
troupe[22] et la somme *de sa tribu* (était de) 32.200. **22.** Puis
la tribu de Benjamin. Et le prince *qui fut préposé aux
troupes de la tribu* des fils de Benjamin (était) Abidan,
fils de Gideoni. **23.** Sa troupe et la somme *de sa tribu*
(était de) 35.400. **24.** *Somme* totale *des chiffres* pour le
camp d'Éphraïm : 108.100, selon leurs formations, levant
le camp en troisième (lieu). **25.** L'étendard du camp de
Dan (est) au nord, suivant leurs formations, *leur espace
de campement établi en carré sur quatre milles. Son étendard
était de fine étoffe, de trois couleurs, correspondant aux trois
gemmes qui se trouvaient sur le pectoral, aigue-marine,
chrysobéryl et jaspe*[24]*; et s'y trouvaient tracés en toutes
lettres les noms des trois tribus de Dan et Nephtali (et)
Aser. En son milieu, il était tracé en toutes lettres: Et quand
(l'arche) faisait halte, il disait: Reviens, Yahvé; demeure
par ta Gloire au milieu des myriades de milliers d'Israël*[25]*!
Il s'y trouvait aussi tracée la figure d'un aspic*[6]. Le prince
qui fut préposé aux troupes de la tribu des fils de Dan
(était) Akhiézér, fils d'Ammi Shaddaï. **26.** Sa troupe et
la somme *de sa tribu* (était de) 62.700. **27.** Ceux qui campaient à côté de lui (étaient ceux de) la tribu d'Aser et
le prince *qui fut préposé aux troupes de la tribu* des fils
d'Aser (était) Pageïêl, fils d'Okran. **28.** Sa troupe et la
somme *de sa tribu* (était de) 41.500. **29.** Puis la tribu de

que la tribu de Nephtali. Le prince *qui fut préposé au campement de la tribu* des fils de Nephtali (était) Akhira, fils d'Eynan, **30.** sa troupe se montant à 53.400. **31.** *Somme* totale du camp *de la tribu des fils* de Dan : 157.600. Ils partaient les derniers, selon leurs étendards. **32.** Telles sont les *sommes* des enfants d'Israël, selon leurs clans. Les *sommes* des camps *et* de leurs formations (étaient de) 603.550. **33.** Mais les Lévites ne furent point recensés parmi les enfants d'Israël, ainsi que Yahvé l'avait prescrit à Moïse. **34.** Et les enfants d'Israël firent tout ce que Yahvé avait prescrit à Moïse. Ainsi campèrent-ils selon leurs étendards et ainsi levèrent-ils le camp, chacun selon sa famille, d'après son clan.

CHAPITRE III

1. Voici la descendance[1] d'Aaron et de Moïse, au jour où Yahvé[a] parla à Moïse sur la montagne du Sinaï. **2.** Et voici les noms des fils d'Aaron[2] : Nadab, le premier-né, puis Abihou, Éléazar et Ithamar. **3.** Tels[3] sont les noms des fils d'Aaron, les prêtres qui furent oints, qui avaient été investis[4] pour *servir dans le souverain sacerdoce.* **4.** Mais Nadab et Abihou moururent[5] lorsqu'ils offrirent un feu étranger devant Yahvé, dans le désert du Sinaï. Ils n'avaient point de fils[c] et ce furent Éléazar et Ithamar qui *servirent dans le souverain sacerdoce, du vivant* d'Aaron, leur père. **5.** Yahvé parla à Moïse, en disant : **6.** « Fais

a. M : la Parole de Y. Id. v. 5.11.14.40.42.44.51   b = O Id. v. 4   c. M : (d'enfants) mâles

α. Sanh. 19 b   β. Sifra 10,1 (264) ; Tanh. B Nombr. (62) ; Er 63 a

1. *Litt.* : « les générations » (= TM).

Nephtali. Et le prince *qui fut préposé aux troupes de la tribu* des fils de Nephtali (était) Akhira, fils d'Eynan. **30.** Sa troupe et la somme *de sa tribu* (était de) 53.400. **31.** *Somme* totale *des chiffres* pour le camp de Dan : 157.600, partant en dernier (lieu), selon leurs étendards. **32.** Telles sont les *sommes des chiffres* des enfants d'Israël, selon leurs clans. Total des *chiffres* des camps, selon leurs formations : 603.550. **33.** Mais les Lévites ne furent point comptés parmi les enfants d'Israël, ainsi que Yahvé l'avait prescrit à Moïse. **34.** Et les enfants d'Israël firent selon tout ce que Yahvé avait prescrit à Moïse. Ainsi campaient-ils selon leurs étendards et ainsi levaient-ils le camp, chacun selon sa famille, d'après son clan.

CHAPITRE III

1. Voici les généalogies d'Aaron et de Moïse, *qui furent établies* le jour où Yahvé parla à Moïse sur la montagne du Sinaï. **2.** [manque] **3.** Tels sont les noms des fils d'Aaron, les prêtres, *disciples de Moïse*^α, *le Maître d'Israël, qui furent appelés d'après son nom, le jour où* ils furent oints *pour* être investis en vue d'*officier*^b. **4.** Mais Nadab et Abihou moururent devant Yahvé *dans un feu ardent*[6], alors qu'ils offraient un feu profane *provenant de foyers*^β. Ils n'avaient point de fils et ce furent Éléazar et Ithamar qui *officièrent* en présence d'Aaron, leur père. **5.** Yahvé parla à Moïse, en disant : **6.** « Fais approcher la tribu

---

2. Le scribe a oublié une lettre du nom d'Aaron (écrit *'rn* au lieu de *'hrn*). Dans Jo le copiste a sauté le v. 2 (qui commence comme le v. 3).

3. *Litt.* : « Et tels » (*id.* Jo) avec de nombreux mss hébreux (cf. lemme de Jo et N).

4. *Litt.* : « qui avaient accompli l'offrande de leurs mains ».

5. Omet « devant Yhwh » (cf. *Sam.* et *V*).

6. Cf. *T Lév.* 10, 2 et 16, 1 (Jo).

approcher la tribu de Lévi et tu la placeras devant Aaron,
le prêtre, pour qu'ils soient à son service. **7.** Ils assureront
la garde qui lui incombe, ainsi qu'à tout *le peuple de* la
communauté, devant la Tente de Réunion, en faisant
le service du tabernacle. **8.** Ils auront la garde de tous
les objets du tabernacle et la charge (qui incombe) aux
enfants d'Israël, en faisant le service du tabernacle.
9. Tu donneras les Lévites à Aaron et à ses fils : ils lui sont
remis[d] *comme un don*, de la part des enfants d'Israël.
10. Tu organiseras[e] Aaron et ses fils pour qu'ils assurent
la charge de leur sacerdoce. Le profane qui s'approcherait
pour assurer le service sera mis à mort. » **11.** Yahvé parla
à Moïse, en disant : **12.** « Pour moi, voici que j'ai mis à
part les Lévites d'entre les enfants d'Israël, à la place de
tous les premiers-nés qui ouvrent *les premiers* le sein
maternel, d'entre les enfants d'Israël. Les Lévites seront
donc pour *mon Nom*. **13.** Car tous les premiers-nés sont
pour *mon Nom*. Le jour où je *mis à mort* tous les premiers-
nés au pays d'Égypte, j'ai consacré pour *mon Nom* tous
les premiers-nés en Israël, depuis les hommes jusqu'au
bétail. Ils seront pour *mon Nom*, *dit* Yahvé. » **14.** Yahvé
parla à Moïse, dans le désert du Sinaï, en disant : **15.** « Fais
le compte des fils de Lévi selon leurs clans, selon leurs
familles ; tous les mâles depuis l'âge d'un mois et au-dessus,
tu les compteras. » **16.** Moïse en fit donc le compte selon
l'ordre de la Parole de Yahvé, ainsi qu'il en avait reçu le
commandement. **17.** Voici quels furent les fils de Lévi,
par leurs noms : Gershon, Quehath et Merari. **18.** Et voici
les noms des fils de <Gershon>[9], selon leurs familles :
Libni et Shimeï. **19.** Les fils de Quehath, <selon leurs

---

d. O : livrés (et) remis   e. O M : tu préposeras   f. = M   g. = O
h. O : sur la Parole de Y. Id. v. 39.51

γ. Taan. 27 a

de Lévi et tu la placeras devant Aaron, le prêtre, pour qu'ils soient à son service. **7.** *Ils seront répartis en vingt-quatre sections*[7]ᵧ et ils assureront la garde qui lui incombe, ainsi qu'à toute la communauté, devant la Tente de Réunion, en faisant le service du tabernacle. **8.** Ils auront la garde de tous les objets de la Tente de Réunion et la charge (qui incombe) aux enfants d'Israël, en faisant le service du tabernacle. **9.** Tu donneras les Lévites à Aaron et à ses fils : ils lui sont remis *et livrés comme un don*, de la part des enfants d'Israël. **10.** Tu préposeras Aaron et ses fils pour qu'ils assurent la charge de leur sacerdoce. Le profane qui s'approcherait sera mis à mort *dans un feu ardent devant Yahvé*[f]. » **11.** Yahvé parla à Moïse, en disant : **12.** « Pour moi, voici que j'ai fait approcher les Lévites d'entre les enfants d'Israël, à la place de tous les premiers-nés qui ouvrent le sein maternel, d'entre les enfants d'Israël. Les Lévites *serviront*[g] donc *devant* moi. **13.** Car tout premier-né *d'entre les enfants d'Israël*[8] est à moi. Le jour où je *mis à mort* tout premier-né au pays d'Égypte, j'ai consacré *devant* moi tout premier-né en Israël, depuis l'homme jusqu'au bétail. Ils seront à moi. Je suis Yahvé ! » **14.** Yahvé parla à Moïse, dans le désert du Sinaï, en disant : **15.** « Recense les fils de Lévi selon leurs clans, selon leurs parentés ; tous les mâles depuis l'âge d'un mois et au-delà, tu les recenseras. » **16.** Moïse les recensa donc sur l'ordre de *la Parole de*[h] Yahvé, ainsi qu'il en avait reçu le commandement. **17.** Voici quels furent les fils de Lévi, par leurs noms : Gershon, Quehath et Merari. **18.** Et voici les noms des fils de Gershon, selon leurs parentés : Libni et Shimeï. **19.** Les fils de Quehath, selon leurs parentés : Amram et

---

7. Exemple de texte explicité par un passage parallèle (*I Chr.* 24,18) : cf. BACHER, *Terminologie* I, 156.

8. Erreur dans 27031 : « tout premier-né au pays d'Égypte ».

9. Texte : « de Lévi » (influence du v. 17).

familles>[10] : Amram et Yisehar, Hébron et Ouzziël. **20.** Les fils de Merari, selon leurs familles : Makhli et Moushi. Telles sont les familles de Lévi, selon leurs clans. **21.** A Gershon (appartenait) la famille *des fils* de Libni et la famille *des fils* de Shimeï. Telles sont les familles *des fils* des Gershonites. **22.** Leur *total*, en comptant tous les mâles depuis l'âge d'un mois et au-dessus, leur *total* (fut de) 7.500. **23.** La famille *des fils* des Gershonites campait sur les côtés du tabernacle, *à l'ouest*. **24.** Le chef du clan *de la tribu des fils* des Gershonites[i] était Éliyasaph, fils de Laël. **25.** A la garde des fils de Gershon dans la Tente de Réunion (étaient confiés) le tabernacle, le rideau, sa couverture[12] et la draperie de l'entrée de la Tente de Réunion, **26.** *les montants*[13] du parvis, le rideau de l'entrée du parvis qui se trouve près du tabernacle et de l'autel, tout autour, ainsi que leurs cordages, (bref) tout (ce qui est nécessaire) pour son service. **27.** Aux *fils de* Quehath (appartenait) la famille *des fils* des Amramites et la famille *des fils* des Yiseharites, la famille *des fils* des Hébronites et la famille *des fils* des Ouzziélites. Telles sont les familles *des fils* des Quehatites. **28.** (Leur total), en comptant tous les mâles depuis l'âge d'un mois et au-dessus, (fut de) 8.600, veillant à la garde du sanctuaire. **29.** La famille des fils de Quehath campait sur les côtés du tabernacle, au sud. **30.** Le chef du clan *des fils* des Quehatites était Élisaphan, fils d'Ouzziël. **31.** A leur garde (étaient confiés) l'arche, la table, le candélabre, l'autel[14] et les objets du sanctuaire dont on faisait usage, ainsi que le rideau, (bref) tout (ce qui est nécessaire) pour son service. **32.** Le chef *qui avait été préposé* aux princes des *Lévites* était

i. O : de la maison de Gershon j. = O

---

10. Donné par M. Noter que N et Jo ont « *et* Hébron », avec *Pesh.* et de nombreux mss. du TM.

11. *Idem* I, M, *LXX* et *Pesh.* Cf. v. 32.

Ysehar, Hébron et Ouzziël. **20.** Les fils de Merari, selon
leurs parentés : Makhli et Moushi. Telles sont les parentés
des *Lévites*[11], d'après leurs clans. **21.** A Gershon (appartenait) la parenté de Libni et la parenté de Shimeï. Telles
sont les parentés de Gershon. **22.** Leur *total*, en comptant
tous les mâles depuis l'âge d'un mois et au-delà, leur *total*
(fut de) 7.500. **23.** Les *deux* parentés *qui étaient issues*
de Gershon campaient derrière le tabernacle, *à l'ouest*.
24. Le chef de clan *qui était préposé aux deux parentés*
de Gershon était Éliyasaph, fils de Laël. **25.** A la garde des
fils de Gershon dans la Tente de Réunion (étaient confiés)
le tabernacle, le rideau, sa couverture et le rideau qui se
trouvait à l'entrée de la Tente de Réunion, **26.** les voiles
du parvis, le rideau qui se trouvait à l'entrée du parvis
qui est près du tabernacle et de l'autel, tout autour,
ainsi que leurs cordes, (bref) tout (ce qui est nécessaire)
pour son service. **27.** A Quehath (appartenait) la parenté
d'Amram, la parenté de Yisehar, la parenté de Hébron
et la parenté d'Ouzziël. Telles sont les parentés de Quehath.
28. (Leur total), en comptant tous les mâles depuis l'âge
d'un mois et au-delà, (fut de) 8.600, veillant à la garde
du sanctuaire. **29.** Les *quatre* parentés *qui étaient issues
de* Quehath campaient sur le côté sud du tabernacle.
30. Le chef de clan *qui était préposé* aux parentés de
Quehath était Élisaphan, fils d'Ouzziël. **31.** A leur garde
(étaient confiés) l'arche, la table, le candélabre, les autels
et les objets du sanctuaire dont on faisait usage, ainsi
que le rideau, (bref) tout (ce qui est nécessaire) pour son
service. **32.** Le chef[15] *qui fut préposé*[j] aux princes des

---

12. *Litt.* : « *et* sa couverture » (cf. *LXX, Pesh.* et *Sam.*).
13. En gardant la forme *'ylwwt* (JASTROW, 73). Mais sans doute
corriger (avec M) en *wwylwwt* (voiles).
14. Sing. comme dans *Pesh.* Le pluriel du TM se réfère à l'autel
des holocaustes et à l'autel des parfums (*Ex.* 27 et 30).
15. *'mrkwl* : cf. note à 1,5 et BERLINER, *Onkelos* II, 105 (pour O).
N emploie *rbh*.

Éléazar, fils d'Aaron, le prêtre, *(pour relever) le compte*[k]
de ceux qui veillaient à la garde du sanctuaire. **33.** A
Merari (appartenait) la famille *des fils* de Makhli et la
famille *des fils* de Moushi. Telles sont les familles *des fils*
de Merari. **34.** Leur *total*, en comptant tous les mâles depuis
l'âge d'un mois et au-dessus, (fut de) 6.200. **35.** Le chef du
clan des familles *des fils* de Merari était Souriël, fils
d'Abikhaïl. Ils campaient sur les côtés du tabernacle, au
nord. **36.** (La responsabilité) des fils de Merari consistait
en la garde des planches du tabernacle, ses traverses, ses
colonnes et ses bases, tous ses accessoires et tout son
appareil, **37.** les colonnes du parvis tout autour, avec leurs
bases, leurs clous et leurs piquets. **38.** Enfin ceux qui campaient devant le tabernacle, en tête, devant la Tente de
Réunion, à l'est, étaient Moïse, Aaron et ses fils, veillant
à la garde du sanctuaire qu'ils assuraient au nom des
enfants d'Israël. Le profane qui s'approcherait *pour assurer
le service* devait être mis à mort. **39.** La *somme* totale des
Lévites que Moïse[18] dénombra, selon *l'ordre de la Parole*
de Yahvé, d'après leurs familles, tous les mâles depuis
l'âge d'un mois et au-dessus, (fut de) 22.000. **40.** Yahvé
dit à Moïse : « Recense tous les premiers-nés mâles des
enfants d'Israël, depuis l'âge d'un mois et au-dessus, et
relève le chiffre de leurs noms. **41.** Puis tu *mettras à part*
les Lévites pour *mon Nom — dit*[m] Yahvé — à la place de
tous les premiers-nés des enfants d'Israël, et aussi le
bétail des Lévites à la place de tous les premiers-nés du
bétail des enfants d'Israël. » **42.** Moïse recensa donc tous
les premiers-nés des enfants d'Israël, comme Yahvé le lui
avait commandé. **43.** Et le *total* des premiers-nés mâles,

k. O : sous son pouvoir étaient placés ceux qui veillaient   l.
= O. Id. v. 45   m. M : ainsi parle (Y)

16. Cf. *Nombr.* 27,21.
17. Comparer *LXX* : καθεσταμένος.

Lévites était Éléazar, fils d'Aaron, le prêtre. *C'est lui qui consultait par les ourim et les toummim*[16] *; sous son pouvoir étaient placés*[17] ceux qui veillaient à la garde du sanctuaire. **33.** A Merari (appartenait) la parenté de Makhli et la parenté de Moushi. Telles sont les parentés de Merari. **34.** Leur *total*, en comptant tous les mâles depuis l'âge d'un mois et au-delà, (fut de) 6.200. **35.** Le chef de clan *qui était préposé* aux parentés de Merari était Souriël, fils d'Abikhaïl. Ils campaient sur le côté nord du tabernacle. **36.** *Ce qui était remis* à la garde des fils de Merari était : les planches du tabernacle, ses traverses, ses colonnes et ses bases, <tous ses accessoires> et tout son appareil, **37.** les colonnes du parvis tout autour, avec leurs bases, leurs clous et leurs piquets. **38.** Enfin ceux qui campaient devant <le tabernacle, en tête, devant> la Tente de Réunion, à l'est, étaient Moïse, Aaron et ses fils, veillant à la garde du sanctuaire qu'ils assuraient au nom des enfants d'Israël. Le profane qui s'approcherait serait mis à mort *dans un feu ardent de devant Yahvé.* **39.** La *somme* totale *des chiffres* des Lévites que Moïse recensa et Aaron, sur l'ordre de *la Parole de* Yahvé, d'après leurs parentés, tous les mâles depuis l'âge d'un mois et au-delà, (fut de) 22.000. **40.** Yahvé dit à Moïse : « Dénombre tous les premiers-nés mâles parmi les enfants d'Israël, depuis l'âge d'un mois et au-delà, et relève le nombre *total* de leurs noms. **41.** Puis tu *présenteras*[1] les Lévites *devant* moi, — je suis Yahvé —, à la place de tous les premiers-nés parmi les enfants d'Israël, et aussi le bétail des Lévites à la place de tous les premiers-nés du bétail des enfants d'Israël. » **42.** Moïse dénombra donc tous les premiers-nés parmi les enfants d'Israël, comme Yahvé le lui avait commandé. **43.** Et le *nombre total* des premiers-

---

18. Omet « et Aaron » avec la massorah. Voir la liste des dix passages du Pentateuque marqués de points, dans *Sifré Nombr.* 9,10 (180-182).

en comptant leurs noms, depuis l'âge d'un mois et au-
dessus, donna une somme de 22.273. **44.** Puis Yahvé parla
à Moïse, en disant : **45.** « Tu *mettras à part* les Lévites
à la place de tous les premiers-nés des enfants d'Israël
et le bétail des Lévites à la place de leur bétail. Les Lévites
seront pour *mon Nom* : je suis Yahvé[o]. **46.** Pour le rachat
des 273 premiers-nés des enfants d'Israël qui excèdent
(le nombre) des Lévites, **47.** tu prendras cinq sicles par
tête ; tu (les) prendras en sicles du sanctuaire, le sicle
étant à vingt *meah*. **48.** Tu donneras l'argent à Aaron et
à ses fils pour le rachat de ceux qui se trouvent en excédent. » **49.** Moïse prit donc l'argent du rachat de ce qui
excédait ce que rachetaient les Lévites. **50.** Il reçut
l'argent des premiers-nés des enfants d'Israël, 1.365 *sicles*,
en sicles du sanctuaire. **51.** Puis Moïse remit l'argent du
rachat à Aaron et à ses fils, conformément à *l'ordre de la
Parole* de Yahvé, ainsi que Yahvé l'avait prescrit à Moïse.

CHAPITRE IV

1. Yahvé[a] parla à Moïse et à Aaron, en disant : **2.**
« Recense les fils de Quehath d'entre les fils de Lévi, suivant
leurs familles, d'après leurs clans, **3.** depuis l'âge de
trente ans et au-dessus, jusqu'à l'âge de cinquante ans,
tous ceux qui peuvent entrer dans l'armée *de combat*, pour
remplir une fonction dans la Tente de Réunion. **4.** Voici
quel sera le service des fils de Quehath dans la Tente de
Réunion, *dans le sanctuaire*[2]. **5.** Quand on lèvera le camp,
Aaron et ses fils viendront démonter[b] le rideau de draperie
et en recouvriront l'arche du Témoignage. **6.** Ils placeront
au-dessus une couverture en peau de sasgewan[3] sur laquelle

n. = O   o. M : ainsi parle Y   p. = O
a. M : la Parole de Y. Id. v. 17.21.49   b. = O ‖ M : descendre

---

1. « et à Aaron » : omis avec quelques mss du TM.

nés mâles, en comptant leurs noms, depuis l'âge d'un
mois et au-delà, donna une somme *totale* de 22.273.
44. Puis Yahvé parla à Moïse, en disant : **45.** « *Présente*
les Lévites à la place de tous les premiers-nés parmi les
enfants d'Israël et le bétail des Lévites à la place de leur
bétail. Les Lévites *serviront en ma présence*[n] *:* je suis
Yahvé. **46.** Pour le rachat des 273 premiers-nés des enfants
d'Israël, ce qui excède (le nombre) des Lévites, **47.** tu
prendras cinq sicles par tête ; tu (les) prendras en sicles
du sanctuaire, à vingt *meah* le sicle. **48.** Tu donneras
l'argent à Aaron et à ses fils pour le rachat de ceux qui
sont en excédent. » **49.** Moïse prit donc l'<argent du>
rachat de ceux qui étaient en excédent sur ceux que
rachetaient les Lévites. **50.** Il prit l'argent des premiers-nés
des enfants d'Israël, 1.365 *sicles*[p], en sicles du sanctuaire.
51. Puis Moïse remit l'argent du rachat à Aaron et à ses
fils, sur l'ordre de *la Parole de* Yahvé, ainsi que Yahvé
l'avait prescrit à Moïse.

CHAPITRE IV

1. Yahvé parla à Moïse[1], en disant : **2.** « Relevez *le
compte* des fils de Quehath parmi les fils de Lévi, selon
leurs parentés, d'après leurs clans, **3.** depuis l'âge de
trente ans et au-delà, jusqu'à l'âge de cinquante ans,
tous ceux qui peuvent venir dans la milice, pour remplir
une fonction dans la Tente de Réunion. **4.** Le service des
fils de Quehath dans la Tente de Réunion concernera
les choses sacro-saintes. **5.** Au moment où on lèvera le
camp, Aaron et ses fils viendront démonter la tenture
de draperie et <en> recouvriront l'arche du Témoignage.
6. Ils placeront au-dessus une couverture en peau de

---

2. *Litt.* : « dans la maison des choses saintes » (Jo = TM).
3. Cf. note à *Ex.* 25,5. *LXX* : ὑακίνθινον (*id.* vv. 8.10.14).

ils étendront un drap tout de pourpre violette ; puis ils mettront ses barres. **7.** Sur la table *du pain* de proposition[4], ils étendront un drap de pourpre violette sur lequel ils placeront les plats[e], les écuelles pour l'encens, les tasses et les gobelets de libation. Et le pain y restera *en permanence*. **8.** Ils étendront par-dessus un drap de *belle* couleur cramoisie qu'ils recouvriront d'une couverture en peau de sasgewan, et ils placeront ses barres. **9.** Ils prendront un drap de pourpre violette et couvriront le candélabre de l'éclairage ainsi que ses lampes, ses mouchettes[f], ses plateaux et tous les accessoires de *service*[5] dont on use pour lui. **10.** Ils le placeront, avec tous ses accessoires, dans une couverture en peau de sasgewan, et (le) mettront sur le brancard[h]. **11.** Sur l'autel d'or, ils étendront un drap de pourpre violette, le recouvriront d'une couverture en peau de sasgewan, et *couvriront*[g] ses barres. **12.** Puis ils prendront tous les objets de service dont on fait usage à l'intérieur du sanctuaire, les mettront <dans un drap de pourpre violette, les recouvriront d'une couverture en peau de sasgewan et (les) mettront>[9] sur le brancard. **13.** Ils (dé)graisseront[101] l'autel, étendront sur lui un drap de pourpre écarlate **14.** sur lequel ils placeront tous les objets dont on use pour son service, les cassolettes *et*[11] les fourchettes, les pelles et les bols à aspersion, tous les ustensiles de l'autel ; ils étendront par-dessus une couverture en peau de sasgewan et mettront ses barres. **15.** Quand Aaron et ses fils auront achevé de couvrir les choses saintes[j]

---

c. = O (id. par la suite)   d. = O   e. = F (O : autre mot)
f. = F (O : autre mot)   g. = O   h. = F ‖ O : barre   i. F M :
débarrasseront ‖ O : ils enlèveront la cendre   j. M : le sanctuaire

---

4. *Litt.* : « du pain de la face ».
5. TM et *LXX* : « vases d'huile ».
6. '*sl*' (cf. ἄσιλλα). Voir note à *Lév.* 16,26. Même terme à *T Nombr.* 13,23 dans Jo et M. Aux deux passages, N a *qwph* (= F), donné ici comme variante dans la marge de 27031. Jo a *qwp*' au v. 12.
7. Le scribe de 27031 a sauté de ce mot au *sasgona* du v. 12.

sasgona[c] sur laquelle ils étendront un tissu *retors* de pourpre violette ; puis ils mettront ses barres. **7.** Sur la table *du pain*[d] de proposition, ils étendront un drap de pourpre violette sur lequel ils placeront les plats, les écuelles pour l'encens, les tasses et les gobelets de libation. Et il y aura sur elle le pain perpétuel. **8.** Ils étendront par-dessus un drap de couleur cramoisie qu'ils recouvriront de la couverture en peau de sasgona, et ils placeront ses barres. **9.** Ils prendront un drap de pourpre violette et couvriront le candélabre de l'éclairage ainsi que ses lampes, ses mouchettes, ses plateaux et tous les accessoires de *service*[g] dont on use pour lui. **10.** Ils le placeront, avec tous ses accessoires, dans la couverture en peau de sasgona, et (le) mettront sur une perche[6]. **11.** Sur l'autel d'or, ils étendront un drap de pourpre violette, le recouvriront de la couverture en peau de sasgona[7], et placeront ses barres. **12.** Puis ils prendront tous les objets de service dont on fait usage dans le sanctuaire, les mettront dans un drap de pourpre violette, les recouvriront de la couverture en peau de sasgona et (les) mettront sur le brancard. **13.** Ils débarrasseront l'autel de ses cendres, étendront sur lui un drap de pourpre écarlate **14.** sur lequel ils placeront tous les objets dont on use pour son service, les cassolettes *et* les fourchettes, les pelles et les bols à aspersion, tous les ustensiles de l'autel ; ils étendront par-dessus la couverture en peau de sasgona et mettront ses barres. **15.** Quand Aaron et ses fils auront fini de couvrir le sanctuaire et tous les objets du sanctuaire, au moment de lever le camp, les fils de Quehath viendront

8. Sans doute dittographie. Lire : « ils placeront » (avec M).

9. Omis par homoioteleuton ; transcrit en marge (en écriture carrée).

10. *Litt.* : « ils rassasieront ». Version littérale de l'hébreu (« enlever les cendres grasses »). N traduit normalement à *Ex.* 27,3.

11. Avec *LXX, Pesh.* et de nombreux mss. du TM. Noter le long ajout de *Sam.* et *LXX* en fin de verset.

et tous les ustensiles des choses saintes, au moment de lever le camp, les fils de Quehath viendront ensuite pour (les) transporter *dans le tabernacle*[12]. Mais ils ne toucheront pas au sanctuaire de crainte qu'ils ne meurent. Telles sont les charges[13] des fils de Quehath dans la Tente de Réunion. **16.** (Les responsabilités) d'Éléazar, fils d'Aaron, le *grand* prêtre, concerneront l'huile de l'éclairage, l'encens aromatique, l'oblation perpétuelle et l'huile de l'onction, la charge de tout le tabernacle et de tout ce qui s'y trouve, qu'il s'agisse du sanctuaire ou de ses ustensiles. » **17.** Yahvé parla à Moïse et à Aaron, en disant : **18.** « Ne faites point *disparaître*[14] la tribu des familles *des fils* des Quehatites du milieu des Lévites. **19.** Agissez donc ainsi pour eux, afin qu'ils vivent et ne meurent point, en s'approchant[l] du Saint des Saints : Aaron et ses fils viendront et installeront chacun à son service et à son transport. **20.** Mais ils n'entreront pas[m] pour regarder tandis que *le grand prêtre* enveloppe *tous les objets* du sanctuaire, *pour qu'*ils *ne* meurent *point*. » **21.** Yahvé parla à Moïse, en disant : **22.** « Relève le *montant* total des fils de Gershon, eux aussi, d'après leurs clans, selon leurs familles. **23.** Tu les recenseras depuis l'âge de trente ans et au-dessus, jusqu'à l'âge de cinquante ans, tous ceux qui peuvent entrer dans l'armée de combat, pour faire le service dans la Tente de Réunion. **24.** Voici quel sera le service des familles *des fils* de Gershon, quant au service et au transport. **25.** Ils transporteront les tentures du tabernacle et la Tente de Réunion, sa couverture et la couverture <de sasgewan qui se trouve au-dessus d'elle, la couverture>[15] de l'entrée

---

k. = M   l. M : qu'ils détournent leurs yeux du sanctuaire   m. F M[1] : les Lévites n'entreront pas pour regarder tandis que les prêtres enveloppent les objets du sanctuaire, pour qu'ils ne meurent point ‖ M[2] : tandis que les prêtres couvrent les objets du sanctuaire ‖ O : tandis qu'on couvre les objets du sanctuaire

---

α. Nombr. R (139)   β. Nombr. R (154)   γ. Nombr. R (154)

ensuite pour (les) porter. Mais ils ne toucheront pas au
sanctuaire pour qu'ils ne meurent point *dans un feu
ardent*. Telle est la charge des fils de Quehath dans la
Tente de Réunion. **16.** *Ce qui est remis* à Éléazar, fils
d'Aaron, le prêtre, (c'est) l'huile de l'éclairage, l'encens
aromatique, l'oblation perpétuelle et l'huile de l'onction,
le soin de tout le tabernacle et de tout ce qui s'y trouve,
qu'il s'agisse du sanctuaire ou de ses ustensiles. » **17.** Yahvé
parla à Moïse <et à Aaron>, en disant : **18.** « *Ne soyez
point cause de la disparition*ᵅ d'entre les Lévites de la
tribu des parentés de Quehath. **19.** Prenez donc à leur
sujet la *mesure*ᵏ suivante, pour qu'ils vivent *de la vie
des justes* et ne meurent point *dans le feu ardent: qu'ils
détournent leurs yeux*ᵝ *du* Saint des Saints lorsqu'ils *en*
approcheront. Aaron et ses fils viendront et affecteront
chacun à son service et à son transport. **20.** Mais ils
n'entreront pas *et ne se feront point voir*, tandis que les
*prêtres*ᵞ *entreront pour* envelopper *les objets* du sanctuaire,
*pour qu'*ils *ne* meurent *point dans un feu ardent*. » **21.** Yahvé
parla à Moïse, en disant : **22.** « Relève le *compte* des fils
de Gershon, eux aussi, d'après leurs clans, selon leurs
parentés. **23.** Tu les compteras depuis l'âge de trente ans
et au-delà, jusqu'à l'âge de cinquante ans, tous ceux qui
peuvent venir servir dans la milice, pour remplir une
fonction dans la Tente de Réunion. **24.** Voici quel *sera*
le service des parentés de Gershon, quant au service et
au transport. **25.** Ils porteront les tentures du tabernacle
et la Tente de Réunion, sa couverture et la couverture
de sasgona qui se trouve au-dessus d'elle, la draperie de

---

12. Sans doute à supprimer ; provient de la fin du v.

13. Pluriel (comme *Sam.* et *Pesh.*) contre sing. du TM.

14. i.e. ne les exposez pas à être anéantis en ne leur assurant pas
de quoi vivre *(Nombr. R)*.

15. Omis par homoioteleuton ; transcrit en marge (en cursive)
avec les variantes.

de la Tente de Réunion, **26.** *les montants*[16] du parvis et
la couverture de l'entrée du parvis qui se trouve près du
tabernacle et de l'autel, tout autour, ainsi que leurs
cordages et tous leurs équipements de service et tous leurs
accessoires ; (de tout cela) ils assureront le service. **27.** Tout
le travail des fils des Gershonites, pour tout ce qui regarde
leurs transports et leur service, sera sous *les ordres* d'Aaron
et de ses fils, et vous leur indiquerez toutes les charges
(qu'ils auront) à assurer. **28.** Tel sera le service des familles
des fils des Gershonites dans la Tente de Réunion. Leur
ministère (s'exercera) sous <la direction>[18] d'Ithamar,
fils d'Aaron, le *grand* prêtre. **29.** Les fils de Merari, tu les
recenseras selon leurs familles, suivant leurs clans. **30.** Tu
les recenseras, depuis l'âge de trente ans et au-dessus
jusqu'à l'âge de cinquante ans, tous ceux qui peuvent
entrer dans l'armée *de combat*, pour faire le service de la
Tente de Réunion. **31.** Et voici les choses à transporter
dont ils auront la garde, tout le service qu'ils assumeront
dans la Tente de Réunion : les planches du tabernacle et
ses traverses, ses colonnes et ses bases, **32.** les colonnes
alentour du parvis avec leurs bases, leurs piquets et leurs
cordages, tous leurs accessoires et tout leur service. Vous
relèverez par leurs noms les objets à transporter sous leur
garde. **33.** Tel sera le service des familles des fils de Merari,
concernant tout leur travail dans la Tente de Réunion,
sous la direction d'Ithamar, fils d'Aaron, le *grand* prêtre. »
34. Moïse et Aaron, avec les princes *du peuple* de la
communauté, recensèrent donc les fils des Quehatites,
d'après leurs familles, selon leurs clans, **35.** depuis l'âge
de trente ans <et au-dessus>[21] jusqu'à l'âge de cinquante
<ans>, tous ceux qui pouvaient entrer dans l'armée *de*

n. = O

---

16. Cf. note à 3,26.
17. « et de l'autel » du TM n'est pas traduit. Cf. *LXX.*
18. Mot oublié (cf. v. 33), en début de ligne.

l'entrée de la Tente de Réunion, **26.** les voiles du parvis
et la draperie à l'entrée de la porte du parvis qui se trouve
près du tabernacle[17], tout autour, ainsi que leurs cordes
et tous leurs équipements de service, (bref) tout ce qui
leur *sera remis* pour qu'ils assurent le service. **27.** Tout
le travail des fils de Gershon, pour tout ce qui regarde
leur transport et leur service, se fera sur *la parole*[n]
d'Aaron et de ses fils, et vous leur fixerez toutes les charges
(qu'ils auront) à assurer. **28.** Tel *sera* le service des parentés
des fils de Gershon dans la Tente de Réunion. Leur
ministère (s'exercera) sous la direction d'Ithamar, fils
d'Aaron, le prêtre. **29.** Les fils de Merari, tu les compteras
selon leurs parentés, suivant leurs clans. **30.** Tu les compteras, depuis l'âge de trente ans et au-delà jusqu'à l'âge
de cinquante ans, tous ceux qui peuvent venir dans la
milice, pour faire le service de la Tente de Réunion.
31. Et voici les choses à transporter dont ils auront la
garde, tout le service[19] qu'ils assumeront dans la Tente
de Réunion : les planches du tabernacle et ses traverses,
ses colonnes et ses bases, **32.** les colonnes alentour du
parvis avec leurs bases, leurs piquets et leurs cordages,
tous leurs accessoires et tout leur service. Vous recenserez
par leurs noms *tous*[20] les objets à transporter sous leur
garde. **33.** Tel *sera* le service des parentés des fils de Merari,
concernant tout leur travail dans la Tente de Réunion,
sous la direction d'Ithamar, fils d'Aaron, le prêtre. »
34. Moïse et Aaron, <avec les princes de la communauté,>
dénombrèrent donc les fils de Quehath, d'après leurs
parentés et selon leurs clans, **35.** depuis l'âge de trente
ans et au-delà jusqu'à l'âge de cinquante ans, tous ceux
qui pouvaient venir dans la milice, pour le service dans

19. Une partie des vv. 31.32 manque dans 27031, le scribe ayant
sauté au même terme « service » du v. 32.
20. Sans doute haplographie dans le TM (lire *kl kly*). Cf. *Sam.*
et *LXX* (πάντα τὰ σκεύη).
21. Mots à restituer avec les passages parallèles.

combat, pour faire le service dans la Tente de Réunion.
36. Leur *total* fut, d'après leurs familles, de 2.750. **37.** Tel
fut le *total* des familles *des fils* des Quehatites, tous ceux
qui devaient servir dans la Tente de Réunion, que Moïse
et Aaron recensèrent selon *l'ordre de la Parole* de Yahvé,
(transmis) par l'intermédiaire de Moïse. **38.** Le *total* des
fils de Gershon, d'après leurs familles, d'après leurs clans[22],
39. depuis l'âge de trente ans et au-dessus jusqu'à l'âge
de cinquante ans, tous ceux qui pouvaient entrer dans
l'armée *de combat*, pour faire le service *de*[23] la Tente de
Réunion, **40.** leur *total*, d'après leurs familles, d'après
leurs clans, fut de 2.630. **41.** Tel fut le *total* des familles
des fils de Gershon, tous ceux qui devaient servir dans la
Tente de Réunion, que Moïse et Aaron recensèrent selon
l'ordre de la Parole de Yahvé. **42.** Le *total* des familles
des fils de Merari, d'après leurs familles, d'après leurs clans,
43. depuis l'âge de trente ans et au-dessus jusqu'à l'âge
de cinquante ans, tous ceux qui pouvaient entrer dans
l'armée *de combat*, pour faire le service dans la Tente de
Réunion, **44.** leur *total*, d'après leurs familles, fut de
3.500[26]. **45.** Tel fut le *total* des familles des fils de Merari,
que Moïse et Aaron recensèrent selon *l'ordre de la Parole*
de Yahvé, (transmis) par l'intermédiaire de Moïse. **46.** La
somme totale que recensèrent Moïse et Aaron avec les
princes d'Israël — les Lévites selon leurs familles, selon
leurs clans, **47.** depuis l'âge de trente ans et au-dessus
jusqu'à l'âge de cinquante ans, tous ceux qui devaient
venir pour assurer un service de travail et un travail de
portage dans la Tente de Réunion —, **48.** leur *total* fut
de 8.580. **49.** Selon *l'ordre de la Parole* de Yahvé, on

o. = O. Id. v. 41.45.49

22. TM : « *et* d'après leurs clans » (Jo-O). Mais cf. *Sam.*, *LXX* et *Pesh.*

23. Sans doute restituer la préposition (cf. TM) et lire comme aux vv. 35 et 43 « dans la Tente ».

la Tente de Réunion. **36.** Leur *total* fut, d'après leurs
parentés, de 2.750. **37.** Tel fut le *nombre total* des parentés
de Quehath, tous ceux qui devaient servir dans la Tente
de Réunion, que Moïse et Aaron dénombrèrent sur *la
Parole de*° Yahvé, (transmise) par l'intermédiaire de
Moïse. **38.** Le *nombre total* des fils de Gershon, d'après
leurs parentés, et d'après leurs clans, **39.** depuis l'âge
de trente ans et au-delà jusqu'à l'âge de cinquante ans,
tous ceux qui pouvaient venir dans la milice, pour le
service dans la Tente de Réunion, **40.** leur *total*, d'après
leurs parentés, <d'après leurs clans>, fut de 2.630.
41. Tel fut le *nombre total* des parentés[24] des fils de Gershon,
tous ceux qui devaient servir dans la Tente de Réunion,
que Moïse et Aaron dénombrèrent sur *la Parole de* Yahvé[25].
42. Le *nombre total* des parentés des fils de Merari, d'après
leurs parentés, d'après leurs clans, **43.** depuis l'âge de
trente ans et au-delà jusqu'à l'âge de cinquante ans,
tous ceux qui pouvaient venir dans la milice, pour le
service dans la Tente de Réunion, **44.** leur *total*, d'après
leurs parentés, fut de 3.200. **45.** Tel fut le *nombre total*
des parentés des fils de Merari, que Moïse et Aaron
dénombrèrent sur *la Parole de* Yahvé, (transmise) par
l'intermédiaire de Moïse. **46.** La *somme* totale *des chiffres*
que dénombrèrent Moïse et Aaron avec les princes d'Israël
— les Lévites selon leurs parentés, selon leurs clans,
47. depuis l'âge de trente ans et au-delà jusqu'à l'âge de
cinquante ans, tous ceux qui pouvaient venir *dans la
milice*[27], pour assurer un service de *garde* et un service
de portage dans la Tente de Réunion —, **48.** leur *total*
fut de 8.580. **49.** Sur *la Parole de* Yahvé, on affecta par

---

24. Mot oublié *(gnyst)* dans *ed. pr.*

25. *Ed. pr.* ajoute : « par l'intermédiaire de Moïse » (avec quelques
mss hébreux et *LXX*). Cf. vv. 37.45.

26. Corrigé par M en 3.200 (cf. TM).

27. Même ajout dans *Pesh.*

assigna par l'intermédiaire de Moïse, à chacun son service et son transport, et les charges d'un chacun (correspondaient à ce) que Yahvé avait commandé *par l'intermédiaire* de Moïse.

CHAPITRE V

1. Yahvé[a] parla à Moïse, en disant : **2.** « Ordonne aux enfants d'Israël qu'ils renvoient du camp quiconque est lépreux, quiconque éprouve un écoulement et quiconque est souillé *par l'impureté*[b] d'un cadavre *d'homme* ; **3.** qu'ils soient de sexe masculin ou de sexe féminin, vous (les) renverrez ; vous les renverrez en dehors du camp pour qu'ils ne rendent point impurs leurs campements, au milieu desquels je demeure[c]. » **4.** Ainsi firent les enfants d'Israël : ils les renvoyèrent en dehors du camp ; selon ce que Yahvé avait dit à Moïse, ainsi firent les enfants d'Israël. **5.** Yahvé parla à Moïse, en disant : **6.** « Parle aux enfants d'Israël. Un homme <ou>[2] une femme qui commettra une faute quelconque contre autrui, commettant ainsi une infidélité contre *le Nom de* Yahvé[d], cette personne sera coupable. **7.** Il confessera la faute qu'il a faite et il restituera[3], en son entier, ce dont il s'est rendu coupable, en y ajoutant le cinquième et il (le) donnera à celui envers qui il est en faute. **8.** Si l'homme n'a point de racheteur[4] à qui (on puisse) restituer l'objet de la faute, l'objet de la faute qui doit être restitué à Yahvé[f] (reviendra) au prêtre, sans

---

a. M : la Parole de Y. Id. v. 4.11   b. = O   c. M : parce que la Gloire de ma Shekinah demeure au milieu de vous ‖ O : parce que ma Shekinah demeure au milieu de vous   d. M : contre le Nom de la Parole de Y   e. = O   f. M : au Nom de Y ‖ O : devant Y

α. B.Q. 110 a

l'intermédiaire de Moïse, à chacun son service et son
transport, et la charge d'un chacun *correspondait à* ce
que Yahvé avait commandé à Moïse.

CHAPITRE V

1. Yahvé parla à Moïse, en disant : **2.** « Ordonne aux
enfants d'Israël qu'ils chassent du camp quiconque est
lépreux, quiconque éprouve un écoulement et quiconque
est souillé *par l'impureté* d'une personne *qui est morte;*
3. qu'ils soient de sexe masculin ou de sexe féminin, vous
(les) chasserez[1] ; vous les chasserez en dehors du camp
pour qu'ils ne rendent point impurs leurs campements,
au milieu desquels demeure *ma sainte Shekinah.* » **4.** Ainsi
firent les enfants d'Israël : ils les chassèrent en dehors
du camp ; selon ce que Yahvé avait dit à Moïse, ainsi
firent les enfants d'Israël. **5.** Yahvé parla à Moïse, en
disant : **6.** « Parle aux enfants d'Israël. Un homme ou
une femme qui commettra une faute quelconque contre
un homme, commettant ainsi une infidélité *devant* Yahvé,
cet *homme*[e] sera coupable. **7.** Il confessera les fautes qu'il
a faites ; *s'il a extorqué de l'argent*[α] *à son prochain,* il
rendra, en sa totalité, ce dont il est redevable, en y ajoutant
le cinquième *de sa valeur ;* il donnera *le capital et le cinquième*
à celui envers qui il est redevable. **8.** Si l'homme n'a point
de racheteur à qui (on puisse) rendre ce qui est dû, la
dette qui doit être rendue *devant* Yahvé, *on (la) donnera*

---

1. *ipṭrwn* ; *ed. pr.* (comme N-O) a le verbe du TM.
2. Mot oublié ; restitué par I.
3. Les trois verbes sont au pluriel (cf. TM pour les deux premiers) ;
de même les deux premiers de Jo.
4. Cf. note à *Lév.* 25,28.

compter le bélier des expiations avec lequel il fera pour lui
l'expiation. **9.** Tout prélèvement sur toutes les choses
saintes que les enfants d'Israël offrent au prêtre, reviendra
à celui-ci. **10.** A chacun reviendront ses choses saintes ;
(mais) ce que quelqu'un donne au prêtre reviendra à ce
dernier. » **11.** Yahvé parla à Moïse, en disant : **12.** « Parle
aux enfants d'Israël et dis-leur : Lorsqu'un homme a une
femme qui se débauche et commet une infidélité à son
égard, **13.** qu'un (autre) homme a avec elle des relations
charnelles et que la chose reste cachée aux yeux de son
mari, si elle s'est souillée en secret, qu'il n'y a aucun
témoin contre elle et qu'elle n'a pas été prise sur le fait,
14. si maintenant passe sur lui un esprit de jalousie qui
le rende jaloux de sa femme qui s'est souillée ; ou si un
esprit de jalousie passe sur lui qui le rende jaloux de sa
femme, laquelle ne s'est point souillée, **15.** cet homme
amènera sa femme au prêtre et apportera l'offrande
(prévue) pour elle d'un dixième de *mekhilta* de farine d'orge.
Il n'y versera point <d'huile et n'y mettra point>[8]
d'encens, car c'est l'oblation de jalousie, une oblation de
souvenir qui rappelle les fautes. **16.** Le prêtre la fera
approcher et se tenir debout devant Yahvé. **17.** Puis le
prêtre prendra de l'eau *pure*[i] dans un vase d'argile et le

---

g. = O   h. = O   i. M : sainte ‖ O : l'eau du bassin

β. Ber. 63 a ; Nombr. R (229)   γ. Ber. 63 a ; Sifré Nombr. (41)
δ. Nombr. R 5,27 (281) ; M Sot. I, 7   ε. Sifré Nombr. (42)   ζ.
Sifré Nombr. (43) ; Nombr. R 5,27 (281) ; Sot. 15 b ; Philon,
Spec. III § 57   η. Sifré Nombr. (47) ; Nombr. R (266) ; Sot.
15 b   θ. Nombr. R (269) ; Sot. 9 a

---

5. *Ed. pr.* et 27031 insèrent ici (par erreur) une négation (« ne
s'est pas souillée »).

6. Le midrash voit un lien entre ce qui précède (vv. 5-10) et la
section sur la femme infidèle (cf. *Ber.* 63 a).

7. Sur ce type d'exégèse, cf. J. Z. LAUTERBACH, « The Ancient

au prêtre, sans compter le bélier des expiations avec lequel il fera sur lui l'expiation. **9.** Tout prélèvement sur toutes les choses saintes que les enfants d'Israël offrent au prêtre, reviendra à celui-ci. **10.** A chacun reviendra *la dîme*[g] de ses choses saintes, *pour qu'il ne vienne pas à manquer de ressources*[β]*;* (mais) ce que quelqu'un donne au prêtre reviendra à ce dernier. » **11.** Yahvé parla à Moïse, en disant : **12.** « Parle aux enfants d'Israël et dis-leur : Lorsqu'un homme a une femme qui se débauche et commet une infidélité à son égard, **13.** qu'un *autre* homme a avec elle des relations sexuelles et que la chose reste cachée aux yeux de son mari, si elle s'est souillée en secret, qu'il n'y a aucun témoignage *clair qui témoigne* contre elle et qu'elle n'a pas été saisie sur le fait, **14.** si maintenant passe sur lui un esprit de jalousie qui le rende jaloux de sa femme qui s'est souillée[5] ; ou si un esprit de jalousie passe sur lui qui le rende jaloux de sa femme, laquelle ne s'est point souillée : **15.** *le fait que cet* homme *n'a apporté ni prélèvement ni dîme*[γ] *est cause*[6] *qu'il* devra amener sa femme au prêtre ; *le fait que*[δ] *celle-ci a fait goûter des mets délicieux à un adultère est cause qu'il* devra apporter, *de ses biens à elle*[ε], l'offrande *fixée* pour elle, un dixième de *trois seah*[h] de farine d'orge, *qui est la nourriture des bêtes*[γζ]. Il n'y versera point d'huile et n'y mettra point d'encens, car c'est l'oblation de jalousie, une oblation de souvenir qui rappelle les fautes. **16.** Le prêtre la fera approcher et se tenir debout devant Yahvé. **17.** Puis le prêtre prendra de l'eau sainte *du bassin*[η], *avec une puisette*[9]*, et la mettra* dans un vase d'argile, — *parce que celle-ci a fait boire à l'adultère du vin exquis dans des vases précieux*[θ]*;* le prêtre prendra de la poussière qui est sur les bas-côtés du tabernacle, — *car la fin de toute chair*

Jewish Allegorists in Talmud and Midrash », *JQR* (N.S.) 1 (1910-1911), 514.

8. Lacune (non corrigée dans les marges).

9. *nṭl'*. Même mot à *T Ex.* 30, 19-21 ; 40,31 (Jo).

prêtre prendra de la poussière qui est sur les bas-côtés[10]
du tabernacle[j] et (la) mettra dans l'eau. **18.** Le prêtre
fera alors tenir la femme debout devant Yahvé, décoiffera
la tête de la femme et lui mettra dans la paume *de la main*
l'oblation de souvenir, c'est-à-dire l'oblation de jalousie,
tandis que dans les mains du prêtre seront les eaux amères
porteuses de malédiction[k]. **19.** Le prêtre l'adjurera et
dira à la femme : « Si un homme n'a point couché avec toi
et si tu ne t'es point débauchée en te souillant *en dehors
du pouvoir*[l] de ton mari, tu sortiras justifiée (de l'épreuve)
de ces eaux amères porteuses de malédiction[m]. **20.** Mais si
toi tu t'es débauchée *en dehors du pouvoir* de ton mari, si
tu t'es souillée et qu'un homme autre que ton mari ait usé
de toi charnellement... » **21.** Et le prêtre adjurera la femme
par le serment d'imprécation. Le prêtre dira à la femme :
« Que Yahvé fasse de toi un objet de malédiction et d'imprécation au milieu de ton peuple, quand Yahvé fera dépérir
tes cuisses et gonfler tes entrailles ![n] **22.** Que ces eaux de
malédiction entrent dans tes entrailles pour faire gonfler
tes entrailles et dépérir tes cuisses ! » Et la femme dira :
« Amen ! Amen ! *Amen, parce que je ne me suis point souillée.
Amen, parce que je ne me souillerai point*[p][ξ] ! » **23.** Puis le

j. M : de la poussière qui se trouve sous une planche qui est sur les
fondements du tabernacle   k. = O ‖ M : les eaux d'investigation
pour détecter   l. O : en dehors de ton mari ‖ M : (étant) sous le
pouvoir de ton mari. Id. v. 20   m. F M : tu sortiras justifiée (de
l'épreuve) de ces eaux d'investigation pour détecter   n. M : quand
la Parole de Y fera dépérir tes cuisses et gonfler ton ventre   o. =
M. Id. v. 23   p. F : Et la femme dira : Amen, parce que je ne
me suis pas souillée ; amen, si je devais me souiller

ι. J Sot. II 17 c   κ. M Sot. I, 6   λ. Nombr. R 5,27 (281) ; Sot 9 a
μ. Sifré Nombr. 5,21 (54)   ν. Sifré Nombr. (56) ; M Sot. II, 5
ξ. M Sot. II, 5

10. M parle d'une « planche » — *ṭblh* (tabula, τάβλα : cf. JASTROW,
518).

(conduit) à la poussière[l] —, et (la) mettra dans l'eau. **18.** Le prêtre fera alors tenir la femme debout devant Yahvé. *Il lui attachera une corde sur les reins (en la lui fixant) au-dessus de ses seins*[x]*, parce qu'elle-même s'est entouré les reins de ceintures légères*[11]. Il décoiffera la tête de la femme, *parce qu'elle-même a tressé les cheveux de sa tête*[λ]. Il lui mettra dans les mains l'oblation du souvenir, c'est-à-dire l'oblation de jalousie, tandis que le prêtre aura dans la main les eaux amères *d'investigation*. **19.** Le prêtre l'adjurera *en (proférant) un serment par le Nom grand et glorieux*[μ]. *Le prêtre* dira à la femme : « <Si un homme n'a point couché avec toi et> si tu ne t'es point débauchée en te souillant *par des relations sexuelles en dehors du pouvoir* de ton mari, tu sortiras innocentée (de l'épreuve) de ces eaux amères *d'investigation*. **20.** Mais si toi tu t'es débauchée *en dehors du pouvoir* de ton mari, si tu t'es souillée *par des relations sexuelles* et qu'un homme ait usé de toi charnellement en dehors *du pouvoir* de ton mari... » **21.** Et le prêtre fera jurer la femme par le serment d'exécration[12]. Le prêtre dira à la femme : « Que Yahvé te rende un objet de malédiction et d'imprécation au milieu *des fils* de ton peuple, quand Yahvé fera dépérir tes cuisses et gonfler ton ventre ! **22.** Que ces eaux *d'investigation*[o] entrent dans tes entrailles pour faire gonfler ton ventre et dépérir tes cuisses ! » La femme *prendra la parole et* dira : « Amen, *si je me suis souillée étant fiancée !* Amen, *si je me suis souillée une fois mariée*[13v]*!* » **23.** Puis

---

11. *ṣlṣwlyyn*. Ceinture étroite et transparente servant de cache-sexe : cf. LEVY, II, 329 ; S. KRAUSS, *Talmudische Archäologie*, I, Leipzig 1910, 174 et 616.

12. *qynwmî* (= serment). *Ed. pr* a *zynwmî* : selon LEVY (I, 219), serment attirant de fâcheuses conséquences.

13. Exemple de l'exégèse de l'école d'Aqiba, interprétant tous les mots du texte biblique (ici le double *amen*). N (comme F) donne l'explication de R. Méir dans la Mishnah.

prêtre mettra ces malédictions par écrit et les effacera
(ensuite) dans les eaux amères. **24.** Il fera alors boire à
la femme les eaux amères porteuses de malédiction et les
eaux de malédiction entreront en elle pour *la* remplir
d'amertume. **25.** Le prêtre prendra ensuite de la main
de la femme l'oblation de jalousie, balancera l'oblation
devant Yahvé et l'offrira sur l'autel. **26.** Le prêtre prendra
de l'oblation une poignée, comme son azkarah, et (la)
disposera sur l'autel. Après quoi il fera boire les eaux à
la femme. **27.** Quand il lui aura fait boire les eaux, il
arrivera que, si elle s'est souillée et a commis une infidélité
à l'endroit de son mari, les eaux de malédiction entreront
en elle pour *la* remplir d'amertume, son ventre enflera
et ses cuisses dépériront. Alors la femme deviendra un
objet de malédiction au milieu de son peuple. **28.** Mais si
la femme ne s'est point souillée et est restée pure, elle
deviendra enceinte et mettra au monde un enfant mâle.
29. Telle est *la prescription de* la loi de jalousie qu'une
femme se soit débauchée (avec un) *autre*[t] *que* son mari et
se soit souillée, **30.** ou qu'un esprit de jalousie ait passé
sur un homme et l'ait rendu jaloux de sa femme. Il fera
tenir la femme debout devant Yahvé et le prêtre accomplira
pour elle toutes *ces prescriptions* de la loi[u]. **31.** Ainsi
l'homme sera innocenté de faute[v], tandis que cette femme
encourra sa faute. »

q. M : (les eaux) d'investigation pour détecter et les eaux d'investigation pour détecter entreront en elle   r. M : (les eaux) d'investigation pour détecter (entreront)   s. = O ‖ M : elle sera
reconnue innocente et elle deviendra enceinte d'un fils   t. = O ‖
M : au lieu de son mari   u. M : toute cette loi admirable (*litt* : la
louange de cette loi)   v. M :fautes

o. Sifré Nombr. (59) ; M Sot. II, 4   π. Tanh. B Nombr. (30)

le prêtre écrira ces malédictions sur un *rouleau*^o et les
effacera (ensuite) dans les eaux *d'investigation.* **24.** Il fera
alors boire à la femme les eaux amères *d'investigation* et
les eaux *d'investigation*^q entreront en elle en *malédiction.*
25. Le prêtre prendra ensuite de la main de la femme
l'oblation de jalousie, présentera l'oblation devant Yahvé
et l'offrira sur l'autel. **26.** Le prêtre prendra de l'oblation
une poignée[14], comme son azkarah, et (la) fera fumer
sur l'autel. Après quoi, il fera boire les eaux à la femme.
27. Quand il lui aura fait boire les eaux, il arrivera que, si
elle s'est souillée *par des relations sexuelles* et a commis
une infidélité à l'endroit de son mari, les eaux *d'investigation*^r entreront en elle en *malédiction*, son ventre enflera
et ses cuisses dépériront. Alors la femme deviendra un
objet de malédiction au milieu *des fils* de son peuple.
*En outre, ces eaux d'investigation pourront détecter l'(homme)
adultère en quelque lieu qu'il se trouve*^π. **28.** Mais si la
femme ne s'est point souillée *par des relations sexuelles*
et est restée pure, *elle (en) sortira*^s innocentée. *Ses traits
resplendiront, elle trouvera faveur devant son mari et deviendra
enceinte d'un enfant mâle*[15]^p. **29.** Telle est *l'instruction de*
la loi de jalousie, quand une femme s'est débauchée *en
dehors du pouvoir* de son mari et s'est souillée *par des
relations sexuelles*, **30.** et qu'un esprit de jalousie a passé
sur un homme et l'a rendu jaloux de sa femme : il fera
tenir la femme debout devant Yahvé et le prêtre accomplira
pour elle toute cette loi. **31.** Que *si*^σ l'homme est innocent
de *fautes*, la femme en question encourra sa faute. »

ρ. Sifré Nombr. (65) ; Nombr. R (292) ; Sot. 26 a ; Ber. 31 b ; Josèphe,
Ant. III § 271   σ. Sifré Nombr. (68)

---

14. N (comme TM) n'emploie qu'un verbe, alors que Jo a le
substantif *ṣrur*. Mais voir note à *Lév.* 9,17.
15. Cf. aussi *Pesh.* Voir GEIGER, *Urschrift*, 471.

CHAPITRE VI

1. Yahvé[a] parla à Moïse, en disant : **2.** « Parle aux enfants d'Israël et dis-leur : Si un homme ou une femme se met à part (pour Dieu) en vouant un vœu de *naziréat* pour pratiquer l'abstinence *devant* Yahvé, **3.** *il ne boira ni vin nouveau ni (vin) vieux*[b], il ne boira ni vinaigre[2] de vin *nouveau* ni vinaigre de *vin vieux* ; il ne boira aucun *jus*[3] de raisins[c] et il ne mangera ni raisins frais ni raisins secs. **4.** Tous les jours de son *vœu de* naziréat, il ne mangera rien de ce qui provient du cep de vigne, depuis les raisins desséchés jusqu'aux *raisins verts*[4d]. **5.** Tous les jours de son vœu de naziréat, le rasoir ne *montera* pas sur sa tête : jusqu'à ce que soient accomplis les jours où il doit s'abstenir *devant* Yahvé, il sera consacré, il laissera croître échevelée la chevelure de sa tête. **6.** Tous les jours de son naziréat pour *le Nom de*[e] Yahvé, il ne viendra point auprès du cadavre[f] d'un mort. **7.** Ni pour son père ni pour sa mère, ni pour son frère, ni pour sa sœur, s'ils viennent à mourir, il ne se rendra impur, car *la couronne* de son Dieu est sur sa tête. **8.** Tous les jours de son naziréat, il *sera* consacré

---

a. M : la Parole de Y. Id. v. 22   b. = O   c. F M : eau où l'on a trempé des raisins   d. M : depuis les pépins jusqu'aux peaux
e. O M : devant Y   f. M : l'impureté d'un cadavre

α. Nombr. R (358) ; Sot. 2 a   β. Sifré Nombr. (81) ; Nombr. R (380) ; M Naz. I, 2 ; VI, 2 ; Naz. 39 a

---

1. Comparer *Pesh.* et *LXX* (ἁγνείαν).
2. Texte corrigé avec I.
3. L'hébreu *mishrat* s'entend généralement d'un liquide où des raisins ont trempé. N l'entend de « jus (pressé) » — ʿṣwrh ; interprétation insolite selon B. J. BAMBERGER, dans *JQR* 61 (1975), 36.

CHAPITRE VI

1. Yahvé parla à Moïse, en disant : **2.** « Parle aux enfants d'Israël et dis-leur : Si un homme ou une femme, *après avoir vu la débauchée dans sa corruption*[α], décide de s'abstenir *de vin, ou pour un motif quelconque* voue un vœu de *naziréat*[1] de s'abstenir pour *le Nom de* Yahvé, **3.** il s'abstiendra de vin *nouveau* et *(de vin) vieux*, il ne boira ni vinaigre de vin *nouveau* ni vinaigre de *vin vieux* ; il ne boira aucune boisson *où des raisins ont été ajoutés* et il ne mangera ni raisins frais ni raisins séchés. **4.** Tous les jours de son naziréat, il ne mangera rien de ce qui provient du cep de vigne, depuis les raisins *réduits à leur peau* jusqu'aux pépins *à l'intérieur du raisin*[β]. **5.** Tous les jours de son vœu de naziréat, le rasoir ne passera pas sur sa tête : jusqu'au temps où seront accomplis les jours où il doit s'abstenir pour *le Nom de* Yahvé[5], il sera consacré, il laissera croître échevelée la chevelure de sa tête. **6.** Tous les jours où il doit s'abstenir pour *le Nom de* Yahvé, il ne viendra pas auprès d'un homme qui est mort. **7.** Ni pour son père, ni pour sa mère, ni pour son frère ni pour sa sœur, s'ils viennent à mourir, il ne se rendra impur, car *la couronne*[6] de son Dieu est sur sa tête. **8.** Tous les jours de son naziréat, il est consacré

---

4. Le sens des mots hébreux *ḥarṣannîm* et *zāg* est incertain. L'interprétation de Jo (peaux de raisins et pépins) est traditionnelle : cf. Levy, I, 151 et 211 ; E. Y. Kutscher, dans *Supp. to VT* 16 (1967), 161. De nouveau N est particulier : cf. B. J. Bamberger, *art. cit.*, 36 (« withered grapes » et « unripe grapes »). *LXX* et *Pesh.* sont proches de Jo (Geiger, *Urschrift*, 471).

5. La fin du v. manque dans 27031.

6. Interprétation de l'hébreu *nēzer* au sens le plus usuel. Levy (I, 365) pense à une taille de cheveux en couronne.

devant Yahvé. **9.** Que si quelqu'un meurt subitement[7g]
près de lui, *à son insu*, et rende impure sa tête de naziréen,
il devra se raser la tête au jour de sa purification : le
septième jour, il la rasera. **10.** Le huitième jour, il apportera
au prêtre, à l'entrée de la Tente de Réunion, deux tourterelles ou deux *pigeonneaux*, petits de colombes. **11.** Le
prêtre *offrira* l'un en sacrifice pour le péché et l'autre en
holocauste, et il fera sur lui l'expiation pour le péché
commis en (s'approchant) du cadavre[h]. Ce jour-là, il
reconsacrera sa tête, **12.** et se consacrera (à nouveau)
devant Yahvé pour les jours de son naziréat. Il amènera
un agneau, né dans l'année, en sacrifice de culpabilité :
les jours précédents sont annulés, car *la couronne de* son
naziréat a été rendue impure. **13.** Voici *la prescription de*
la loi concernant le naziréen. Le jour où seront accomplis
les jours de son naziréat, on l'amènera à l'entrée de la Tente
de Réunion. **14.** Il offrira pour son offrande *devant* Yahvé
un agneau né dans l'année, parfait, *sans tare*, en holocauste
et une agnelle née dans l'année, parfaite, *sans tare*, en
sacrifice pour le péché, ainsi qu'un bélier parfait, *sans tare*,
en *sacrifice de choses saintes* ; **15.** puis une corbeille d'azymes
de fleur de farine (sous forme de) gâteaux trempés dans
l'huile et de galettes azymes ointes d'huile, avec l'oblation
et les libations correspondantes. **16.** Le prêtre (les) présentera devant Yahvé et *offrira* le sacrifice pour le péché
et l'holocauste. **17.** Il *offrira* le bélier en sacrifice de *choses*

g. M : (si) un mort qu'il (lui) faut enterrer vient à mourir à côté de
lui, subitement (et qu'il ait été) contraint (à la souillure)   h. O :
du mort ‖ M : la faute qu'il a commise (en s'approchant) d'un homme
qui était mort, qu'il a enterré   i. = O. Id. v. 17

γ. Sifré Nombr. (103) ; Nombr. R (393)   δ. Sifré Nombr. (110) ;
Nombr. R (397)

7. M précise en parlant d'un « mort de précepte » — *myt mṣwwth*.
Cf. *Meg.* 3 b et *T Nombr.* 9,6 (Jo).

devant Yahvé. **9.** Que si quelqu'un à côté de lui vient à
mourir de mort subite et imprévue, ɘt rende impure sa
tête de naziréen, il devra se raser[8] la tête au jour de sa
purification : le septième jour, il la passera au rasoir[9].
10. Le huitième jour, il apportera au prêtre, à l'entrée
de la Tente de Réunion, deux tourterelles ou deux
pigeonneaux, petits de colombes. **11.** Le prêtre sacrifiera
l'un comme sacrifice pour le péché et l'autre en holocauste,
il fera sur lui l'expiation pour la faute commise *en se
souillant* près d'*un mort*[10]ᵞ. Ce jour-là, il reconsacrera
sa tête, **12.** et il mettra à part (à nouveau) *devant* Yahvé
les jours de son naziréat. Il amènera un agneau, né dans
l'année, en sacrifice de culpabilité : les jours précédents
sont annulés, car son naziréat a été rendu impur. **13.** Voici
l'instruction de la loi concernant le naziréen. Le jour où
seront accomplis les jours de sa séparation, il se rendra
en personne[11δ] à l'entrée de la Tente de Réunion. **14.** Il
offrira pour son offrande *devant* Yahvé un agneau parfait
né dans l'année, en holocauste et une agnelle parfaite
née dans l'année, en sacrifice pour le péché, ainsi qu'un
bélier parfait, en *sacrifice de choses saintes*[1] ; **15.** puis
une corbeille d'azymes de fleur de farine (sous forme
de) gâteaux <trempés> dans l'huile *d'olives* et de galettes
azymes ointes d'huile *d'olives*, avec l'oblation et les libations
correspondantes. **16.** Le prêtre (les) offrira devant Yahvé
et fera son sacrifice pour le péché et son holocauste. **17.** Il

8. Verbe « il rasera » omis dans 27031.

9. 27031 note une variante *yspyrynyh* (verbe de N : *yspr ytyh*).
Dans ce chapitre, 27031 utilise *glb* pour « raser », *ed. pr. glḥ* (= O)
et N *spr*.

10. D'après une interprétation postérieure, la faute du nazir
consistait à s'être abstenu de vin (*Ned.* 10 a ; *Naz.* 19 a ; *B.Q.* 91 b) ;
cf. GEIGER, *Urschrift*, 476.

11. Comparer *LXX* (προσοίσει αὐτός). Voir L. PRIJS, *Jüdische
Tradition in der Septuaginta*, Leiden 1948, 57. Pour *Sifré Nombr.*,
cf. note de K. G. KUHN *ad loc.*

saintes devant Yahvé, en plus de la corbeille d'azymes ;
et le prêtre *offrira* l'oblation et la libation correspondantes.
18. Puis le naziréen rasera sa tête de naziréen, à l'entrée
de la Tente de Réunion ; <il prendra la chevelure de sa
tête de naziréen>[12] et la placera sur le feu qui se trouve
sous le sacrifice de *choses saintes.* **19.** Le prêtre prendra
l'épaule cuite du bélier, un gâteau azyme de la corbeille
et une galette azyme ; il les mettra sur les paumes *des
mains* du naziréen, après que celui-ci aura rasé *la couronne
de* son naziréat. **20.** Le prêtre les élèvera en offrande de
balancement devant Yahvé ; c'est chose sainte (destinée)
au prêtre, en plus de la poitrine de balancement et de la
cuisse de prélèvement. Après quoi, le naziréen pourra boire
du vin. **21.** Telle est *la prescription de* la loi concernant
le naziréen. Celui qui fait vœu d'une offrande *devant* Yahvé,
en sus de son naziréat (et) sans compter ce que ses moyens
lui permettent[13], devra agir selon les termes du vœu, en plus
de ce qui est prescrit pour son naziréat. » **22.** Yahvé parla
à Moïse, en disant : **23.** « Parle à Aaron et à ses fils, en
disant : C'est ainsi[k] que vous bénirez les enfants d'Israël[l]
— *Moïse s'en fut du ciel et* leur dit — : **24. Que Yahvé te**

j. = O   k. M : selon ce rite vous bénirez   l. O : + quand ils
leur diront

ε. Sifré Nombr. (113)   ζ. Naz. 45 b   η. Sifré Nombr. (114) ;
Nombr. R (402)   θ. Sifré Nombr. (121) ; Nombr. R (427)   ι.
Nombr. R (428)

---

12. Omis par homoioteleuton ; restitué en marge.
13. *Litt.* : « ce que sa main peut atteindre ».
14. Cf. note à *Lév.* 9,22 et *Sifré Nombr.* 18,2 (360).
15. Jo interprète comme O l'inf. absolu du TM ; *Sifré* le comprend
comme un impératif ; cf. la forme εἴπατε dans une inscription
grecque d'origine samaritaine, étudiée par E. Tov dans *RB* 81 (1974),
394-399. On pourrait aussi comprendre N : « Va des cieux, Moïse,
et dis-leur » — *'zl min sh^emê*. Pour la forme *'zl* (impératif), cf. DALMAN,
Grammatik, 300. Pour cette expression comparer *T Nombr.* 25,12

fera du bélier un sacrifice de *choses saintes devant* Yahvé,
en plus de la corbeille d'azymes ; et le prêtre fera l'oblation
et la libation correspondantes. **18.** Puis le naziréen passera
au rasoir sa tête de naziréen, *à l'extérieur, après que l'on
aura immolé le sacrifice de choses saintes*[ε] à l'entrée de
la Tente de Réunion ; il prendra la chevelure de sa tête
de naziréen et la placera sur le feu qui se trouve sous
la bassine[ζ] *du* sacrifice de *choses saintes.* **19.** Le prêtre
prendra *une fois* cuite l'épaule *entière*[η] du bélier, un gâteau
azyme de la corbeille et une galette azyme. Il les mettra
entre les mains du naziréen, après que celui-ci aura rasé
sa (chevelure de) naziréen. **20.** Le prêtre en *fera une
offrande de présentation* <devant Yahvé> ; c'est chose
sainte (destinée) au prêtre, en plus de la poitrine de
présentation et de la cuisse de prélèvement. Après quoi,
le naziréen pourra boire du vin. **21.** Telle est *l'instruction
de* la loi concernant le naziréen. Celui qui fait vœu d'une
offrande *devant* Yahvé, en sus de son naziréat (et) sans
compter ce dont sa main peut disposer, *(devra) apporter*
ce qu'il a voué *équivalent* à son vœu ; c'est ainsi qu'il
devra agir, en plus (de ce qui est prévu par) la loi de son
naziréat. » **22.** Yahvé parla à Moïse, en disant : **23.** « Parle
à Aaron et à ses fils, en disant : C'est ainsi que vous
bénirez les enfants d'Israël, *lorsque (les prêtres) étendront
leurs mains*[θ], *sur l'estrade*[14l]. *C'est la formule suivante qu'*ils
leur diront[15] : **24. Que Yahvé te bénisse et te garde**[16]!

(F : ms. 110) ; *T Deut.* 5,30 (N). Dans tous ces exemples le mot
« cieux » étant écrit sans *aleph* final, on pourrait comprendre :
« Va-t'en de mon Nom *(shēm)* », i.e. « Éloigne-toi de moi ». Le sens :
« Va *en* mon Nom » nous paraît difficile, à cause de la préposition *min.*

16. Selon *M Meg.* IV, 10, la bénédiction sacerdotale ne devait
pas être traduite ; observé par N et O (cf. Berliner, *Onkelos* II, 217).
Jo donne l'hébreu avant la paraphrase araméenne (*ed. pr.* écrit à
la file l'hébreu des trois versets ; 27031 les sépare). Cf. J. Heinemann,
« The Priestly Blessing... is not Read », dans *Bar-Ilan* 6 (1968),
33-41 ; P. S. Alexander, « The Rabbinic Lists of Forbidden Targumim », *JJS* 27 (1976), 177-191. Voir note à *Ex.* 20,26.

bénisse et te garde! 25. Que Yahvé fasse briller sa face sur toi et te fasse grâce ! 26. Que Yahvé te découvre sa face et te donne la paix ! 27. Ainsi mettront-ils mon Nom[n] — *ma Parole*[o] —, sur les enfants d'Israël, et moi, *par ma Parole, je les bénirai.* »

CHAPITRE VII

1. Le jour où Moïse acheva d'ériger le tabernacle, il l'oignit et le consacra avec tous ses accessoires <ainsi que l'autel et tous ses accessoires>[2]. Quand il les eut oints *avec l'huile de l'onction* et les eut consacrés, **2.** les princes <d'Israël, les chefs de clans, c'est-à-dire les chefs>[4] des tribus, ceux qui *avaient été préposés* aux recensements[a], firent une offrande. **3.** Ils amenèrent donc leurs offrandes devant Yahvé : six chars *attelés*[b] et douze bœufs — un

m. O[var] : Que Y fasse briller sur toi sa Shekinah et ait pitié de toi !
n. M 110 : + saint ‖ O : la bénédiction de mon Nom   o. = 110
‖ 110 : + Mais il n'est pas possible aux prêtres de servir devant moi dans le souverain sacerdoce, avant qu'ils ne soient âgés de trente ans. Et vous mon peuple, enfants d'Israël, vous n'irez point ruminant dans votre cœur contre les prêtres et dire : Un tel commet des violences, un tel commet des rapines ! pour ne point avoir à les écouter (ou : de sorte que vous ne recevrez point leur bénédiction). Recevez d'eux la série des bénédictions dont ils vous bénissent. Et moi, par ma Parole, j'observe et regarde par le treillis (*Cant.* 2,9) à travers les doigts des prêtres et moi, par ma Parole, je vous bénirai
a. M : c'est-à-dire les chefs d'Israël, ceux qui avaient présidé et avaient été préposés aux dénombrements   b. = F ‖ O : couverts ‖ M : chargés de tapis et couverts (litières?)

κ. Sifré Nombr. (125) ; Nombr. R (433)   λ. Sifré Nimbr. (127) ;
Nombr. R (434)   μ. Sifré Nombr. (128)   ν. Sifré Nombr. (128) ;
Nombr. R (437)   ξ. Sifré Nombr. (140)
   α. Sifré Nombr. (142) ; Nombr. R (485)   β. Sifré Nombr. (141)
γ. Sifré Nombr. (145) ; Nombr. R (489)

— Que Yahvé te bénisse *en toutes tes occupations* ! Qu'il
te garde *des démons*ˣ *de la nuit et des mauvais esprits,
des démons de midi et des démons de l'aurore, des démons
(des ruines) et des démons du soir*[17] ! **25. Que Yahvé fasse
briller sa face**ᵐ **sur toi et te fasse grâce !** — Que Yahvé
fasse briller sur toi *la splendeur de* sa face, *lorsque tu seras
occupé à (l'étude de) la Loi*ᵏ, *qu'il t'(en) révèle les secrets*ᵘ
et ait merci de toi ! **26. Que Yahvé te découvre sa face
et te donne la paix!** — Que Yahvé *fasse resplendir* sur toi
la splendeur de sa face *dans ta prière*ᵛ et t'accorde la paix
en tout ton territoire ! **27.** Ainsi mettront-ils *la bénédiction*ᶻ
de mon Nom sur les enfants d'Israël, et moi, *par ma
Parole*, je les bénirai[18]. »

CHAPITRE VII

1. Le *premier* jour *du mois de nisan*ᵅ, Moïse cessa
d'ériger le tabernacle, *qu'il ne démonta plus de nouveau*[1]ᵝ.
Il l'oignit et le consacra avec tous ses accessoires, ainsi
que l'autel et tous ses accessoires. Quand il les eut oints
et les eut consacrés, **2.** les officiers[3] d'Israël firent une
offrande ; c'étaient les chefs de leurs clans, c'est-à-dire
les chefs des tribus, ceux qui, *en Égypte*[5]ᵞ, *avaient été
préposés comme officiers* au dénombrement. **3.** Ils amenèrent
donc leur offrande devant Yahvé : six chars *couverts et*

---

17. Voir l'*Excursus* de *SB* IV, 501-535 (Zur altjüdischen Dämo-
nologie). Comparer la paraphrase de *1 QS* 2, 1-4.
18. Pour la référence à *Cant.* 2,9 dans le ms. 110 et la prescription
faite aux prêtres de bénir les doigts étendus, cf. *Tanh. B Nombr.* (32)
et *Sot.* 39 b. Voir *SB* IV, 239.
1. Cf. note à *Lév.* 9,1.
2. Omis par homoioteleuton.
3. '*mrkly*'. Cf. note à 1,5.
4. Restitué en marge (en écriture carrée).
5. Allusion à *Ex.* 5,14.

char pour deux princes et un bœuf pour chacun *d'eux* —, et ils les firent avancer devant le tabernacle. **4.** Et Yahvé[c] parla à Moïse, en disant : **5.** « Accepte(-les) de leur part ; ils seront utilisés pour le service de la Tente de Réunion et tu les donneras aux Lévites, à chacun en raison de sa fonction. » **6.** Moïse prit donc les chars et les bœufs et les remit aux Lévites. **7.** *Moïse* donna deux chars et quatre bœufs aux fils de Gershon, selon le besoin de leur service. **8.** Et *Moïse* donna quatre chars et huit bœufs aux fils de Merari, selon le besoin de leur service, (à remplir) sous la direction d'Ithamar, fils d'Aaron, le prêtre[d]. **9.** Mais aux fils de Quehath, *Moïse* ne donna *ni chars ni bœufs*, car à eux incombait le service du sanctuaire : ils devaient transporter *l'arche* sur *leurs* épaules. **10.** Les princes firent aussi une offrande pour la dédicace[e] de l'autel, le jour où on l'oignit. Les princes présentèrent leurs offrandes devant l'autel. **11.** Yahvé dit à Moïse : « Que chaque jour un chef *de tribu* apporte son offrande pour *l'onction* dédicatoire[δ] de l'autel. » **12.** Celui qui offrit le premier jour son offrande fut Nakhashon, fils d'Amminadab, de la tribu *des fils* de Juda. **13.** L'offrande *qu'il présenta* consistait en une coupe d'argent dont le poids était de cent trente *sicles*[f], *en sicles du sanctuaire*, une écuelle d'argent *d'un poids*[g] de soixante-dix sicles, en sicles du sanctuaire — *ces* deux *objets, la coupe et l'écuelle* —, *il les offrit* remplies de fleur de farine trempée[h] dans l'huile, pour l'oblation ; **14.** un

---

c. M : la Parole de Y. Id. v. 11   d. M : le grand (prêtre)   e. M : l'onction de l'autel.   f. = O (id. par la suite)   g. = O (id. par la suite)   h. F M : mélangée

---

δ. Sifré Nombr. (145) ; Nombr. R (491) ; Cant. R 6,4 (260)   ε. Sifré Nombr. (145) ; Nombr. R (491)   ζ. Sifré Nombr. (150) ; Nombr. R (525)

équipés[6δ] et douze bœufs, — un char pour deux officiers et un bœuf chacun. *Mais Moïse ne voulut point les recevoir d'eux*[ε]. Ils les firent avancer devant le tabernacle. **4.** Et Yahvé parla à Moïse, en disant : **5.** « Accepte(-les) d'eux ; *les litières serviront au rangement*[7], *les bœufs et les chars* seront utilisés pour le service de la Tente de Réunion et tu les donneras aux Lévites, à chacun en raison de sa fonction. » **6.** Moïse prit donc les chars et les bœufs et <les> remit aux Lévites. **7.** Il donna deux chars et quatre bœufs aux fils de Gershon, selon le besoin de leur service. **8.** Et il donna quatre chars et huit bœufs aux fils de Merari, selon le besoin de leur service, (à remplir) sous la direction d'Ithamar, fils d'Aaron, le prêtre. **9.** Mais aux fils de Quehath, il ne donna *ni chars ni bœufs*, car à eux *était imposé* le service du sanctuaire, (le) portant sur l'épaule. **10.** Les princes firent aussi une offrande pour *l'onction* dédicatoire de l'autel, le jour où on l'oignit. Les princes présentèrent leur offrande devant l'autel. **11.** Yahvé dit à Moïse : « Que chaque jour un officier apporte son offrande pour *l'onction* dédicatoire de l'autel. » **12.** Celui qui offrit le premier jour son offrande fut Nakhashon, fils d'Amminadab, *chef de clan*[9] de la tribu de Juda. **13.** L'offrande *qu'il présenta* consistait en une coupe d'argent *à paroi épaisse*, dont le poids était de cent trente *sicles, en sicles du sanctuaire*, une écuelle d'argent *à paroi mince*[ζ], de soixante-dix sicles, en sicles du sanctuaire, *ces* deux *objets, il les offrit* remplis de fleur de farine *du prélèvement* pétrie dans l'huile *d'olives*, pour l'oblation ;

---

6. Sur la façon dont les versions ont compris l'hébreu *ṣāb*, cf. Geiger, *Urschrift*, 476.

7. *sydwr*'. Pour ranger les objets du culte ; explication de Levy (II, 148 et 311). Jastrow (1274) comprend : « the chips (of the wood used for the wagons) shall be used for the altar pile ».

8. *Litt.* : « pour la dédicace de l'onction ».

9. Cf. *Pesh.* et *LXX* (ἄρχων) ; influence des vv. 18.24.

encensoir *dont le poids* était de dix *sicles d'argent, mais qui
était fait* en or[i] ; *il l'offrit* plein des *meilleurs et plus précieux*
encens *aromatiques*[j], *(bien) dosés et purs, pour (préparer)
l'encens*[k] ; **15.** un taurillon *âgé de trois ans*, un bélier *de
deux (ans)* et un agneau né dans l'année, *il offrit les trois*[l]
pour l'holocauste ; **16.** un petit chevreau *qu'il offrit*[m]
pour le sacrifice pour le péché *pour obtenir le pardon des
fautes et pour les offenses involontaires, pour faire, avec
le sang du chevreau, l'expiation pour ses (propres) fautes
et les fautes involontaires de la tribu.* **17.** Et pour le sacrifice
de *choses saintes*[n], *il offrit* deux bœufs, cinq[o] béliers,
cinq chevreaux, cinq agneaux nés dans l'année. Telle est
l'offrande *qu'apporta spontanément*[11p] *et qu'offrit sur ses
propres biens le chef de la tribu des fils de Juda*, Nakhashon,
fils d'Amminadab. **18.** Le deuxième jour *de l'onction
dédicatoire de l'autel*, le chef *de la tribu*[12], *des fils* d'Issachar,
Netanêl, fils de Souar, fit l'offrande. **19.** L'offrande qu'il
présenta consistait en une coupe d'argent dont le poids
était de cent trente *sicles, en sicles du sanctuaire*, une
écuelle d'argent *d'un poids* de soixante-dix sicles, en sicles
du sanctuaire — *ces* deux *objets, la coupe et l'écuelle* —,
il les offrit remplies de fleur de farine trempée dans l'huile,
pour l'oblation ; **20.** un encensoir *dont le poids* était de
dix *sicles d'argent, mais qui était fait* en or ; *il l'offrit* plein
des *meilleurs et plus précieux* encens *aromatiques, (bien)
dosés et purs, pour (préparer) l'encens* ; **21.** un taurillon
âgé de trois ans, un bélier *âgé de deux (ans)* et un agneau né
dans l'année, *il offrit les trois* pour l'holocauste ; **22.** un
petit chevreau *qu'il offrit* pour le sacrifice pour le péché,
*pour obtenir le pardon des fautes et pour les offenses involon-
taires, pour faire, avec le sang du chevreau, l'expiation pour
ses (propres) fautes et les fautes involontaires de la tribu.*

---

i. F M : de dix sicles qui était en or   j. = O   k. F M : l'encens
aromatique   l. F M : le chef de la tribu offrit les trois pour
l'holocauste   m. F M : (que) le chef de la tribu offrit pour le
sacrifice pour le péché   n. = O (id. par la suite)   o. F : deux

14. un encensoir[10] *dont le poids* était de dix *sicles d'argent,
et qui était de bon* or ; *il l'offrit* plein d'encens *aromatiques
précieux du prélèvement* ; **15.** un taurillon *âgé de trois ans*[η],
un bélier *de deux ans* et un agneau né dans l'année, *le
chef de la tribu de Juda offrit les trois* pour l'holocauste.
16. *Il offrit* un petit chevreau pour le sacrifice pour le
péché, **17.** et, pour le sacrifice de *choses saintes,* deux
bœufs, cinq béliers, cinq boucs, cinq agneaux nés dans
l'année. Telle est *la liste de* l'offrande *qu'offrit, de ses biens*[θ],
Nakhashon, fils d'Amminadab. **18.** Le deuxième jour, le
chef *de clan de la tribu* d'Issachar, Netanêl, fils de Souar,
fit l'offrande. **19.** (Ce fut lui qui) présenta son offrande
après Juda, selon l'ordre du Saint[ι] : une coupe d'argent
à paroi épaisse, dont le poids était de cent trente *sicles,
en sicles du sanctuaire,* une écuelle d'argent *à paroi mince,*
de soixante-dix sicles, en sicles du sanctuaire, *ces* deux
objets, il les offrit remplis de fleur de farine *du prélèvement*
pétrie dans l'huile *d'olives,* pour l'oblation ; **20.** un encensoir
dont le poids était de dix *sicles <d'argent>, et qui était
de bon* or ; *il l'offrit* plein d'encens *aromatiques précieux
du prélèvement.* **21.** *Le chef de la tribu d'Issachar offrit*
pour l'holocauste un taurillon *âgé de trois ans,* un bélier
âgé de deux ans et un agneau né dans l'année. **22.** *Il offrit*
un petit chevreau pour le sacrifice pour le péché, **23.** et,

---

béliers   p. F M : Telle est l'offrande que disposa et offrit, de ses
biens, le chef de la tribu des fils de Juda

η. M Par. I, 2-3   θ. Sifré Nombr. (152)   ι. Sifré Nombr. (153) ;
Nombr. R 7,18 (531)

---

10. *bzyk*'. Même mot à 4,7 où nous avons traduit par « écuelles
pour l'encens ». TM : *kap* (traduit par coupe, gobelet, cuiller). On
pourrait peut-être traduire l'araméen par « patère, pelle à encens » ;
cf. S. KRAUSS, *Talmudische Archäologie* II, 278.
11. Le verbe *'tndb* est une allusion au nom d'Amminadab.
12. Cf. O, *Pesh.* et *LXX* (τῆς φυλῆς).

23. Et pour le sacrifice de *choses saintes, il offrit* deux bœufs, cinq béliers, cinq chevreaux, cinq agneaux nés dans l'année. Telle est l'offrande *qu'apporta spontanément et qu'offrit sur ses propres biens le chef de la tribu des fils d'Issachar*, Netanêl, fils de Souar. **24.** Le troisième jour *de l'onction dédicatoire de l'autel*, <le chef *de*>¹³ *la tribu* des fils de Zabulon, Éliab, fils de Hélon, *fit l'offrande*. **25.** L'offrande *qu'il présenta* consistait en une coupe d'argent dont le poids était de cent trente *sicles, en sicles du sanctuaire*, une écuelle d'argent *d'un poids* de soixante-dix sicles, en sicles du sanctuaire — *ces* deux *objets, la coupe et l'écuelle* —, *il les offrit* remplies <de fleur de farine>¹⁶ trempée dans l'huile, pour l'oblation ; **26.** un encensoir *dont le poids* était de dix *sicles d'argent, mais qui était fait* en or ; *il l'offrit* plein des *meilleurs et plus précieux* <encens>¹⁷ *aromatiques, (bien) dosés et purs, pour (préparer) l'encens* ; **27.** un taurillon *âgé de trois ans,* un bélier *âgé de deux (ans)*, et un agneau né dans l'année, *il offrit les trois* pour l'holocauste ; **28.** un petit chevreau *qu'il offrit* pour le sacrifice pour le péché, *pour obtenir le pardon des fautes et pour les offenses involontaires, pour faire, avec le sang du chevreau, l'expiation pour ses (propres) fautes et les fautes involontaires de la tribu.* **29.** Et pour le sacrifice de *choses saintes, il offrit* deux bœufs, cinq béliers, cinq chevreaux, cinq agneaux nés dans l'année. Telle est l'offrande *qu'apporta spontanément et qu'offrit sur ses propres biens le chef de la tribu des fils de Zabulon*, Éliab, fils de Hélon. **30.** Le quatrième jour *de l'onction dédicatoire de l'autel*, le chef *de la tribu* des fils de Ruben, Élisour, fils de Shedêyour, *fit l'offrande*. **31.** L'offrande *qu'il présenta* consistait en une coupe d'argent dont le poids était de cent trente *sicles, en sicles du sanctuaire*, une écuelle d'argent *d'un poids* de soixante-dix sicles, en sicles du sanctuaire — *ces* deux *objets, la coupe et l'écuelle* —, *il les offrit* remplies de fleur de farine trempée dans l'huile, pour l'oblation ; **32.** un encensoir *dont le poids* était de

pour le sacrifice de *choses saintes*, deux bœufs, cinq béliers, cinq boucs, cinq agneaux nés dans l'année. Telle est *la liste de* l'offrande *qu'offrit, de ses biens*, Netanêl, fils de Souar. **24.** Le troisième jour, le chef *de clan* des fils de Zabulon, Éliab, fils de Hélon, *fit l'offrande*. **25.** L'offrande[14] *qu'il présenta* consistait en une coupe d'argent *à paroi épaisse,* (dont le poids était) de cent trente *sicles, en sicles*[15], etc. **26.** un encensoir *d'un poids de,* etc. **27.** un taurillon, etc. **28.** un petit chevreau, etc. **29.** et, pour le sacrifice de *choses saintes*, etc. **30.** Le quatrième jour, le chef *de clan* des fils de Ruben, Élisour, fils de Shedêyour, *fit l'offrande*. **31.** L'offrande *qu'il présenta* consistait en une coupe, etc. **32.** un encensoir *d'un poids de,* etc. **33.** un

---

13. Mot oublié.

14. Toute la suite est donnée en abrégé (*wgm* = etc.) dans Jo (avec quelques minimes divergences entre les deux recensions). N transcrit le Targum en entier. Noter que O (éd. Sperber) donne un texte non vocalisé du v. 25 au v. 83 et que des mss du TM n'ont aussi que les accents.

15. *Ed. pr.* ajoute « du sanctuaire ».

16. Mot oublié et non restitué par M.

17. A restituer avec les passages parallèles (cf. v. 14).

dix *sicles d'argent, mais qui était fait* en or ; *il l'offrit* plein
des *meilleurs et plus précieux* encens *aromatiques, (bien)
dosés et purs, pour (préparer) l'encens* ; **33.** un taurillon
âgé de trois ans, un bélier *âgé de deux (ans)* et un agneau
né dans l'année, *il offrit les trois* pour l'holocauste ; **34.** un
petit chevreau *qu'il offrit* pour le sacrifice pour le péché,
*pour obtenir le pardon des fautes et pour les offenses involon-
taires, pour faire, avec le sang du chevreau, l'expiation pour
ses (propres) fautes et les fautes involontaires de la tribu.*
35. Et pour le sacrifice de *choses saintes, il offrit* deux bœufs,
cinq béliers, cinq chevreaux, cinq agneaux nés dans l'année.
Telle est l'offrande *qu'apporta spontanément et qu'offrit
sur ses propres biens, le chef de la tribu des fils de Ruben,*
Élisour, fils de Shedêyour. **36.** Le cinquième jour *de
l'onction dédicatoire de l'autel,* le chef *de la tribu* des fils de
Siméon, Sheloumiël, fils de Souri Shaddaï, *fit l'offrande.*
37. L'offrande *qu'il présenta* consistait en une coupe
d'argent dont le poids était de cent trente *sicles, en sicles
du sanctuaire,* une écuelle d'argent *d'un poids* de soixante-
dix sicles, en sicles du sanctuaire — *ces* deux *objets, la
coupe et l'écuelle —, il les offrit* remplies de fleur de farine
trempée dans l'huile, pour l'oblation ; **38.** un encensoir
dont le poids était de dix *sicles d'argent, mais qui était fait*
en or ; *il l'offrit* plein des *meilleurs et plus précieux* encens
aromatiques, (bien) dosés et purs, pour (préparer) l'encens ;
39. un taurillon *âgé de trois ans,* un bélier *âgé de deux (ans)*
et un agneau né dans l'année, *il offrit les trois* pour l'holocauste ; **40.** un petit chevreau *qu'il offrit* pour le sacrifice
pour le péché, *pour obtenir le pardon des fautes et pour les
offenses involontaires, pour faire, avec le sang du chevreau,
l'expiation pour ses (propres) fautes et les fautes involontaires
de la tribu.* **41.** Et pour le sacrifice de *choses saintes, il
offrit* deux bœufs, cinq béliers, cinq chevreaux, cinq
agneaux nés dans l'année. Telle est l'offrande *qu'apporta
spontanément et qu'offrit sur ses propres biens le chef de
la tribu de Siméon,* Sheloumiël, fils de Souri Shaddaï.

taurillon, etc. **34.** un petit chevreau, etc. **35.** et, pour le sacrifice de *choses saintes*, etc. **36.** Le cinquième jour, le chef *de clan de la maison* de Siméon, Sheloumiël, fils de Souri Shaddaï, *fit l'offrande*. **37.** L'offrande *qu'il présenta* consistait en une coupe, etc. **38.** un encensoir *d'un poids de*, etc. **39.** un taurillon, etc. **40.** un petit chevreau, etc. **41.** et, pour le sacrifice de *choses saintes*, etc. **42.** Le sixième

42. Le sixième jour *de l'onction dédicatoire de l'autel*, le chef *de la tribu* des fils de Gad, Élyasaph, fils de Deouêl, *fit l'offrande*. **43.** L'offrande *qu'il présenta* consistait en une coupe d'argent dont le poids était de cent trente *sicles, en sicles du sanctuaire*, une écuelle d'argent *d'un poids* de soixante-dix sicles, en sicles du sanctuaire — *ces* deux *objets, la coupe et l'écuelle* —, *il les offrit* remplies de fleur de farine trempée dans l'huile, pour l'oblation ; **44.** un encensoir *dont le poids* était de dix *sicles d'argent, mais qui était fait* en or ; *il l'offrit* plein des *meilleurs et plus précieux* encens *aromatiques, (bien) dosés et purs, pour (préparer) l'encens* ; **45.** un taurillon *âgé de trois ans*, un bélier *âgé de deux (ans)* et un agneau né dans l'année, *il offrit les trois* pour l'holocauste ; **46.** un petit chevreau *qu'il offrit* pour le sacrifice pour le péché, *pour obtenir le pardon des fautes et pour les offenses involontaires, pour faire, avec le sang du chevreau, l'expiation pour ses (propres) fautes et les fautes involontaires de la tribu.* **47.** Et pour le sacrifice de *choses saintes, il offrit* deux bœufs, cinq béliers, cinq chevreaux, cinq agneaux nés dans l'année. Telle est l'offrande *qu'apporta spontanément et qu'offrit sur ses propres biens le chef de la tribu des fils de Gad*, Élyasaph, fils de Deouêl. **48.** Le septième jour *de l'onction dédicatoire de l'autel*, le chef *de la tribu* des fils d'Éphraïm, fils d'Ammihoud, *fit l'offrande*. **49.** L'offrande *qu'il présenta* consistait en une coupe d'argent dont le poids était de cent trente *sicles, en sicles du sanctuaire*, une écuelle d'argent *d'un poids* de soixante-dix sicles, en sicles du sanctuaire — *ces* deux *objets, la coupe et l'écuelle* —, *il les offrit* remplies de fleur de farine trempée dans l'huile, pour l'oblation ; **50.** un encensoir *dont le poids* était de dix *sicles d'argent, mais qui était fait* en or ; *il l'offrit* plein des *meilleurs et plus précieux* encens *aromatiques, (bien) dosés et purs, pour (préparer) l'encens* ; **51.** un taurillon *âgé de trois ans*, un bélier *âgé de deux (ans)* et un agneau né dans l'année, *il offrit les trois* pour l'holocauste ; **52.** un petit chevreau

jour, le chef *de clan* des fils de Gad, Élyasaph, fils de Deouêl, *fil l'offrande.* **43.** L'offrande *qu'il présenta* consistait en une coupe, etc. **44.** un encensoir *d'un poids de*, etc. **45.** un taurillon, etc. **46.** un petit chevreau, etc. **47.** et, pour le sacrifice de *choses saintes*[18], etc. **48.** Le septième jour, le chef *de clan* des fils d'Éphraïm, Élishama, fils d'Ammihoud, *fit l'offrande.* **49.** L'offrande *qu'il présenta* consistait en une coupe, etc. **50.** un encensoir *d'un poids de*, etc. **51.** un taurillon, etc. **52.** un petit chevreau, etc.

18. *Ed. pr.* ajoute « (deux) bœufs ». Aux vv. 47.53.59.71.77.83, N écrit *twryn* (bœufs) qu'il faut corriger en *'mryn* (agneaux), comme aux vv. 17.23.29.35.41.

qu'il offrit pour le sacrifice pour le péché, *pour obtenir le pardon des fautes et pour les offenses involontaires, pour faire, avec le sang du chevreau, l'expiation pour ses (propres) fautes et les fautes involontaires de la tribu.* **53.** Et pour le sacrifice de *choses saintes, il offrit* deux bœufs, cinq béliers, cinq chevreaux, cinq agneaux nés dans l'année. Telle est l'offrande *qu'apporta spontanément et qu'offrit sur ses propres biens le chef de la tribu des fils d'Éphraïm,* Élishama, fils d'Ammihoud. **54.** Le huitième jour *de l'onction dédicatoire de l'autel,* le chef *de la tribu* des fils de Manassé, Gamliël, fils de Pedah Sour, *fit l'offrande.* **55.** L'offrande *qu'il présenta* consistait en une coupe d'argent dont le poids était de cent trente *sicles, en sicles du sanctuaire,* une écuelle d'argent *d'un poids* de soixante-dix sicles, en sicles du sanctuaire — *ces* deux *objets, la coupe et l'écuelle* —, *il les offrit* remplies de fleur de farine trempée dans l'huile, pour l'oblation ; **56.** un encensoir *dont le poids* était de dix *sicles d'argent, mais qui était fait* en or ; *il l'offrit* plein des *meilleurs et plus précieux* encens *aromatiques, (bien) dosés et purs, pour (préparer) l'encens* : **57.** un taurillon *âgé de trois ans,* un bélier *âgé de deux (ans)* et un agneau né dans l'année, *il offrit les trois* pour l'holocauste ; **58.** un petit chevreau *qu'il offrit* pour le sacrifice pour le péché, *pour obtenir le pardon des fautes et pour les offenses involontaires, pour faire, avec le sang du chevreau, l'expiation pour ses (propres) fautes et les fautes involontaires de la tribu.* **59.** Et pour le sacrifice de *choses saintes, il offrit* deux bœufs, cinq béliers, cinq chevreaux, cinq agneaux nés dans l'année. Telle est l'offrande *qu'apporta spontanément et qu'offrit sur ses propres biens le chef de la tribu des fils de Manassé,* Gamliël, fils de Pedah Sour. **60.** Le neuvième jour *de l'onction dédicatoire de l'autel,* le chef *de la tribu* des fils de Benjamin, Abidan, fils de Gideoni, *fit l'offrande.* **61.** L'offrande *qu'il présenta* consistait en une coupe d'argent dont le poids était de cent trente *sicles, en sicles du sanctuaire,* une écuelle d'argent *d'un poids* de soixante-

53. et, pour le sacrifice de *choses saintes,* (deux) bœufs[19], etc.
54. Le huitième jour, le chef *de clan* des fils de Manassé,
Gamliël, fils de Pedah Sour, *fit l'offrande.* **55.** L'offrande
qu'il présenta consistait en une coupe, etc. **56.** un encensoir
d'un poids de, etc. **57.** un taurillon, etc. **58.** un petit
chevreau, etc. **59.** et, pour le sacrifice de *choses saintes,*
deux bœufs, etc. **60.** Le neuvième jour, le chef *de clan*
des fils de Benjamin, Abidan, fils de Gideoni, *fit l'offrande.*
61. L'offrande *qu'il présenta* consistait en une coupe[20], etc.

19. Absent de *ed. pr.*
20. Absent de *ed. pr.*

dix sicles, en sicles du sanctuaire — *ces* deux *objets, la coupe et l'écuelle —, il les offrit* remplies de fleur de farine trempée dans l'huile, pour l'oblation ; **62.** un encensoir *dont le poids* était de dix *sicles d'argent, mais qui était fait* en or ; *il l'offrit* plein des *meilleurs et plus précieux* encens *aromatiques, (bien) dosés et purs, pour (préparer) l'encens* ; **63.** un taurillon *âgé de trois ans*, un bélier *âgé de deux (ans)* et un agneau né dans l'année, *il offrit les trois* pour l'holocauste ; **64.** un petit chevreau *qu'il offrit* pour le sacrifice pour le péché, *pour obtenir le pardon des fautes et pour les offenses involontaires, pour faire, avec le sang du chevreau, l'expiation pour ses (propres) fautes et les fautes involontaires de la tribu.* **65.** Et pour le sacrifice de *choses saintes, il offrit* <deux> bœufs, <cinq béliers, cinq chevreaux>, cinq <agneaux>[22] nés dans l'année. Telle est l'offrande *qu'apporta spontanément et qu'offrit sur ses propres biens le chef de la tribu des fils de Benjamin*, Abidan, fils de Gideoni. **66.** Le dixième jour *de l'onction dédicatoire de l'autel*, le chef *de la tribu* des fils de Dan, Akhiézér, fils d'Ammi Shaddaï, *fit l'offrande*. **67.** L'offrande *qu'il présenta* consistait en une coupe d'argent dont le poids était de cent trente *sicles, en sicles du sanctuaire*, une écuelle d'argent *d'un poids* de soixante-dix sicles, en sicles du sanctuaire — *ces* deux *objets, la coupe et l'écuelle —, il les offrit* remplies de fleur de farine trempée dans l'huile, pour l'oblation ; **68.** un encensoir *dont le poids* était de dix *sicles d'argent, mais qui était fait* en or ; *il l'offrit* plein des *meilleurs et plus précieux* encens *aromatiques, (bien) dosés et purs, pour (préparer) l'encens* ; **69.** un taurillon *âgé de trois ans*, un bélier *âgé de deux (ans)* et un agneau né dans l'année, *il offrit les trois* pour l'holocauste ; **70.** un petit chevreau *qu'il offrit* pour le sacrifice pour le péché, *pour obtenir le pardon des fautes et pour les offenses involon-taires, pour faire, avec le sang du chevreau, l'expiation pour ses (propres) fautes et les fautes involontaires de la tribu.* **71.** Et pour le sacrifice de *choses saintes, il offrit* deux

62. un encensoir *d'un poids de*, etc. **63.** un taurillon, etc. **64.** un petit chevreau, etc. **65.** et, pour le sacrifice de *choses saintes*, (deux)[21] bœufs, etc. **66.** Le dixième jour, le chef *de clan* des fils de Dan, Akhiézér, fils d'Ammi Shaddaï, *fit l'offrande.* **67.** L'offrande *qu'il présenta* consistait en une coupe, etc. **68.** un encensoir *d'un poids*[23] *de*, etc. **69.** un[24] taurillon, etc. **70.** un petit chevreau, etc. **71.** et, pour le sacrifice de *choses saintes*, (deux) bœufs, etc.

---

21. Chiffre donné par *ed. pr.*
22. Sauté par homoioteleuton (*twryn*?).
23. Manque dans *ed. pr. Id.* vv. 74.80.
24. Omis dans 27031. *Id.* vv. 75.81.

bœufs, cinq béliers, cinq chevreaux, cinq agneaux nés dans l'année. Telle est l'offrande *qu'apporta spontanément et qu'offrit sur ses propres biens le chef de la tribu des fils de Dan*, Akhiézér, fils d'Ammi Shaddaï. **72.** Le onzième jour *de l'onction dédicatoire de l'autel*, le chef *de la tribu* des fils d'Aser, Pageïêl, fils d'Okran, *fit l'offrande*. **73.** L'offrande *qu'il présenta* consistait en une coupe d'argent dont le poids était de cent trente *sicles, en sicles du sanctuaire*, une écuelle d'argent *d'un poids* de soixante-dix sicles, en sicles du sanctuaire — *ces* deux *objets, la coupe et l'écuelle —, il les offrit* remplies de fleur de farine trempée dans l'huile, pour l'oblation ; **74.** un encensoir *dont le poids* était de dix *sicles d'argent, mais qui était fait* en or ; *il l'offrit* plein *des meilleurs et plus précieux* encens *aromatiques, (bien) dosés et purs, pour (préparer) l'encens* ; **75.** un taurillon *âgé de trois ans*, un bélier *âgé de deux (ans)* et un agneau né dans l'année, *il offrit les trois* pour l'holocauste ; **76.** un petit chevreau *qu'il offrit* pour le sacrifice pour le péché, *pour obtenir le pardon des fautes et pour les offenses involontaires, pour faire, avec le sang du chevreau, l'expiation pour ses (propres) fautes et les fautes involontaires de la tribu*. **77.** Et pour le sacrifice de *choses saintes, il offrit* deux bœufs, cinq béliers, cinq chevreaux, cinq agneaux nés dans l'année. Telle est l'offrande *qu'apporta spontanément et qu'offrit sur ses propres biens le chef de la tribu des fils d'Aser*, Pageïêl, fils d'Okran. **78.** Le douzième jour *de l'onction dédicatoire de l'autel*, le chef *de la tribu* des fils de Nephtali, Akhira, fils d'Eynan, *fit l'offrande*. **79.** L'offrande *qu'il présenta* consistait en une coupe d'argent dont le poids était de cent trente *sicles, en sicles du sanctuaire*, une écuelle d'argent *d'un poids* de soixante-dix sicles, en sicles du sanctuaire — *ces* deux *objets, la coupe et l'écuelle —, il les offrit* remplies de fleur de farine trempée dans l'huile, pour l'oblation ; **80.** un encensoir *dont le poids* était de dix *sicles d'argent, mais qui était fait* en or ; *il l'offrit* plein des *meilleurs et plus précieux* encens

72. Le onzième jour, le chef *de clan* des fils d'Aser, Pageïêl, fils d'Okran, *fit l'offrande.* **73.** L'offrande *qu'il présenta* consistait en une coupe, etc. **74.** un encensoir *d'un poids de,* etc. **75.** un taurillon, etc. **76.** un petit chevreau, etc. **77.** et, pour le sacrifice de *choses saintes,* (deux) bœufs, etc. **78.** Le douzième jour, le chef *de clan* des fils de Nephtali, Akhira, fils d'Eynan, *fit l'offrande.* **79.** L'offrande *qu'il présenta* consistait en une coupe, etc. **80.** un encensoir

aromatiques, (bien) dosés et purs, pour (préparer) l'encens ;
81. un taurillon *âgé de trois ans*, un bélier *âgé de deux (ans)*
et un agneau né dans l'année, *il offrit les trois* pour l'holocauste ; **82.** un petit chevreau *qu'il offrit* pour le sacrifice
pour le péché, *pour obtenir le pardon des fautes et pour
les offenses involontaires, pour faire, avec le sang du chevreau,
l'expiation pour ses (propres) fautes et les fautes involontaires
de la tribu.* **83.** Et pour le sacrifice de *choses saintes, il
offrit* deux bœufs, cinq béliers, cinq chevreaux, cinq
agneaux nés dans l'année. Telle est l'offrande *qu'apporta
spontanément et qu'offrit sur ses propres biens le chef de
la tribu des fils de Nephtali,* Akhira, fils d'Eynan. **84.** Telle
fut *l'onction* dédicatoire de l'autel, le jour où on l'oignit,
(avec ce qui fut offert) de la part des princes *des enfants*
d'Israël : coupes d'argent, douze ; écuelles d'argent, douze ;
encensoirs <d'or>[26], douze. **85.** *Le poids de* chaque coupe
d'argent était de cent trente *sicles* et celui de chaque
écuelle, de soixante-dix. Le total de l'argent de (ces)
objets était de deux mille quatre cents *sicles*, en sicles du
sanctuaire. **86.** Les douze encensoirs d'or, pleins d'encens[q],
chaque encensoir étant de dix (sicles)[r] chacun, en sicles du
sanctuaire, donnaient un total, pour l'or des encensoirs,
de cent vingt (sicles). **87.** Total des taureaux pour l'holocauste : douze taureaux ; béliers, douze ; agneaux nés
dans l'année, douze, avec les oblations correspondantes ;
et douze chevreaux pour le sacrifice pour le péché. **88.** Total
des taureaux des sacrifices de *choses saintes* : vingt-quatre

---

q. M : pleins d'encens aromatiques précieux   r. M : sicles

---

x. Sifré Nombr. (155)   λ. Nombr. R 7,88 (629)   μ. Nombr. R
7,88 (630)

---

25. Les deux témoins de Jo transcrivent à nouveau le Targum
en entier.

d'un poids de, etc. **81.** un taurillon, etc. **82.** un petit chevreau, etc. **83.** Et[25], pour le sacrifice de *choses saintes*, deux bœufs, cinq béliers, cinq boucs, cinq agneaux nés dans l'année. Telle est *la liste de* l'offrande *qu'offrit, de ses biens*, Akhira, fils d'Eynan. **84.** Telle fut *l'onction* dédicatoire de l'autel, le jour où on l'oignit, (avec ce qui fut offert) sur *les biens*[χ] des princes d'Israël : coupes d'argent, douze — *correspondant aux douze tribus* — ; écuelles d'argent, douze — *correspondant aux douze princes des enfants d'Israël* — ; encensoirs d'or, douze — *correspondant aux douze constellations*[λ]. **85.** *Le poids de* chaque coupe d'argent *était* de cent trente *sicles* — *correspondant aux années qu'avait Jokébéd lorsqu'elle enfanta Moïse;* et *le poids de* chaque écuelle *était* de soixante-dix *sicles* — *correspondant aux soixante-dix anciens du Grand Sanhédrin.* Le total de l'argent de (ces) objets était de deux mille quatre cents *sicles*, en sicles du sanctuaire. **86.** Encensoirs d'or : douze, — *correspondant aux princes d'Israël* —, pleins d'encens *aromatiques précieux* ; chaque encensoir avait *un poids de* dix *sicles*, en sicles du sanctuaire, — *correspondant aux Dix Paroles.* Tout l'or des encensoirs (se montait à) cent vingt (sicles), — *correspondant aux années que vécut Moïse, le prophète*[μ]. **87.** Total des taureaux pour l'holocauste : douze taureaux, — *(un) pour (chaque) chef de clan;* béliers, douze, — *pour que périssent les douze princes d'Ismaël;* agneaux nés dans l'année, douze, — *pour que périssent les douze princes d'Ésaü*[27] —, avec les oblations correspondantes — *pour que la famine s'éloigne du monde;* et douze petits chevreaux, pour le sacrifice pour le péché — *pour faire expiation pour les fautes des douze tribus.* **88.** Total des taureaux *pour* les sacrifices de choses saintes :

26. Texte : « d'argent ».
27. *Ed. pr.* : « de Perse ». Modification fréquente pour éviter la censure (Ésaü = Édom = Rome). Cf. note à *Lév.* 26,44.

taureaux ; béliers, soixante ; chevreaux, soixante ; agneaux
nés dans l'année, soixante. Telle fut (l'offrande) pour
l'onction dédicatoire de l'autel, après qu'on l'eut oint.
89. Or, quand Moïse entrait dans la Tente de Réunion pour
parler avec Lui, il entendait la voix *du Verbe* qui *parlait*
avec lui[s] d'au-dessus du propitiatoire qui était sur l'arche
du Témoignage, d'entre les deux chérubins ; *c'est de là
que le Verbe* parlait avec lui.

CHAPITRE VIII

1. Yahvé[a] parla à Moïse, en disant : **2.** « Parle à Aaron
et tu lui diras : Quand tu *arrangeras* les lampes, les sept
lampes éclaireront sur le devant du candélabre. » **3.** Ainsi
fit Aaron : il *disposa* les lampes sur le devant du candélabre,
selon ce que Yahvé avait commandé à Moïse. **4.** Voici
comment était fait le candélabre : d'or martelé, y compris
sa base *et* ses fleurs, (également) (en or) martelé. Conformément à la vision que Yahvé avait fait voir à Moïse, ainsi

s. M : avec Moïse
  a. M : la Parole de Y. Id. v. 3.4.5.20.22.23   b. = O

v. Nombr. R (630)   ξ. Nombr. R (630)   o. Nombr. R (630)   π.
Sifré Nombr. (158) ; Nombr. R (632)
  α. Sifré Nombr. (160)   β. Sifré Nombr. (165)

28. Cf. *T Nombr.* 3,7 (Jo). Sections sacerdotales appelées ici
mṭrt' (en hébreu *mishmārôt*).
  29. Interprétation analogue du mot *qôl* (voix) dans *Gen. R* 16,2
(380). N emploie *(ql) dbyrh* et M *qlh ddbyrh* : voir note à *Gen.* 3,10.
M. McNamara (*New Test. and Pal. Targum*, 184) a rapproché ce
texte de *II Cor.* 3,17. Noter que *LXX* est plus explicite que l'hébreu :
τὴν φωνὴν κυρίου λαλοῦντος (cf. N et *Pesh.* : *mmll*).
  30. Forme réfléchie (ou passive) *mtmlyl*, au lieu de la forme
active de l'hébreu : cf. note à *Lév.* 1,1 et l'explication que donne

vingt-quatre taureaux, — *correspondant aux vingt-quatre gardes*[28] *(sacerdotales)*[v]; béliers, soixante — *correspondant aux soixante années qu'avait Isaac lorsqu'il engendra Jacob*[ξ]; boucs, soixante — *correspondant aux soixante lettres de la bénédiction des prêtres;* agneaux nés dans l'année, soixante — *pour expier pour les soixante myriades d'Israël*[o]. Telle fut (l'offrande) pour *l'onction* dédicatoire de l'autel, *le jour où* on l'oignit. **89.** Or, quand Moïse entrait dans la Tente de Réunion pour parler avec Lui, il entendait la voix *de l'Esprit*[29] qui s'entretenait avec lui, *après être descendu du haut des cieux*[π] au-dessus du propitiatoire qui était sur l'arche du Témoignage, d'entre les deux chérubins ; et *c'est de là que le Verbe s'entretenait*[30] avec lui.

CHAPITRE VIII

1. Yahvé parla à Moïse, en disant : **2.** « Parle à Aaron et tu lui diras : Lorsque tu *allumeras*[b] les lampes, sept lampes éclaireront sur le devant du candélabre, *trois du côté ouest, trois du côté est et la septième au milieu*[α]. » **3.** Ainsi fit Aaron : il *alluma* ses lampes sur le devant du candélabre, selon ce que Yahvé avait commandé à Moïse. **4.** Voici comment était fait le candélabre : *d'une facture difficile*[1β] en or, y compris sa base *et* ses fleurs ; c'était *un travail d'artiste travaillé au marteau.* Conformément à la vision que Yahvé avait fait voir à Moïse,

---

Rᴀsʜɪ de la forme hébraïque *middabbēr* qui précède. « Verbe » : 27031 — *dbyr'* ; ed. pr. *dbwr'*.

1. TM : *miqshá* = (or) battu, martelé. Jo, à *Ex.* 25,31.36, comprenait ainsi ce texte (comme ici N et O). Il le rattache ici à la racine signifiant « difficile » : *mĭnā' qashyā'* que Jᴀsᴛʀᴏᴡ (1430) explique : « something hard to understand ». Jo et *Sifré* font allusion à la difficulté du travail, non à la dureté du métal : cf. note de K. G. Kᴜʜɴ (165).

Besaléel avait-il fait le candélabre. **5.** Yahvé parla à Moïse,
en disant : **6.** « Mets à part les Lévites d'entre les enfants
d'Israël et purifie-les. **7.** Ainsi[c] leur feras-tu pour les purifier : Asperge-les avec l'eau lustrale, puis ils feront passer
le rasoir sur tout leur corps. Ils laveront ensuite leurs
vêtements et ils seront purs. **8.** Puis ils prendront un
taurillon avec l'oblation de fleur de farine trempée dans
l'huile, tandis que tu prendras un second taurillon pour le
sacrifice pour le péché. **9.** Tu feras approcher les Lévites
devant la Tente de Réunion et tu réuniras toute la communauté des enfants d'Israël. **10.** Lorsque tu auras fait
avancer les Lévites devant Yahvé, les enfants d'Israël
imposeront les mains aux Lévites. **11.** Alors Aaron offrira
les Lévites comme offrande de présentation devant Yahvé,
de la part des enfants d'Israël, et ils seront affectés au
service de Yahvé. **12.** Les Lévites appuieront leurs mains
sur les têtes des taurillons, et tu *offriras* l'un en sacrifice
pour le péché et l'autre en holocauste *devant* Yahvé, afin
de faire l'expiation pour les Lévites. **13.** Ayant placé
les Lévites devant Aaron et devant ses fils, tu les offriras
comme offrande de présentation *devant* Yahvé. **14.** Quand
tu auras mis les Lévites à part, du milieu des enfants
d'Israël, les Lévites appartiendront à *mon Nom.* **15.** Après
cela, les Lévites pourront entrer au service de la Tente de
Réunion, une fois que tu les auras purifiés et en auras fait
une offrande de présentation. **16.** Car ils me sont remis
comme *un don* d'entre les enfants d'Israël ; je les ai *mis*
à part pour *mon Nom* à la place de tout ce qui ouvre le sein
maternel, c'est-à-dire de tout premier-né des enfants
d'Israël. **17.** C'est à *mon Nom*[f], en effet, qu'appartiennent

c. M : et c'est selon ce rituel que   d. = O   e. = O   f. M :
(car) j'ai mis à part pour mon Nom

γ. Nombr. R (650)

ainsi *Besaléel*ᵞ avait-il fait le candélabre. **5.** Yahvé parla
à Moïse, en disant : **6.** « *Fais avancer* les Lévites d'entre
les enfants d'Israël et purifie-les. **7.** Ainsi leur feras-tu
pour les purifier : Asperge-les avec l'eau lustrale, puis
ils feront passer le rasoir sur tout *le poil de* leur corps.
Ils laveront ensuite leurs vêtements et se purifieront *dans
quarante seah d'eau.* **8.** Puis ils prendront un taurillon
avec son oblation de fleur de farine pétrie dans l'huile
d'olives, tandis que tu prendras un second taurillon pour
le sacrifice pour le péché. **9.** Tu feras approcher les Lévites
devant la Tente de Réunion et tu réuniras la communauté
des enfants d'Israël. **10.** Lorsque tu auras fait avancer
les Lévites devant Yahvé, les enfants d'Israël imposeront
les mains aux Lévites. **11.** Alors Aaron fera des Lévites
une offrande de présentation devant Yahvé, de la part
des enfants d'Israël, et ils seront affectés au service de
Yahvé. **12.** Les Lévites appuieront leurs mains sur la
tête des taurillons, et tu sacrifieras l'un comme sacrifice
pour le péché et l'autre comme holocauste *devant* Yahvé,
afin de faire l'expiation pour les Lévites. **13.** Ayant placé
les Lévites devant Aaron et devant ses fils, tu en feras
une offrande de présentation *devant* Yahvé. **14.** Quand
tu auras mis les Lévites à part, du milieu des enfants
d'Israël, les Lévites *serviront en ma présence*ᵈ. **15.** Après
cela, les Lévites pourront entrer pour accomplir *le service*²
de la Tente de Réunion, une fois que tu les auras purifiés³
et en auras fait une offrande de présentation. **16.** Car
ils ont été *expressément séparés en ma présence*ᵉ du milieu
des enfants d'Israël ; je les ai *fait approcher devant* moi
à la place de tout ce qui ouvre le sein maternel, c'est-à-dire
de tous les premiers-nés d'entre les enfants d'Israël.
17. C'est à moi, en effet, qu'appartient tout premier-né

---

2. *lmplḥ yt pwlḥn.* Cf. quelques mss du TM, *Sam.* et *LXX*
(ἐργάζεσθαι τὰ ἔργα) et Oᵛᵃʳ.
3. Au lieu de *tdky* (cf. TM), 27031 écrit *trby* (consacrer, oindre).

tous les premiers-nés des enfants d'Israël, tant parmi les
hommes que parmi les bêtes. Le jour où j'ai *mis à mort*
tous les premiers-nés au pays d'Égypte, je les <ai
consacrés>[4g] à *mon Nom*, **18.** et j'ai pris les Lévites à
la place de tous les premiers-nés des enfants d'Israël.
19. J'ai remis les Lévites comme *un don* à Aaron et à ses
fils, d'entre les enfants d'Israël, pour s'acquitter du service
des enfants d'Israël dans la Tente de Réunion et pour
faire l'expiation pour les enfants d'Israël, afin que ne
(sévisse) point contre les enfants d'Israël la colère (divine),
quand les enfants d'Israël s'approcheront[h] du sanctuaire. »
20. Ainsi firent donc Moïse, Aaron et toute la communauté
des enfants d'Israël à l'égard des Lévites. Tout ce que
Yahvé avait commandé à Moïse au sujet des Lévites, les
enfants d'Israël le firent à leur endroit. **21.** Les Lévites
se purifièrent donc et lavèrent leurs vêtements ; <Aaron
en fit une offrande de balancement devant Yahvé ; puis
Aaron fit sur eux le rite d'expiation>[5] pour les purifier.
22. Après cela, les Lévites purent commencer à s'acquitter
de leur service dans la Tente de Réunion en présence
d'Aaron et en présence de ses fils. Selon ce que Yahvé avait
commandé à Moïse au sujet des Lévites, ainsi fit-on à leur
endroit. **23.** Yahvé parla à Moïse, en disant : **24.** « Voici
ce que *tu feras* pour les Lévites[i] : Depuis l'âge de *vingt* ans[6]
et au-dessus, (le Lévite) entrera dans l'armée de combat,
en assurant le service *dans* la Tente de Réunion. **25.** Mais
à partir de l'âge de cinquante ans, il se retirera de l'armée
de combat, il ne servira pas davantage. **26.** Il sera au service

g. M : mis à part   h. M : (afin que ne sévisse point) une mort
dévastatrice quand les enfants d'Israël s'approcheront   i. M : voici
le service qui revient aux Lévites

δ. Sifré Nombr. (168) ; Hul. 24 a

4. Oublié (en début de ligne) ; restitué en marge (en écriture carrée).

parmi les enfants d'Israël, qu'il s'agisse d'homme ou de
bête. Le jour où j'ai *mis à mort* tout premier-né au pays
d'Égypte, je les ai consacrés *en ma présence*, **18.** et j'ai
fait approcher les Lévites à la place de tout premier-né
parmi les enfants d'Israël. **19.** J'ai donné (et) attribué
les Lévites, d'entre les enfants d'Israël, à Aaron et à ses
fils, pour s'acquitter du service des enfants d'Israël dans
la Tente de Réunion et pour faire l'expiation pour les
enfants d'Israël, afin que ne (sévisse) point *la mort* contre
les enfants d'Israël, lorsque les enfants d'Israël s'approcheront du sanctuaire. » **20.** Ainsi firent donc Moïse, Aaron
et toute la communauté des enfants d'Israël à l'égard
des Lévites. Selon tout ce que Yahvé avait commandé
à Moïse au sujet des Lévites, ainsi agirent les enfants
d'Israël à leur endroit. **21.** Les Lévites se purifièrent donc
et lavèrent leurs vêtements. Aaron en *fit une offrande
de présentation* devant Yahvé ; puis Aaron fit sur eux le
rite d'expiation pour les purifier. **22.** Après cela, les Lévites
purent commencer à s'acquitter de leur service dans la
Tente de Réunion en présence d'Aaron et en présence de
ses fils. Selon ce que Yahvé avait commandé à Moïse
au sujet des Lévites, ainsi fit-on à leur endroit. **23.** Yahvé
parla à Moïse, en disant : **24.** « Voici *l'instruction* concernant
les Lévites : *Ils ne sont point rendus inaptes du fait d'une
tare physique*[6], *mais* (le Lévite) ne pourra venir servir
dans la milice, au service de la Tente de Réunion, qu'à
partir de l'âge de vingt-cinq ans et au-delà. **25.** Mais à
partir de l'âge de cinquante ans, il quittera la milice de
service et ne servira pas plus longtemps. **26.** Il pourra

---

5. Restitué par M avec les variantes ; mais il manque le nom
d'Aaron.

6. Sans doute lire « vingt-cinq » (« cinq » oublié). La paraphrase
de Jo résume *Sifré* où l'on raisonne *a fortiori* à partir des lois d'inva-
lidité concernant les prêtres.

de ses frères dans la Tente de Réunion pour assurer la garde, mais il n'accomplira plus de service. C'est selon *cette norme* que tu agiras à l'endroit des Lévites, pour ce qui concerne leurs gardes. »

CHAPITRE IX

1. Yahvé[a] parla à Moïse dans le désert du Sinaï, la deuxième année après que *les enfants d'Israël* étaient sortis *libérés* du pays d'Égypte, le premier mois, en disant : **2.** « Les enfants d'Israël célébreront la Pâque[b] en son temps. **3.** C'est le quatorzième jour de ce mois[c], au crépuscule, que vous la ferez, en son temps ; selon toutes ses lois et selon *la teneur de* toutes ses prescriptions, vous la ferez. » **4.** Et Moïse dit aux enfants d'Israël de faire la Pâque. **5.** Ils firent donc la Pâque, le premier *mois*[d], le quatorzième jour du mois, au crépuscule, dans le désert du Sinaï. <Selon>[3] tout ce que Yahvé avait commandé à Moïse, ainsi firent les enfants d'Israël. **6.** Or il y avait[e] des hommes qui se trouvaient impurs par *souillure*[f] *de* cadavre d'homme et qui ne pouvaient faire la Pâque ce

a. M : la Parole de Y. Id. v. 5.9   b. M : l'immolation (de la Pâque)   c. M : au mois de nisan   d. O : en nisan   e. M¹ : + là   f. = O. Id. v. 7

ε. Sifré Nombr. (169)
α. Sifré Nombr. (176) ; Suk. 25 b ; Pes. 90 a ; Meg 3 b

7. Reprend l'exégèse de O qui entend la particule d'accusatif *'ēt* au sens de la préposition *'ēt* (avec).
8. Cet ajout manque dans *ed. pr.*
1. *nykst.* Dans M, lire *mks* (immolation) qui se retrouve à *T Ex.* 12,11 (M) ; 12,27 (N) ; *T Lév.* 23,5 (M). Sur ce chapitre, cf. R. GOETSCHEL, « Le midrash de la seconde Pâque », dans *RevSR* 47 (1973), 162-168.

servir *avec*[7] ses frères dans la Tente de Réunion pour assurer la garde, mais il n'accomplira plus de service. Ainsi agiras-tu à l'endroit des Lévites, pour ce qui concerne leurs gardes, *jusqu'à ce que vous soyez entrés dans le pays*[8ε]. »

CHAPITRE IX

1. Yahvé parla à Moïse dans le désert du Sinaï, la deuxième année après leur sortie du pays d'Égypte, le premier mois, en disant : **2.** « Les enfants d'Israël feront *le sacrifice*[1] *de* la Pâque, *au crépuscule*, en son temps. **3.** C'est[2] le quatorzième jour de ce mois, au crépuscule, que vous la ferez, en son temps ; selon toutes ses lois et selon toutes ses prescriptions, vous la ferez. » **4.** Et Moïse dit aux enfants d'Israël de faire *le sacrifice de* la Pâque. **5.** Ils firent donc la Pâque, <le premier (mois)>, le quatorzième jour du mois, au crépuscule, dans le désert du Sinaï. Selon tout ce que Yahvé avait commandé à Moïse, ainsi firent les enfants d'Israël. **6.** Or il y avait des hommes qui se trouvaient impurs par *souillure d'*un cadavre d'un homme *qui était mort près d'eux inopinément,* — *au sujet duquel leur avait incombé le devoir*[α] *(des honneurs dus aux morts)*[4]. Ils ne pouvaient donc faire la Pâque

---

2. Le scribe du 27031 écrit par erreur : « Et ils firent la Pâque... » (début du v. 5), avant de transcrire le v. 3. Puis il écrit le v. 5, avec le lemme hébreu (surmonté de la lettre *beth*). Ensuite vient le lemme du v. 4 (avec la lettre *aleph*) et un espace blanc où il a oublié de transcrire le Targum. Il s'est donc rendu compte de son erreur, mais ne l'a que partiellement corrigée.

3. En lisant *kkl* (avec I), au lieu de *kl* (tout).

4. Cf. note à 6,9 et *SB* I, 487-489 (à propos de *Matth.* 8,21). Il s'agit d'un défunt qui n'a personne qui se charge de sa sépulture.

jour-là[g]. <Ils vinrent donc trouver Moïse et Aaron ce jour-là>[5]. **7.** Ces hommes lui[h] dirent : « Nous sommes impurs par *souillure* d'un cadavre d'homme ; (mais) pourquoi serions-nous empêchés d'offrir l'offrande de Yahvé, en son temps, au milieu des enfants d'Israël ? » **8.** Et il leur dit[i] : « *C'est là*[j] *l'une des quatre causes qui furent évoquées devant Moïse*[k]. *En deux d'entre elles, Moïse fut rapide, et en deux d'entre elles, Moïse fut lent. Dans le cas de ceux qui étaient impurs et ne purent faire la Pâque en temps voulu, et dans le jugement*[l] *des filles de Selopkhad, Moïse fut rapide, parce que leurs causes étaient des causes d'ordre pécuniaire. Dans le cas de celui qui ramassait du bois et avait profané avec impudence le sabbat et de celui du blasphémateur qui avait prononcé*[m] *le saint Nom en l'outrageant, Moïse fut lent, parce qu'il s'agissait là de causes capitales*[n]. *(Cela) afin d'enseigner aux juges qui devaient exister après Moïse à être rapides dans les causes pécuniaires et lents dans les causes capitales, pour qu'ils ne se hâtent point de mettre à mort celui qui est passible de mort par jugement, et qu'ils n'aient point honte de dire :* « Nous n'avons pas entendu », *puisque Moïse, notre Maître, dit :* « Je n'ai pas entendu. » — Moïse leur dit[o] : « Levez-vous *maintenant*, et je *vous* ferai entendre ce qui *est décidé de par devant* Yahvé, *que l'on fasse* à votre sujet. » **9.** Yahvé parla à Moïse, en disant : **10.** « Parle aux enfants d'Israël, en

g. M[2] : Or il y avait les hommes qui avaient transporté le cercueil de Joseph et qui avaient transporté Nadab et Abihou, les fils d'Aaron et il ne leur était pas possible de faire la Pâque   h. M : à Moïse   i. M : Moïse (dit) : Levez-vous maintenant et je vous ferai entendre ce qui est décidé de par devant Y que l'on fasse à votre sujet. C'est là l'une (des quatre causes)   j. C'est là ... à votre sujet = F   k. M : + notre Maître   l. F M : et à cause   m. F M : blasphémé   n. F M : + dans les unes et dans les autres (causes) il dit : Je n'ai point entendu. (Cela) afin d'enseigner aux juges qui étaient destinés à se lever après Moïse   o. F : Et il leur dit : Levez-vous et écoutez ce que la Parole de Y vous a prescrit   p. Attendez ... concerne = O

ce jour-là, *qui était le septième jour*ᵝ *de leur impureté.*
Ils vinrent trouver Moïse et Aaron, ce jour-là. **7.** Ces
hommes lui dirent : « Nous sommes impurs à cause d'un
homme *qui est mort près de nous* ; pourquoi *donc* serions-nous
empêchés *d'immoler la Pâque et de répandre le sang* de
l'offrande de Yahvé *sur l'autel*, en son temps, *tandis
qu'on en mangera la chair, en état de pureté*ᵞ, au milieu des
enfants d'Israël? » **8.** *C'est là*⁶ *l'une des quatre causes que
l'on introduisit devant Moïse, le prophète, et il les jugea
selon la Parole de sainteté. Dans une partie d'entre elles,
Moïse fut lent, car il s'agissait de causes capitales et, dans
une partie d'entre elles, Moïse fut rapide, car il s'agissait
de causes d'ordre pécuniaire. Dans les unes et dans les
autres, Moïse dit : « Je n'ai pas entendu ! » (Cela) afin
d'apprendre aux chefs des sanhédrins qui étaient destinés
à se lever après lui, à être lents dans les causes capitales
et rapides dans les causes d'ordre pécuniaire, et qu'ils n'aient
point honte de faire enquête dans les cas qui leur font
difficulté. En effet Moïse, qui était le Maître*⁷ *d'Israël,
avait dû dire : « Je n'ai pas entendu. »* C'est pourquoi Moïse
leur dit : « *Attendez*ᴾ *jusqu'à ce que* j'entende ce qui *est
prescrit de par-devant* Yahvé *pour ce qui* vous *concerne* ! »
9. Yahvé parla à Moïse, en disant : **10.** « Parle aux enfants

---

β. Sifré Nombr. (176)   γ. Sifré Nombr. (177)

---

5. Omis dans texte et marge.

6. Cf. notes à *Lév.* 24,12. Il est remarquable que Philon déjà
groupe ces « quatre cas » pour les étudier ensemble (*Mos.* II, §§ 192-
245). Cf. B. J. BAMBERGER, *HUCA* 16 (1941), 104-108.

7. Moïse, Maître *(rab)* d'Israël : cf. Philon (*Gig.* § 54 : διδάσκαλος
θείων ; *Spec.* I, § 59 : διδάσκαλος). Comparer *Jn* 9,28 ; *Matth.* 23,2.
On trouve aussi souvent *spr'*, comme dans *T Nombr.* 21,18 (Jo-N).
Pour d'autres titres de Moïse dans la tradition, voir S. LIEBERMAN,
Hellenism, 82.

disant : Si quelqu'un parmi vous ou vos descendants est
impur par *souillure*q *de* cadavre *d'homme* ou se trouve en
voyage au loin, il fera la Pâque *devant* Yahvé. **11.** C'est
le second mois, le quatorzième jour, au crépuscule, qu'ils
la feront. Ils la mangeront avec azymes et herbes amères.
12. Ils n'en laisseront rien jusqu'au matin et ils n'en
briseront aucun os[10r]. Ils la célébreront en observant toutes
les lois de la Pâque. **13.** Mais l'homme qui serait pur et ne
se trouverait pas en voyage *au loin* et qui se refuserait
à faire la Pâque, cette personne sera exterminée du milieu
de son peuple, parce qu'elle n'a pas offert, en son temps,
l'offrande de Yahvé ; cet homme encourra (le châtiment de)
ses fautes. **14.** Si un <immigrant>[11] habite avec vous et
célèbre la Pâque *devant* Yahvé, c'est selon les statuts de
la Pâque et selon son rituel *coutumier* qu'il (la) fera ; il y
aura pour vous une prescription unique *de la loi*, tant pour
l'immigrant que pour l'indigène du pays. » **15.** Le jour où
Moïse érigea le tabernacle, la nuée couvrit le tabernacle,
la Tente du Témoignage, et le soir il y eut, sur le tabernacle,

q. = O   r. M : et ils n'en négligeront point le précepte (en observant) toutes les lois de la Pâque   s. = O   t. = O M

δ. Sifré Nombr. (180)   ε. Sifré Nombr. (183)

8. Ginsburger supprime « pour une pollution nocturne » (parce
que contraire à la halakhah, selon Rieder). Cf. aussi S. GRONEMANN,
*Die Jonathan'sche Pentateuch-Uebersetzung in ihrem Verhältnisse zur
Halacha*, Leipzig 1879, 151.
9. Rieder lit « la Tente » (aussi au v. 13), s'inspirant sans doute
de *Sifré* (180) ; de même LEVY, II, 185. Le « lointain voyage » dont
parle l'hébreu est compris de l'éloignement du sanctuaire de Jérusalem
(cf. aussi *Pes.* 93 b). Mais le Targum semble transmettre une autre
interprétation : l'*éloignement* est compris de diverses impuretés qui
empêchent de manger la Pâque. C'est la dernière explication proposée
par *Sifré* (182), basée sur la présence d'un point supérieur sur la
dernière lettre de *rḥq* : « lointain (voyage) ». On lit *reḥōq* en donnant
à ce mot le sens d'impur et en le rattachant au terme « homme » du
début du verset. Sur cette paraphrase, cf. GEIGER, *Urschrift*, 185-187.

d'Israël, en disant : Si un homme *jeune ou* un homme *âgé*, parmi vous-*mêmes* ou vos descendants, s'est rendu impur par *souillure d'un homme qui est mort, ou s'il a éprouvé un écoulement ou s'il est lépreux, celui qui est interdit en matière sexuelle pour une pollution nocturne*[8] *et qui se trouvait en dehors du seuil de sa tente*[9S], *il devra remettre (à plus tard) de* faire la Pâque *devant* Yahvé. **11.** C'est le second mois, *c'est-à-dire le mois d'iyyar*, le quatorzième jour, au crépuscule, qu'ils la feront. Ils la mangeront avec azymes et herbes amères. **12.** Ils n'en laisseront rien jusqu'au matin et ils n'en briseront aucun os. Ils la célébreront en observant toutes les instructions *du rituel* de la Pâque *de nisan. Toutefois, pour la Pâque de nisan, ils pourront manger les azymes, mais ils n'accompliront point l'offrande pascale, parce qu'ils sont en état d'impureté. Mais, pour la Pâque d'iyyar, ils se purifieront et ils pourront l'offrir*[c]. **13.** Mais l'homme qui serait pur *et ne se serait point souillé en matière sexuelle* et ne se trouverait point *en dehors du seuil de sa tente*, et qui omettrait de faire *l'offrande de* la Pâque *de nisan*, cet *homme*[s] sera exterminé de son peuple, parce qu'il n'a pas offert, en son temps, l'offrande de Yahvé ; cet homme encourra (le châtiment de) sa faute. **14.** Que *si* un immigrant réside[t] avec vous et célèbre la Pâque *devant* Yahvé, c'est selon les instructions *du rituel* de la Pâque et selon ses usages qu'il la fera ; il y aura pour vous un statut unique, tant pour l'immigrant que pour l'indigène du pays. » **15.** Le jour où fut érigé le tabernacle, la nuée *de gloire* recouvrit le tabernacle ; *de jour elle ombrageait* la Tente du Témoignage, et le soir il y eut, sur le tabernacle, comme

---

10. Pour M, cf. note à *Ex.* 12,46. La variante ne mentionne pas explicitement les os non brisés ; cf. *Jn* 19,36.

11. Texte corrompu (*gzyl*?) ; lire *gywr*. N utilise le verbe *ytwtb* (TM : *yāgûr gēr*). M a *ytgyyr* (= O-Jo) : faut-il comprendre « prosélyte qui se convertit »? Cf. *Sifré* 185 (= *Mekhilta Ex.* 12,48). Voir notes à *Ex.* 12,38 et 12,48.

comme une apparition de feu, jusqu'au matin. **16.** Ainsi
en sera-t-il constamment : la nuée le recouvrira et, la nuit,
l'apparition d'un feu *inextinguible*[13]. **17.** *Au moment où*
la nuée se levait d'au-dessus du tabernacle, les enfants
d'Israël levaient aussitôt le camp ; et, à l'endroit où <la
nuée>[16] se posait, là campaient les enfants d'Israël.
18. Selon *la décision de la Parole* de Yahvé, les enfants
d'Israël se mettaient en route, et ils campaient selon
la décision de la Parole de Yahvé ; ils restaient campés aussi
longtemps que la nuée demeurait sur le tabernacle.
19. Quand la nuée s'attardait <de longs jours sur le
tabernacle, les enfants d'Israël observaient l'observance
de Yahvé et ne>[17] partaient point. **20.** Il y avait *des fois*
où la nuée demeurait peu de jours sur le tabernacle :
ils campaient alors selon *la décision de sa Parole*[18] et ils
levaient le camp selon *la décision de la Parole* de Yahvé.
21. Mais *parfois* la nuée n'était là que du soir au matin ;
la nuée se levait le matin et ils partaient. Ou bien la nuée
s'élevait après un jour et une nuit, et ils partaient. **22.** Ou
bien c'étaient deux jours, un mois ou de *nombreux* jours,
que la nuée s'attardait sur le tabernacle, en demeurant
au-dessus de lui ; les enfants d'Israël restaient alors
campés et ne partaient pas. Mais dès que s'élevait *la nuée*,
ils levaient le camp. **23.** Selon *la décision de la Parole*
de Yahvé, ils campaient, et selon *la décision de la Parole*
de Yahvé, ils levaient le camp. Ils observaient l'ordre de

u. = M   v. O : sur la Parole de Y. Id. v. 19.20.23

12. Cf. *Pesh.* et *LXX* (ἡμέρας).
13. *Litt.* « feu dévorant le feu ».
14. La fin du verset et le début du v. 17 manquent dans 27031,
le scribe ayant sauté de « nuée de gloire » à la même formule du v. 17.
15. Lacune dans 27031, le scribe sautant à la même expression
au début du v. 18.
16. Texte : « tabernacle ». Lire « nuée » avec M.

une apparition de feu, jusqu'au matin. **16.** Ainsi en
sera-t-il constamment : la nuée *de gloire*[u] le couvrira
de jour[12] et, la nuit, l'apparition de feu[14]. **17.** *Suivant
le moment où* s'élevait la nuée *de gloire* d'au-dessus du
tabernacle, les enfants d'Israël[15] levaient aussitôt le
camp ; et, à l'endroit où la nuée se posait, là campaient
les enfants d'Israël. **18.** Sur l'ordre de *la Parole de*[v] Yahvé,
les enfants d'Israël se mettaient en route, et sur l'ordre
de *la Parole de* Yahvé ils campaient ; aussi longtemps
que la nuée *de gloire* demeurait sur le tabernacle, *eux
aussi* restaient campés. **19.** Quand la nuée prolongeait
de nombreux jours (sa station) sur le tabernacle, les
enfants d'Israël observaient l'observance de *la Parole de*
Yahvé et ne partaient point. **20.** Il arrivait *parfois* que
la nuée *de gloire* ne demeurait que peu de jours, *ainsi les sept
jours de la semaine*, sur le tabernacle : ils campaient alors sur
l'ordre de *la Parole de* Yahvé et ils levaient le camp sur
l'ordre de *la Parole de* Yahvé. **21.** Il arrivait *parfois* que
la nuée *de gloire* n'était là que du soir au matin[19] ; la nuée
de gloire s'élevait le matin et ils partaient. Ou bien la
nuée s'élevait après un jour et une nuit, et ils partaient.
22. Ou bien c'étaient deux jours, un mois ou *une année
entière*, que la nuée *de gloire* prolongeait (sa station) sur
le tabernacle, en demeurant au-dessus de lui ; les enfants
d'Israël restaient alors campés et ne partaient pas. Mais
au moment où elle s'élevait, ils levaient le camp. **23.** Sur
l'ordre de *la Parole*[20] *de* Yahvé, ils campaient, et sur
l'ordre de *la Parole de* Yahvé, ils levaient le camp. Ils

17. Ajouté en marge (en cursive).

18. *mymrgh.* Peut-être faut-il corriger (avec O-Jo) : « la Parole
< de Yhwh > ». Cf. *T Nombr.* 10,35 (M) et *T Deut.* 33,7 (N).

19. *Litt.* : « du soir *et* jusqu'au matin ». *Id.* dans N, *Pesh.* et quelques
mss hébreux (TM : sans « et »).

20. Noter qu'en reprenant ce verset *Sifré Nombr.* 10,1 (186)
emploie le terme *dibbur (dbwr)* qui correspond à « Memra de Yhwh ».

Yahvé, selon *la décision de la Parole* de Yahvé (transmise)
par l'intermédiaire de Moïse.

CHAPITRE X

1. Yahvé[a] parla à Moïse, en disant : **2.** « Fais-toi deux
trompettes d'argent. Tu les feras (en argent) martelé ;
elles *vous* serviront à convoquer *le peuple de* la communauté
et à donner aux camps le (signal du) départ. **3.** Quand on
en sonnera, tout *le peuple de* la communauté s'assemblera
près de toi, à l'entrée de la Tente de Réunion. **4.** Mais si
l'on sonne d'une seule[b], ce sont les princes, les chefs de
milliers d'Israël, qui s'assembleront près de toi. **5.** Quand
vous sonnerez en fanfare, les camps qui sont[2] à l'est se
mettront en route. **6.** Et quand vous sonnerez en fanfare
une seconde *fois*, les camps qui sont au sud partiront.
Pour leurs déplacements on sonnera en fanfare, **7.** tandis
que, pour réunir l'assemblée, vous sonnerez, mais non en
fanfare. **8.** Ce sont les fils d'Aaron, les prêtres, qui sonneront
les trompettes : elles seront pour vous une institution
perpétuelle au long de vos générations. **9.** Lorsque, dans
votre pays, vous entrerez dans les formations de combat
contre vos ennemis, *contre l'adversaire* qui vous opprime,
vous sonnerez les trompettes ; votre souvenir viendra
devant Yahvé, votre Dieu, et vous serez libérés[d] de vos
ennemis. **10.** Le jour de vos réjouissances, au *temps de*
vos fêtes et de vos néoménies, vous sonnerez des trompettes
durant vos holocaustes et vos sacrifices de *choses saintes*,

---

a. M : la Parole de Y. Id. v. 32   b. M : + d'entre elles   c. = O
d. = O ‖ M : sauvés de la main de vos ennemis   e. = O

α. Sifré Nombr. (186) ; Nombr. R (657)   β. Sifré Nombr. (187)
γ. Sifré Nombr. (192)

observaient l'observance de *la Parole de* Yahvé, sur
l'ordre de *la Parole de* Yahvé, (transmis) par l'intermédiaire
de Moïse.

CHAPITRE X

1. Yahvé parla à Moïse, en disant : **2.** « Fais-toi, *de ce
qui t'appartient*α, deux trompettes d'argent. Tu les feras
d'une facture difficile[1]β, *travail d'artiste* ; elles te serviront
à rassembler la communauté et à donner aux camps
le (signal du) départ. **3.** Quand on en sonnera, toute la
communauté s'assemblera près de toi, à l'entrée de la
Tente de Réunion. **4.** Mais si l'on sonne d'une seule, ce
sont les princes, les chefs de milliers d'Israël, qui s'assembleront près de toi. **5.** Quand vous sonnerez en fanfare,
les camps qui sont à l'orient se mettront en route. **6.** Et
quand vous sonnerez en fanfare une seconde fois, les
camps qui sont au sud partiront. Pour leurs déplacements
on sonnera en fanfare, **7.** tandis que, lorsqu'on réunira
l'assemblée, vous sonnerez, mais non en fanfare. **8.** Ce
sont les fils d'Aaron, les prêtres *sans tare*γ, qui sonneront
les trompettes : elles seront pour vous une institution
perpétuelle au long de vos générations. **9.** Lorsque, dans
votre pays, vous serez sur le point *d'engager* le combat
contre des oppresseurs qui vous oppriment, vous sonnerez
des trompettes en fanfare[3] ; votre souvenir *pénétrera pour
le bien*c devant Yahvé, votre Dieu, et vous serez libérés
de vos ennemis. **10.** Le jour de vos réjouissances, de
vos fêtes et de vos néoménies, vous sonnerez des trompettes
durant vos holocaustes et vos sacrifices de *choses saintes*e,

---

1. Cf. note à 8,4.
2. *Litt.* : « qui campent ». *Id.* Jo (cf. TM).
3. *tyybbwn* (= O). Plus précis que N qui a *ttq'wn* : « vous sonnerez ».
Peut-être doit-on suppléer *ybbw* (cf. vv. 5.6) : « en fanfare ».

et elles seront pour vous un mémorial *favorable* devant votre
Dieu. Moi, Yahvé, (je suis) votre Dieu[f]. » **11.** La seconde
année, le vingt du mois, <la nuée>[5] s'éleva d'au-dessus
de la Tente du Témoignage ; **12.** les enfants d'Israël se
mirent alors en route du désert du Sinaï, pour leurs
déplacements. Et la nuée se posa dans le désert de Paran.
13. A partir en premier lieu, selon *la décision de la Parole*[6],
(transmise) par l'intermédiaire de Moïse, **14.** ce fut l'étendard du camp des fils de Juda, (répartis) selon leurs
formations, qui partit en tête. *Le chef qui était préposé*
aux formations *de la tribu des fils de Juda* était Nakhashon,
fils d'Amminadab ; **15.** aux formations de la tribu des
fils d'Issachar, Netanêl, fils de Souar ; **16.** aux formations
de la tribu des fils de Zabulon, Éliab, fils de Hélon. **17.** Une
fois démonté le tabernacle, les fils de Gershon partirent,
ainsi que les fils de Merari qui portaient le tabernacle.
18. Puis partit l'étendard du camp *de la tribu des fils* de
Ruben, selon leurs formations. *Le chef qui était préposé*
aux formations *de la tribu des fils de Ruben* était Élisour,
fils de Shedêyour ; **19.** aux formations de la tribu des fils
de Siméon, Sheloumiël, fils de Souri Shaddaï ; **20.** aux
formations de la tribu des fils de Gad, Élyasaph, fils de
Deouêl. **21.** Puis partirent *les fils* des Quehatites qui
portaient le sanctuaire ; on érigeait le tabernacle avant
leur arrivée. **22.** Puis partit l'étendard du camp *de la
tribu* des fils d'Éphraïm, selon leurs formations. *Le chef
qui était préposé* aux formations *de la tribu des fils d'Éphraïm*

---

f. M : ainsi parle Y   g. O : sur la Parole de Y   h. = M. Id. v.
20.23.26

δ. R.H. 16 b

---

4. Cf. *T Nombr.* 29,1 (Jo).
5. Mot oublié ; « le deuxième mois » du TM n'est pas traduit.

et elles seront pour vous un mémorial *favorable* devant votre Dieu. *Aussi bien Satan*[4] *est-il dérouté au son de votre fanfare*[5]. Je suis Yahvé, votre Dieu.» **11.** La seconde année, le deuxième mois, *c'est-à-dire le mois d'iyyar*, le vingt du mois, la nuée *de gloire* s'éleva d'au-dessus de la Tente du Témoignage ; **12.** les enfants d'Israël se mirent alors en route du désert du Sinaï, pour leurs déplacements. Et la nuée *de gloire* se posa dans le désert de Paran. **13.** A partir en premier lieu, sur l'ordre de *la Parole*[g] *de* Yahvé, (transmis) par l'intermédiaire de Moïse, **14.** ce fut l'étendard du camp des fils de Juda, (répartis) selon leurs formations, qui partit <en tête>. *Le chef qui était préposé* aux formations *de la tribu des fils de Juda* était Nakhashon, fils d'Amminadab. **15.** *Le chef qui était préposé* aux formations de la tribu des fils d'Issachar était Netanêl, fils de Souar. **16.** *Le chef qui était préposé*[h] aux formations de la tribu des fils de Zabulon était Éliab, fils de Hélon. **17.** Une fois démonté le tabernacle, les fils de Gershon partirent, ainsi que les fils de Merari qui transportaient le tabernacle. **18.** Puis partit l'étendard du camp de Ruben, selon leurs formations. *Le chef qui était préposé* aux formations *de sa tribu*[7] était Élisour, fils de Shedêyour. **19.** *Le chef qui était préposé* aux formations de la tribu des fils de Siméon était Sheloumiël, fils de Souri Shaddaï. **20.** *Le chef qui était préposé* aux formations de la tribu des fils de Gad était Élyasaph, fils de Deouêl. **21.** Puis partit *la famille de* Quehath, qui transportaient le sanctuaire ; on érigeait le tabernacle avant leur venue. **22.** Puis partit l'étendard du camp des fils d'Éphraïm, selon leurs formations. *Le chef qui était préposé* aux formations *de sa tribu* était

---

6. Mot abrégé *(mymr)* en fin de ligne ; lire *m̥ymr'* ou *mymryh*. Sans doute restituer « Parole de Y » (cf. Jo et O).

7. *Ed. pr.* : « de la tribu des fils de Ruben ». *Id.* v. 22 : «... d'Éphraïm ». Noter que M a un verbe au futur (aux vv. 18.22.25) : *yṭlwn*. Comparer la forme ἐξαροῦσιν de *LXX* (vv. 22.25).

était Élishama, fils d'Ammihoud ; **23.** aux formations
de la tribu des fils de Manassé, Gamliël, fils de Pedah Sour ;
24. aux formations[8] de la tribu des fils de Benjamin,
Abidan, fils de Gideoni. **25.** Puis partit l'étendard du camp
des fils de Dan, selon leurs formations, formant l'arrière-
garde de tous les camps. *Le chef qui était préposé* à ses
formations[i] était Akhiézér, fils d'Ammi <Shaddaï>[9] ;
26. aux formations de la tribu des fils d'Aser, Pageïêl,
fils d'Okran ; **27.** aux formations de la tribu des fils de
Nephtali, Akhira, fils d'Eynan. **28.** Tel était l'ordre des
déplacements des enfants d'Israël, selon leurs formations.
*C'est suivant cet ordre (de marche) qu'*ils se mettaient en
route. **29.** Moïse dit à Hobab, fils de Reouël, le Madianite,
beau-père de Moïse : « Nous, nous partons vers le lieu dont
Yahvé[j] a dit : Je vous le donnerai. Viens avec nous et nous
te ferons du bien ; car Yahvé[k], *par sa Parole*, a promis
de faire venir bonheur *et consolations* sur Israël. » **30.** Mais
(celui-ci) lui dit : « Je n' <irai>[11] pas. Mais c'est dans mon
pays et dans ma parenté que je vais me rendre. » **31.** Il
(Moïse) *lui* dit : « Ne nous abandonne donc point ; car, du
fait que tu connais[12] *les prodiges que Yahvé a accomplis
pour nous dans tous les endroits* où, dans le désert, nous
avons campé *et voyagé,* tu pourras nous servir de
témoignage[14l]. **32.** Si donc tu viens avec nous, quand

i. M : aux formations de la tribu des fils de Dan   j. M¹ : (dont)
la Parole de Y (a dit) : Je vous le donnerai. Viens avec nous et nous
te ferons du bien ; car la Parole de Y a prédit du bien pour Israël
k. M² : (car) de devant Y il a été promis depuis les jours d'antan de
faire venir du bonheur sur Israël ‖ O : car Y a prédit de faire venir
du bonheur sur Israël   l. M : du fait que tu connais les campements
dans le désert et tu seras pour nous indicateur de sources ‖ O : et tu
as vu de tes yeux les prouesses qui ont été accomplies pour nous

ε Sifré Nombr. (210)   ζ. Sifré Nombr. (212)

8. Au lieu de transcrire l'araméen, le scribe copie deux fois le
lemme hébreu *(wʿl ṣbʾ).*

Élishama, fils d'Ammihoud. **23.** *Le chef qui était préposé*
aux formations de la tribu des fils de Manassé était
Gamliël, fils de Pedah Sour. **24.** *Le chef qui était préposé*
aux formations de la tribu des fils de Benjamin était
Abidan, fils de Gideoni. **25.** Puis partit l'étendard du camp
des fils de Dan, selon leurs formations, formant l'arrière-
garde de tous les camps. *Le chef qui était préposé* aux
formations *de sa tribu* était Akhiézér, fils d'Ammi Shaddaï.
26. *Le chef qui était préposé* aux formations de la tribu
des fils d'Aser était Pageïël, fils d'Okran. **27.** *Le chef qui*
était préposé aux formations de la tribu des fils de Nephtali
était Akhira, fils d'Eynan. **28.** Tel était l'ordre des déplacements des enfants d'Israël selon leurs formations.
Quand la nuée de gloire se fut élevée d'au-dessus du tabernacle,
ils se mirent en route. **29.** Moïse dit à Hobab, fils de
Reouël, le Madianite, beau-père de Moïse : « Nous, nous
partons *d'ici* vers le lieu dont Yahvé a dit : Je vous le
donnerai. Viens avec nous et nous te ferons du bien ;
car Yahvé a dit de *faire du bien aux prosélytes*ᵉ, en
Israël[10]. » **30.** Mais (celui-ci) lui dit : « Je n'irai point,
mais c'est dans mon pays et dans ma patrie que je vais
me rendre. » **31.** (Moïse) dit : « Ne nous abandonne donc
point. En effet, du fait que tu as su *juger, lorsque nous*
étions campés dans le désert *et que tu nous as appris la*
pratique du jugement, tu nous es devenu *aussi cher*[13] *que*
*la pupille*ᶻ *de notre* œil. **32.** Si donc tu t'en viens avec nous,

9. Texte : « Amminadab ».
10. Ou bien : « Yahvé a promis de faire du bien aux prosélytes
en (*litt.* : sur) Israël ». K. G. Kuhn traduit : « Denn Gott hat zu
Israel gesagt, sie sollten den Proselyten Gutes tun » (*Sifre zu Numeri*
210, n. 108).
11. Verbe oublié.
12. Dans M, nous lisons *mḥwwnyt'*, « indicateur (de sources) ».
Cf. *B.B.* 68 a et Levy, II, 23.
13. *ḥbyb.* Allusion au nom de *Ḥôbāb.*
14. Idée analogue dans O. *LXX* : πρεσβύτης. Cf. l'importance
des *témoins* des miracles de Jésus dans le N.T. (*Act.* 1, 21-22 ; 22,15).

arrivera ce bonheur dont Yahvé doit nous gratifier, nous
t'en ferons bénéficier. » **33.** Ils partirent donc de la
montagne *du sanctuaire* de Yahvé[m] pour une marche
<de trois jours ; l'arche de l'alliance de Yahvé allait
devant eux>[15] à trois jours de marche, pour leur *préparer*[n]
un lieu de campement. **34.** La nuée *de la Gloire de la
Shekinah* de Yahvé[o] (les) *protégeait* de jour, quand ils
partaient du camp. **35.** Or, quand l'arche devait partir,
Moïse[q] *se mettait en prière et* disait : « Lève-toi[r], Yahvé[17],
je t'en prie ! Que tes ennemis soient dispersés et que ceux qui
te haïssent fuient devant toi ! » **36.** Et quand[t] elle faisait
halte, *Moïse se mettait en prière et* disait : « Reviens *donc*,
Yahvé, *de ta puissante colère et retourne vers nous dans ta
miséricordieuse bonté ! Fais reposer la Gloire de la Shekinah
au milieu des* milliers et des myriades ! *Que se multiplient
les myriades et bénis les milliers des enfants* d'Israël ! »

m. M : de la montagne de Y ‖ O : de la montagne sur laquelle était
apparue la Gloire de Y   n. = O ‖ M : pour indiquer   o. O M :
la nuée de la Gloire de Y   p. = O   q. F M : Moïse élevait ses
mains en prière et disait : Lève-toi donc, Parole de Y, dans la force
de ta puissance et que soient dispersés   r. O : apparais, Y   s. =
F   t. F M : Et quand l'arche faisait halte, Moïse levait ses mains
en prière et disait : Reviens donc, Parole de Y, de ta puissante colère
et retourne vers nous dans ta miséricordieuse bonté. Et bénis les
myriades et multiplie les milliers des enfants d'Israël ‖ O : retourne,
Y, repose dans ta Gloire parmi les myriades

η. Sifré Nombr. (212)   θ. Sifré Nombr. (214) ; Sifré Nombr. 10,35
(220)   ι. Sifré Nombr. (228)

quand arrivera ce bonheur dont Yahvé doit nous gratifier,
nous t'en ferons bénéficier, *au partage du pays*[n]. » **33.** Ils
partirent donc de la montagne, *sur laquelle était apparue
la Gloire de la Shekinah* de Yahvé, pour une marche de
trois jours ; l'arche de l'alliance de Yahvé se déplaçait
devant eux. *Ce jour-là même, elle parcourut trente-six
milles*[θ] *et elle allait au-devant du camp d'Israël*, à trois
jours de marche, pour leur *préparer un lieu de* campement.
34. La nuée *de la Gloire de la Shekinah* de Yahvé les
ombrageait[16p] de jour, quand ils partaient du camp.
35. Or, quand l'arche *voulait* partir, *la nuée s'enroulait
et se dressait*[ι] *; mais elle ne partait point avant que* Moïse
*ne se tînt en prière, implorant et invoquant la miséricorde
de devant Yahvé*. Il disait *ainsi* : « *Apparais donc, Parole*
de Yahvé, *dans la force de ta colère* ! Que les ennemis *de
ton peuple*[s] soient dispersés et *qu'il n'y ait plus* pour ceux
qui *le* haïssent *un (seul) pied pour tenir*[18] devant toi ! »
36. Et quand *l'arche voulait* faire halte, *la nuée s'enroulait
et se dressait ; mais elle ne s'étalait point avant que* Moïse
*ne se tînt en prière, implorant et invoquant la miséricorde
de devant Yahvé*. Il disait *ainsi* : « Retourne *donc, Parole*
de Yahvé, *dans ta miséricordieuse bonté ! Conduis ton
peuple Israël et fais reposer la Gloire de ta Shekinah parmi
eux ! Montre ton amour*[19] *pour les myriades de la maison
de Jacob, l'ensemble* des milliers d'Israël ! »

---

15. Omission non corrigée.
16. *mɨll. LXX* : σκιάζουσα.
17. M a *mymryh* (« sa Parole »). Lire « Parole de Y » (avec F).
18. Même formule à *T Deut.* 33,11 (Jo).
19. *Litt.* : « aime » *(rḥym)*.

CHAPITRE XI

1. Or le peuple se mit à murmurer et *ruminer* des (pensées) mauvaises aux oreilles de Yahvé. Ce qui fut entendu *devant*[a] Yahvé dont la colère s'enflamma. Le feu *de devant*[b] Yahvé s'alluma contre eux et dévora les extrémités du campement. **2.** Alors le peuple cria *devant* Moïse ; Moïse se mit en prière *devant* Yahvé et le feu fut englouti. **3.** *Moïse* donna à cet endroit le nom de *Brasier*, parce que *là* un feu *de devant* Yahvé s'était allumé contre eux. **4.** Le ramassis (d'étrangers) qui se trouvaient parmi eux furent saisis de fringale et les enfants d'Israël eux-mêmes se reprirent à pleurer, en disant : « *Ah* ! Qui nous donnera de la viande à manger[c] ? **5.** Nous nous rappelons les poissons que nous mangions gratis en Égypte, les concombres, les melons[5d], les poireaux, les oignons et l'ail ! **6.** Et maintenant notre gosier est vide[e] ; *nous n'avons* rien d'autre que <cette manne>[6] *à laquelle* nos yeux *sont*

---

a. M : (entendu) devant Y et manifesté devant (Y)   b. = O. Id. v. 3   c. M : Plût au ciel que nous ayons quelqu'un pour nous faire manger (de la viande) !   d. = O ‖ F M : pastèques   e. M : est sec ; (nous n'avons) rien que cette manne que voient nos yeux

---

α. Sifré Nombr. (230)   β. Sifré Nombr. (231)   γ. Sifré Nombr. (233)   δ. Sifré Nombr. (235)

---

1. Cf. note à *Ex.* 17,8.

2. Jo emploie *gywryy'* qui correspond à la première interprétation *(gērīm)* proposée par *Sifré* (324). On a peut-être vu dans le « ramassis » du TM une allusion à l'étymologie du grec προσήλυτοι (cf. note de K. G. Kuhn, *ad loc.*). Voir des exemples d'attitude défavorable à l'égard des prosélytes dans *SB* I, 926 (à *Matth.* 23,15).

3. *Litt.* : « aussi même » *(brm 'p)*. La seconde conjonction (qui est celle de O) est absente de *ed. pr.* Sans doute *lectio conflata*.

CHAPITRE XI

1. Or *les impies*α *parmi* le peuple se mirent à se plaindre, *projetant et ruminant*β des (pensées) mauvaises *devant* Yahvé. Ce qui fut entendu *devant* Yahvé dont la colère s'enflamma. Un feu *ardent de devant* Yahvé s'alluma contre eux et *sema la destruction parmi les impies qui se trouvaient* aux extrémités du campement, *ceux de la maison de Dan*[1] *qui avaient avec eux une idole.* **2.** Alors le peuple cria vers Moïse *pour qu'il intercède pour eux.* Moïse pria *devant* Yahvé et le feu s'enfonça *là où il était*γ. **3.** On donna à cet endroit le nom d'*Embrasement*, parce qu'un feu *ardent de devant* Yahvé s'était embrasé contre eux. **4.** *Les prosélytes*[2] qui *s'étaient rassemblés* parmi eux *se mirent à faire des réclamations. Alors même*[3] les enfants d'Israël se remirent à pleurer, en disant : « Qui nous fera manger de la viande ? **5.** Nous nous rappelons les poissons qu'en Égypte nous mangions gratis, *sans (avoir de) précepte*δ *(à observer)*[4], les concombres, les pastèques, les poireaux, les oignons et l'ail ! **6.** Et maintenant notre âme est desséchée ; il n'y a plus rien d'autre que la manne *que nous regardons comme l'indigent qui fixe les miettes*[7]

---

4. Glose qui veut expliquer le terme « gratis » et résume le commentaire du *Sifré*. Cf. Levy (II, 7) : « umsonst, ohne Gesetze erfüllen zu müssen ».

5. FM : *mylppwn* (= μηλοπέπων), une sorte de melon (Jastrow, 775).

6. Oublié en début de ligne ; donné par M. Comparer les vv. 6-9 aux traditions d'*Ex.* 16. Voir B. J. Malina, *The Palestinian Manna Tradition*, Leiden 1968, 63-67.

7. Cf. Levy, II, 7. Jastrow (728) préfère le deuxième sens de *megtsā'* (plat) et traduit le texte parallèle de *T Ps.* 123,2 : « looking out for (the remnant of) a dish at the hands of their masters ».

rivés ! » **7.** Or la manne était comme de la graine de coriandre[f] et son aspect avait l'apparence du bdellium. **8.** Le peuple *commença* à (la) récolter[g] ; ils (la) broyaient <à la meule>[10] <ou la pilaient au mortier, la faisaient cuire au pot>[11][i] et en faisaient des gâteaux. Son goût était comme le goût de *gâteaux au miel*[j]. **9.** Quand la rosée descendait la nuit sur <le camp>[13], la manne aussi y descendait. **10.** Moïse entendit *la voix* du peuple qui pleurait, par familles, chacun à l'entrée de sa tente, et la colère de Yahvé s'enflamma fort. Cela déplut aux yeux de Moïse. **11.** Alors Moïse dit *devant* Yahvé : « Pourquoi *donc* as-tu fait du mal à ton serviteur et pourquoi *donc* n'ai-je point trouvé grâce devant ta face[k], que tu aies placé sur moi la charge de tout ce peuple ? **12.** Est-ce moi qui ai conçu[l] tout ce peuple ou moi qui les ai enfantés, pour que tu me dises : Porte-les sur ton sein, comme le *pédagogue*[15] porte l'enfant[m], au pays que tu as promis à leurs pères ? **13.** D'où aurais-je de la viande à donner à tout ce peuple, quand ils pleurent *devant* <moi>[17],

---

f. M : + blanche   g. F M : le peuple s'égaillait et la récoltait   h. = O   i. = O ‖ F : casseroles   j. = F ‖ M : des gâteaux imbibés de graisse ‖ O : comme le goût d'une (chose) pétrie dans l'huile   k. M : grâce et faveur devant toi   l. = F ‖ O : suis-je le père de tout ce peuple et est-ce que ce sont mes enfants ?   m. F M : porte-les (autre verbe) sur ton sein, comme le pédagogue porte l'enfant

---

ε. T Ps. 123,2   ζ. Sifré Nombr. (237)   η. Yoma 75 a   θ. Sifré Nombr. (242) ; Yoma 75 a   ι. Sifré Nombr. (245) ; Yoma 75 a

---

8. Cf. R. Le Déaut, « Une aggadah targumique et les murmures de Jean 6 », *Biblica* 51 (1970), 80-83.

9. Lire *ḥywr* (27031) et non *ḥzwr* (rond) avec *ed. pr.*

10. Mot suppléé par I.

11. Oublié dans le texte ; écrit en marge (en cursive).

12. Cf. Levy, I, 87. L'hébreu *lāshād* (crème) est rattaché à *shād*

(que) des mains[c] *(lui tendent).* » **7.** *Malheur au peuple
dont la nourriture était le pain du ciel et qui murmuraient*[8ζ] *!*
Car la manne *ressemblait* à de la graine de coriandre,
blanche[θη] *lorsqu'elle descendait du ciel,* tandis qu'*une fois
solidifiée* son *aspect* était comme *l'aspect* du bdellium !
8. *Les impies parmi* le peuple (la) recherchaient et la
récoltaient ; ils la broyaient avec des meules, *celui qui
le voulait*[h] la broyait au mortier. On la faisait cuire dans
des marmites et on en faisait des gâteaux. Son goût
était comme le goût *d'une poitrine*[12] *envahie de graisse*[0].
9. Quand la rosée descendait la nuit sur le camp, la manne
aussi y descendait. **10.** Moïse entendit le peuple qui
pleurait, *à cause des proches (parents) qui leur avaient
été interdits*[l] *(en mariage)*[14], chacun à l'entrée de sa tente.
La colère de Yahvé s'enflamma fort. Cela déplut aux yeux
de Moïse. **11.** Alors Moïse dit *devant* Yahvé : « Pourquoi
as-tu fait du mal à ton serviteur et pourquoi n'ai-je point
trouvé miséricorde *devant* toi, que tu aies placé sur moi
le tracas de ce peuple ? **12.** Est-ce moi qui ai conçu *et
porté avec souffrance* tout ce peuple *dans mes entrailles* ?
Est-ce que *ce sont mes enfants,* que tu m'aies dit *en
Égypte* : Supportes-en *le tracas* avec *ta force,* comme le
pédagogue porte l'enfant, *jusqu'à ce qu'ils aient atteint*
le pays que tu as promis[16] à leurs pères ? **13.** D'où aurais-je
de la viande à donner à tout ce peuple, quand ils pleurent

(mamelle). Cf. Aquila : τοῦ μαστοῦ ἔλαιον. N a la première interprétation de *Sifré* et Jo la seconde. Voir GEIGER, *Urschrift,* 471 ;
B. J. MALINA, *op. cit.,* 66.

13. Texte : « tabernacle ».

14. Cf. GINZBERG, *Legends,* III, 247.

15. *pydgwgh* (= παιδαγωγός). *Sifré Nombr.* 11,5 (236) emploie le
même terme.

16. = TM. *Pesh.,* O (Sperber), *LXX* (minuscules) et quelques mss
hébreux : « j'ai promis ».

17. Corrigé par I (cf. TM). Texte : « devant *lui* » (ou : « devant
Lui », i.e. Dieu ?). Noter que M a la même préposition que Jo *('al),*
avec aussi le suffixe de 3e personne de N.

en disant : Donne-nous de la viande que nous (en)
mangions ! **14.** Je ne puis, à moi seul[18], supporter *le tracas
de* tout ce peuple, car *ils sont* trop lourds pour moi. **15.** Que
si tu agis ainsi à mon égard, mets-moi donc à mort si,
maintenant, j'ai trouvé grâce *et faveur* à tes yeux. Ainsi je
ne verrai point le malheur *de ton peuple*[n][x]. » **16.** Et Yahvé[o]
dit à Moïse : « Réunis-moi[p] soixante-dix hommes d'entre
les *sages* d'Israël, dont tu sais qu'ils sont les *sages* et les
officiers du peuple. Tu les conduiras à la Tente de Réunion
et ils s'y tiendront avec toi. **17.** *Je me manifesterai*[q]
par ma Parole et je parlerai là avec toi. Je *ferai croître*[r]
l'esprit *saint* qui est *avec* toi pour le mettre sur eux. Ainsi
ils porteront avec toi la charge du peuple et tu ne le porteras
plus à toi seul. **18.** Au peuple tu diras : Sanctifiez-vous
pour demain, et vous mangerez de la viande, puisque vous
avez pleuré aux oreilles de Yahvé, en disant : *Ah*[s] ! qui
nous donnera de la viande à manger, car nous étions bien
en Égypte ! Yahvé va vous donner de la viande et vous
(en) mangerez. **19.** Vous n'en mangerez pas un jour
seulement, ni deux jours, ni cinq jours, ni vingt jours[20] ;
20. (mais) un mois entier, jusqu'au moment où elle vous
sortira des narines[t] et que vous l'aurez en horreur, pour vous
être rebellés *contre ce qu'avait décidé la Parole de* Yahvé
dont *la glorieuse Shekinah demeure* parmi vous[v] et avoir
pleuré devant lui, en disant : Pourquoi donc sommes-nous

n. = F   o. M : la Parole de Y. Id. v. 23   p. O : devant moi
q = O   r. = O ‖ M : je prendrai   s. M : Plût au ciel que
nous ayons quelqu'un pour nous faire manger (de la viande) !
t. = 110 ‖ O : jusqu'à ce que vous en soyez dégoûtés   u. = O
v. O : dont la Shekinah demeure parmi vous ‖ M : parce que vous
avez rejeté la Gloire de la Shekinah de Y qui est parmi vous

χ. Sifré Nombr. (247)   λ. Sifré Nombr. (247)   μ. Sifré Nombr. (250)

auprès de moi, en disant : Donne-nous de la viande à manger ! **14.** Je ne puis, à moi seul, porter tout ce peuple, car *il est* trop pesant pour moi. **15.** Que si tu agis ainsi à mon égard, *que tu laisses tout leur tracas sur moi*, mets-moi donc à mort, *de la mort où les justes reposent*, si j'ai trouvé miséricorde *devant* toi. Ainsi je ne verrai point mon malheur. » **16.** Et Yahvé dit à Moïse : « Réunis pour *mon Nom*λ soixante-dix hommes *justes* d'entre les anciens d'Israël, dont tu sais qu'ils *étaient* les anciens du peuple et ses officiers *en Égypte*μ. Tu les conduiras à la Tente de Réunion et ils s'y tiendront avec toi. **17.** *Je me manifesterai dans la Gloire de ma Shekinah* et je parlerai là avec toi. Je *ferai croître*[19] l'esprit *de prophétie* qui est sur toi pour le mettre sur eux. Ainsi ils porteront avec toi le tracas du peuple et tu ne le porteras plus à toi seul. **18.** Et tu diras au peuple : *Préparez-vous* pour demain, et vous mangerez de la viande, puisque vous avez pleuré *devant* Yahvé, en disant : Qui nous fera manger de la viande, car nous étions bien en Égypte ! Yahvé va vous donner de la viande et vous (en) mangerez. **19.** Vous n'en mangerez pas un jour seulement, ni deux jours, ni cinq jours, ni dix jours, ni vingt jours ; **20.** (mais) un mois entier, jusqu'à ce que *la puanteur* vous en sorte des narines et que vous l'ayez en horreur, pour avoir témoigné de l'aversion *contre la Parole de*μ Yahvé dont *la glorieuse Shekinah demeure* parmi vous, et avoir pleuré devant lui, en disant : Pourquoi donc sommes-nous sortis d'Égypte ? »

---

18. *Litt.* : « à lui seul ».

19. *Litt.* : « croître de *(min)* l'esprit ». Même forme *'rby* dans N et O (*id.* v. 25). On pourrait aussi comprendre : « Je vais *honorer* (les anciens) par l'esprit qui est sur toi. » Mais le Targum veut sans doute éviter (cf. v. 25) l'affirmation du TM : « Je vais prendre de l'esprit » (donc le diminuer). *Sifré Nombr.* (251) a recours à l'image de la lampe posée sur un candélabre (cf. *Matth.* 5,15), à laquelle on peut en allumer beaucoup d'autres, sans en diminuer la clarté.

20. « ni dix jours » du TM n'est pas traduit.

sortis *du pays* d'Égypte ? » **21.** Et Moïse dit : « Le peuple
au milieu duquel *je demeure* est de six cent mille *hommes*
de pied, et toi, *par ta Parole*, tu affirmes : Je vais *vous*
donner de la viande et ils en mangeront tout un mois !
22. Si l'on abattait pour eux <petit>[21] et gros bétail,
est-ce que cela leur suffirait ? Si l'on ramassait pour eux
tous les poissons de la mer, est-ce que cela leur suffirait ? »
23. Mais Yahvé dit à Moïse : « *Y aurait-il devant* Yahvé
quelque déficience[x] ? *Vous* allez maintenant voir si ma
parole s'accomplit pour toi ou non ! » **24.** Moïse sortit alors
et transmit au peuple *toutes* les paroles de Yahvé ; il
rassembla soixante-dix hommes d'entre *les hommes sages*
du peuple et les plaça tout autour du tabernacle. **25.** *La
Gloire de la Shekinah de* Yahvé *se manifesta* dans la nuée
et lui parla. *Il accrut*[z] (la mesure d')esprit *saint*[a] qui était
sur lui et (en) mit sur les soixante-dix hommes *sages*. Or,
dès que que l'esprit *saint* eut reposé sur eux, ils se mirent
à prophétiser sans plus *s'arrêter*[c]. **26.** Deux hommes[d]
étaient restés dans le camp, — le nom de l'un était Eldad
et le nom du deuxième Meydad[24] —, et l'esprit *saint* reposa
sur eux. *Eldad se mit à prophétiser, en disant : « Voici que*

---

w. = M   x. M : est-il possible qu'il y ait devant Y quelque
manque? ‖ O : est-ce que la Parole de Y serait retenue?   y. = O
z. = O ‖ M : il prit   a. M : (esprit) de la maison (de sainteté,
i.e. du sanctuaire)   b. = O   c. = O   d. Deux hommes ...
dans le camp = F (dans un ordre différent)

---

v. Sifré Nombr. 11,17 (251) ; Nombr. R 11,16 (664) ; Philon, *Gig.* § 24-
26   ξ. Sifré Nombr. (256) ; Sanh. 17 a

---

21. Le copiste écrit ʿ*myh* (« avec lui »), au lieu de ʿ*nh* (petit bétail).
22. Le mot « esprit » a été oublié dans *ed. pr.* (cf. TM).
23. Même formule *wtʿ psqyn* dans Jo, O et N. *V* : « nec ultra
cessaverunt ». L'hébreu *yāsāpû* (« ils ne continuèrent point », i.e. c'est
la seule fois qu'ils prophétisèrent) a été rattaché à la racine *sûp*
(finir, cesser). Même exégèse dans *T Deut.* 5,22 (Jo-N). Le Targum

21. Et Moïse dit : « Le peuple au milieu duquel *je demeure* est de six cent mille *hommes* de pied, et toi, tu affirmes : Je vais leur donner de la viande et ils en mangeront tout un mois ! **22.** Si l'on abattait pour eux le petit bétail *d'Arabie* et le gros bétail *de la Nabatène*, cela leur suffirait-il ? Si l'on ramassait pour eux tous les poissons de la *Grande*[w] Mer, cela leur suffirait-il ? » **23.** Mais Yahvé dit à Moïse : « *Est-il possible qu'il y ait devant* Yahvé *quelque déficience* ? Tu vas maintenant voir si ma parole s'accomplit pour toi ou non ! » **24.** Moïse sortit alors *de la Tente où résidait la Shekinah* et transmit au peuple les paroles de Yahvé ; il rassembla soixante-dix hommes d'entre les anciens *d'Israël* et les plaça tout autour du tabernacle. **25.** Yahvé *se manifesta*[y] dans la nuée *de gloire de la Shekinah* et lui parla. Il *accrut* (la mesure d')esprit *de prophétie* qui était sur lui — *et Moïse n'en éprouva nul manque*[v] — et (en) mit sur les soixante-dix hommes anciens. Or, dès que l'esprit[22] *de prophétie*[b] eut reposé sur eux, ils se mirent à prophétiser sans plus *s'arrêter*[23ξ]. **26.** Deux hommes étaient restés dans le camp ; le nom de l'un était Eldad et le nom du deuxième Meydad, *les fils d'Élisaphan, fils de Parnac. Jokébéd*[25], *fille de Lévi, les lui avait enfantés, au temps où Amram, son mari, l'avait renvoyée et qu'elle l'avait épousé, avant qu'elle n'eût enfanté Moïse.* L'esprit *de prophétie* reposa sur eux. *Eldad se mit à prophétiser, en disant: « Voici que Moïse va être*

va contre l'interprétation de *Sifré* qui précise que seule la prophétie d'Eldad et de Meydad continua jusqu'à leur mort (cf. Rashi).

24. Sur cet épisode dans la littérature ancienne, cf. Ginzberg, *Legends*, III, 251-253 ; VI, 88-90 ; A. M. Denis, *Introduction aux Pseudépigraphes grecs d'Ancien Testament*, Leiden 1970, 142-145 ; Schürer, *Geschichte*, III, 360 ; P. Schäfer, *Die Vorstellung vom Heiligen Geist in der rabbinischen Literatur*, München 1972, 46. Plus particulièrement : B. Beer, « Eldad und Medad im Pseudo-jonathan », *MGWJ* 6 (1857), 346-350. Il y est fait allusion dans le *Pasteur d'Hermas*, *Vis.* II, 3.

25. Voir Ginzberg, *Legends*, VI, 89.

*des cailles montent de la mer et elles seront un piège pour
Israël*[e]. » *Meydad de son côté prophétisait, en disant :* « *Voici
que Moïse, le prophète, est enlevé*[26] *du milieu du camp*[f],
*et que Josué, fils de Noun, assure son office de chef après
lui.* » *Et tous les deux prophétisaient ensemble et disaient :*
« *A la fin des jours, Gog et Magog*[28h] *montent à Jérusalem
et sont vaincus par le roi Messie : pendant sept années,
les enfants d'Israël feront du feu avec leurs armes et au bois*[29]
ils n'auront pas à sortir[i]. » Or, ils faisaient partie des
soixante-dix sages qui avaient été mis à part[j], et *les soixante-
dix sages* ne sortirent point *du camp*[k] *tant qu'Eldad et
Meydad* prophétisaient dans le camp. **27.** Un jeune
garçon s'empressa[l] d'aller l'annoncer à Moïse, en disant :
« Eldad et Meydad prophétisent dans le camp ! » **28.** Josué,

e. F M : pour les enfants d'Israël   f. F : Voici que Moïse le
prophète, le scribe d'Israël, va être réuni (à ses pères) du milieu
du monde   g. F : fils de Noun, son disciple, sert le camp après
lui ‖ 110 : qui est (son) serviteur recueille sa prophétie après lui
h. F : + et ses armées   i. F : + et ils ne couperont pas d'arbre
j. M 110 : + par leur nom   k = M 110 ‖ F : de la tente   l. M :
courut

o. Sifré Nombr. (256) ; *LAB* 20,5   π. Nombr. R 11,16 (664)   ρ.
Sifré Nombr. (255) ; Nombr. R 11,16 (663) ; J Sanh. I 19 c ;
Sanh. 17 a   σ. Sifré Nombr. (256) ; Sanh. 17 a

26. *mstlq* (dans le sens de « mourir »). McNamara (*New Test. and
Pal. Targum,* 145-149) propose d'expliquer par ce verbe l'usage de
ὑψοῦν dans *Jn* 12, 32.34.
27. « serviteur du camp » : manque dans 27031. On pourrait aussi
comprendre : « surgit comme serviteur du camp » (cf. v. 29).
28. Cf. *Apoc.* 20,8. Voir *SB* III, 831-840 et McNamara, *op. cit.*,
236 s.
29. Cf. *Éz.* 39,9-10. Nous lisons *leḥûrshā'* (avec F) : « (sortir) au
bois » ; au lieu de *weḥārāsh* (charpentier) de l'édition.
30. *qyrys* (= κύριος). Terme assez rare dans le Targum et réservé
aux paraphrases poétiques : *T Ex.* 14,29 (ms. 110) ; *T Deut.* 32,1 (N).
Voir aussi *T Ps.* 97,10 ; 114,7. Il est en revanche fréquent dans les
poésies liturgiques en araméen et J. Heinemann estime que l'emploi

*réuni (à ses pères) du (milieu du) monde et que Josué,
fils de Noun[g], serviteur du camp[27], surgit après lui, conduit
le peuple de la maison d'Israël et les fait entrer au pays
des Cananéens pour leur en faire prendre possession[o]. »
Meydad, de son côté, prophétisait, en disant: « Voici que
des cailles montent de la mer et recouvrent tout le camp
d'Israël et elles seront un piège pour le peuple. » Mais
tous les deux prophétisaient (aussi) ensemble et disaient:
« Voici qu'un roi monte du pays de Magog[π] à la fin des
jours. Il rassemble des rois ceints de couronnes et des gouver-
neurs vêtus de cottes de mailles, et tous les peuples lui
obéiront. Ils engagent le combat, au pays d'Israël, contre
les fils de l'exil. Mais le Seigneur[30] qui leur (reste) présent
aux heures d'affliction les met tous à mort par un souffle
enflammé et un feu ardent qui sort de dessous le trône de
la Gloire. Leurs cadavres tombent sur les montagnes du
pays d'Israël, et toutes les bêtes sauvages et les oiseaux
du ciel s'en viendront pour manger leurs dépouilles. Après
cela, tous les morts d'Israël revivront et jouiront du bonheur
qui a été mis en réserve pour eux dès l'origine et ils recevront
la récompense de leurs œuvres. »* Or, ils faisaient partie
des anciens dont (les noms) s'étaient trouvés inscrits sur
les tablettes[o] ; ils n'étaient pas sortis vers la Tente, *mais
ils s'étaient cachés pour fuir l'honneur[σ] (qui les attendait).*
Ils prophétisaient donc dans le camp. **27.** *Un* jeune garçon
courut l'annoncer à Moïse, en disant : « *Voici comme*
Eldad et Meydad prophétisent dans le camp ! » **28.** Josué,

---

d'un tel mot doit être antérieur au développement de l'usage spécifi-
quement chrétien de κύριος : « Remnants of Ancient *Piyyutim* in the
Palestinian *Targum* Tradition », dans *Hasifrut* 4 (1973), 368.
G. VERMES, citant Jo dans *Jesus the Jew* (London 1973, 113), parle
d'une « extraordinary Greco-Aramaic glossolalia » dans la prophétie
d'Eldad et Meydad : « The Lord *(Kiris)* is present *(etimos = hetoimos)*
to them in the moment of distress *(aniki = ananke)*. » Sur Magog,
cf. A. VIVIAN, « Gog e Magog nella tradizione biblica, ebraica e cris-
tiana », *Rivista Biblica* 25 (1977), 389-421.

fils de Noun, serviteur de Moïse depuis son adolescence[31m]
prit la parole et dit : « Moïse, mon seigneur, retire-leur[n]
l'esprit saint[o] ! » **29.** Mais Moïse lui dit : « Serais-tu jaloux
pour moi? *Ah!* qui fera que tout le peuple de Yahvé
devienne des prophètes, si Yahvé[p] mettait sur eux son
esprit *saint* ! » **30.** Puis Moïse regagna le camp, lui et les
sages <d'>Israël[32]. **31.** Un vent s'éleva, de *devant* Yahvé,
qui transporta des cailles depuis la mer <et les répandit
sur le camp, à près d'un jour *de marche* d'un côté>[34]
et d'un jour *de marche* de l'autre côté, tout autour du
camp, et à *une hauteur de* près de deux coudées au-dessus
de la surface de la terre. **32.** Le peuple se leva tout ce
jour-là, toute la nuit et tout le jour suivant et ils ramassèrent les cailles. Celui qui en ramassa le moins en eut dix
kor[t]. Ils les étalèrent par couches tout autour du camp.
33. La viande était encore entre leurs dents, elle n'avait
pas encore *disparu* que la colère de Yahvé s'enflamma
contre le peuple et il[36] en frappa un très grand nombre.
34. On appela cet endroit du nom de *Tombeaux-de-la-
Réclamation*, parce qu'on y enterra les gens qui avaient
cédé à leur convoitise. **35.** Des *Tombeaux-de-la-Convoitise*,
le peuple partit pour Haséroth, et il s'établit à Haséroth.

m. M 110 : sa jeunesse   n. M[1] 110 : fais cesser   o. 110 : esprit
de prophétie ‖ M[2] : implore à leur sujet de devant Y et fais cesser leur
prophétie ‖ O : enferme-les (*litt* : attache-les)   p. M : (si) la Parole
de Y plaçait   q. = O   r. = O   s. M : voltigeaient à peu
près à une hauteur de deux coudées ‖ O : à peu près à une hauteur
t. = F ‖ O : tas   u. =O   v. = O. Id. v. 35   w. = O

τ. Sifré Nombr. (257)   υ. Sifré Nombr. (258)   φ. Sifré Nombr.
(258) ; Mekh. Ex. 16,13 (II, 108)   χ. Sifré Nombr. (258)

31. C'est l'interprétation habituelle de l'hébreu *mbḥryw*. Sam. a
mbḥyryw qui explique *LXX* (ὁ ἐκλεκτός) et *V* (« electus e pluribus »).
L'expression n'est pas traduite dans Jo. Cf. Geiger, *Urschrift*, 471.
   32. Texte : « les sages *et* Israël » (lire *daleth* au lieu de *waw*).
   33. « devant » *(qdm)* a été oublié dans 27031.

fils de Noun, serviteur de Moïse, répliqua et dit : « Moïse, mon seigneur, *implore la miséricorde de devant Yahvé et* ôte-leur *l'esprit de prophétie* ! » **29.** Mais Moïse lui dit : « Est-ce *parce qu'ils ont prophétisé de moi que j'allais être réuni (à mes pères) du (milieu du) monde et que toi tu assurerais le service après moi*, que tu es jaloux pour moi? *Je voudrais bien*[q] que tout le peuple de Yahvé *soit* des prophètes et que Yahvé place sur eux son esprit *de prophétie*[r] ! » **30.** Puis Moïse regagna le camp, lui et *tous*[τ] les anciens d'Israël. **31.** Un vent *de tempête sortit et* s'éleva *avec fureur* de *devant*[33] Yahvé, *qui allait submerger le monde s'il n'y avait pas eu le mérite de Moïse et d'Aaron ; il souffla sur la Grande Mer* et fit s'envoler des cailles de la *Grande* Mer. *Elles se posèrent là où il y avait le moins (d'occupants) dans* le camp, (et) à près d'un jour de marche *au nord*[υ] et à près d'un jour de marche *au sud; elles volaient*[s] à peu près *à une hauteur de* deux coudées au-dessus de la surface de la terre, *et l'on pouvait marcher parmi elles jusqu'au nombril, pour qu'ils ne se fatiguent point tout en les ramassant*[φ]. **32.** *Des gens qui manquaient de foi*[35] *parmi* le peuple se levèrent tout ce jour-là, toute la nuit et tout le jour suivant et ils ramassèrent les cailles. *L'amputé et le boiteux*[χ] en ramassèrent dix *kor*. Ils les étalèrent par couches alentour du camp. **33.** *Les impies mangeaient de la viande et ils ne bénissaient point Celui qui la leur avait donnée:* la viande était encore entre leurs dents, elle n'était pas encore *consommée*[u], que la colère de Yahvé s'enflamma contre *les impies du* peuple et Yahvé fit parmi le peuple un immense *massacre.* **34.** On appela cet endroit du nom de « Tombeaux-*des-Réclameurs*[v]*-de-viande* », parce qu'on y enterra les gens qui *avaient réclamé*[w] *de la viande.* **35.** Des « Tombeaux-*des-Réclameurs-de-viande* », le peuple partit pour Haséroth, et il s'établit à Haséroth.

34. Suppléé en marge (en cursive), avec les variantes.
35. *mḥsry hymnwt'*. Cf. note à *Ex.* 16,20.
36. Sans doute suppléer « Yahvé » (avec M).

CHAPITRE XII

1. Miryam[a] et Aaron parlèrent contre Moïse, au sujet de la femme coushite[c] qu'il avait prise. *Or, voici que la femme « coushite » (n')était (autre que) Séphorah, la femme de Moïse; mais (on l'appelait ainsi, car) de même que le coushite se distingue par son corps[d] de toutes les (autres) créatures, ainsi Séphorah, la femme de Moïse, était (particulièrement) jolie d'apparence[1] et belle d'aspect, et distinguée en bonnes œuvres sur toutes les femmes de cette génération[β].* **2.** Ils disaient : « Est-ce seulement avec Moïse que Yahvé a parlée[e]? N'a-t-il point parlé avec nous aussi[f]? » Ce qui *fut*

---

a. Miryam... génération = F   b. = F   c. O : au sujet de la jolie femme qu'il avait prise ; car il avait éloigné la jolie femme qu'il avait prise   d. F M : par sa chair ‖ 110 : par son éclat ‖ 110 : + Ainsi David prophétise et dit : Lamentation de David qu'il chanta à Y à propos de Coush, le Benjaminite (*Ps.* 7,1). Diras-tu que Saül, roi d'Israël, était un homme coushite? (Non), mais de même que le Coushite se distingue par sa chair de tous les hommes, de même Saül, roi d'Israël, était de belle apparence et d'aspect superbe et distingué par ses bonnes œuvres sur tous les hommes de cette génération. Ainsi aussi Jérémie prophétise et dit : Ébed-mélek le Coushite entendit (*Jér.* 38,7). Diras-tu que Baruch, fils de Nériyah, l'homme pieux, était un homme coushite? (Non), mais de même que le Coushite se distingue par sa chair de tous les hommes, de même Baruch, fils de Nériyah, était un homme d'aspect superbe et de belle apparence et distingué par ses bonnes œuvres sur tous les hommes de cette génération. Ainsi aussi Amos prophétise et dit : N'êtes-vous pas comme des fils de Coushites pour moi, enfants d'Israël (*Amos* 9,7)? Diras-tu que la descendance d'Abraham et la descendance d'Isaac et Jacob (est adonnée) à des œuvres mauvaises? (Non), mais de même que le Coushite est à part et distinct de toutes les créatures, de même le Miséricordieux a mis à part et consacré les enfants d'Israël, comme la terumah de l'aire et la halla de la pâte, et il l'a appelé, les enfants de son peuple, la part de Y et son héritage.   e. M : est-ce seulement avec Moïse que la Parole de Y a parlé?   f. I : s'est entretenu (*litt* : il a été parlé)

CHAPITRE XII

1. Miryam et Aaron *proférèrent*[b] contre Moïse *des paroles déplacées*, au sujet de la femme coushite[1] *que les Coushites avaient mariée à Moïse, lors de sa fuite de devant Pharaon, et qu'il avait (ensuite) éloignée.* En effet, *on lui avait fait prendre* pour femme *la reine de Coush*[2α], *dont il s'était tenu éloigné.* **2.** Ils dirent : « Est-ce donc seulement avec Moïse que Yahvé a parlé, *parce qu'il s'abstient de rapports conjugaux*[3γ]? N'a-t-il point parlé avec nous aussi? » Ce

---

α. Josèphe, *Ant.* II § 253   β. Sifré Nombr. (262)   γ. Sifré
Nombr. (263) ; ARN 9 (55)

---

1. La tradition a hésité à prendre à la lettre le terme *kushît* de l'hébreu. N et O ont recours à la *gematria*, la valeur numérique de *kushît* (736) étant la même que celle de *ypt mr'h*, « belle d'apparence ». Cf. H. L. STRACK, *Einleitung in Talmud und Midrasch*[5], München 1921, 107. Au contraire, *Pesh.* transcrit simplement *kushîtā'* et *LXX* (= *V*) traduit par Αἰθιόπισσα.

2. Interprétation aggadique la plus ancienne (GEIGER, *Urschrift*, 199), déjà connue d'Artapan et de Josèphe : cf. G. VERMES, dans *Moïse, l'homme de l'alliance*, Paris 1955, 69 et 74 ; GINZBERG, *Legends*, V, 407-410 ; T. RAJAK, « Moses in Ethiopia : Legend and Literature », *JJS* 28 (1978), 111-122. La longue paraphrase propre au ms. 110 est très proche de *Sifré Nombr.* ; cf. commentaire de K. G. KUHN (262 s.) ; voir aussi *M.Q.* 16 b. Les mots *t'rûmâ* et *ḥallâ* désignent la part prélevée pour le prêtre (*Nombr.* 15,20). Sur le titre divin « Miséricordieux » *(raḥmānā')*, cf. URBACH, *The Sages*, 454.

3. Cf. aussi v. 8. Tradition connue d'Éphrem, *Comm. in Exodum* (*CSCO*, vol. 153, 113). Sur le rapport entre la continence de Moïse et la révélation de Dieu, voir la note de K. G. KUHN (*Sifre zu Numeri*, 260). Comparer avec les motivations proposées du célibat essénien : A. STEINER, « Warum lebten die Essener asketisch? », dans *BZ* 15 (1971), 1-28 ; A. GUILLAUMONT, « A propos du célibat des Esséniens », in *Hommages à A. Dupont-Sommer*, Paris 1971, 395-404 (surtout 396 s.) ; H. HÜBNER, « Zölibat in Qumran? », in *NTSt* 17 (1971), 153-167.

entendu devant[g] Yahvé. **3.** Or Moïse était un homme très
humble, plus que tous les hommes qu'il y a sur la face de
la terre. **4.** Soudain, Yahvé[h] dit à Moïse, à Aaron <et
à Miryam : « Sortez tous les trois vers la Tente de
Réunion »>[4]. Et ils sortirent tous trois. **5.** *La Gloire de
la Shekinah de* Yahvé *apparut*[i] alors dans la colonne de
nuée et se tint à l'entrée du tabernacle. Il appela Aaron
et Miryam qui sortirent tous les deux. **6.** Il dit : « Écoutez
donc mes paroles ! S'il y a *parmi vous* un prophète, (moi),
Yahvé, je me manifeste[j] à lui en visions *et* parle avec lui
en songes. **7.** Mais mon serviteur Moïse n'est point comme
tous les (autres) prophètes[k]. Dans *le monde entier*[5] *que j'ai
créé*, il est homme de confiance. **8.** *De vive voix*[6], <je me
suis entretenu>[7] avec lui, en vision[8] et non en appa-
rences[m], et c'est la ressemblance *de devant* Yahvé qu'il a
contemplée[n]. Alors pourquoi ne craignez-vous pas de parler
contre mon serviteur Moïse ? » **9.** La colère de Yahvé
s'enflamma contre eux et il s'en alla[o]. **10.** La nuée se
retira[p] d'au-dessus du tabernacle et voici que Miryam fut

---

g. = O ‖ M : ce qui fut manifesté et connu devant (Y)   h. M : la
Parole de Y   i. = O   j. M : je me fais connaître   k. F M : il
n'est personne comme mon serviteur Moïse ; dans toute ma cour
il est (homme) de confiance (F est corrompu)   l. = O   m. M :
en vision et non dans le secret   n. O : la ressemblance de la
Gloire de Y qu'il a contemplée   o. O M : et il s'éloigna   p. M :
passa ‖ O : s'éleva   q. M : frappée de lèpre, blanche comme neige
‖ O : et voici que Miryam (devint) blanche comme neige

δ. Sifré Nombr. (264)   ε. Sifré Nombr. (268)   ζ. Sifré Nombr.
(269) ; ARN 2 (19)   η. Sifré Nombr. (271)

---

4. Manque dans N et M.
5. *Litt.* : « dans tout mon univers — ʿ*wlmy* (sic) ». M permet de
corriger le texte de F où une glose s'était insérée (cf. M. GINSBURGER,
Das Fragmententhargum, 51) : voir LEVY, I, 98 ; II, 369. M. L. KLEIN
(dans son édition de F) traduit ainsi le ms. 110 : « There is none like
the person Moses, My servant (or : There is no person like...), in the

qui *fut entendu devant* Yahvé. **3.** Or Moïse était un homme très humble *de tempérament*[δ], plus que tous les hommes qu'il y a sur la face de la terre, *et il ne se formalisa point de leurs dires.* **4.** <Soudain> Yahvé dit à Moïse, à Aaron et à Miryam : « Sortez tous les trois vers la Tente de Réunion. » Et ils sortirent tous trois. **5.** *La Gloire de* Yahvé *apparut* alors dans la colonne de la nuée *de gloire* et se tint à l'entrée du tabernacle. Il appela Aaron et Miryam qui sortirent tous les deux. **6.** Il dit : « Je vous prie, écoutez mes paroles, *tant que je parlerai*[ε] ! Y a-t-il eu *aucun des* prophètes *qui ont existé depuis les temps anciens, à qui l'on ait parlé comme l'on a parlé à Moïse? Car la Parole de* Yahvé se manifestait à *eux* en vision, en songe je parlais avec *eux.* **7.** Telle n'est pas *l'expérience de* Moïse, mon serviteur. Dans toute la maison *d'Israël, mon peuple,* il est homme de confiance. **8.** Je lui ai parlé *de vive voix*[1] *qu'il s'abstienne de rapports conjugaux*[ζ], *je lui suis apparu dans le buisson* dans une vision et non dans *le secret*, et il a vu l'apparence *arrière de ma Shekinah*[9η]. Comment donc n'avez-vous pas craint de *proférer de telles paroles* contre mon serviteur Moïse? **9.** Alors[10] *la Gloire de la Shekinah de* Yahvé *s'éloigna d'*eux et s'en alla. **10.** La nuée *de gloire de la Shekinah de Yahvé* s'éleva d'au-dessus du tabernacle et voici que Miryam fut *frappée*[θ]

entire royal court of Israël. He is the most trustworthy among all the scribes of My royal court. » Comparer l'interprétation de *Hébr.* 3, 5-6.

6. Cf. note à *Ex.* 33,11.

7. Verbe *mllyt* (« j'ai parlé ») à restituer (cf. Jo).

8. *bḥzwyn* (O : *bḥyzw*), ecture (comme celle de M) qui repose sur une variante attestée du texte hébreu *(bmr'h* au lieu de *wmr'h)* : cf. A. Mirsky dans *Textus* 3 (1963), 160-162. Comparer *Pesh.* et *LXX* (εἰ εἶδεν). Cf. *SB* III, 454 (à *I Cor.* 13,12).

9. Cf. note à *Ex.* 33,23. Comparer *Pesh.* et *LXX* (τὴν δόξαν κυρίου εἶδεν).

10. Début du TM non traduit.

<frappée d'une lèpre (blanche) comme neige. Aaron considéra Miryam et voici qu'elle était lépreuse>[12]. **11.** Aaron dit à Moïse : « Je t'en prie, mon seigneur ! Ne nous impute pas la faute à laquelle nous nous sommes laissés aller[r] et le péché que nous avons commis. **12.** De grâce[s], que *Miryam*[t] ne soit point *impure* (rendant tout impur) *dans la tente* comme les morts ! *Voici qu'elle est semblable à l'enfant qui a passé neuf mois dans* les entrailles[u] de sa mère, *dans l'eau et le feu, sans aucun dommage, et qui, lorsque arrive le temps fixé* de sortir[v] (pour venir) *au monde,* a le corps à demi rongé. *Pareillement*[w], *quand nous étions réduits en servitude en Égypte, puis à nouveau vaguant dans le désert, notre sœur était témoin de notre servitude, et quand arrive le temps fixé pour entrer en possession*[x] *du pays, pourquoi serait-elle écartée de nous? Intercède au sujet de la chair morte qu'elle porte sur elle pour qu'elle revive ! Pourquoi a-t-on fait le mérite*[15][y]*?* » **13.** Alors Moïse *se mit en prière devant* Yahvé *et* dit : « De grâce, *par ta miséricorde*[16]*,* Yahvé, Dieu *bon et compatissant,* guéris-la[z] ! » **14.** Yahvé[a] dit à Moïse : « *Si* son père l'avait sévère-

---

r. = F ‖ O : la faute que nous avons eu la folie de commettre
s. De grâce ... mérite = F ‖ M : De grâce, que Miryam, notre sœur, ne soit point comme la femme enceinte qui est frappée de lèpre pendant sa grossesse et, lorsque arrive le moment d'enfanter, l'enfant est mort dans ses entrailles. Est-ce que Miryam, notre sœur, n'a pas connu l'épreuve avec nous? Quand arrive le moment de voir la consolation, que celle-ci ne soit donc point éloignée (de nous) !
t. F : + notre sœur　　u. F M : car (ce serait) comme cet enfant qui a été neuf mois dans les entrailles de sa mère　　v. F : de sortir des entrailles de sa mère　　w. F M : ainsi Miryam, notre sœur, a vagué avec nous dans le désert et s'est trouvée avec nous dans l'épreuve　　x. F M : pour entrer dans le pays d'Israël　　y. F M : pour que nous ne perdions point son mérite ‖ 110 : car c'est notre sœur et notre proche parente. Pourquoi donc perdrions-nous son mérite? ‖ O : que celle-ci ne soit donc point éloignée d'entre nous ; car c'est notre sœur. Intercède donc au sujet de cette chair morte qu'(elle porte) sur elle pour qu'elle soit guérie　　z F M : Dieu qui guéris toute chair, guéris-la　　a. M : la Parole de Y

de lèpre[11]. Aaron tourna les yeux vers Miryam et voici qu'elle était *frappée de* lèpre. **11.** Aaron dit à Moïse : « Je t'en prie, mon seigneur ! Ne nous impute pas la faute que nous avons eu la folie de commettre ! **12.** Je t'en prie, que *Miryam, notre sœur,* ne soit point *une lépreuse*[13], *rendant (tout) impur dans la tente*[14]θ, ainsi qu'un mort. Car *elle est semblable à l'enfant qui a passé neuf mois complets dans* les entrailles de sa mère, *et qui, lorsque arrive le temps fixé* de sortir (pour venir) *au monde,* a le corps *à* demi rongé ; *tandis que la mère est assise sur le siège (d'accouchement), l'enfant meurt et l'accoucheuse doit le sortir une fois découpé. De même, quand nous étions au pays d'Égypte, Miryam, notre sœur, nous voyait dans notre exil, notre errance et notre servitude. Et quand est arrivé le moment de sortir et de prendre possession du pays d'Israël, voici que maintenant elle est écartée de nous ! Je t'en prie, mon seigneur, intercède donc pour elle pour que nous ne perdions pas son mérite du milieu de l'assemblée. »* **13.** Alors Moïse *se mit en prière et* implora *miséricorde devant* Yahvé, en disant : « Je t'en prie, *par (ta) miséricorde,* Dieu *miséricordieux ! Je t'en prie, Dieu qui a pouvoir sur le souffle de toute chair*ₗ, je t'en prie, guéris-la ! » **14.** Yahvé dit à Moïse : « *Si* son père l'avait sévèrement *réprimandée*

θ. Sifré Nombr. (275)   ι. Sifré Nombr. 27,16 (569)

---

11. Peut-être ajouter (avec O) : « blanche comme neige ».
12. Suppléé en marge (en cursive).
13. Ce mot manque dans 27031.
14. Cf. *Nombr.* 19,14. Voir C. Meehan, *JSJ* 9 (1978), 104.
15. ʿbd. Peut-être faut-il corriger en ʿbr : « Pourquoi (nous) a-t-on *enlevé* son mérite ? ». Ou bien lire le 'bd de Jo, F et M *(nwbd* a été lu ʿbd, nun et waw réunis pouvant se confondre avec *ayin)* : « Pourquoi perdrions-nous son mérite ? ».
16. *Litt.* : « par la miséricorde de devant toi ».

ment *réprimandée, il serait juste*[b] qu'elle s'humilie *devant
lui* pendant sept jours. Qu'elle soit (donc) reléguée sept
jours hors du camp ; après quoi elle sera *guérie*[c] ! » **15.** Et
Miryam fut reléguée hors du camp pendant sept jours.
Le peuple ne partit point avant que Miryam ne fût *guérie.*
16. *Bien que*[d] *Miryam, la prophétesse, eût mérité d'être
punie de la lèpre, il y a (dans son cas) pour les sages et
ceux qui gardent la Loi un riche enseignement; à savoir,
qu'un homme qui accomplit un précepte mineur reçoit pour
lui une grande récompense. C'est parce que Miryam était
restée debout sur la rive du fleuve*[e] *pour savoir ce que serait
le sort de Moïse, qu'Israël — soixante myriades, soit un total
de quatre-vingts légions — les nuées de la Gloire et le puits
ne bougèrent point et ne partirent pas de leur place avant que
Miryam, la prophétesse, ne fût guérie de sa lèpre.* <*Mais
après que (Miryam), la prophétesse, eût été guérie de sa
lèpre,* après cela>[20], le peuple partit de Haséroth ; et ils
campèrent dans le désert de Paran.

CHAPITRE XIII

1. Yahvé[a] parla à Moïse, en disant : **2.** « Envoie des
hommes pour explorer le pays de Canaan que je donne

b. M : il serait juste qu'elle soit reléguée de devant lui pendant
sept jours. Qu'on la relègue donc   c. O M : (après) quoi elle
sera réadmise   d. Bien que... Paran = F ‖ M : parce que Miryam
avait attendu une heure (pour) Moïse, au bord du fleuve, la Shekinah du Maître de l'univers l'attendit, avec le tabernacle et tout
Israël, durant sept jours   e. F : + un court moment
a. M : la Parole de Y

ϰ. B.Q. 25 a   λ. Sifré Nombr. 12,15 (279) ; M Sot. I, 9 ; Mekh.
Ex. 13,19 (I, 178)
α. Nombr. R (676) ; Tanh. B Nombr. (64)

en face, *n'aurait-elle point honte et* ne serait-elle point
reléguée pendant sept jours? *Maintenant donc que c'est
moi qui l'ai réprimandée, il serait juste qu'elle porte sa
honte pendant quatorze jours*[x]. *Toutefois, il lui suffira* d'être
reléguée sept jours hors du camp. *Pour moi, je ferai
attendre, en raison de ton*[17] *mérite, les nuées de ma Gloire,
le tabernacle, l'arche et tout Israël, jusqu'à ce qu'elle soit
guérie.* Après quoi elle sera réadmise.» **15.** Et Miryam
fut reléguée hors du camp pendant sept jours. Le peuple
ne partit point avant que Miryam ne fût *guérie.* **16.** *Bien
que*[18] *Miryam, la prophétesse, eût mérité d'être frappée de
la lèpre en ce monde, il y a, dans son cas, un grand enseignement pour le monde à venir, pour les justes et ceux qui
gardent les commandements de la Loi. C'est parce que
Miryam, la prophétesse, s'était postée un court moment
pour savoir ce que serait le sort de Moïse, c'est pour ce
mérite*[19] *que tout Israël — soixante myriades, soit un total
de quatre-vingts légions — les nuées de la Gloire, le tabernacle
et le puits ne bougèrent point et ne se déplacèrent point
avant que Miryam, la prophétesse, ne fût guérie*[λ]. Après
quoi, le peuple partit de Haséroth ; et ils campèrent dans
le désert de Paran.

CHAPITRE XIII

1. Yahvé parla à Moïse, en disant : **2.** «Envoie des
hommes *rusés*[α] pour explorer le pays de Canaan que je

---

17. Ginsburger transcrit *zkwth* («son mérite ») : cf. v. 16 et
Sifré Nombr. 12,15 (279). Mais nos deux témoins ont bien *zkwtk.*
18. *Ed. pr.* : ʼ*p ʽl gb* (= N) ; 27031 : *lpwn* (parce que).
19. *Sifré Nombr.* (279) cite ici le proverbe : « Avec la mesure
avec laquelle un homme mesure, on mesurera pour lui. » Cf. note
à *Gen.* 38,25.
20. Donné par M.

aux enfants d'Israël. Vous enverrez un homme[1] pour
chacune des tribus ancestrales, tous les princes qu'elles
comptent parmi elles. » **3.** Il[3] les envoya donc du désert,
selon *la prescription de la Parole* de Yahvé ; tous ces
hommes étaient des chefs des enfants d'Israël. **4.** Et
voici leurs noms : De la tribu *des fils* de Ruben, Shammoua,
fils de Zakkour ; **5.** de la tribu *des fils* de Siméon, Shaphat,
fils de Hori ; **6.** de la tribu *des fils* de Juda, Caleb, fils de
Yephounnéh ; **7.** de la tribu *des fils* d'Issachar, Yigeal, fils
de Joseph ; **8.** de la tribu *des fils* d'Éphraïm, Osée, fils de
Noun ; **9.** de la tribu *des fils* de Benjamin, Palti, fils de
Raphou ; **10.** de la tribu *des fils* de Zabulon, Gaddiël, fils
de Sodi ; **11.** de la tribu *des fils* de Joseph[c], de Manassé,
Gaddi, fils de Sousi ; **12.** de la tribu *des fils* de Dan, Ammiël,
fils de Gemalli ; **13.** de la tribu *des fils* d'Aser, Setour, fils
de Mikaël ; **14.** de la tribu *des fils* de Nephtali, Nakhbi,
fils de Wopsi ; **15.** de la tribu *des fils* de Gad, Geouël, fils
de Maki. **16.** Ce sont là les noms des hommes que Moïse
envoya pour explorer le pays *de Canaan.* Et Moïse donna
à Osée, fils de Noun, le nom de Josué. **17.** Moïse les envoya
donc pour explorer le pays de Canaan. Et *Moïse* leur
dit : « Montez-y par le sud et ensuite vous monterez par
la montagne. **18.** Vous verrez comment est le pays et les
gens qui y habitent, s'ils sont forts ou faibles, s'il y en a
peu ou beaucoup ; **19.** comment est la terre où ils
demeurent, si elle est bonne ou mauvaise ; comment sont

b. O : sur la Parole de Y   c. M : + c'est-à-dire de la tribu des
fils de Manassé

---

1. TM : « un homme, un homme » (= O-Jo). N ne répète pas.
Cf. *LXX.*

2. *'mrkwl* : cf. note à *Lév.* 4,15.

3. Il faut sans doute restituer, avec les autres versions : « < Moïse >
les envoya du désert < de Paran > ».

4. *'ynwwtnwtyh.* Noter l'attribution à Josué de cette qualité

donne aux enfants d'Israël. Vous enverrez un homme
pour chacune des tribus ancestrales, *de la part de* tous
les officiers[2] qu'elles comptent parmi elles. » **3.** Moïse les
dépêcha donc du désert de Paran, selon l'ordre de *la*
Parole de[b] Yahvé ; c'étaient tous des hommes *rusés, qui*
avaient été préposés comme chefs *aux* enfants d'Israël.
4. Et voici les noms *des douze hommes explorateurs : Envoyé*
pour la tribu de Ruben, Shammoua, fils de Zakhour ;
5. *envoyé* pour la tribu de Siméon, Shaphat, fils de Hori ;
6. *envoyé* pour la tribu de Juda, Caleb, fils de Yephounnéh ;
7. *envoyé* pour la tribu d'Issachar, Yigeal, fils de Joseph ;
8. *envoyé* pour la tribu d'Éphraïm, Osée, fils de Noun ;
9. *envoyé* pour la tribu de Benjamin, Palti, fils de Raphou ;
10. *envoyé* pour la tribu de Zabulon, Gaddiël, fils de
Sodi ; **11.** *envoyé* pour la tribu de Joseph, pour la tribu
de Manassé, Gaddi, fils de Sousi ; **12.** *envoyé* pour la tribu
de Dan, Ammiël, fils de Gemalli ; **13.** *envoyé* pour la tribu
d'Aser, Setour, fils de Mikaël ; **14.** *envoyé* pour la tribu
de Nephtali, Nakhbi, fils de Wopsi ; **15.** *envoyé* pour la
tribu de Gad, Geouël, fils de Maki. **16.** Ce sont là les noms
des hommes que Moïse dépêcha pour explorer le pays.
Quand Moïse *vit son humilité*[4], il[5] appela Osée, fils de Noun,
Josué. **17.** Moïse les dépêcha donc pour explorer le pays
de Canaan et leur dit : « Montez par ce *côté*-ci, par le sud,
et ensuite vous monterez dans la montagne. **18.** Vous
verrez comment est le pays et le peuple qui y demeure,
s'il est fort ou faible, s'il est peu nombreux ou en grand
nombre ; **19.** comment est la terre où il habite, si elle est
bonne ou mauvaise ; comment sont les villes où il demeure,

---

typique de Moïse (cf. 12,3 : TM : '*ānāw* ; Jo : '*nwwtn* ; N : '*nwwn*)
et la parole de Jésus dans *Matth.* 11,29 πραΰς εἰμι, terme de *LXX*
à 12,3). Cf. *TWNT* VI, 647-649 ; P. Joüon, *L'Évangile de Notre-*
Seigneur Jésus-Christ, Paris 1930, 20.

5. *Ed. pr.* : « Moïse (appela) ».

les villes où ils habitent, si ce sont de simples *villages* ou
des villes fortifiées ; **20.** comment est la terre, si *ses fruits*
sont beaux ou misérables[d], s'il s'y trouve des arbres ou non.
Soyez donc résolus. Prenez des fruits du pays. » Or il se
trouvait qu'on était au temps des premiers raisins. **21.** Ils
montèrent donc et explorèrent le pays, depuis le désert de
Tsin jusqu'à Rehob, à l'entrée *d'Antioche*[β]. **22.** Ils
montèrent par le sud et *Caleb* parvint[10] jusqu'à Hébron où
se trouvaient Akhiman, Sêshaï et Talmaï, les fils d'Anaq,
le géant[e]. Or Hébron avait été construite sept ans avant
Tanis[f] d'Égypte. **23.** Puis ils parvinrent jusqu'au Torrent-
de-la-Grappe ; ils y récoltèrent[g] une branche et une grappe
de raisins, qu'ils portèrent à deux sur un brancard, *ainsi
que* des grenades et des figues. **24.** On appela cet endroit
Torrent-de-la-Grappe, à cause de la grappe que les enfants
d'Israël en avaient récoltée. **25.** Au bout de quarante
jours, ils retournèrent *après* avoir exploré le pays. **26.** Ils

d. F M : si ses fruits sont beaux ou maigres ‖ O : comment est la
terre, si elle est riche ou pauvre   e. = O ‖ M : les fils d'Éphron,
le géant. Id. v. 28   f. = O ‖ M : avant que ne fût construite Tanis
g. F M : ils taillèrent ‖ O : ils coupèrent   h. = M ‖ F : un brancard ‖ O : une barre

β. Taan. 29 a   γ. Cant. R 4,12 (223)

6. Les versions anciennes ont estimé que les mots *villes* et *campements* de l'hébreu devaient s'interpréter en fonction l'un de l'autre
(une « ville » n'est pas un « campement »). Cf. *LXX* : ἐν τειχήρεσιν ἢ
ἐν ἀτειχίστοις ; *V* : « muratae an absque muris ». Voir GEIGER,
Urschrift, 471 s.
7. Cf. v. 25. Le retour a lieu le 8 ab « au bout de 40 jours », ce
qui suppose un mois de 30 jours et un mois de 31 jours. A. JAUBERT
se demande s'il n'y a pas ici « des vestiges *incompris* du calendrier
sacerdotal ancien, convertis en mois lunaires » (lettre du 4-XI-1964).
Cf. A. JAUBERT, « Fiches de calendrier » dans *Qumrân* (éd. M. Delcor),
Paris-Gembloux 1978, 308 s. ; R. LE DÉAUT, *Introduction à la littérature targumique*, Rome 1966, 94 s. *LXX* : ἡμέραι ἔαρος.

s'*ils logent* dans des *villes ouvertes*[6] ou dans des forteresses ;
20. quelle est *la réputation de* la terre, si *ses fruits* sont
beaux ou médiocres, s'il s'y trouve des arbres *fruitiers*
ou non. *Tâchez de vous (en) emparer* et de prendre des
produits du pays. » Or le jour *où ils partirent était le
vingt-neuf du mois de siwan*[7β], *durant* les jours des premiers
raisins. **21.** Ils montèrent donc et explorèrent le pays,
depuis le désert de Tsin jusqu'aux *Places*[8], en direction
d'*Antioche*. **22.** Ils montèrent par le *côté du* sud et arrivèrent
jusqu'à Hébron où se trouvaient Akhiman, Sêshaï et
Talmaï, les *descendants* d'Anaq, *le géant.* Or Hébron
avait été construite sept ans avant *que ne fût construite
Tanis* d'Égypte. **23.** Puis ils arrivèrent au Torrent-de-
la-Grappe[11] ; ils y coupèrent une branche et une grappe
de raisins, que deux *d'entre eux* emportèrent avec une
perche[12h], *sur l'épaule, ainsi que* des grenades et des
figues. **24.** Ils appelèrent[13] cet endroit Torrent-de-la-
Grappe, à cause de la *branche* que les enfants d'Israël
y avaient coupée, *et dont le vin*ʸ *s'écoulait*[14] *comme un
torrent.* **25.** Au bout de quarante jours, *le huitième jour
du mois d'ab*, ils revinrent d'avoir exploré le pays. **26.** Ils

---

8. *pl̲ywwʾ* (< πλατεῖα, sous-ent. ὁδός) interprète *rᵉḥōb* de l'hébreu.
Même traduction à *T Gen.* 10,11 (N-Jo).

9. Identification habituelle de *Ḥamāt* dans le Targum : cf.
T Nombr. 34,8 (N).

10. TM a le verbe au singulier ; Sam., Pesh. et *LXX* ont le pluriel,
comme Jo et la plupart des recensions de O. N suit ici la même interprétation que *Sot.* 34 b, plus récente selon GEIGER (*Urschrift*, 472).

11. O et Jo emploient le terme *ʾtklʾ* ; N (= F) a *sgwlh* (cf. *Pesh.*).
De même pour *T Deut.* 1,24. Le samaritain attesterait l'origine
« occidentale » de *ʾtklʾ*, selon A. TAL, *The Language of the Targum of
the Former Prophets and its Position within the Aramaic Dialects*,
Tel-Aviv 1975, 104.

12. Cf. note à 4,10.

13. Plur. aussi dans *Pesh.* et *LXX.*

14. *nṭyp. Litt.* : « dégoutter » ou « déborder ».

s'en vinrent trouver Moïse et Aaron et la communauté des
enfants d'Israël dans le désert de Paran, à *Reqem*[i]. Ils
leur rendirent compte, ainsi qu'à tout *le peuple de* la
communauté, et leur montrèrent les fruits du pays. **27.** Ils
lui firent ce récit, disant : « Nous sommes entrés dans
le pays où tu nous avais envoyés. En vérité, c'est *un pays*
qui *produit*[j] *des fruits excellents, purs comme* le lait et *doux
comme* le miel, et *en* voici les fruits ! **28.** Mais les gens
qui habitent dans le pays sont farouches, leurs villes sont
fortes, très grandes. Et nous y avons même vu les fils
d'Anaq, *le géant.* **29.** Les Amalécites demeurent dans
le sud du pays ; les Hittites, les Jébuséens et les Amorrhéens demeurent dans la montagne et les Cananéens
demeurent le long de la mer et sur *les gués* du Jourdain. »
30. Alors Caleb fit taire le peuple *devant* Moïse et dit :
« Il faut absolument que nous montions pour en prendre
possession, car nous pouvons bien en venir à bout. »
31. Mais les hommes qui étaient *allés* avec lui disaient :
« Nous ne sommes pas en mesure de monter contre ce
peuple, car ils sont plus forts que nous. » **32.** Et ils
décrièrent, *devant* les enfants d'Israël, le pays qu'ils
avaient exploré, en disant : « Le pays que nous avons
traversé pour l'explorer est un pays qui dévore ses habitants
et tous les gens que nous y avons vus *ont le mauvais œil,*
(et) une stature de géants. **33.** Nous y avons vu les *géants*[o],
les fils d'Anaq, (les descendants) *des géants* ; nous étions
à nos propres yeux comme les sauterelles, et tels nous
devions être (aussi) à leurs yeux. »

---

i. = O ‖ M : (Reqem)-de-Gêah   j. = O   k. = M ‖ O : sur la
rive   l. O : Caleb fit écouter Moïse par le peuple ‖ F : (Caleb) fit
taire (le peuple)   m. O : un mauvais renom   n. = M   o. = O

δ. Sot. 35 a

allèrent et arrivèrent auprès de Moïse, auprès d'Aaron et de toute la communauté des enfants d'Israël dans le désert de Paran, à *Reqem*. Ils leur rendirent compte, ainsi qu'à toute la communauté, et leur firent voir les produits du pays. **27.** Ils lui racontèrent et dirent : « Nous sommes arrivés jusqu'au pays où tu nous avais dépêchés. Et vraiment, il *produit* lait et miel, et en voici les produits ! **28.** Mais le peuple qui demeure dans le pays est puissant, et les villes fortifiées *où ils logent* sont très grandes. Et nous y avons même vu les *descendants* d'Anaq, *le géant*. **29.** Les Amalécites habitent dans le sud du pays ; les Hittites, les Jébuséens et les Amorrhéens habitent dans la montagne et les Cananéens habitent le long de la mer et sur la *frontière*[k] du Jourdain. » **30.** Alors Caleb fit taire le peuple, *pour leur faire écouter*[l] Moïse et il dit : « Il faut absolument que nous montions pour en prendre possession, car nous pouvons bien en venir à bout. » **31.** Mais les hommes qui étaient montés avec lui dirent : « Nous ne pouvons monter contre ce peuple, car il est plus fort que nous. » **32.** Et ils exprimèrent aux enfants d'Israël des propos *défavorables*[15m] *sur* le pays qu'ils avaient exploré, en disant : « Le pays que nous avons traversé pour l'explorer est un pays qui *tue* ses habitants *par des maladies*[δ] et tous les gens qui s'y trouvent sont des hommes *aux mœurs perverses*[n]. **33.** Nous y avons vu les *géants*, les fils d'Anaq, de *la descendance des géants* ; nous *semblions* à nos *propres* yeux comme des sauterelles et ainsi devions-nous aussi *apparaître* à leurs *propres* yeux. »

15. *Litt.* : « ils firent sortir un mauvais renom ». Cf. note à *Gen* 34,30.

CHAPITRE XIV

1. Et *le peuple de* la communauté s'exclama et donna
de la voix ; le peuple se mit à pleurer cette nuit-là. **2.** Tous
les enfants d'Israël murmurèrent[b] contre Moïse et contre
Aaron. Tout *le peuple de* la communauté leur disait : « Ah !
que ne sommes-nous morts au pays d'Égypte ou que ne
sommes-nous morts dans ce désert ! **3.** Pourquoi *donc*
Yahvé[c] nous mène-t-il dans ce pays pour (y) tomber sous
l'épée, tandis que nos femmes et nos petits enfants seront
livrés en butin? Ne vaudrait-il pas mieux pour nous que
nous retournions en Égypte? » **4.** Et ils se disaient l'un à
l'autre : « Plaçons un *roi*[d] à notre tête et retournons en
Égypte ». **5.** Alors Moïse et Aaron *se prosternèrent* sur
leurs faces en présence de la communauté des enfants
d'Israël. **6.** Josué, fils de Noun, et Caleb, fils de Yephounnéh, (qui étaient du nombre) des explorateurs du pays[4],
déchirèrent leurs vêtements **7.** et parlèrent à toute la
communauté des enfants d'Israël, en disant : « Le pays
que nous avons traversé pour l'explorer est un très, très
bon pays ! **8.** Si Yahvé nous accorde sa faveur, il nous
amènera dans ce pays et nous le donnera, un pays qui
produit des fruits excellents, purs comme le lait et *doux*[g]
comme le miel. **9.** Mais ne vous révoltez point contre *la*

a. = O M   b. M : se querellèrent   c. M : la Parole de Y.
Id. v.8.26   d. = F ‖ O : un chef   e. = M   f. = O   g. M :
savoureux

α. Nombr. R (687) ; Tanh. B Nombr. (69) ; Taan. 29 a ; Sot. 35 a ;
T Lam. 1,2

1. C'est-à-dire le 9 ab (au début du mois d'août) où l'on commémore la destruction du Temple, celle de 587 avant J.-C. et celle de 70.

CHAPITRE XIV

1. Et toute la communauté éleva[a] (la voix) et donna
de la voix ; le peuple se mit à pleurer cette nuit-là. *Et
cette nuit-là*[1] *leur fut fixée pour y pleurer, au long de leurs
générations*[α]. **2.** Tous les enfants d'Israël murmurèrent
contre Moïse et contre Aaron. Toute la communauté
leur dit : « Que ne sommes-nous morts au pays d'Égypte
ou que ne sommes-nous morts dans ce désert ! **3.** Pourquoi
Yahvé nous mène-t-il dans ce pays pour tomber sous
l'épée *des Cananéens*, tandis que nos femmes et nos petits
enfants seront livrés comme butin ? Ne vaudrait-il pas
mieux pour nous que nous repartions en Égypte ? » **4.** Et
ils se dirent les uns aux autres : « Désignons-nous *un
roi comme*[2] chef *sur nous* et repartons en Égypte. » **5.** Alors
Moïse et Aaron *s'inclinèrent*[e] sur leurs faces en présence
de toute la communauté[3] des enfants d'Israël. **6.** Josué,
fils de Noun, et Caleb, fils de Yephounnéh, (du nombre)
de ceux qui avaient exploré le pays, déchirèrent leurs
vêtements **7.** et parlèrent à toute la communauté <des
enfants d'Israël>, en disant : « Le pays où nous avons
passé pour l'explorer est un très, très bon pays ! **8.** Si
nous avons pour nous la faveur de Yahvé, il nous introduira
dans ce pays et nous le donnera, un pays qui *produit*[t]
lait et miel. **9.** Surtout ne soyez point récalcitrants contre

---

Cf. *J.E.* I, 23-25 ; Ginzberg, *Legends*, III, 276 ; VI, 96. Comparer
la date donnée à *T Nombr.* 13,25 (Jo).

2. Jo paraît avoir réuni la tradition de O (= TM) et celle que
représente N (« le roi »).

3. L'hébreu a deux termes : « L'assemblée *(qhl)* de la communauté » : cf. O et *Pesh.* Dans Jo, N (et *LXX*), un seul mot.

4. Correction (en écriture carrée) : « (d'entre ceux) qui avaient
exploré le pays ».

Gloire de la Shekinah de Yahvé[h]. Et n'ayez pas peur, vous autres, du peuple du pays ; car, *tout aussi aisément que nous mangeons du pain, il nous sera facile de les faire disparaître devant nous*[i]. Leur ombre protectrice les a désertés et *la Parole de* Yahvé est avec nous[j]. N'ayez aucune crainte d'eux ! » **10.** Et tout le peuple de la communauté parlait de les lapider avec des pierres, quand la Gloire *de la Shekinah* de Yahvé apparut à tous les enfants d'Israël dans la Tente de Réunion. **11.** Alors Yahvé dit à Moïse : « Jusques à quand ce peuple excitera-t-il ma colère? Jusques à quand refusera-t-il de croire au *Nom de ma Parole*, avec tous les signes *prodigieux* que j'ai accomplis parmi eux? **12.** Je vais les *tuer* par la peste et les exterminer. Et *il m'est possible de* faire de toi un peuple[l] plus grand et plus puissant qu'eux. » **13.** Et Moïse dit *devant* Yahvé : « Mais les Égyptiens vont apprendre que tu as fait monter, par ta force, ce peuple du milieu d'eux, **14.** et (le) diront[7] aux habitants de ce pays. Ils ont entendu que *c'est* toi dont *la Gloire de la Shekinah* se trouve au milieu de ce peuple ; que c'est toi Yahvé qui, *par ta Parole*, t'es manifesté (à eux) face à face ; toi dont la nuée *glorieuse de la Shekinah* était au-dessus d'eux, et qui marchais devant eux dans la colonne de nuée pendant le jour et, la nuit, dans la colonne de feu. **15.** Si tu tues ce peuple comme un seul homme, les nations qui ont entendu parler de toi, de se mettre à parler, en disant : **16.** C'est parce qu'il n'a pas été possible à Yahvé de faire entrer ce peuple dans le

h. M : contre le Nom de la Parole de Y ‖ O : contre la Parole de Y
i. = 110   j. M : et la Parole de Y (sera) à notre aide ‖ O : leur force s'est éloignée d'eux et la Parole de Y (sera) à notre aide
k. = O   l. M : et je ferai de toi, Moïse, un peuple   m. = O
n. = O   o. = O ‖ M : (ta) grande (puissance)

5. Transposition de l'image de l'*ombre protectrice* de l'hébreu : cf. Symmaque : ἡ σκέπη αὐτῶν (abri, protection) ; *V* : « recessit ab eis omne praesidium ».

les préceptes de Yahvé. Et n'ayez pas peur, vous autres, du peuple du pays ; car ils *sont (déjà) livrés entre nos mains : la force de leur puissance*[5] s'est évanouie d'au-dessus d'eux et *la Parole de* Yahvé *(vient) à notre aide.* N'ayez aucune crainte d'eux ! » **10.** Et toute la communauté parla de les lapider avec des pierres, quand apparut <à tous les enfants d'Israël> la Gloire *de la Shekinah* de Yahvé, *dans les nuées*[6] *de gloire,* dans la Tente de Réunion. **11.** Alors Yahvé dit à Moïse : « Jusques à quand ce peuple va-t-il exciter ma colère ? Jusques à quand va-t-il refuser de croire en *ma Parole*[k], avec tous les miracles que j'ai accomplis parmi eux ? **12.** Je vais les frapper *d'une plaie mortelle* et les exterminer. Et je ferai de toi une nation plus grande et plus puissante qu'eux. » **13.** Et Moïse dit <devant Yahvé> : « Mais les *enfants des* Égyptiens *qui ont été étouffés dans la mer* vont apprendre que tu as fait monter, par ta force, ce peuple du milieu d'eux, **14.** et ils (le) diront *avec joie* aux habitants de ce pays *qui* appren-dront (ainsi) que tu *es* Yahvé *dont la Shekinah réside*[m] au milieu de ce peuple, lui qui, de *ses* yeux, *a vu la Shekinah de ta Gloire*[n], Yahvé, *sur la montagne du Sinaï et a reçu là-bas la Loi* ; que ta nuée les *protège pour que la chaleur et la pluie ne leur nuisent point,* que c'est toi, dans la colonne de nuée, qui les conduis de jour, *pour niveler montagnes et collines et pour relever les vallées*[8], et de nuit, dans la colonne de feu, *pour éclairer.* **15.** *Et après tous ces prodiges,* tu ferais mourir ce peuple comme un seul homme ! Les nations qui ont entendu parler de *ta puissance*[o] se mettraient à parler, en disant : **16.** C'est parce qu'il n'y a pas eu possibilité *de devant* Yahvé de faire entrer ce peuple

---

6. Cf. *Pesh.* et *LXX* (ἐν νεφέλῃ).
7. *Litt.* : « et disant — *w'mryn* ».
8. Cf. notes à *Ex.* 12,37.

pays qu'il leur avait promis par serment qu'il les a massa-
crés dans le désert ! **17.** Que ta force se déploie donc
maintenant, *Yahvé*, comme tu l'as dit en déclarant :
18. Yahvé[p] est patient[q], *éloigné de la colère[r] et proche de
la miséricorde* ; *il fait* grâce[s] en abondance, *absout et
pardonne* les fautes, *ne s'arrête point* aux rébellions *et
efface[10] les péchés*, sans aucunement justifier (les pécheurs).
Au jour du grand jugement, il rappellera les fautes des
pères *impies* contre les fils *rebelles* jusqu'à la troisième et
jusqu'à la quatrième *génération*. **19.** Remets donc *et
pardonne* les fautes de[12] ce peuple, suivant la force de ta
bonté et de la même façon que tu as supporté ce peuple
depuis l'Égypte jusqu'à maintenant ! » **20.** Yahvé[v] dit :
« *Voici que* je remets *et pardonne* comme *tu l'as dit[w]*.
21. Mais, (aussi vrai que) je vis *et subsiste[14][x] par ma Parole
à jamais* et (que) la Gloire de *la Shekinah de* Yahvé remplit
toute la terre, **22.** tous les hommes qui ont vu ma Gloire
et les signes *prodigieux* que j'ai accomplis en Égypte et
au désert, (ces hommes) qui m'ont[15] mis déjà dix fois
à l'épreuve et n'ont pas écouté ma voix[y], **23.** (je jure)
qu'ils ne verront point la terre que j'ai promise par serment[a]
à leurs pères et que tous ceux qui ont provoqué ma colère
ne la verront pas. **24.** Mais mon serviteur Caleb, puisque

p. patient... fils rebelles = F   q. F : Y est infini (*litt* : étendu)
en miséricorde   r. = F O   s. F M : grâce et vérité   t. O :
pardonnant à ceux qui se convertissent à sa Loi et ne justifiant
point ceux qui ne se convertissent pas   u. = O   v. F M : la
Parole de Y   w. F M : selon ta Parole   x. M : ainsi parle Y.
Et la Gloire (de Y) remplit   y. M : + de ma Parole   z. = O
a. = O ‖ F : (au sujet de laquelle) j'ai levé ma main en jurant

9. *yty* (moi) dans nos deux témoins : cf. *Ex.* 32,10. Mais la fréquente
confusion dans les mss des suffixes de 1re et de 3e personne suggère
de corriger en *ytyh* : « constitue-le ».
10. Verbe *mkpr*.

dans le pays qu'il leur avait promis par serment qu'il les a mis à mort dans le désert ! **17.** Maintenant, que se multiplie donc la force *devant toi, Yahvé, et emplis-toi de miséricorde à leur égard et constitue-moi*[9] *en un grand peuple*, comme tu l'as dit, en déclarant : **18.** Yahvé est patient et *proche de la miséricorde, absolvant* les fautes et *effaçant* les offenses, justifiant *ceux qui se convertissent à la Loi*[t] *et* ne justifiant point *ceux qui ne se convertissent pas*, punissant les fautes des pères *impies* sur les fils *rebelles*[u], jusqu'à la troisième et jusqu'à la quatrième *génération*[11]. **19.** Remets donc l'offense de ce peuple, suivant la grandeur de ta bienveillance, et de la même façon que tu *as pardonné* à ce peuple depuis *le temps où ils sont sortis* d'Égypte jusqu'à maintenant ! » **20.** Yahvé dit : « Je *leur*[13] pardonne selon tes paroles. **21.** Mais *je jure*, (aussi vrai que) je *subsiste* et (que) la Gloire de Yahvé remplit toute la terre, **22.** que tous les hommes qui ont vu ma Gloire et les miracles que j'ai accomplis en Égypte et au désert, (ces hommes) qui m'ont déjà mis dix fois à l'épreuve et n'ont point obéi à ma *Parole*[z], **23.** *je le jure et qu'il soit bien dit*[16], qu'ils ne verront point la terre que j'ai promise par serment à leurs pères et que toute[17] *la génération de* ceux qui ont provoqué ma colère ne la verra pas. **24.** Mais mon serviteur Caleb, puisqu'un autre

---

11. Cf. *T Ex.* 20,5 et 34, 6-7 (Jo-N) et les notes *ibid.* Comparer *IV Esdras* 7, 132-140.

12. Texte : « les fautes *et* ce peuple ».

13. Ce mot *(lhwn)* n'est pas donné dans *ed. pr.*

14. *Litt.* : « je (suis) vivant et subsistant — *ḥy wqyym* ». *Id.* v. 28. Cf. note à *Gen.* 16,13.

15. Texte : « l'ont mis à l'épreuve » *(yth)*. Est-ce un changement intentionnel ? Jo : « tenter *devant moi* » (= me tenter), comme N à *Deut.* 6,16.

16. *Litt.* : « avec serment que cela soit dit » (Levy, I, 38). *Id.* v. 30. Même formule dans O à *Ex.* 17,16.

17. En lisant *wkl* (cf. TM) au lieu de *welā'* (et ne...pas).

l'esprit *saint* était avec lui et qu'il a parfaitement agi[b] selon *ma Parole*, je l'introduirai dans le pays où il est entré et ses *fils* en prendront possession. **25.** Les Amalécites et les Cananéens résident dans la plaine. Demain donc, prenez en partant la direction du désert, sur le chemin de la mer des Roseaux. » **26.** Puis Yahvé parla à Moïse et à Aaron, en disant : **27.** « Jusques à quand cette communauté perverse va-t-elle continuer à murmurer *en ma présence* contre moi ? <Les plaintes que les enfants d'Israël murmurent contre moi>[19] ont été entendues *devant* moi[d]. **28.** Dis-<leur>[20] : (Aussi vrai que) je vis *et subsiste par ma Parole*, dit Yahvé, (je jure) que je vous traiterai selon ce que vous avez dit à mes oreilles. **29.** Vos cadavres tomberont dans ce désert et vous tous qui avez été recensés et dénombrés depuis l'âge de vingt ans et au-dessus et qui avez murmuré *devant* moi, **30.** (je jure que) vous n'entrerez pas dans le pays où *j'ai juré*, la main levée[22], de vous faire demeurer — à l'exception de Caleb, fils de Yephounnéh et de Josué, fils de Noun. **31.** Mais, vos petits enfants dont vous avez dit qu'ils devaient servir de butin, je les (y) introduirai, et ils pourront connaître le pays que vous avez méprisé. **32.** Pour vous, vos cadavres tomberont dans ce désert, **33.** et vos fils devront errer[f] pendant quarante ans dans le désert et subiront (le châtiment de) votre abomination jusqu'à ce que vos cadavres aient disparu dans le désert. **34.** Pendant quarante années vous recevrez (le châtiment de) vos fautes, d'après le nombre des jours où vous avez été en exploration, (à savoir) quarante jours — un jour pour chaque année —, et vous

---

b. M : puisque l'esprit de sagesse reposait sur lui   c. = O   d. = O ‖ M : manifestées devant moi   e. = O   f. M : (vos fils) seront nourris, par le mérite de leurs pères, avec la manne pendant quarante ans et toutes vos fautes dureront (ou : ils porteront toutes vos fautes)

β. T Jos. 14,8.9

esprit était avec lui et qu'il a parfaitement agi selon ma
crainte[cβ], je l'introduirai dans le pays où il est entré et
ses *fils* en prendront possession[18]. **25.** Les Amalécites et
les Cananéens habitent dans la plaine. Demain donc,
faites demi-tour et partez vers le désert, sur le chemin
de la mer des Roseaux. » **26.** Puis Yahvé parla à Moïse
et à Aaron, en disant : **27.** « Jusques à quand <cette>
communauté perverse va-t-elle continuer à *se liguer*
contre moi ? Les plaintes que les enfants d'Israël murmurent contre moi ont été entendues *devant* moi. **28.** Dis-leur :
Je le jure, (aussi vrai que) je *subsiste* ! Je vous traiterai
selon ce que vous avez dit *devant* moi. **29.** Vos dépouilles
s'amoncelleront dans ce désert et vous tous qui avez
été recensés et comptés depuis l'âge de vingt ans et au-delà
et qui avez murmuré contre moi, **30.** *je le jure et qu'il
soit bien dit*[21], que vous n'entrerez pas dans le pays où
j'*ai juré, par ma Parole*[e], de vous faire demeurer — à
l'exception de Caleb, fils de Yephounnéh et de Josué,
fils de Noun. **31.** Mais, vos petits enfants, dont vous
avez dit *qu'*ils devaient servir de butin, je les (y) introduirai,
et ils pourront faire connaissance avec le pays que vous
avez rejeté. **32.** Vos cadavres *à vous* s'amoncelleront
dans ce désert, **33.** et vos fils devront errer pendant
quarante ans dans le désert et subiront (le châtiment de)
vos fautes jusqu'au moment où vos cadavres auront
disparu dans le désert. **34.** Pendant quarante années
vous recevrez (le châtiment de) vos fautes, d'après le
nombre de jours où vous avez exploré le pays, (à savoir)
quarante jours, chaque jour correspondant à une année,

18. Cf. *Deut.* 1,36.
19. Restitué en marge (en écriture carrée).
20. Oublié en début de ligne (se trouve dans le lemme hébreu).
21. *Ed. pr.* écrit ḥmyr' « (par serment) grave » (?), au lieu de
'myr'. Lire comme au v. 23.
22. *Litt.* : « (au sujet duquel) j'ai levé la main avec serment ».
Formule analogue dans F au v. 23 (avec un autre verbe).

connaîtrez (ce que c'est que de) murmurer contre moi.
35. J'ai parlé, moi, Yahvé. C'est bien ainsi que j'agirai
à l'endroit de toute cette communauté perverse qui a
murmuré *devant* moi. Dans ce désert ils se consumeront
et c'est là qu'ils mourront. » **36.** Les hommes que Moïse
avait envoyés pour explorer le pays et qui, une fois revenus,
avaient ameuté contre lui toute la communauté en décriant
*abondamment*²⁵ le pays, **37.** ces hommes qui avaient décrié
le pays moururent de mort soudaine devant Yahvé.
38. Josué, fils de Noun, et Caleb, fils de Yephounnéh,
<survécurent>²⁷ seuls d'entre ces hommes qui étaient
allés explorer le pays. **39.** Moïse rapporta ces paroles à
tous les enfants d'Israël et le peuple en fut extrêmement
affligé. **40.** Ils se levèrent de bon matin et montèrent au
sommet de la montagne, en disant : « Nous voici ! Nous
allons monter à l'endroit que Yahvé a dit, car nous avons
péché. » **41.** Mais Moïse dit : « Pourquoi donc allez-vous
passer outre à *la décision de la Parole* de Yahvé? Cela ne
réussira pas. **42.** Ne montez pas, car *la Gloire de la Shekinah*
de Yahvé ne *repose* point *sur* vous, *pour que* vous ne soyez
point défaits devant¹ vos ennemis. **43.** En effet les
Amalécites et les Cananéens sont là devant vous. Vous
tomberez par l'épée parce que, vous étant détournés de

g. = O   h. = O   i. O : un mauvais renom   j. = O   k. =
O   l. = O ‖ M : livrés dans la main de vos ennemis

γ. Sot. 35 a

23. « j'agirai ainsi » : corrigé avec GINSBURGER. *Ed. pr.* et 27031
répètent *gzryt bmymry* (« j'ai décrété par ma Parole »). Lire *d'* ʿʿ*byd* (O).
24. Le démonstratif *hd'* manque dans 27031.
25. Le ms. a *lmpqh ṭbh rbh*. Mais ce dernier mot est à lire *dbh*,
mot de même sens que *ṭbh* (cf. TM et certaines recensions de O à
Gen. 37,2). Il s'agit donc d'une variante passée dans le texte ; au
v. 37, I veut lire *db[h]* au lieu de *ṭbh*.
26. Cf. JASTROW (1244) et LEVY (II, 70 et 304) ; même mot

et vous connaîtrez *ce que c'est que*[g] d'avoir murmuré *contre* moi. **35.** *J'ai décrété par ma Parole*[h], moi Yahvé, que j'agirai ainsi[23] à l'endroit de toute cette[24] communauté perverse qui s'est concertée *pour se révolter* contre moi. Dans ce désert ils se consumeront et c'est là qu'ils mourront. » **36.** Les hommes que Moïse avait dépêchés pour explorer le pays et qui, une fois de retour, avaient soulevé contre lui les murmures de toute la communauté en exprimant des propos *défavorables*[i] sur le pays, **37.** ces hommes, pour avoir exprimé des propos défavorables sur le pays, moururent *le septième jour d'élul : des vers sortaient de leurs excréments*[26] *et allaient jusqu'à l'emplacement de leur langue et dévoraient leur langue avec leur palais*[Y]. *Ainsi furent-ils ensevelis, (frappés) de male mort de* devant Yahvé. **38.** Josué, fils de Noun, et Caleb, fils de Yephounnéh, restèrent seuls en vie d'entre ces hommes qui étaient allés explorer le pays. **39.** Moïse rapporta ces paroles à tous les enfants d'Israël et le peuple en fut extrêmement affligé. **40.** Ils se levèrent de bon matin et montèrent au sommet de la montagne, en disant : « Voici que nous allons monter à l'endroit que Yahvé a dit, car nous avons commis une faute. » **41.** Mais Moïse dit : « Comment donc pouvez-vous passer outre à *la décision de la Parole*[j] de Yahvé ? *Aussi bien* cela ne *vous* réussira point. **42.** Ne montez point, car *la Shekinah de*[k] Yahvé ne *repose* point parmi vous *et ni l'arche, ni le tabernacle, ni les nuées de gloire ne se déplacent avec vous*. Ainsi vous ne serez point défaits devant vos ennemis. **43.** En effet les Amalécites et les Cananéens sont là *prêts à* vous faire face. Vous allez être *entassés, mis à mort* par l'épée ; parce que vous

---

(prt') à *T Deut.* 21,8 (Jo). Certains comprennent ici *prt'* au sens de « nombril » (cf. *Sot.* 35 a). Les impies se décomposent de leur vivant, châtiment traditionnel (*II Macc.* 9,6-10 ; *Act.* 12,23).

27. Restitué dans l'interligne à l'encre rouge (en écriture carrée) par le scribe qui a copié les variantes.

suivre *la Parole de* Yahvé, Yahvé[n] ne sera pas avec vous. »
44. Ils montèrent donc *en cachette*[o] au sommet de la
montagne, tandis que l'arche de l'Alliance de Yahvé et
Moïse ne bougèrent pas du camp. **45.** Alors descendirent
les Amalécites et les Cananéens qui habitaient sur cette
montagne ; ils les battirent et les écrasèrent[p] jusqu'à
Extermination[q].

CHAPITRE XV

1. Yahvé[a] parla à Moïse, en disant : **2.** « Parle aux
enfants d'Israël et dis-leur : Quand vous entrerez dans
le pays que je vous donne pour être votre lieu de résidence,
3. et que vous *présenterez* comme *offrande devant* Yahvé
un holocauste ou un (autre) sacrifice, pour un vœu explicite
ou comme offrande spontanée, ou encore, *à l'occasion de*
vos fêtes, pour *faire une offrande* en agréable odeur *devant*[d]
Yahvé de gros ou de petit bétail, **4.** l'offrant présentera
aussi pour son offrande *devant* Yahvé, une oblation d'un
dixième de *mekkhilta* de fleur de farine trempée dans un
quart de hin d'huile. **5.** *Vous offrirez*, en plus de l'holocauste ou du sacrifice *des choses saintes*, un quart de hin
de vin en libation, pour chaque agneau. **6.** Si c'est un
bélier, *vous offrirez* comme oblation deux dixièmes de

---

m. O : l'enseignement   n. O M : la Parole de Y ne viendra point
à votre aide   o. F M : ils se dépêchèrent ‖ O : ils agirent de façon
impie en montant   p. M¹ : massacrèrent ‖ M² : exterminèrent
q. O : ils les battirent et leur donnèrent la chasse jusqu'à Hormah
          a. M : la Parole de Y. Id. v.17.23.30.35.36   b. = O. Id. v. 25
c. = O. Id. v. 5   d. O : afin d'être reçue avec faveur devant Y.
Id. v. 7.10.13.14.24

δ. Nombr. R 15,2 (702)

avez renoncé à suivre *le culte*[m] *de* Yahvé, *pour cela la Parole de* Yahvé ne viendra point *à votre aide.* » **44.** Ils *s'équipèrent dans l'obscurité*[28δ], *avant le lever du jour*, pour monter au sommet de la montagne. *Mais* l'arche *où se trouvait* l'alliance de Yahvé, pas plus que Moïse, ne se déplacèrent de l'intérieur du camp. **45.** Alors descendirent l'Amalécite et le Cananéen qui demeuraient sur cette montagne ; ils les *massacrèrent* et les exterminèrent *en leur donnant la chasse* jusqu'à *Extermination*[29].

CHAPITRE XV

1. Yahvé parla à Moïse, en disant : **2.** « Parle aux enfants d'Israël et dis-leur : Quand vous entrerez au pays que je vous donne pour que vous y habitiez, **3.** et que vous ferez *sur l'autel* comme *offrande devant*[b] Yahvé un holocauste ou un sacrifice *de choses saintes*[c], pour un vœu explicite ou comme offrande spontanée, ou encore, *à l'occasion de* vos fêtes, pour accomplir *le bon plaisir du Maître de l'univers afin d'être reçus avec faveur devant* Yahvé, (offrande) de gros ou de petit bétail, **4.** *l'homme* qui offre présentera aussi pour son offrande *devant* Yahvé, une oblation d'un dizième de fleur de farine, pétrie dans un quart de hin d'huile *d'olives.* **5.** Tu feras, en plus de l'holocauste ou du sacrifice *de choses saintes*, l'offrande d'un quart de hin de vin *de raisin* en libation, pour chaque agneau. **6.** Dans le cas d'un bélier, tu feras une oblation de deux dixièmes de fleur de farine, pétrie dans un tiers

---

28. Ou : « ils se hâtèrent dans l'obscurité ». Le sens de l'hébreu *'pl* est incertain (« agir avec présomption » ? Cf. O). Jo l'interprète d'après *'pl* (obscur). Cf. *V* : « contenebrati ». Voir Geiger, *Urschrift*, 472.

29. *shĕṣāyû*, traduction en araméen du nom de lieu Hormah. Jastrow (1567) et Levy (II, 476) en font un nom propre.

fleur de farine trempée dans un tiers de hin d'huile ; **7.** puis
vous offrirez en agréable odeur *devant* Yahvé un tiers de
hin de vin en libation. **8.** Si c'est un jeune taureau que
vous offrez, en holocauste ou en sacrifice, pour un vœu
explicite ou comme *sacrifice de choses saintes* pour *le Nom
de* Yahvé, **9.** on offrira avec le jeune taureau une oblation
de trois dixièmes de fleur de farine trempée dans un
demi-hin d'huile ; **10.** et tu offriras en libation un demi-hin
de vin, *offrande qui est reçue* en odeur agréable *devant*
Yahvé[g]. **11.** C'est d'après *ce rite* que *vous ferez l'offrande*
pour chaque taureau ou pour chaque bélier ou agneau,
pour les agneaux, *les chevreaux* ou les chèvres. **12.** Suivant
le nombre que vous sacrifierez, vous *offrirez* chaque (bête)
du nombre selon *ce rite*. **13.** Tous les indigènes agiront
de la sorte (en suivant) ces (rites) pour présenter une
offrande (qui doit être) *reçue* en odeur agréable *devant*
Yahvé. **14.** Si un étranger qui habite avec vous ou bien
quelqu'un qui se trouve parmi vous, au long de vos générations, veut *présenter* une *offrande* (destinée à être) *reçue*
en odeur agréable *devant* Yahvé, il agira tout comme vous
le ferez vous-mêmes. **15.** (Pour toute) l'assemblée il y aura
une prescription <unique>[4] *de la Loi*, pour vous et pour
les étrangers qui résident. C'est une loi perpétuelle au long
de vos générations : il en sera de vous comme de l'étranger
devant Yahvé. **19.** Il y aura pour vous et pour les étrangers
qui résident[5] parmi vous *une prescription* unique *de* la Loi
et une unique procédure. » **17.** Puis Yahvé parla à Moïse,
en disant : **18.** « Parle aux enfants d'Israël et dis-leur :
Quand vous entrerez dans le pays où je vais vous introduire,

---

e. O : + de choses saintes   f. = O   g. M : pour le Nom de Y. Id.
v. 13.14

α. M Suk. IV, 9   β. Sifré Nombr. (299) ; Zeb. 45 a   γ. Sifré
Nombr. 15,16 (302)

de hin d'huile *d'olives* ; **7.** puis tu offriras *dans une coupe*ᵅ,
pour la libation, un tiers de hin de vin *de raisin, pour
être reçu avec faveur devant* Yahvé. **8.** Si c'est un jeune
taureau dont tu fais l'offrande, en holocauste ou en
sacrificeᵉ, pour un vœu explicite ou comme un *sacrifice
de choses saintes devant*ᵗ Yahvé, **9.** on offrira, en plus du
jeune taureau, une oblation de trois dixièmes de fleur de
farine, pétrie dans un demi-hin d'huile *d'olives*, **10.** et¹
un demi-hin de vin *de raisin* pour la libation, *offrande
qui est reçue avec faveur*² *devant* Yahvé. **11.** Ainsi fera-t-on
pour chaque taureau ou pour chaque bélier, ainsi que
pour les agneaux et les chevreaux. **12.** Suivant la quantité
de taureaux, agneaux ou chevreaux dont vous ferez
l'offrande, c'est ainsi que vous agirez pour chacun, selon
leur total. **13.** Tous les indigènes *en Israël — mais non
d'entre les gentils*ᵝ — accompliront de la sorte ces *libations,*
pour présenter une *offrande qui doit être reçue avec faveur
devant* Yahvé. **14.** Si un étranger qui réside³ avec vous,
ou bien *quelqu'un* qui se trouve *maintenant* parmi vous
depuis des générations, veut faire une *offrande destinée
à être reçue avec faveur devant* Yahvé, il agira tout comme
vous le ferez vous-mêmes. **15.** (Pour) *toute* l'assemblée
il n'y aura qu'une seule loiᵞ, pour vous et pour les étrangers
qui résideront. C'est une loi perpétuelle au long de vos
générations : il en sera de vous comme de l'étranger devant
Yahvé. **16.** Il y aura pour vous et pour les étrangers qui
résideront avec vous une seule loi et une seule règle. »
17. Puis Yahvé parla à Moïse, en disant : **18.** « Parle aux
enfants d'Israël et dis-leur : Quand vous entrerez dans
le pays où je vais vous introduire, **19.** quand vous mangerez

---

1. Jo ne répète pas le verbe « offrir » du TM. Cf. *LXX* et *V*.
2. Sur cette paraphrase habituelle de l'hébreu, cf. note à *Lév.* 1,9.
3. *ytgyyr... gyywr'* ; N. *ytwtb... gywr*. Cf. note à 9,14.
4. Restituer avec M (cf. TM).
5. *gywryh dmtgyyryn* (cf. Jo et O). Id. v. 29. Cf. v. 14. *LXX* a
προσήλυτος aux vv. 14.16.29.

19. lorsque vous mangerez du pain du pays, vous prélèverez une partie pour *le Nom de* Yahvé. **20.** Comme prémices de vos bannetons, vous prélèverez[h] un gâteau en offrande ; vous ferez ce prélèvement comme le prélèvement *du blé* de l'aire *et du vin*[7] *du pressoir.* **21.** Des prémices de vos bannetons, vous *prélèverez* une offrande pour *le Nom de* Yahvé, au long de vos générations. **22.** Quand par erreur vous aurez manqué d'accomplir tous ces commandements que <Yahvé>[8] a dictés[i] à Moïse **23.** — tout ce que Yahvé vous a prescrit par l'organe de Moïse, depuis le jour où Yahvé l'a ordonné et par la suite au long de vos générations —, **24.** si c'est par inadvertance de la communauté que la chose a été faite par mégarde, tout *le peuple de* la communauté *offrira* un jeune taureau en holocauste, en odeur agréable au *Nom de* Yahvé, avec son oblation et ses libations suivant le rituel fixé, ainsi qu'un bouc en sacrifice pour le péché. **25.** Alors le prêtre fera le rite d'expiation sur toute la communauté des enfants d'Israël et il leur sera pardonné[j] ; en effet, c'était une inadvertance et ils ont apporté leurs offrandes *devant* Yahvé, ainsi que leur sacrifice pour le péché devant Yahvé pour leur inadvertance. **26.** Il sera pardonné à toute la communauté des enfants d'Israël, ainsi qu'aux étrangers qui résident parmi eux, puisque c'est tout le peuple qui a péché par inadvertance. **27.** Que si une seule personne se rend coupable <par inadvertance>[11], elle offrira, pour le

h. F : des prémices de vos bannetons, vous donnerez (= M) un prélèvement pour le Nom de Y   i. M : les préceptes que la Parole de Y a prescrits   j. M : remis et pardonné. Id. v. 26.28   k. = O. Id. v. 28.30.31

δ. Sifré Nombr. (304); Mekh. Ex. 13,6 (I, 144)   ε. M Hal. II, 7

6. *qyṭny* : sorte de légumes secs (G. DALMAN, *Wörterbuch*, 359). JASTROW (1326) précise : « the beans of colocasia (ciborium) », i.e.

du pain *de la récolte* du pays, vous prélèverez une partie *devant* Yahvé, *mais non de riz, de millet et de pois*[68]. **20.** Comme prémices de vos bannetons, vous mettrez à part comme prélèvement *pour le prêtre* un gâteau *sur vingt-quatre*[ε] ; vous ferez ce prélèvement comme vous faites le prélèvement de l'aire. **21.** Des prémices de vos bannetons, vous donnerez un prélèvement *devant* Yahvé, au long de vos générations. **22.** Quand par erreur vous aurez manqué à *l'un* quelconque de ces préceptes que Yahvé a dictés à Moïse **23.** — tout ce que Yahvé vous a prescrit par l'intermédiaire de Moïse, depuis le jour où Yahvé l'a ordonné et par la suite au long de vos générations —, **24.** si c'est à l'insu de la communauté que la faute a été commise par mégarde, toute la communauté fera l'offrande d'un jeune taureau en holocauste, pour *être reçu avec faveur devant* Yahvé, avec son oblation et la libation *qui lui conviennent*, ainsi qu'un bouc, né de chèvres *d'espèces non mélangées*[9], en sacrifice pour le péché. **25.** Alors le prêtre fera le rite d'expiation sur toute la communauté des enfants d'Israël et il leur sera remis ; en effet, c'était une inadvertance, et ils ont apporté leur offrande comme *offrande devant* Yahvé et *offert* devant Yahvé *leur offrande de transgression* pour leur inadvertance. **26.** Il sera donc remis *de devant Yahvé* à toute la communauté des enfants d'Israël, ainsi qu'aux étrangers qui résident parmi eux, puisque *cela est arrivé* au peuple[10] par inadvertance. **27.** Que si un seul *homme*[k] a commis une faute par inadvertance, il offrira, pour le sacrifice pour le péché, une

---

le κιβώριον qui désigne « le fruit de la fève d'Égypte (κολοκασία) » (A. Ernout - A. Meillet, *Dictionnaire étymologique de la langue latine,* Paris 1951, 211).

7. En lisant *ḥmrh* avec I (au lieu de *tmrh*).
8. Mot oublié.
9. Cf. *Lév.* 19,19.
10. TM : « à tout le peuple ».
11. Restituer avec les autres versions (cf. TM).

sacrifice pour le péché, une chèvre née dans l'année.
28. Le prêtre fera le rite d'expiation devant Yahvé sur
la personne qui a péché en errant par inadvertance ; en
faisant sur elle le rite d'expiation, il lui sera pardonné.
29. Qu'il s'agisse des indigènes d'entre les enfants d'Israël
ou bien des étrangers qui résident parmi *vous*, il y aura
une prescription unique *de* la Loi pour *quiconque*[13] agit
par inadvertance. **30.** Mais si une personne, d'entre les
indigènes ou d'entre les étrangers, agit (mal) *ouvertement*[l],
elle commet un blasphème *devant* Yahvé, et cette personne
sera exterminée du milieu du peuple. **31.** Parce qu'elle a
méprisé[m] la parole[14] de Yahvé et violé[n] son commandement
<cette>[16] personne devra être exterminée ; *elle recevra*
(le châtiment de) sa faute. » **32.** Alors que les enfants
d'Israël étaient dans le désert, ils trouvèrent un homme
qui ramassait du bois[o] le jour du sabbat. **33.** Ceux qui
l'avaient trouvé en train de ramasser du bois l'amenèrent

---

l. = O (*litt* : la tête découverte) ‖ M : à main levée   m. = F ‖ O :
foulé au pied   n. O : et changé (= annulé) ses préceptes ‖ F : et
violé ses préceptes   o. = F (O : autre mot)

ζ. Sanh. 90 b   η. Sifré Nombr. (329) ; Sanh. 99 a   θ. Sifré
Nombr. (330) ; Sanh. 90 b   ι. Sifré Nombr. 15, 33 (336) ; Sanh.
78 b   κ. Sifré Nombr. (335)   λ. Sifré Nombr. (335) ; Sanh. 41 a

---

12. 27031 : *wlmn* ; *ed. pr.* : *wlm'n*. Ginsburger a supprimé le *waw*
(lmn).

13. En lisant *lkwl*. Mais un copiste a corrigé en *lkwn lmn* (= TM) :
« une prescription unique sera *pour vous*, pour celui... ».

14. *ptgm'* (= O-Jo).

15. *Ex.* 20, 2-3. C'est l'opinion de R. Ismaël, alors que R. Éléazar
commente l'opinion qui voit ici une allusion à la circoncision (*Sifré*
329 et 330) ; Jo retient la première et la dernière des exégèses mentionnées par *Sifré*. Cf. S. GRONEMANN, *Die Jonathan'sche Pentateuch-*
Uebersetzung, 54 s.

16. Oublié en début de ligne.

17. Pour la formule, cf. *Matth.* 12,32. Voir l'*Excursus* de *SB*, IV,
799-976. Exégèse typique de l'école d'Aqiba, donnant leur signification

chevrette née dans l'année, *d'espèces non mélangées.* **28.** Le
prêtre fera le rite d'expiation devant Yahvé sur *l'homme*
qui a péché en commettant une faute d'inadvertance ;
en faisant sur lui le rite d'expiation, il lui sera remis.
29. Qu'il s'agisse de l'indigène d'entre les enfants d'Israël
ou des étrangers qui résident parmi *vous,* la Loi sera
unique pour vous, *c'est-à-dire*[12] pour *celui* qui agit par
inadvertance. **30.** Mais si un *homme,* parmi les indigènes
ou parmi les étrangers agit *par arrogance et ne se repent
point de sa transgression*[ζ], *il excite la colère de* Yahvé,
et cet *homme* sera exterminé du milieu de son peuple.
31. Parce qu'il a foulé aux pieds la *première* parole *que*
Yahvé *a commandée au Sinaï*[15] et qu'il a annulé la prescription *de la circoncision*[η], cet *homme* devra être exterminé
en ce monde (et exterminé) dans le monde à venir[17θ], *car
il est destiné à rendre compte de* sa faute *au jour du grand
jugement*[18]. » **32.** Alors que les enfants d'Israël étaient
campés dans le désert, *le décret du sabbat leur était bien
connu, mais la sanction (de la violation) du sabbat ne leur
était pas connue. Alors se leva un homme d'entre ceux de
la maison de Joseph, qui se dit en lui-même : « Je vais aller
arracher du bois le jour du sabbat ; les témoins me*[19] *verront
et (le) rapporteront à Moïse. Alors Moïse demandera
instruction de devant Yahvé et il me jugera. De la sorte
la sanction sera connue*[20ι] *de toute la maison d'Israël. »
Les témoins*[κ] *trouvèrent donc l'homme en train d'arracher
et de déraciner du bois le jour du sabbat.* **33.** *Après l'avoir
admonesté*[λ] *et qu'il eût continué à arracher (du bois), les*

aux mots répétés (ici le le verbe *kārat* ; cf. aussi 5,22). Pour une
comparaison avec Origène, cf. N. R. M. DE LANGE, *Origen and the
Jews,* Cambridge 1976, 111.

18. Comparer le vocabulaire de *Matth.* 12,36 : ἀποδώσουσιν ...
λόγον ἐν ἡμέρᾳ κρίσεως.

19. Lire *yty* avec 27031 et non *yt (ed. pr.).*

20. En lisant un futur, au lieu de la forme de parfait (confusion
fréquente entre *aleph* et *yod*) : « Ainsi la sanction fut connue... ».

à Moïse, Aaron et à toute la communauté *des enfants
d'Israël.* **34.** *C'est là l'une des quatre causes qui furent
évoquées devant Moïse, notre Maître. En deux d'entre elles,
Moïse fut rapide*[p]*, et en deux d'entre elles, Moïse fut lent.
Dans les unes comme dans les autres, il dit: « Je n'ai pas
entendu! » Dans le cas de ceux qui étaient impurs et ne
purent faire la Pâque en temps voulu, et dans le cas des deux
filles de Selopkhad, Moïse fut rapide, parce que leurs causes
étaient des causes d'ordre pécuniaire. Mais dans le cas de
celui qui ramassait du bois et avait avec impudence profané
le sabbat et de celui du blasphémateur qui avait prononcé*[q]
*le saint Nom en l'outrageant, Moïse fut lent, car c'étaient là
des causes capitales. (Cela) afin d'enseigner aux juges qui
devaient exister après Moïse à être rapides dans les causes
pécuniaires et lents dans les causes capitales, pour qu'ils ne
se hâtent point de mettre à mort celui qui est passible de mort
par jugement (et) qu'ils n'aient point honte de dire: « Nous
n'avons pas entendu », puisque Moïse, notre Maître, dit: « Je
n'ai pas entendu! »* Et ils le reléguèrent dans la prison *en
attendant que leur* fût expliqué *devant Yahvé* ce qu'il fallait
lui faire*[r]*. **35.** Alors Yahvé dit à Moïse : « L'homme doit
mourir. Tout *le peuple de* la communauté le lapidera avec
des pierres, à l'extérieur du camp. » **36.** Tout *le peuple de*
la communauté le fit donc sortir à l'extérieur du camp ;
on le lapida avec des pierres et il mourut, conformément
à ce que Yahvé avait prescrit à Moïse. **37.** Yahvé parla
à Moïse, en disant : **38.** « Parle aux enfants d'Israël et tu
leur diras <qu'ils se fassent des franges*[s]* aux pans de
leurs manteaux, au long de leurs générations, et qu'ils

---

p. Moïse fut rapide ... pas entendu = F (ordre différent)   q. M :
blasphémé   r. F M : en attendant que leur fût expliqué de devant
Y quels jugements devaient être exercés à son endroit ‖ O : parce
qu'il ne leur avait pas (encore) été expliqué ce qu'ils devaient lui
faire   s. = F ‖ O : *krwspdyn* (κράσπεδον)

---

21. 27031 : *sndry* ; *ed. pr.* : *snhdry.* Pluriel *(snhdryyt')* à *T Lév.*

témoins qui l'avaient trouvé en train d'arracher du bois
l'amenèrent à Moïse, à Aaron et à toute la communauté.
34. *C'est là l'une des quatre causes que l'on introduisit devant
Moïse, le prophète, et il les jugea selon la décision de la
Parole de sainteté. Parmi elles, il y avait des causes d'ordre
pécuniaire et parmi elles il y avait des causes capitales.
Dans les causes d'ordre pécuniaire, Moïse fut rapide; mais
dans les causes capitales, Moïse fut lent. Dans les unes et
dans les autres, Moïse dit: « Je n'ai pas entendu! » (Cela)
afin d'apprendre aux chefs du Sanhédrin[21] qui étaient
destinés à se lever (plus tard), à être rapides dans les causes
d'ordre pécuniaire et lents dans les causes capitales et qu'ils
n'aient point honte de faire enquête dans les cas qui leur
font difficulté. En effet Moïse, qui était le Maître d'Israël,
avait dû dire: « Je n'ai pas entendu! » C'est pourquoi ils
le reléguèrent dans la geôle, car jusqu'alors* n'avait pas
encore été expliqué quelle *procédure* devait être employée
à son endroit. **35.** Alors Yahvé dit à Moïse : « L'homme
doit être mis à mort. Toute la communauté le lapidera
avec des pierres, à l'extérieur du camp. » **36.** Toute la
communauté le fit donc sortir à l'extérieur du camp ;
on le lapida avec des pierres et il mourut, conformément
à ce que Yahvé avait prescrit à Moïse. **37.** Yahvé parla
à Moïse, en disant : **38.** « Parle aux enfants d'Israël et
tu leur diras qu'ils se fassent des franges[22]. *Ils ne (les
feront) point (de bouts) de fil, ni de glands, ni de touffes,
mais ils les feront tout exprès. Ils en tailleront le bout des
fils et ils (les) laisseront pendre avec cinq nœuds, avec quatre*

24,12 (Jo). Pour toute la paraphrase, cf. notes à *Lév.* 24,12. Les mss
de F (Nur. et 440) se contentent d'écrire : « C'est là l'une des quatre
causes... Transcrit en entier plus haut au (passage du) blasphémateur
et de l'impur par cadavre » (i.e. *Lév.* 24,12 et *Nombr.* 9,8). De même
à 27,5 simple renvoi à 9,8 et 15,34.

22. Cf. *SB*, IV, 277-292 (surtout 281) ; J. D. EISENSTEIN dans
J.E. V, 521-522. Voir le croquis dans J. HASTINGS, *A Dictionary of
the Bible* I, 627.

placent sur les franges>[23] du pan *du manteau (de prière)*[24] un cordon[t] de pourpre violette. **39.** Cela vous servira de <franges>[25] ; en les voyant vous vous rappellerez tous les commandements de Yahvé pour les mettre en pratique et vous ne vous fourvoierez plus après *les mauvaises pensées de* votre cœur et après *le spectacle de* vos yeux[u], à la suite desquels vous vous prostituez. **40.** De la sorte vous vous souviendrez[27] de tous mes préceptes et vous serez saints[v] *devant Yahvé,* votre Dieu. **41.** <Je suis Yahvé, votre Dieu>[28] qui vous *ai libérés et* fait sortir du pays d'Égypte pour être[w] pour vous Dieu *Rédempteur*[29], moi[x] Yahvé, votre Dieu. »

CHAPITRE XVI

1. Coré, fils de Yisehar, fils de Quehath, fils de Lévi, *se mutina*[2aα] avec Dathan et Abiram, fils d'Éliab, ainsi

t. F M : une torsade de pourpre violette   u. O : vous n'errerez plus après les mauvaises pensées de votre cœur et après le spectacle de vos yeux   v. M : un peuple de saints pour votre Dieu   w. M : pour que ma Parole (soit pour vous)   x. M : ainsi parle Y

a. = O ‖ F M[1] : prit conseil et se mutina ‖ M[2] : ils prirent un mauvais conseil et ils se querellèrent

μ. Menah. 41 b - 42 b   ν. Sifré Nombr. (347) ; Menah. 43 a
α. Nombr. R (709)

23. Suppléé par M.
24. *gwlth* (même terme dans Jo). A ne pas confondre, malgré les analogies, avec le *ṭallît* (châle de prière) : cf. S. Krauss, *Talmudische Archäologie*, I, 169 et 607. On trouve aussi *gwlth* dans Jo à *T Deut.* 22,12 et 33,19. A 22,12, M propose *ṭlyth*. Voir Levy, I, 130. L'observation scrupuleuse du précepte des franges apparaît dans le fait qu'on en a retrouvé (avec même de la laine violette) dans la « Grotte des lettres » de Bar Kokheba : cf. Urbach, *The Sages*, 348.
25. Lire *ṣnpn* (cf. N à *Deut.* 22,12) au lieu de *mṣnpn* (turbans). M a *ṣyṣyyn*.

(fils insérés) à trois (doigts du coin)[u], aux *quatre* côtés
des *manteaux (de prière) dont ils s'enveloppent*, au long
de leurs générations. Et ils placeront, *sur le côté (extérieur)
de leurs manteaux (de prière)*, une torsade de pourpre
violette. **39.** Ce sera pour vous *le commandement* des
franges. Quand vous les verrez, *de jour*[v], *au moment où
vous vous envelopperez de (vos manteaux)*, vous vous
rappellerez tous *mes*[26] préceptes pour les mettre en pratique
et vous ne vous fourvoierez plus *pour aller errer* après
les mauvaises pensées de votre cœur et après *le spectacle
de* vos yeux, à la suite desquels vous vous prostituez.
40. De la sorte vous vous rappellerez et vous mettrez
en pratique tous mes préceptes et vous serez saints,
comme les anges qui servent devant Yahvé, votre Dieu.
41. *C'est* moi, Yahvé, votre Dieu, qui vous *ai libérés et*
fait sortir, *libérés*, du pays d'Égypte, afin d'être Dieu
pour vous. Je *suis* Yahvé, votre Dieu. »

CHAPITRE XVI

1. Coré[1], fils de Yisehar, fils de Quehath, fils de Lévi,
avec Dathan et Abiram, fils d'Éliab, ainsi que On, fils

---

26. *pyqwdyy*. Ginsburger et Rieder restituent (avec O) : *pyqwdy'
dyy* (cf. TM). Haplographie probable.

27. Sans doute restituer : « et vous mettrez en pratique » (cf. TM).

28. Omis par homoioteleuton.

29. Cf. note à *Ex.* 29,45.

1. Le ms. 110 est seul à donner ici une longue paraphrase. Selon
Ginsburger (*Das Fragmententhargum*, 52), elle commentait le v. 29,
mais fut ensuite placée au début de la parashah *Coré* : cf. note à
Gen. 15,1. Cette paraphrase est traduite dans l'édition de F préparée
par M. L. Klein.

2. *plgg. Litt.* : « se divisa, se sépara ». O : *w'tplgg* (= *Pesh.*). Le sens
de *wyqh* de l'hébreu est discuté. N et O le rattachent, non à *lqh*
(prendre), mais à *hlq* (diviser, partager), transposition de consonnes
permise par l'exégèse midrashique (cf. *T Ps.* 68,19).

que On, fils de Péleth, qui étaient fils[3] de Ruben. **2.** Ils se dressèrent devant Moïse[b], avec deux cent cinquante hommes des enfants d'Israël, princes de la communauté, élus de *l'assemblée*[6], hommes *distingués* de renom. **3.** Ils se rassemblèrent contre Moïse et contre Aaron et leur dirent : « C'en est trop de votre part ! Car toute la communauté, (ce sont) tous des saints[d] et parmi eux *demeure la Shekinah*[e] *de* Yahvé. Pourquoi donc vous élevez-vous au-dessus de l'assemblée *de la communauté* de Yahvé ? » **4.** Quand Moïse l'entendit, *il se prosterna* sur sa face[f] ; **5.** puis il parla à Coré et à toute sa communauté, en disant : « (Demain) matin Yahvé fera connaître qui fait partie des siens, et qui sont ses saints qu'il laissera approcher de lui ; et, celui qu'il a choisi, il le laissera s'approcher de lui. **6.** Faites ceci : procurez-vous des cassolettes, Coré et toute sa communauté[h]. **7.** Mettez-y du feu et placez-y demain de l'encens en présence de Yahvé. Ainsi le saint ce sera l'homme que Yahvé[j] aura agréé. Vous avez passé la mesure[k], fils de Lévi ! » **8.** Moïse dit à <Coré>[8] :

b. M : ils se dressèrent face à Moïse avec impudence   c. = O
d. M : justes   e. = O ‖ M : la Gloire (de la Shekinah)   f.
M : il s'inclina en prière sur (sa face)   g. = O   h. M : sa bande
i. = O. Id. v. 17.18   j. M : la Parole de Y. Id. v. 20.23.30
k. M : c'est assez pour vous que la préséance

β. Nombr. R (709) ; Tanh. B Nombr. (85) ; Sanh. 110 a ; *LAB* 16,1
γ. Ber. 31 b ; Sanh. 110 a   δ. Tanh. B Nombr. (86)   ε. Nombr.
R (711) ; Tanh. B Nombr. (89) ; Sanh. 110 a ; Josèphe, *Ant.* IV
§ 15   ζ. Nombr. R (732) ; Sanh. 110 a ; Mid. Ps. 106,16 (II, 191)

3. Cf. *Nombr.* 26, 5-9 ; voir les commentaires du TM.
4. Le lien entre la révolte de Coré et le précepte des franges est aussi explicite dans le Pseudo-Philon (*LAB* 16,1 ; cf. *SC* 230, 121). Querelle proprement religieuse, et non seulement conflit d'ambitions (Josèphe, *Ant.* IV, § 20), dont G. Vermes a souligné l'importance dans *In Memoriam Paul Kahle*, Berlin 1968, 235.
5. Selon *Ber.* 31 b, celui qui énonce une norme (halakhah) en présence de son maître *(rab)* est passible de la peine de mort.

de Péleth, (d'entre les) fils de Ruben, prit *son manteau (de prière) qui était tout de pourpre violette*[4β]. **2.** Ils se dressèrent *avec impudence et se mirent à enseigner une halakhah*[γ] *au sujet de la pourpre*[5], en présence de Moïse. *Tandis que Moïse disait : « Moi, j'ai entendu de la bouche du Saint — Que son Nom soit béni ! — que les franges devront être de couleur blanche et qu'il s'y trouvera un seul fil de pourpre violette »*, *Coré et ses compagnons s'étaient fait des manteaux avec leurs franges, entièrement de pourpre violette, chose que Yahvé n'avait point prescrite.* Et deux cent cinquante hommes des enfants d'Israël, officiers de la communauté *qui proclamaient le moment*[c] *où (il fallait) partir ou camper, distingués* de renom, *les appuyaient*[6]. **3.** Ils se rassemblèrent contre Moïse et contre Aaron et ils leur dirent : « Vous en avez assez *avec la préséance*[ε] ! Car toute la communauté, (ce sont) tous des saints et parmi eux *demeure la Shekinah de* Yahvé. Comment donc vous élevez-vous au-dessus de l'assemblée de Yahvé ? » **4.** Moïse entendit (dire) *comment, tous tant qu'ils étaient, ils avaient été pris de jalousie pour leur femme*[ζ], *au point de leur faire boire les eaux d'investigation*[7] *à cause de Moïse.* Et, *de confusion*, il tomba sur sa face. **5.** Puis il parla à Coré et à la troupe *de ses suppôts*, en disant : « (Demain) matin, Yahvé fera connaître qui il considère comme *apte* à son (service) et qui est saint pour accéder à *son culte* ; et c'est celui qu'il aura agréé qui pourra s'approcher pour *son service*[g]. **6.** Faites ceci : procurez-vous des cassolettes, Coré et toute la troupe *de ses suppôts*. **7.** Mettez-y du feu et placez-y demain de l'encens *aromatique*[i] en présence de Yahvé. Ainsi l'homme que Yahvé aura agréé, ce sera lui le saint. Cela suffit pour vous, fils de Lévi ! » **8.** Moïse

6. N s'inspire de 1,16 pour interpréter l'hébreu *mô'ēd* (cf. RASHI).
7. Cf. *T Nombr.* 5,18 (Jo). Moïse est soupçonné d'immoralité. Cf. GINZBERG, *Legends*, III, 292.
8. Le scribe écrit *lkwn* (« à vous »).

« Écoutez donc, fils de Lévi ! **9.** Est-*ce là* trop peu pour
vous que le Dieu d'Israël vous ait mis à part de la communauté d'Israël, vous faisant approcher de lui pour faire
le service de la Tente *de Réunion* de Yahvé et vous tenir
devant la communauté pour les servir ? **10.** Il t'a fait
approcher, toi et tous *vos* frères, les fils de Lévi, avec toi
et vous réclamez *de prendre* aussi le *souverain*[1] sacerdoce !
11. *Je le jure*[m] : toi et tout *le peuple de* ta communauté,
c'est *devant* Yahvé que vous vous êtes donné rendez-vous.
Aussi bien, Aaron, *quelle importance* a-t-il pour que vous
murmuriez contre lui ? » **12.** Moïse envoya appeler Dathan
et Abiram, fils d'Éliab ; mais ils dirent : « Nous ne montons
pas ! **13.** Est-ce trop peu que tu nous aies fait monter
d'un pays qui *produit des fruits excellents, purs comme*
le lait et *doux*[o] *comme* le miel, pour nous mettre à mort
dans le désert, que tu veuilles <de surcroît nous>[11]
parler en maître ? **14.** Certes, ce n'est pas dans un pays
qui *produit des fruits excellents, purs comme* le lait et *doux*[p]
comme le miel, que tu nous as fait entrer ! Et tu ne nous as
pas donné en héritage des champs et des vignes ! Est-ce
que tu comptes *aveugler* les yeux de ces hommes[q] ? Nous
ne montons pas. » **15.** Cela *déplut* fort à Moïse et il dit
devant Yahvé : « Ne *reçois*[r] point leur offrande *avec faveur* !
Je n'ai pas emporté[s] un seul de leurs ânes et je n'ai fait
de tort à aucun d'eux. » **16.** Puis Moïse dit à Coré : « Toi
et tout *le peuple de* ta communauté, soyez demain devant
Yahvé, toi <et eux>[13] ainsi qu'Aaron. **17.** Prenez chacun

---

l. = O   m. M : Je le jure : toi Coré et tout le peuple de ta communauté, ceux-là qui ont murmuré contre la Gloire de la Shekinah
de Y   n. = O. Id. v. 14   o. = 110 ‖ M : savoureux   p. M :
savoureux   q. M : même si tu crèves les yeux de ces hommes, nous
ne montons pas ‖ O : enverrais-tu aveugler ces hommes, nous ne
monterons pas   r. O : ne reçois point avec faveur leur offrande
‖ F M : ne considère point leur don *(dwrwn)*   s. F M : pris ‖ O :
réquisitionné   t. = O M

dit à Coré, *ainsi qu'à sa famille* : « Écoutez donc, fils de Lévi ! **9.** Est-ce trop peu pour vous que le Dieu d'Israël vous ait mis à part de la communauté d'Israël[9], vous faisant approcher à *son service*, pour faire le service de la Tente de Yahvé et vous tenir devant *toute*[10] la communauté pour les servir ? **10.** Il t'a fait approcher, toi et tous tes frères, les fils de Lévi, avec toi et vous réclamez *maintenant* aussi le *souverain* sacerdoce ! **11.** C'est pour cela que toi et toute la troupe *de tes suppôts* vous vous êtes donné rendez-vous contre *la Parole de* Yahvé. Aussi bien Aaron, qu'est-il pour que vous murmuriez contre lui ? » **12.** Moïse dépêcha *des émissaires* pour convoquer *au grand tribunal*[n] Dathan et Abiram, fils d'Éliab ; mais ils dirent : « Nous ne monterons pas ! **13.** Est-ce trop peu que tu nous aies fait monter d'*Égypte*, un pays qui *produit*[n] lait et miel, pour nous mettre à mort dans le désert, que tu veuilles en outre nous parler en maître ? **14.** Aussi bien, ce n'est pas dans un pays *produisant* lait et miel que tu nous as fait entrer ! Et tu ne nous as pas donné en héritage des champs et des vignes ! Compterais-tu rendre aveugles les yeux de ces hommes *qui sont dans ce pays et les vaincre, que* nous ne monterions pas *là-bas* ! » **15.** Moïse en éprouva une grande colère et il dit *devant* Yahvé : « *Je t'en prie*, ne considère point leur don[12], *car* je n'ai pas réquisitionné un seul de leurs ânes et je n'ai fait de tort à aucun d'eux. » **16.** Puis Moïse dit à Coré : « Toi et toute la troupe *de tes suppôts*, soyez *présents*[t] demain *au tribunal*, devant Yahvé, toi et eux ainsi qu'Aaron. **17.** Prenez chacun votre casso-

η. M.Q. 16 a

9. 27031 omet « d'Israël ».
10. Omis dans *ed. pr.*
11. Restitué en marge (d'une encre différente de celle des variantes).
12. *dwrwn* (δῶρον) = FM ; N : *qrbn*.
13. A restituer avec M et I (cf. TM).

votre[14] cassolette ; vous y mettrez de l'encens et vous
offrirez chacun votre cassolette devant Yahvé, deux cent
cinquante cassolettes. Toi et Aaron, (vous aurez) chacun
votre cassolette. » **18.** Ils prirent donc chacun sa cassolette,
y mirent du feu, placèrent par-dessus de l'encens et se
tinrent à l'entrée de la Tente de Réunion, ainsi que Moïse
et Aaron. **19.** Lorsque Coré eut rassemblé contre eux
tout *le peuple de* la communauté, à l'entrée de la Tente de
Réunion, la Gloire de *la Shekinah de* Yahvé apparut à tout
le peuple de la communauté. **20.** Alors Yahvé parla à Moïse
et à Aaron, en disant : **21.** « Séparez-vous *des gens* de cette
communauté, que je les extermine en un rien de temps. »
22. Mais ils *se prosternèrent*[u] sur leurs faces et dirent[v] :
« Ô Dieu, *qui commandes au souffle*[w] de toute chair !
Est-ce que si un homme pèche, la colère s'abattra sur
<toute>[19] la communauté ? » **23.** Et Yahvé parla à Moïse,
en disant : **24.** « Parle à *toute* la communauté, en disant :
Éloignez-vous des abords de la tente de Coré, Dathan et
Abiram ! » **25.** Puis Moïse se leva et s'en vint auprès de
Dathan et Abiram et les *sages* d'Israël partirent derrière
lui. **26.** Il parla à la communauté, en disant : « Détournez-
vous donc de la tente de ces hommes pécheurs et ne touchez

---

u. F M : s'inclinèrent   v. F : et il dit   w. = F ‖ M : (d'où)
provient le souffle de toute chair

θ. Sanh. 110 a ; Josèphe, *Ant.* IV § 14   ι. J Sanh. X 27 d ; Pes.
119 a ; Sanh. 110 a   κ. Nombr. R 16,22 (722)   λ. Tanh. B
Nombr. (91)

---

14. *Litt.* : « sa ».
15. Cf. GINZBERG, *Legends*, III, 11 et 286 ; VI, 99. Voir l'allusion
à Coré dans *T Job* 15,29. « Riche comme Coré » équivaut, dans la
tradition juive, à « riche comme Crésus ».
16. *Litt.* : « chasser du monde » *(ṭrd mn 'lm')*, i.e. faire mourir.
JASTROW (550) traduit la formule correspondante de *Qid.* 31 a :
« (to drive) him out of the world, (make) him desperate ».

lette ; vous y mettrez de l'encens *aromatique* et vous
offrirez chacun votre cassolette devant Yahvé, deux cent
cinquante cassolettes. Toi et Aaron, (vous aurez) chacun
votre cassolette. » **18.** Ils prirent donc chacun sa cassolette,
ils y mirent du feu, placèrent par-dessus de l'encens
aromatique et ils se tinrent à l'entrée de la Tente de
Réunion, *d'un côté,* tandis que Moïse et Aaron (se tenaient)
de l'autre côté. **19.** Or Coré avait rassemblé contre eux
toute la communauté, à l'entrée de la Tente de Réunion.
*Il était devenu orgueilleux à cause de sa richesse*θ, *car il*
avait trouvé deux trésors, d'entre les trésors de Joseph[15ι],
pleins d'argent et d'or, et il cherchait, à cause de cette richesse,
à réduire au désespoir[16] *Moïse et Aaron. Si ce n'est que* la
Gloire de Yahvé apparut à toute la communauté. **20.** Alors
Yahvé parla à Moïse et à Aaron, en disant : **21.** « Séparez-
vous de cette communauté, que je les extermine en un
instant. » **22.** Mais ils *s'inclinèrent en prière*χ sur leurs faces
et dirent[17] : « Ô Dieu ! Dieu *qui a mis dans les corps des*
enfants des hommes l'esprit *(et) le souffle*[18] *d'où provient*
l'esprit pour toute chair, est-ce que, si un seul homme
est coupable, la colère s'abattra sur toute la communauté ? » **23.** Et Yahvé parla à Moïse, en disant : **24.** « *J'ai*
accueilli votre prière au sujet de la communauté. Parle-*leur*
donc, en disant : Éloignez-vous des abords de la tente de
Coré, Dathan et Abiram ! » **25.** Puis Moïse se leva et s'en
vint *pour admonester*[20λ] Dathan et Abiram, et les anciens
d'Israël partirent derrière lui. **26.** Il parla à la communauté,
en disant : « Écartez-vous donc des tentes de ces hommes
pécheurs *qui, depuis leur jeunesse en Égypte, sont passibles*

17. 27031 : « et il dit » (sans doute erreur) ; cf. v. 24 : « *votre* prière ».
18. *Litt.* : « l'esprit de souffle ». *Id.* à 27,16.
19. Sans doute à restituer (avec TM et versions : O-Jo-*Pesh.* —
LXX).
20. Cf. Ginzberg, *Legends,* III, 292 et 296.

à rien de ce qui leur appartient de peur que vous ne soyez
exterminés pour toutes leurs fautes ! » **27.** Ils s'éloignèrent
donc de la tente de Coré, Dathan et Abiram, de toutes
parts, tandis que Dathan et Abiram se levaient pour se
porter à l'entrée de leurs tentes, avec leurs femmes, leurs
fils et leurs petits enfants. **28.** Alors Moïse dit : « A ceci
vous connaîtrez que j'ai été envoyé *de devant* Yahvé[y]
pour faire toutes ces œuvres[22], (et) que ce n'est pas de ma
(propre) *initiative*[z] : **29.** Si ces (gens) meurent *de la mort
dont*[a] meurent tous les fils de l'homme et *si la loi qui a été
décrétée à l'endroit de*[b] toutes *les créatures* est appliquée[23]
à ceux-ci, (c'est que) je n'ai pas été envoyé *de devant* Yahvé[c].
30. Mais si Yahvé crée une créature *nouvelle* et que la
terre entrouvre la bouche pour les engloutir avec tout ce
qui est à eux, en sorte qu'ils descendent vivants au Sheol,
vous saurez que ces hommes ont provoqué la colère de
Yahvé. » **31.** Or, il advint que lorsqu'il eut achevé de
prononcer toutes ces paroles, le sol qui (était) au-dessous
d'eux s'ouvrit[e], **32.** la terre entrouvrit la bouche et les
engloutit avec leurs maisons et toutes <*les créatures* qui

---

x. = M　　y. M : la Parole de Y m'a envoyé. Id. v. 29　　z. F
M : = n'est pas de mon (propre) cœur que je les ai inventées ‖ O :
ce n'est pas de mon (propre) gré　　a. = F M　　b. = 110 ‖ F
M : et si la destinée de tous les hommes leur est appliquée ‖ O : et si
le châtiment de tous les hommes les châtie　　c. M : si la mort a
été créée dans le monde dès les origines pour ce monde-ci, voici que
(cela est) bien ; sinon, qu'elle soit créée à présent et que (la terre)
ouvre (la bouche)　　d. = O ‖ M : en vie. Id. v. 33　　e. O M :
se fendit　　f. = O

μ. Nombr. R (723) ; Tanh. B Nombr. (97)　　v. Nombr. R (724) ;
Tanh. B Nombr. (94) ; Ned. 39 b ; J Sanh. X 28 a ; Sanh. 110 a

---

21. Pour le nom, cf. *Nombr.* 33,13.14 ; allusion à l'épisode de la
manne : cf. *T Ex.* 16,20 (Jo). Pour la première allusion, cf. *T Ex.*
2,13-14 (Jo). Voir Ginzberg, *Legends*, III, 297.
22. *Litt.* : « œuvre » (sing. : ʿybydh). Sans doute corriger (cf. TM),
car le démonstratif est au pluriel. M a ʿwbdyyh (= O-Jo).

*de mort. Ils ont divulgué mon secret, lorsque j'ai mis à
mort l'Égyptien; à la mer, ils ont provoqué la colère de
Yahvé; à Aloush*[21]*, ils ont profané le jour du sabbat.
Maintenant ils se sont donné rendez-vous contre la Parole
de Yahvé. C'est pourquoi il convient de les excommunier
et d'anéantir tous leurs biens.* Et ne touchez à rien de ce
qui est à eux, de peur que vous ne soyez frappés pour
toutes leurs fautes ! » **27.** Ils s'éloignèrent donc de la tente
de Coré, Dathan et Abiram, de toutes parts, tandis que
Dathan et Abiram sortaient, *avec des propos outrageants*[xμ] ;
ils se tenaient debout, ainsi que leurs femmes, leurs fils
et leurs petits-enfants, à l'entrée de leurs tentes, *et ils
cherchaient à provoquer la colère de Moïse.* **28.** Alors Moïse
dit : « A ceci vous connaîtrez que Yahvé m'a dépêché
pour faire toutes ces œuvres, (et) que ce n'est pas de ma
propre *initiative* : **29.** si ces (gens) meurent *de la mort
dont* meurent tous les fils des hommes et si la destinée
de tout homme leur est appliquée, (c'est que) Yahvé
ne m'a pas dépêché. **30.** Mais si *la mort n'a pas été créée
pour eux dès les origines,* qu'elle soit créée *pour eux à
présent,* et *si une bouche n'a pas été créée pour la terre dès
le commencement, qu'elle soit créée pour elle à présent*[24v] !
Que la terre entrouvre la bouche pour les engloutir avec
tout ce qui est à eux, en sorte qu'ils descendent *encore*[d]
vivants au Sheol, et vous saurez que ces hommes ont
provoqué la colère de Yahvé. » **31.** Or, il advint que
lorsqu'il eut fini de prononcer toutes ces paroles, le sol
qui (était) au-dessous d'eux se fendit, **32.** la terre entrouvrit
la bouche et les engloutit avec *les gens de*[t] leurs maisons,

23. *Litt.* : « si le décret *(gzrth)* qui a été décrété ... est décrété
(ytgzr) ». Jo emploie *sᵉkāmûtā'* (« approved sentence, final decree »,
selon JASTROW, 991).

24. Cf. GINZBERG, *Legends,* VI, 102 et RASHI. Comparer *LAB* 16,
2-3 où il apparaît que la « bouche de la terre » existait déjà ; c'est la
première des dix choses créées au soir du sixième jour selon *M Aboth*
V, 6 : voit note à *Gen.* 2,2.

étaient avec Coré[g] et tout ce *qui*>[25] *leur appartenait.*
33. Ils descendirent tout vivants au Sheol, eux et tout ce
qui leur appartenait ; la terre les recouvrit et ils furent
anéantis du milieu de l'assemblée. **34.** Et tous les Israélites
qui se trouvaient autour d'eux s'enfuirent à leurs cris ;
car ils disaient : « Que la terre ne <nous>[28] engloutisse
pas ! » **35.** Alors un feu sortit de devant Yahvé qui dévora
les deux cent cinquante hommes qui avaient *disposé*
l'encens[h].

CHAPITRE XVII

1. Yahvé[a] parla à Moïse, en disant : **2.** « Dis à Éléazar,
fils d'Aaron, le *grand* prêtre, qu'il enlève les cassolettes
d'entre les braises et répande le feu au loin, car elles ont
été sanctifiées. **3.** Quant aux cassolettes de ces hommes
pécheurs *qui ont péché*[b] (au prix) de leur vie, on en fera
des plaques de métal battu[1], comme revêtement pour
l'autel. Puisqu'on les a offertes devant Yahvé, elles sont
sanctifiées. Elles serviront de signe[c] pour les enfants
d'Israël. » **4.** Éléazar, le prêtre[d], prit donc les cassolettes
de bronze qu'avaient offertes ceux qui avaient été brûlés.

g. M : (tous) les hommes qui étaient dans la conjuration de Coré
h. O M : + aromatique
a. M : la Parole de Y. Id. v. 5.9.16.25.26   b. M : (qui ont mérité)
un embrasement de feu ‖ O : qui se sont rendus coupables   c. = F
(O : autre mot)   d. M : + grand

ξ. Nombr. R 16,25 (733) ; Sanh. 110 a ; B.B. 74 a

25. Restitué en marge (d'une encre différente de celle des
variantes).
26. En conservant *hyk*. GINSBURGER corrige en *hynwn* : « ils
(criaient) ».

ainsi que tous les hommes du parti de Coré avec tous
(leurs) biens. **33.** Ils descendirent *encore* vivants au Sheol,
eux et tout ce qui leur appartenait ; la terre les ensevelit
et ils disparurent du milieu de l'assemblée. **34.** Et tous les
Israélites qui les entouraient s'enfuirent *de frayeur* à leur
voix, *(eux qui) criaient et disaient ainsi*[26] : « *Juste est
Yahvé et vrais sont*[27] *ses jugements, vraies sont les paroles
de Moïse, son serviteur ! Quant à nous, (nous sommes)
des impies à nous être rebellés contre lui*ξ. » *Les enfants
d'Israël prirent la fuite lorsqu'ils entendirent (cela)*, car
ils disaient : « Que la terre ne nous engloutisse pas ! »
35. Alors un feu sortit *avec fureur* de devant Yahvé et
dévora les deux cent cinquante hommes qui faisaient
brûler l'encens *aromatique.*

CHAPITRE XVII

1. Yahvé parla à Moïse, en disant : **2.** « Dis à Éléazar,
fils d'Aaron, le prêtre, qu'il retire les cassolettes d'entre
les braises et qu'on disperse le feu au loin, car elles ont
été sanctifiées. **3.** Quant aux cassolettes de ces hommes
pécheurs *qui ont mérité la peine capitale*, on en fera des
plaques de métal battu, comme revêtement pour l'autel.
Puisqu'on les a offertes devant Yahvé, elles sont sanctifiées.
Elles serviront de signe pour les enfants d'Israël. »
4. Éléazar, le prêtre, prit donc les cassolettes de bronze
qu'avaient offertes ceux qui avaient été brûlés. On les
battit en plaques, comme revêtement pour *le corps de*

---

27. En corrigeant ici *hyk* en *hynwn*. Sur l'épisode, cf. GINZBERG,
Legends, III, 298.
28. Le texte à *ythwn* (« ne *les* engloutisse pas »). Cf. TM et les
autres versions. Peut-être s'agit-il d'un euphémisme.
1. *Litt*, : « des plaques martelées » *(ṭsyn mrddyn)*. Jo : *rdydy ṭsyn.*

On les battit en plaques, comme revêtement pour l'autel,
5. comme mémorial *favorable* pour les enfants d'Israël,
pour qu'aucun homme profane, qui n'est pas (du nombre)
des *fils* d'Aaron, ne s'approche pour *disposer* l'encens
devant Yahvé, pour qu'il ne lui arrive pas comme à Coré
et sa communauté, selon ce que lui avait dit Yahvé par
l'organe de Moïse. **6.** Le jour suivant, tout *le peuple de*
la communauté des enfants d'Israël murmura contre Moïse
et contre Aaron, en disant : « C'est vous qui avez causé
la mort du peuple *de la communauté* de Yahvé ! » **7.** Or,
tandis que *le peuple de* la communauté s'assemblait
contre Moïse et contre Aaron, ils se tournèrent vers la
Tente de Réunion, et voici que la nuée la recouvrit et
qu'apparut la Gloire de *la Shekinah de* Yahvé. **8.** Alors
Moïse et Aaron vinrent devant la Tente de Réunion.
9. Et Yahvé parla à Moïse, en disant : **10.** « Séparez-vous
des gens de cette communauté, que je les extermine en
un rien de temps ! » Ils *se prosternèrent* sur leurs faces.
11. Puis <Moïse>[3] dit à Aaron : « Prends la cassolette,
mets-y du feu d'au-dessus de l'autel, mets(-y) de l'encens
et porte-la en hâte au milieu *du peuple* de la communauté.
Fais sur eux le rite d'expiation, car la colère est sortie de
devant Yahvé ; l'extermination a commencé *à sévir dans
le peuple.* » **12.** Aaron (la) prit donc, comme l'avait dit
Moïse, et courut au milieu de l'assemblée. Mais voici que
l'Exterminateur avait (déjà) commencé *à sévir* dans le

e. = O. Id. v.11.12   f. = O   g. = F M

α. Menah. 99 a   β. Nombr. R 16,25 (732) ; Tanh. B Lév. (20)
γ. Ned. 32 a ; *IV Macc.* 7,11

2. Mot oublié (en début de ligne) dans 27031.
3. Oublié (en début de ligne) ; donné dans le lemme hébreu.
4. Cf. *T Deut.* 9,19 (Jo). Nom de l'un des cinq anges extermi-
nateurs, appelés par divers termes désignant la colère divine (ici

l'autel, *(elles) qui à l'origine étaient un ustensile de l'autel*^{α}.
5. (C'est là) un mémorial pour les enfants d'Israël, pour qu'aucun homme profane, qui n'est pas des *fils* d'Aaron, ne s'approche pour faire brûler l'encens *aromatique*^{e} devant Yahvé et pour que *nul ne s'enorgueillisse au point de faire un schisme au sujet du sacerdoce*, ainsi que Coré et la troupe *de ses suppôts. Sa fin serait la perdition, non pas d'une mort à la manière de celle de Coré et de sa troupe, dans un embrasement de feu et l'engloutissement par la terre ; mais il serait frappé de la lèpre.* Tout comme Yahvé^2 avait dit à Moïse : « *Place ta main dans ton sein !* » *et que sa main fut frappée de la lèpre*^{β}, *c'est ainsi qu'il lui arriverait.*
6. Le lendemain, toute la communauté des enfants d'Israël murmura contre Moïse et contre Aaron, en disant : « C'est vous qui *avez provoqué*^{f} *la sentence de mort contre* le peuple de Yahvé ! » **7.** Or, tandis que la communauté s'assemblait contre Moïse et contre Aaron *pour les mettre à mort*, ils se tournèrent vers la Tente de Réunion, et voici que la nuée *de la Gloire de la Shekinah* la couvrit et qu'*y* apparut la Gloire de Yahvé. **8.** *Laissant l'assemblée*, Moïse et Aaron vinrent alors vers *l'entrée* de la Tente de Réunion. **9.** Et Yahvé parla à Moïse, en disant : **10.** « Séparez-vous du milieu de cette communauté, que je les extermine en un instant ! » Ils *s'inclinèrent en prière*^{g} sur leurs faces. **11.** Puis Moïse dit à Aaron : « Prends la cassolette, places-y du feu d'au-dessus de l'autel, mets de l'encens *aromatique sur le feu* et porte-la en hâte vers la communauté. Fais pour eux le rite d'expiation, car *l'Exterminateur, qui avait été retenu à Horeb (et) dont le nom est Ire*^{4}^{γ}, est sorti *par mandat* de devant Yahvé ; il a commencé *le massacre.* »
12. Aaron (la) prit donc, comme l'avait dit Moïse, et courut au centre de l'assemblée. Mais voici que *Ire, l'Exterminateur*, avait (déjà) commencé *à sévir* dans le peuple. Il mit

qeṣep). Voir Ginzberg, *Legends*, III, 124 et 305 ; VI, 105 ; Urbach, *The Sages*, 161 et 891.

peuple. Il mit donc l'encens et fit le rite d'expiation sur
le peuple. **13.** Il se tint debout parmi les morts, *implorant
miséricorde pour* les vivants ; et le fléau fut arrêté. **14.** (Le
nombre) des morts *qui moururent* du fléau fut de quatorze
mille sept cents, sans compter ceux qui avaient trouvé
la mort pour avoir fait partie de *la conjuration* de Coré.
15. Aaron retourna vers Moïse à l'entrée de la Tente de
Réunion et le fléau s'était arrêté. **16.** Yahvé parla à Moïse,
en disant : **17.** « Parle aux enfants d'Israël et prends-leur[6]
une verge, une verge par clan, de la part de tous les princes
selon leurs clans, douze verges. Tu écriras le nom de
chacun sur sa verge. **18.** Le nom d'Aaron, tu l'écriras sur
la verge de Lévi, car il y aura une verge pour chaque
chef de clan. **19.** Puis dépose-les dans la Tente de Réunion,
devant le Témoignage où *ma Parole*[j] vous donne rendez-
vous. **20.** Or, il arrivera que la verge de celui que j'ai choisi
reverdira ; je me débarrasserai ainsi des murmures que
les enfants d'Israël profèrent contre vous. » **21.** Moïse
parla donc aux enfants d'Israël et tous leurs princes lui
donnèrent une verge pour chacun des princes, selon leurs
clans, (soit) douze verges, la verge d'Aaron se trouvant
au milieu de leurs verges. **22.** Et Moïse déposa les verges
devant Yahvé dans la Tente du Témoignage. **23.** Or,
le lendemain, quand Moïse entra dans la Tente du
Témoignage, voici que la verge d'Aaron, pour la maison
de Lévi, avait fleuri : elle avait fait éclore des bourgeons,
fleurir des fleurs et *fait* mûrir des amandes *d'une nuit*[81].
24. Moïse retira alors toutes les verges de devant Yahvé

h. M : Moïse   i. = O   j. = O   k. = M   l. = 110 ‖ M : et
mûri des amandes ‖ F : et mûri des amandes d'amandiers ‖ O : et
formé (*litt* : lié) des amandes

δ. Shab. 89 a   ε. Nombr. R (744)

5. Comparer *Sag.* 18,22. M attribue cette intercession à Moïse,

donc l'encens *aromatique* et fit le rite d'expiation sur le peuple. **13.** Aaron[h] se tint debout *en prière*[5] *au milieu et il fit, avec l'encensoir, une séparation*[6] entre les morts et les vivants ; et le fléau fut arrêté. **14.** *Le total de* ceux qui moururent de male mort fut de quatorze mille sept cents, sans compter ceux qui étaient morts à l'occasion de *la sécession*[i] *de* Coré. **15.** Aaron revint vers Moïse à l'entrée de la Tente de Réunion et le fléau s'était arrêté. **16.** Yahvé parla à Moïse, en disant : **17.** « Parle aux enfants d'Israël et qu'ils te remettent une verge, une verge par clan, de la part de tous les officiers selon leurs clans, douze verges. Tu écriras le nom de chacun sur sa verge. **18.** Le nom d'Aaron, tu l'écriras sur la verge de Lévi, car il n'y aura qu'une seule verge pour chaque chef de clan. **19.** Puis tu les déposeras dans la Tente de Réunion, devant le Témoignage, où *ma Parole te*[7] donne rendez-vous. **20.** Or, il arrivera que la verge de celui que j'ai choisi *pour servir en ma présence* bourgeonnera ; j'en finirai ainsi avec les murmures que les enfants d'Israël profèrent contre vous. » **21.** Moïse parla donc aux enfants d'Israël et tous leurs officiers lui donnèrent une verge pour chacun des officiers, selon leurs clans, (soit) douze verges, la verge d'Aaron se trouvant au centre de leurs verges. **22.** Et Moïse déposa les verges devant Yahvé dans la Tente du Témoignage. **23.** Or, le jour suivant, quand Moïse entra dans la Tente du Témoignage, voici que la verge d'Aaron, pour la maison de Lévi, avait bourgeonné : elle avait fait éclore des boutons, fleurir des fleurs, et elle avait *fait* mûrir, *cette nuit-là même*[k], des amandes. **24.** Moïse retira alors toutes

peut-être sous l'influence de *Deut.* 9,19 ; cf. R. Le Déaut, « Aspects de l'intercession dans le Judaïsme ancien », *JSJ* 1 (1970), 55.

6. *Litt.* : « *reçois* d'eux ». Jo et M traduisent litt. l'hébreu : « Prends d'eux ».

7. Cf. *LXX, Sam.* et quelques mss hébreux. *V* : « ubi loquar ad te ». Ginsburger (sans avertir) corrige *lk* en *lkwn* (cf. TM).

8. *br lylyh* (au sing.) : « en une nuit » (overnight). Comparer l'emploi adverbial de *br ywm'* (Levy, I, 111).

(pour les présenter) à tous les enfants d'Israël ; ils (les)
virent et chacun reprit sa verge. **25.** Yahvé dit à Moïse :
« Remets la verge d'Aaron devant le Témoignage pour
la garder comme un signe pour les fils rebelles[m] et pour
que cessent leurs murmures contre moi, de crainte qu'ils
ne meurent. » **26.** Ce que fit Moïse ; comme Yahvé le lui
avait prescrit, ainsi fit-il. **27.** Et les enfants d'Israël de
dire[10] : « Nous voici finis, nous sommes exterminés, tous
anéantis ! *(Certains) d'entre nous sont morts du fléau, la
terre a englouti les autres, et (certains) d'entre nous (sont
morts quand) le feu est sorti (contre eux)*[11n]. **28.** Quiconque
s'approche de la Tente de Yahvé *pour faire une offrande*
sera frappé de mort. Nous voici perdus ! *Nous voici
exterminés !* »

CHAPITRE XVIII

1. Yahvé[a] dit à Aaron : « Toi et tes fils et *les hommes
de* ta maison avec toi, vous porterez (le poids) des fautes[b]
(commises contre) <les choses saintes ; toi et tes fils avec
toi, vous porterez (le poids) des fautes>[2c] de votre
sacerdoce[d]. **2.** Mais fais aussi approcher avec toi tes frères,
la tribu de Lévi, la tribu de ton père ; ils se joindront

---

m. O : pour le peuple rebelle   n. F M : certains d'entre nous sont
morts du fléau (M : + certains d'entre nous, le feu les a consumés),
et certains d'entre nous, la terre a ouvert sa bouche et les a engloutis
‖ O : voici que l'épée a tué (certains) d'entre nous, voici que la terre
a englouti (certains) d'entre nous et voici que (certains) d'entre
nous sont morts de male mort

a. M : la Parole de Y. Id. v.8.20.25   b. O : vous pardonnerez
pour les fautes du sanctuaire   c. O : vous pardonnerez pour les
fautes de votre sacerdoce   d. M : votre ministère. Id. v.7

α. Sifré Nombr. (357)

les verges de devant Yahvé (pour les présenter) à tous
les enfants d'Israël ; ils (les) reconnurent et chacun reprit
sa verge. **25.** Yahvé dit à Moïse : « Replace la verge d'Aaron
devant le Témoignage pour la garder comme un signe
pour les fils rebelles[9] et pour que cessent leurs murmures
de devant moi, de crainte qu'ils ne meurent. » **26.** Ce que
fit Moïse ; comme Yahvé le lui avait prescrit, ainsi fit-il.
27. Et les enfants d'Israël parlèrent à Moïse, en disant :
« Voici que *(certains) d'entre nous* ont été exterminés *dans
un embrasement de feu* et *(quelques-uns) d'entre nous ont
été engloutis dans la terre* et ont péri. *Voici que nous pouvons
être considérés comme si* nous avions tous péri ! **28.** Quiconque se hasarde à s'approcher de la Tente de Yahvé
meurt ! Est-ce donc que nous finirons par être exterminés ? »

CHAPITRE XVIII

1. Yahvé dit à Aaron : « Toi, tes fils et la maison de ton
père avec toi, vous porterez[1] (le poids) des fautés (commises)
contre les choses saintes, *si vous n'êtes point attentifs en
en faisant l'offrande.* Toi et tes fils avec toi, vous porterez
(le poids) des fautes de votre sacerdoce, *si vous n'êtes
point attentifs en faisant leurs prélèvements*[α]. **2.** Mais fais
aussi approcher avec toi tes frères, la tribu de Lévi *qui*

9. Cf. *T Ex.* 16,32 (Jo).

10. *Litt.* : « disaient (part.) en disant ». Peut-être restituer « à
Moïse » (cf. TM, Jo-O) ; mais F l'omet.

11. Paraphrase des trois verbes de l'hébreu que N traduit avant
de gloser. Pour O, cf. Y. KOMLOSH, *The Bible in the Light of the
Aramaic Translations*, Tel-Aviv 1973, 200 s.

1. O interprète l'hébreu d'après *Ex.* 34,7 : BERLINER, *Onkelos*, II,
240. *Sifré Nombr.* (357) énumère les fautes rituelles que les prêtres
pouvaient commettre.

2. Omission due à un homoioteleuton.

à toi et te serviront, toi et tes fils avec toi, devant la Tente
du Témoignage. **3.** Ils assumeront ton service et le service
de tout le tabernacle ; mais ils ne devront pas s'approcher
des objets du sanctuaire, ni de l'autel, pour qu'ils ne
meurent pas, ni eux, ni vous-mêmes. **4.** Ils s'associeront
à toi pour assurer la charge de la Tente de Réunion,
pour toute *la charge* du service ; et aucun profane ne
s'approchera de vous. **5.** Vous assurerez le service du
sanctuaire et le service de l'autel et la colère ne sévira
<plus>³ contre les enfants d'Israël. **6.** Et moi, voici que
j'ai *mis à part* vos frères les Lévites du milieu des enfants
d'Israël ; *ils sont* un don pour vous, donnés au *Nom de*
Yahvé, pour faire le service de la Tente de Réunion.
7. Toi et tes fils avec toi, vous exercerez votre sacerdoce
pour tout ce qui concerne l'autel et ce qui est à l'intérieur
du voile ; vous accomplirez⁴ le service (liturgique) que
j'accorde comme un don à votre sacerdoce et le profane qui
s'approcherait *pour faire le service* devra être mis à mort. »
8. Puis Yahvé parla à Aaron *et dit* : « Moi, voici que je t'ai
donné la garde de mes prélèvements (sur) toutes les choses
saintes des enfants d'Israël ; je te (les) donne comme
*un honneur*⁷, à toi et à tes fils, comme une loi perpétuelle.
9. Voici ce qui te reviendra du lieu très saint, des (sacrifices
par) le feu^f : toutes les offrandes qu'ils restituent au *Nom
de ma Parole*^g comme choses sacro-saintes, toutes leurs

---

e. = O   f. O : le reste (des sacrifices par) le feu   g. M : à mon
Nom ‖ O : devant moi

β. Sifré Nombr. (359)   γ. Sifré Nombr. (364)   δ. Sifré Nombr.
(365-366)   ε. Sifré Nombr. (367) ; M Yoma II, 2   ζ. Sifré
Nombr. (367) ; Pes. 73 a   η. Sifré Nombr. (371)   θ. Hul. 131 a
ι. Sifré Nombr. (374)

---

3. Restituer avec M *('wd* = TM) et I *(twb)*.
4. En respectant l'accent disjonctif du TM, on pourrait comprendre : « ... et vous l'accomplirez. C'est le service que j'accorde... ».
Mais voir l'apparat critique du TM.

a été appelée du nom d'Amram[β], ton père ; ils s'uniront
à toi et te serviront, tandis que toi et tes fils avec toi
vous vous tiendrez devant la Tente du Témoignage. **3.** Ils
assumeront ton service et le service de tout le tabernacle ;
cependant ils ne devront pas s'approcher des objets du
sanctuaire, ni de l'autel, pour qu'ils ne meurent point,
ni eux, ni vous-mêmes. **4.** Ils s'associeront à toi, *à l'extérieur*[γ], pour assurer la charge de la Tente de Réunion,
pour tout le service du tabernacle ; et aucun profane ne
s'approchera de vous. **5.** Vous assurerez le service du
sanctuaire et le service de l'autel et il n'y aura plus à
nouveau, contre les enfants d'Israël, la colère *qui a été*[δ].
6. Et moi, voici que j'ai *fait approcher*[e] vos frères, les
Lévites, du milieu des enfants d'Israël ; (ils sont) un don
pour vous, donnés *devant* Yahvé, pour faire le service
de la Tente de Réunion. **7.** Toi et tes fils avec toi, vous
exercerez votre sacerdoce pour tout ce qui regarde l'autel
et ce qui est à l'intérieur du rideau et vous l'accomplirez
d'après tirage au sort[5ε]. *Tel* le service, *telle la nourriture*[ζ].
J'accorde comme un don *la dignité* de votre sacerdoce,
et le profane qui s'approcherait devra être mis à mort. »
8. Puis Yahvé dit à Aaron : « Moi, je t'ai donné *avec joie*[6η]
la garde de mes prélèvements, *les gâteaux et les prémices*[θ]
et toutes les choses saintes des enfants d'Israël ; je te les
donne comme *un honneur*, à toi et à tes fils, comme une
loi perpétuelle. **9.** Voici ce qui te reviendra sur les choses
sacro-saintes : *ce qui est laissé* des (sacrifices par) le feu,
de l'holocauste de petit bétail[ι], toutes leurs offrandes qu'ils

---

5. Cf. *SB* II, 57 et *Lc* 1,9 (ἔλαχε).

6. Exégèse d'Ismaël dans *Sifré Nombr.* (367). Quand une proclamation divine commence par *hinnēh* (voici), elle annonce un message
favorable : cf. note de K. G. KUHN, *ad loc.*, et W. BACHER, *Die Aggada
der Tannaiten*, Strasbourg 1903, vol. I, 248.

7. *rbw* (dans N et Jo). Nous nous inspirons de l'interprétation de
Sifré : cf. LEVY, II, 398. On pourrait aussi comprendre « onction,
droits de l'onction (redevances) » : comparer *Lév.* 7,35.

oblations, tous leurs sacrifices pour le péché et toutes leurs offrandes de culpabilité, (tout) cela sera pour toi et pour tes fils. **10.** Tu les mangeras dans *le lieu* très saint ; tout mâle pourra en manger ; ce sera pour *vous* chose sainte. **11.** Ceci encore sera pour vous : ce qui est prélevé sur les dons des enfants d'Israël pour toute offrande de présentation[10]. A toi je <le>[11] donne, ainsi qu'à tes fils et tes filles avec toi, comme une loi perpétuelle. Quiconque est pur parmi *les hommes de* ta maison pourra en manger. **12.** Tout *le meilleur de* l'huile et tout *le meilleur du* froment et du vin, les prémices de *leur campagne*[12] qu'ils *mettront à part* pour le *Nom de* Yahvé[h], je te les donne. **13.** Les premiers fruits de tout ce qu'il y a dans leur pays, qu'ils apporteront au *Nom de* Yahvé, ce sera à toi. Quiconque est pur parmi *les hommes de* ta maison pourra en manger. **14.** Toute chose mise à part en Israël sera à toi. **15.** Tous les premiers-nés[13] de toute chair qu'ils offriront au *Nom de* Yahvé, que ce soit pour les fils de l'homme ou pour le bétail, seront à toi. Cependant tu devras racheter les premiers-nés des fils de l'homme et racheter les premiers-nés des bêtes impures. **16.** En ce qui concerne leurs rachats, tu (les) rachèteras dès l'âge d'un mois pour le montant de cinq sicles d'argent, en sicles du sanctuaire, à vingt *meah le sicle*. **17.** Mais les premiers-nés des bovidés ou les premiers-nés des ovidés ou les premiers-nés des chèvres, *vous* ne (les)

h. F M : tout le meilleur du froment et tout le meilleur du vin et de l'huile, leurs prémices qu'ils offriront au Nom (de Y)

κ. Sifré Nombr. (375)   λ. Sifré Nombr. (383)   μ. Sifré Nombr. (384)

8. Seulement dans 27031.

9. En lisant *bdkwt'* avec 27031 (cf. Levy, I, 174) : voir v. 11. *Ed. pr.* donne *brbwt'* : « dans l'onction (sacerdotale) ». C'est peut-être l'interprétation de *Sifré* (375) qui précise : « mâles du sacerdoce — *zkry khwnh* », i.e. des familles sacerdotales.

rapportent *devant* moi, toutes leurs oblations, tous leurs sacrifices pour le péché et toutes leurs offrandes de culpabilité. Ce sont choses sacro-saintes qui te reviennent ainsi qu'à tes fils. **10.** *Vous* les mangerez en (un lieu) très saintˣ ; tout mâle *d'entre vous*⁸ pourra en manger *en (état de) pureté*⁹ ; ce sera pour toi chose sainte. **11.** Et ceci encore que *je te concède* : ce qui est prélevé sur les dons des enfants d'Israël pour toute *offrande de présentation.* A toi je les donne, ainsi qu'à tes fils et à tes filles avec toi, comme une loi perpétuelle. Quiconque est pur dans ta maison pourra en manger. **12.** Tout *le meilleur de* l'huile *d'olives* et tout *le meilleur du* vin *de raisin* et du blé, ces prémices qu'ils offriront *devant* Yahvé, je te les donne. **13.** Les primeurs de *tous les fruits des arbres* de leur pays, qu'ils présenteront *devant* Yahvé, ce sera pour toi. Quiconque est pur dans ta maison pourra en manger. **14.** Tout ce qui est frappé d'anathème en Israël sera pour toi. **15.** Pour tout premier-né de toute chair, *d'entre le bétail*ᴧ *dont* ils feront l'offrande *devant* Yahvé, *la règle concernant*¹⁴ les bêtes *est celle qui vaut* pour les humains *pour que* cela te revienneᵘ : mais tu devras racheter le premier-né des humains *cinq sicles* et racheter *par un agneau* le premier-né d'une bête impure. **16.** En ce qui concerne le rachat *d'un être humain,* tu (le) rachèteras dès l'âge d'un mois, d'après *le montant de* ton évaluation, cinq sicles d'argent en sicles du sanctuaire, (le sicle) étant de vingt *meah*. **17.** Mais le premier-né des bovidés ou le premier-né des ovidés ou le premier-né des chèvres, tu ne (les) rachèteras

---

10. *Litt.* : « de balancement » *('npwt).* Cf. TM.
11. Restituer *ythwn* (*litt.* : « les ») avec M (cf. TM).
12. La forme *brthwn* est suspecte : peut-être lire *'dryhwn* (« de leurs aires ») ; cf. v. 27.
13. *Litt.* : « tous ceux qui ouvrent (comme) *prémices* la matrice ».
14. i.e. on devra pratiquer le rachat : cf. *Sifré Nombr.* (384).

rachèterez pas : ils sont chose sainte. Tu répandras leur
sang sur l'autel et tu disposeras leurs graisses comme
une *offrande* (destinée à être) *reçue* en odeur agréable pour
le Nom de Yahvé. **18.** Leur chair te reviendra ; aussi bien
la poitrine de (l'offrande de) présentation que la cuisse
droite seront à toi. **19.** Tous les prélèvements de choses
saintes que les enfants d'Israël prélèvent pour *le Nom de*
Yahvé, je te les donne, ainsi qu'à tes fils et à tes filles avec
toi, comme une loi perpétuelle ; c'est une alliance éternelle
par le sel devant <Yahvé>[16], pour toi et pour tes *fils
après* toi. » **20.** Puis Yahvé dit à Aaron : « Dans leur pays,
tu n'auras pas d'héritage et il n'y aura point de part pour
toi parmi eux. C'est *ma Parole*[j] (qui constitue) ta part
et ton héritage au milieu des enfants d'Israël. **21.** Mais
voici qu'aux fils de Lévi je donne comme héritage toute
dîme (perçue) d'Israël, en échange du service qu'ils assurent,
le service de la Tente de Réunion. **22.** Et les enfants
d'Israël ne s'approcheront plus de la Tente de Réunion
pour faire des offrandes, pour qu'ils *ne* meurent *point* en se
chargeant de fautes. **23.** Ce seront *les Lévites* qui eux
assureront le service de la Tente de Réunion et eux qui
assumeront (la responsabilité de) leurs fautes — loi
éternelle au long de *leurs* générations. Mais ils ne posséderont point d'héritage au milieu des enfants d'Israël.
24. Car je donne aux Lévites comme héritage les dîmes que
les enfants d'Israël mettent à part pour *le Nom de* Yahvé
comme prélèvement ; c'est pourquoi je leur ai dit qu'ils
ne posséderaient point d'héritage au milieu des enfants
d'Israël. » **25.** Puis Yahvé parla à Moïse, en disant :
26. « Tu parleras avec les Lévites et tu leur diras : Quand
vous recevrez des enfants d'Israël la dîme que je vous

i. = O   j. O : les dons (que) je t'ai accordés, ce sont eux ta part

---

15. *Litt.* : « *et* leur sang tu répandras » : cf. *LXX, Pesh.* et de

point, *car* ils sont chose sainte. Tu répandras[15] leur sang
sur l'autel et tu feras fumer leur graisse comme une
offrande qui est reçue avec faveur devant[1] Yahvé. **18.** Leur
chair te reviendra *en nourriture* ; aussi bien la poitrine
de présentation que la cuisse droite seront à toi. **19.** Tous
les prélèvements de choses saintes que les enfants d'Israël
consacrent devant Yahvé, je te les donne, ainsi qu'à tes
fils et à tes filles avec toi, comme une loi perpétuelle *qui
ne sera point abolie: tout comme* le sel *qui assaisonne la
chair des offrandes* est une alliance éternelle devant Yahvé,
ainsi cela (vaudra) pour toi et pour tes *fils* <avec toi>. »
20. Puis Yahvé dit à Aaron : « Dans leur pays, tu ne
recevras point d'héritage *comme le reste des tribus* et il n'y
aura point de part pour toi au milieu d'eux. C'est moi
(qui constitue) ta part et ton héritage au milieu des enfants
d'Israël. **21.** Mais voici qu'aux fils de Lévi je donne en
héritage toute dîme en Israël, en échange du service qu'ils
assurent, le service de la Tente de Réunion. **22.** Et les
enfants d'Israël ne s'approcheront plus de la Tente de
Réunion, encourant ainsi une faute mortelle. **23.** Ce
seront *les Lévites* qui eux assureront le service de la Tente
de Réunion et eux qui assumeront (la responsabilité de)
leurs fautes, *s'ils ne sont pas attentifs dans leur service,*
— loi éternelle au long de vos générations. Mais ils ne
posséderont point d'héritage au milieu des enfants d'Israël.
24. Car je donne aux Lévites comme héritage la dîme que
les enfants d'Israël mettent à part *devant* Yahvé comme
prélèvement ; c'est pourquoi je leur ai dit *qu'*ils ne posséderaient point d'héritage au milieu des enfants d'Israël. »
25. Puis Yahvé parla à Moïse, en disant : **26.** « Tu parleras
aux Lévites et tu leur diras : Quand vous percevrez des
enfants d'Israël la dîme que je <vous> donne pour

---

nombreux mss hébreux. Au lieu de « répandras » *(tdrwq)*, 27031
répète « rachèteras » *(tprwq)*.
16. Oublié par le copiste.

donne de leur part pour votre héritage, vous en mettrez
à part le prélèvement de Yahvé, un dixième de la dîme.
27. Votre prélèvement vous sera compté comme *le prélèvement du* froment de l'aire et celui du *vin* du pressoir.
28. Ainsi vous mettrez à part, vous aussi, le prélèvement
de Yahvé sur toutes vos dîmes que vous recevrez des
enfants d'Israël ; et vous en donnerez à Aaron, le prêtre[k],
le prélèvement de Yahvé. **29.** Sur tous les dons qui vous
sont faits, vous mettrez à part tout (ce qui constitue)
le prélèvement de Yahvé, de tout ce qu'il y a de meilleur[18],
ce qui s'y trouve *de mieux*. **30.** Tu leur diras aussi : Quand
vous en aurez prélevé *le meilleur*, cela sera compté aux
Lévites comme *le prélèvement du froment* de l'aire et *du vin*
du pressoir. **31.** Vous pourrez en manger en tout lieu, vous
et *les hommes de* vos maisons, car c'est là un salaire pour
vous en échange de votre service dans la Tente de Réunion.
32. Une fois que vous en aurez prélevé *le meilleur*, vous
n'encourrez point de fautes à son sujet ; vous ne profanerez
point les choses saintes des enfants d'Israël et vous ne
mourrez point. »

CHAPITRE XIX

1. Yahvé[a] parla à Moïse et à Aaron, en disant : **2.** « Voici
la disposition de la Loi que Yahvé a prescrite, en disant :

k. M : + grand
a. M : la Parole de Y. Id. v. 2

v. Sifré Nombr. (429)

17. *Ed. pr.* et 27031 ont des suffixes de 3ᵉ personne (« je *leur*
donne pour *leur* héritage »). Sans doute restituer « de leur part
— *mnhwn* » (cf. TM).
18. *Litt.* : « de toute sa graisse » (cf. TM). La fin du v. semble

<votre>[17] héritage, vous en mettrez à part le prélèvement *devant* Yahvé, la dîme de la dîme. **27.** Votre prélèvement vous sera compté comme (celui du) froment de l'aire et comme (celui du) *vin* qui emplit le pressoir. **28.** De la sorte, vous également, vous mettrez à part le prélèvement *devant* Yahvé de toutes vos dîmes que vous percevrez des enfants d'Israël ; et vous en donnerez à Aaron, le prêtre, le prélèvement *devant* Yahvé. **29.** Sur tous les dons qui vous sont faits, vous mettrez à part (ce qui constitue) le prélèvement *devant* Yahvé, de tout ce qui s'y trouve *de plus beau et de meilleur.* **30.** Tu leur diras aussi, *aux prêtres*[19] : Quand vous en aurez prélevé ce qui s'y trouve *de plus beau et de meilleur*, cela sera compté aux Lévites comme *le prélèvement*[v] *du froment de* l'aire et comme *le prélèvement du vin* du pressoir. **31.** Vous pourrez en manger, *vous les prêtres*, en tout lieu, vous et *les hommes de* vos maisons, car c'est là un salaire pour vous en échange de votre service dans la Tente de Réunion. **32.** Quand vous en aurez prélevé ce qui s'y trouve *de plus beau et de meilleur*, n'encourrez aucune faute à son sujet — *en en faisant manger à quelqu'un d'impur* — et ne profanez point les choses saintes des enfants d'Israël pour que vous ne mouriez point. »

CHAPITRE XIX

1. Yahvé parla à Moïse et à Aaron, en disant : **2.** « Voici la disposition *de l'instruction*[1] de la Loi que Yahvé a

---

corrompue dans N et Jo. Sans doute lire (avec M et O) : « ce qu'il y a de meilleur, ce qui (doit) en être consacré ».

19. Le fait d'adresser ce qui suit aux prêtres est propre à Jo : Geiger, *Urschrift*, 476.

1. *gzyrt 'ḥwyyt* : « voici les indications prescrites par la Loi ». Sans doute *lectio conflata* (*gzrt* : N-O ; *'ḥwwyyt* : M).

Dis aux enfants d'Israël qu'ils se procurent *et l'amènent*
une vache rousse, parfaite, qui n'ait aucune tare en elle
(et) sur laquelle n'a pas été posée *la servitude d'*un joug.
3. Vous la remettrez à Éléazar, le prêtre[b], qui la fera
sortir en dehors du camp et on l'immolera devant lui[c].
4. Éléazar, le prêtre, prendra de son sang, avec son doigt,
et il fera une aspersion de son sang, par sept fois, en
direction de la partie antérieure de la Tente de Réunion.
5. Puis on brûlera la vache en sa présence ; on brûlera
sa peau, sa chair, et son sang avec ses excréments. **6.**

b. M : + grand   c. M : et un autre prêtre l'immolera à la vue
d'Éléazar   d. = M

α. Sifré Nombr. (435) ; M Sheq. IV, 2   β. Sifré Nombr. (435) ;
M. Par. I, 1   γ. Sifré Nombr. (436) ; M Par. II, 5   δ. M Par. II, 4
ε. Sifré Nombr. (442)   ζ. Sifré Nombr. (442)   η. Sifré Nombr.
(443) ; M Par. III, 7   θ. M Par. III, 8   ι. Sifré Nombr. (444)
κ. Hul. 11 a   λ. Sifré Nombr. (444) ; M Par. IV, 1 ; Yoma 43 a
μ. Sifré Nombr. (447)   ν. Sifré Nombr. (444)   ξ. Sifré Nombr.
(446)   o. Sifré Nombr. (448)   π. M Par. III, 10   ρ. Sifré
Nombr. (450)

---

2. Cf. *T Nombr.* 28,2 (Jo). *Litt.* : « la chambre — *lishkᵉtā'* », d'où
on prélevait ce qu'il fallait pour les sacrifices de la communauté.

3. Cf. GEIGER, *Urschrift*, 476 s. Ginsburger et Rieder restituent
« parfaite » (avec TM).

4. *qṭrb'* (en fin de v. *nyr'*) : pièce de bois servant à fixer le joug
(cf. LEVY, II, 357 ; JASTROW, 1353).

5. Le *sagan*, chef des prêtres et premier assistant du grand prêtre,
dont quelques fonctions sont énumérées dans *J Yoma* III, 41 a ;
cf. LEVY, II, 144 ; JASTROW, 955. GEIGER (*Urschrift*, 477) estimait
que le grand rôle attribué aux prêtres par Jo dans ce chapitre reflétait
la tradition ancienne, modifiée ultérieurement dans les textes rabbiniques par réaction antisadducéenne. Voir les objections de S. GRO-
NEMANN, *op. cit.*, 52. Sur les divergences entre Pharisiens et Sadducéens à propos du rituel de la vache rousse, cf. J. LE MOYNE, *Les
Sadducéens*, Paris 1972, 263-280.

6. *symn* (= signe) : terme technique indiquant l'organe dont
l'incision est signe d'une immolation rituelle (ici la trachée et l'œso-
phage). Cf. JASTROW, 981.

prescrite, en disant : Dis aux enfants d'Israël qu'ils te
procurent, *du prélèvement du Trésor du Temple*[2α], une
vache rousse, *âgée de deux ans*[3β], qui n'ait aucune tare
en elle *ni aucune tache de poils d'une autre (couleur)*[γ],
qu'aucun mâle n'a saillie[δ], *qu'on n'a pas fait peiner sous
la charge du travail, d'une bride ou d'un joug*[4ε], *et qui n'a
pas été éperonnée par un aiguillon, une pique ou une épine,
et (qui n'a rien subi) de ce qui ressemble au* joug. **3.** Vous
la remettrez à Éléazar, le *chef*[5ζ] *des* prêtres, qui la fera
sortir *seule*[η] en dehors du camp. *Il disposera tout autour
d'elle des tas de bois de figuier*[θ]; *un autre*[ι] *prêtre* l'immolera
devant lui *(en tranchant) les deux conduits*[6] *(vitaux),
comme pour le reste des bêtes, et il l'examinera relativement
aux dix-huit déficiences*[7κ]. **4.** Puis Éléazar, *en tenue sacerdotale*[8λ], prendra de son sang avec le doigt *de sa main
droite*[μ], — *et il ne le recueillera pas dans un vase*[ν]. Il fera
une aspersion *vers le tas de bois de figuier, (en puisant)
dans une jarre*[9ξ], *(se tenant) du côté qui se trouve au milieu*
(face au Temple)[10], avec le sang, par sept fois, *en trempant
(son doigt) une seule fois*[11ο], en direction de la partie
antérieure de la Tente de Réunion. **5.** *Puis ils sortiront
du milieu du tas (de bois)*[π]; *un autre prêtre*[ο] brûlera la
vache sous les regards *d'Éléazar*[d] : il brûlera sa peau, sa
chair, son sang ainsi que ses excréments. **6.** Alors un

---

7. Cf. note à *Lév.* 11,1 (où nous avons traduit « interdits ») et
SB II, 731-733. Indication non conforme à la halakhah, selon
S. Gronemann, *op. cit.*, 52.

8. *bkyhwnyh* (même formule dans *Sifré: bkyhwnw*), i.e. avec les
vêtements blancs que le grand prêtre portait aussi pour Kippur.

9. Voir la discussion de *Sifré* (444-447) dont le Targum groupe
les opinions. Jastrow (692) corrige notre texte pour l'harmoniser
avec *Sifré* (qui exclut tout vase) : cf. Levy, II, 403.

10. La cérémonie avait lieu sur le mont des Oliviers ; voir les
indications de *M Par.* III, 6-9. Le prêtre se tenait du côté Est du
bûcher, faisant face à l'entrée du sanctuaire : cf. *Sifré Nombr.* (447).

11. Contre *M Par.* III, 9. Mais voir *Sifré Nombr.* (448).

Alors le prêtre prendra du bois de cèdre, de l'hysope et de
la teinture de *beau* cramoisi, qu'il *jettera*[14] et lancera au
milieu du feu[e] où se consume la vache. **7.** Le prêtre lavera
ensuite ses vêtements et baignera son corps dans l'eau ;
après cela il rentrera à l'intérieur du camp. Le prêtre sera
impur *et exclu*[f] *des choses saintes* jusqu'au soir. **8.** Celui qui
brûle (la vache) lavera ses vêtements dans l'eau et baignera
son corps dans l'eau. Il sera impur jusqu'au soir. **9.** Un
homme pur recueillera la cendre de la vache[g] et la déposera
en dehors du camp dans un lieu pur (où) elle sera en réserve
pour la communauté des enfants d'Israël, pour (faire) l'eau
lustrale. C'est un sacrifice pour le péché. **10.** Celui qui a
recueilli la cendre de la vache lavera ses vêtements et
sera impur jusqu'au soir. Ce sera là une loi éternelle pour
les enfants d'Israël et pour les étrangers qui sont établis[18]
parmi *vous*. **11.** Quiconque touche un mort, quiconque
devient impur (par le contact d'un) cadavre de fils d'homme
sera impur durant sept jours. **12.** *Il s'aspergera*[h] le troisième

e. F M : au milieu de la cendre du brasier   f. M : (impur) en sorte
qu'il ne puisse manger   g. M : cendre du brasier de la vache
h. = O

σ. Sifré Nombr. (452) ; M Par. III, 9   τ. Sifré Nombr. 19,5 (452)
υ. Sifré Nombr. (457)   φ. M Par. V, 5   χ. Sifré Nombr.
(459) ; M Par. III, 11   ψ. Sifré Nombr. (465) ; M Ohol. II, 2

12. Espèce de cèdre (JASTROW, 222).
13. *Litt.* : « qui doit son teint (écarlate) à l'écarlate », i.e. à la
cochenille (TM : *shānî*, coccus ilicis) et non à un autre procédé.
Cf. K. G. KUHN, *Sifre zu Numeri*, 453.
14. *wyqlq* : sans doute à supprimer. Faute que le scribe a oublié
de rayer, après avoir écrit le mot correct *wyṭlq*.
15. Il devient *ṭebûl yôm* (« celui qui a pris un bain de purification
dans la journée ») : il est pur après son bain, mais doit attendre le
coucher du soleil pour l'être complètement (*Lév.* 22,7). Cf. H. DANBY,
The Mishnah, 773.
16. H. DANBY traduit ainsi le *ḥêl* de *M Par.* III, 1. C'était une
plateforme où l'on accédait du parvis du Temple par douze marches

autre prêtre prendra du bois de *gulmish*[12] *cassé menu*[σ], de l'hysope et de la teinture écarlate *naturelle*[13] ; il jettera (le tout) au milieu du feu où se consume la vache, *et il grossira le brasier pour multiplier les cendres*[τ]. **7.** Le prêtre *qui a immolé la vache* trempera ses vêtements et baignera son corps *dans quarante seah* d'eau ; après cela il rentrera dans le camp. Le prêtre *en question* sera impur — *avant de s'être baigné*[15] — jusqu'au soir. **8.** *Le prêtre qui a été occupé* à brûler (la vache) trempera ses vêtements dans *quarante seah* d'eau et baignera son corps dans *quarante seah* d'eau. Il sera impur — *avant de s'être baigné* — jusqu'au soir. **9.** Puis un homme pur, *un prêtre*[υ], recueillera la cendre de la vache *dans un vase d'argile entouré d'un couvercle de glaise*[φ]. *Il répartira la cendre en trois parts*[χ], *en mettra l'une dans le rempart*[16], *l'autre sur le mont des oliviers et l'autre sera partagée entre toutes les gardes des Lévites.* Elle servira à la communauté des enfants d'Israël pour l'eau lustrale : c'est *en outre la rémission du péché du veau (d'or).* **10.** *Le prêtre* qui a recueilli la cendre de la vache trempera ses vêtements et il sera impur — *avant de s'être baigné* — jusqu'au soir. Elle servira *pour la purification* des enfants d'Israël[17] et des étrangers qui sont établis parmi eux, comme une loi éternelle. **11.** Celui qui touche *au cadavre* d'un homme quelconque, *même d'un enfant de (quelques)*[19] *mois, à sa dépouille ou à son sang*[ψ], sera impur durant sept jours. **12.** *Il s'aspergera avec de*

(cf. *M Mid.* II, 3 ; *SB* II, 761) ; elle servait aussi de lieu de réunion du Sanhédrin (*Sanh.* 88 b). Elle était à l'intérieur du *soreg*, barrière qu'il était interdit aux païens de franchir : cf. *Encycl. Judaica*, vol. 15, Jérusalem 1971, col. 960 et 966.

17. Ginsburger et Rieder restituent le terme *lmtṛ'* (cf. TM, N et O) : « pour être gardée en réserve ». Mais il est peut-être déjà repris dans la paraphrase « les gardes (des Lévites) ».

18. *gywryh dmtgyyryn.* O et Jo : *gyywryy' dytgyyrwn.* Faut-il comprendre : « prosélytes convertis » ? Cf. note à 9,14.

19. Ginsburger et Rieder restituent « neuf (mois) », avec le v. 13. *Sifré Nombr.* donne « huit (mois) ». Cf. note de K. G. KUHN (465).

jour et le septième jour, alors il sera pur. Mais s'il ne
s'asperge point (avec l'eau lustrale) le troisième jour et
le septième jour, il ne sera pas pur. **13.** Quiconque touche
un mort (ou) à quelqu'un *qui est impur* par un cadavre de
fils d'homme qui est mort, et qui ne *se fait* point *des
aspersions*, souille le tabernacle de Yahvé : cette personne
sera exterminée d'Israël. Puisqu'il n'a pas répandu sur lui
l'eau lustrale, il est impur, son impureté est encore en lui.
14. Voici quelle est *la prescription de* la Loi : Quand un
homme meurt dans la tente, quiconque entre dans la tente,
et tout ce qui *est placé* dans la tente, sera impur durant
sept jours. **15.** Et tout vase *d'argile*ʲ ouvert, qui n'a pas
de couvercle d'argile assujetti tout autour de lui, est impur.
16. Quiconque, dans la campagne, touche quelqu'un qui a
été tué par l'épée, ou à un mort, ou à un ossement de fils
d'homme, ou à un tombeau, sera impur durant sept jours.
17. Pour celui qui est impur, on prendra de la cendre du
brasierᵏ (où l'on a brûlé) *la vache* et l'on y ajoutera de
l'eau *pure de source*, dans un vase *d'argile*. **18.** Puis un
homme pur prendra de l'hysope et la plongera dans l'eau ;
il fera l'aspersion sur la tente ainsi que sur tous les objets et

---

i. = O. Id. v. 20.22   j. = F O ‖ M : dont l'orifice (n'est pas) scellé
par-dessus avec de la glaise ‖ F : dont le couvercle n'est pas scellé
par-dessus   k. O M : de la poudre du brasier   l. = O

ω. Sifré Nombr. (466-467)   α. Sifré Nombr. (473)   β. Suk.
21 a   γ. Sifré Nombr. (475-476 ; 490)   δ. Sifré Nombr. (473)
ε. Sifré Nombr. (480) ; Hul. 25 a   ζ. Sifré Nombr. (483) ; Hul. 72 a
η. Sifré Nombr. (484)   θ. Sifré Nombr. (489)   ι. Sifré Nombr.
(476) ; Hul. 72 a   κ. Sifré Nombr. (492)   λ. Sifré Nombr. (492)
μ. Sifré Nombr. (493) ; M Par. XI, 9

---

20. Sans doute restituer « d'un homme » (cf. TM).
21. Sur l'antiquité de l'interprétation de Jo (ici et v. 18), cf.
Geiger, *Urschrift*, 477.
22. *dwpqʾ*. Exactement, les pierres entre lesquelles coulisse la
pierre roulante *(gwllʾ)* qui ferme le tombeau : cf. S. Krauss, *Talmudische Archäologie*, II, 77 et surtout 489.

l'eau (mélangée à) cette cendre le troisième jour et, le septième jour, il sera pur[ω]. Mais s'il ne *s'asperge* point le troisième jour, *(son impureté) lui est retenue* et, le septième jour, il ne sera pas pur. **13.** Quiconque touche *le cadavre* de quelqu'un[20] qui est mort, *même d'un enfant de neuf mois, que ce soit sa dépouille ou son sang,* et qui ne *se fait* point *des aspersions,* souille le tabernacle de Yahvé : cet *homme*[1] sera exterminé d'Israël. Puisqu'on n'a pas répandu sur lui l'eau lustrale, il est impur, son impureté demeure en lui *tant qu'il ne se sera pas aspergé (le troisième jour) ; il devra s'asperger à nouveau et se baigner le septième soir*[α]. **14.** Voici quelle est *l'instruction* de la Loi : Si quelqu'un meurt *sous le couvert d'une tente*[β], quiconque entre dans la tente *en prenant l'entrée (principale) — mais non (s'il entre) par ses côtés, quand l'entrée (principale) en est ouverte*[γ] — et tout ce qui se trouve dans la tente — *même son sol*[δ]*, ses pierres, son bois ainsi que ses ustensiles* — sera impur durant sept jours. **15.** Tout vase *de terre* ouvert, qui n'a pas de couvercle adhérent *entourant son orifice, établissant une séparation entre lui et l'impureté,* sera impur *sous le couvert (de la tente) du fait de l'air impur passant par son orifice à l'intérieur, mais non par (ce qui toucherait) de l'extérieur*[ε]. **16.** Quiconque touche, dans la campagne[21] — *et donc pas à un (enfant) mort qui se trouve (encore) dans le ventre de sa mère*[ζ] — à quelqu'un tué par le glaive *ou au glaive*[η] *dont on l'a tué, à un cadavre entier ou même à l'un de ses ossements (gros) comme un grain d'orge,* ou encore à un ossement *qui a été enlevé* à un homme *vivant*[θ], ou à un tombeau — *aussi bien à la (pierre) roulante qu'à ses rainures*[22][ι] —, sera impur durant sept jours. **17.** Pour celui qui est impur, on prendra de la poudre du brasier du sacrifice pour le péché et l'on y ajoutera de l'eau *de source*[κ], dans un vase *de terre*[λ]. **18.** Puis un homme pur, *un prêtre,* prendra *trois tiges*[μ] d'hysope *en un seul faisceau* et il (les) plongera dans *cette* eau ; il fera l'aspersion sur la tente ainsi que sur tous les objets et (tous) les hommes (toutes) les personnes qui s'y trouvaient, et sur *quiconque* aurait touché un ossement, un tué, un mort ou un tombeau. **19.** L'homme pur fera l'aspersion sur l'impur le troisième jour et le septième jour ; le septième jour il sera purifié, il lavera ses vêtements, se baignera dans l'eau et le soir il sera pur. **20.** Mais l'homme qui est impur et omet de *s'asperger*, cette personne sera exterminée du milieu de l'assemblée ; car elle a souillé le sanctuaire de Yahvé. Il n'a pas répandu sur lui l'eau lustrale, il est impur. **21.** Ce sera pour eux une loi perpétuelle. Celui qui fait l'aspersion d'eau lustrale lavera ses vêtements, et celui qui aura touché à l'eau lustrale sera impur jusqu'au soir. **22.** Tout ce que l'impur aura touché sera impur, et la personne qui *le* touche sera impure jusqu'au soir. »

CHAPITRE XX

1. Les enfants d'Israël, tout *le peuple de* la communauté, pénétrèrent au désert de Tsin, le premier mois, et le peuple campa à *Reqem*[a]. C'est là que mourut Miryam et là qu'elle fut mise au tombeau[2]. **2.** Il n'y avait pas d'eau pour *le peuple de* la communauté[b] et ils s'assemblèrent contre

m. = O
a. = O. Id. v. 13,16.22   b. 110 : il n'y avait pas là d'eau pour le peuple de la communauté : en effet, Miryam la prophétesse était morte et le puits avait été caché

ν. Sifré Nombr. (502)
α. Taan. 9 a   β. Taan. 9 a ; *LAB* 20,8   γ. Mekh. Ex. 16,35 (II, 128) ; Taan. 9 a ; Shab. 35 a ; *LAB* 20,8

23. Avec Rieder, transposer ici cette formule qui se trouve (dans nos deux témoins) après « cette eau » : cf. *Sifré Nombr.* (494).

24. Cf. *LXX, Pesh., Sam.* et quelques mss hébreux.

25. *Litt.* : « en secouant » *(bhysyf)*. Certaines impuretés peuvent se transmettre en remuant un objet, sans le toucher (*Meg.* 8 b),

qui s'y trouvaient, *au moment où ils ont contracté l'impu-reté*[23], de même que sur celui qui aurait touché à un ossement *qui aurait été enlevé à un (homme) vivant et serait tombé*, ou à quelqu'un tué *par l'épée* ou *à une victime de male mort* ou à un tombeau — *aussi bien à la (pierre) roulante qu'à ses rainures.* **19.** Le *prêtre* pur fera l'aspersion sur l'*homme* impur le troisième jour et le septième jour ; le septième jour il le déclarera pur. Ce dernier trempera ses vêtements, se baignera dans l'eau et le soir il sera pur. **20.** Mais l'homme qui est devenu impur et omet *de s'asperger*[m], cet *homme* sera exterminé du milieu de l'assemblée ; car il a souillé le sanctuaire de Yahvé. On n'a pas répandu sur lui l'eau lustrale, il est impur. **21.** Ce sera pour *vous*[24] une loi perpétuelle. *De plus, le prêtre* qui fait l'aspersion d'eau lustrale trempera ses vêtements, et celui qui aura touché à l'eau lustrale sera impur jusqu'au soir. **22.** Tout ce que l'impur aura touché sera impur — *mais pas (seulement) pour l'avoir remué*[25v] —, et *l'homme pur* qui *le* touche sera impur jusqu'au soir. »

CHAPITRE XX

1. Les enfants d'Israël, toute la communauté, arrivèrent au désert de Tsin, *le dixième jour* du mois *de nisan*[1α]. C'est là que mourut Miryam et là qu'elle fut mise au tombeau. **2.** Et, *parce que le puits avait été donné pour le mérite de Miryam*[β], *quand elle décéda le puits fut caché*[3γ] et il n'y eut plus d'eau pour la communauté. Ils s'assemblèrent

catégorie d'impureté appelée *hesseṭ*. Voir les références dans LEVY (I, 203) et JASTROW (349).

1. Sans doute restituer : « et le peuple s'établit à Reqem » (cf. O).
2. Le scribe écrit *'tqrbt*, au lieu de *'tqbrt* (= Jo).
3. Autre motivation à T *Nombr.* 33,46 (Jo). Sur le puits de Miryam, cf. GINZBERG, *Legends*, III, 308 ; R. LE DÉAUT, dans *Biblica* 45 (1964), 209-213.

Moïse et contre Aaron. **3.** Le peuple se querella <avec
Moïse>[4] et se mit à parler ainsi[5] : « Ah ! que ne sommes-
nous *morts comme* sont *morts* nos frères[c] devant Yahvé !
4. Pourquoi *donc* avez-vous amené l'assemblée *de la
communauté* de Yahvé dans ce désert pour y mourir, nous
et nos bêtes ? **5.** Et pourquoi *donc* nous avez-vous fait
monter d'Égypte pour nous introduire dans ce mauvais
coin, un endroit *impropre* aux semailles, *sans plantes*, sans
figuiers, sans vignes et sans grenadiers ? Et il n'y a *même*
pas *pour nous* d'eau à boire ! » **6.** Quittant l'assemblée[6],
Moïse et Aaron vinrent à l'entrée de la Tente de Réunion ;
ils *se prosternèrent* sur leurs faces et la Gloire *de la Shekinah*
de Yahvé leur apparut. **7.** Et Yahvé[g] parla à Moïse,
en disant : **8.** « Prends la verge, et rassemble *le peuple de*
la communauté, toi et ton frère Aaron ; et vous direz sous
leurs yeux au rocher (qui se trouve) *devant eux* qu'il donne
ses eaux. Tu feras sortir pour eux de l'eau du rocher et
tu feras boire *le peuple de* la communauté, ainsi que leurs
bêtes. » **9.** Moïse prit donc la verge de devant Yahvé,
ainsi qu'il le lui avait prescrit. **10.** Puis Moïse et Aaron
réunirent l'assemblée devant le rocher. Il leur dit :
« Écoutez donc, *peuple (de gens) qui veulent en apprendre
à leurs maîtres*[10] *(et) qui auraient besoin d'apprendre*[δ] !
Est-ce que[11] nous pourrons faire sortir pour vous de l'eau

c. M : que ne sommes-nous morts de la male mort dont nos
frères sont morts !   d. = O   e. = M   f. M : + en prière
g. M : la Parole de Y. Id. v. 12.23.27   h. M : fils rebelles

δ. Nombr. R (759)

4. En corrigeant le texte qui a : « le peuple, *le peuple de la communauté*, se querella ».
5. *Litt.* : « et ils disaient (part.) en disant ».
6. *Litt.* : « de devant l'assemblée » (= TM).
7. Nous traduisons le mot *ḥwṭrh* par « bâton » dans Jo, par « verge »
dans N. Dans Jo, il s'agit clairement du bâton miraculeux de l'Exode

donc contre Moïse et contre Aaron. **3.** Le peuple s'en prit
à Moïse et se mit à parler ainsi : « Ah ! que ne sommes-nous
morts lorsque nos frères sont *morts* devant Yahvé !
4. Pourquoi avez-vous amené l'assemblée de Yahvé dans
ce désert pour y mourir, nous et nos bêtes ? **5.** Et pourquoi
nous avez-vous fait monter d'Égypte pour nous amener
dans ce mauvais coin, un endroit *inapte*[d] aux semailles
et *même à la plantation de*[e] figuiers, vignes et grenadiers ?
Il n'y a (même) pas d'eau à boire ! » **6.** Moïse et Aaron,
devant *les murmures de* l'assemblée, s'en vinrent à l'entrée
de la Tente de Réunion ; ils *s'inclinèrent*[f] sur leurs faces
et la Gloire *de la Shekinah* de Yahvé leur apparut. **7.** Et
Yahvé parla à Moïse, en disant : **8.** « Prends le bâton[7]
des prodiges et rassemble la communauté, toi et ton frère
Aaron. Puis, *vous deux, adjurez* le rocher *par le grand Nom
divin*[8], sous leurs regards, pour qu'il donne ses eaux.
*Que s'il refuse d'(en) faire sortir, frappe-le, toi seul, avec
le bâton qui est dans ta main.* Tu feras sortir pour eux de
l'eau du rocher et tu feras boire la communauté, ainsi
que leurs bêtes. » **9.** Moïse se saisit[9] donc du bâton *des
prodiges* de devant Yahvé, ainsi qu'il le lui avait prescrit.
10. Puis Moïse et Aaron réunirent l'assemblée par-devant
le rocher. *Moïse* leur dit : « Écoutez donc, rebelles[h] !
Est-ce qu'*il nous est possible de* faire sortir pour vous

(cf. *Ex.* 17,5) ; voir *T Ex.* 2,21 ; 4,20 (Jo). Dans le même sens, Philon
(*Mos.* I, § 210).

8. *Litt.* : « le Nom grand et explicite (propre) », i.e. Yhwh.

9. *Ed. pr.* a le verbe *nsb* (= N-O) ; 27031 a *dbr*.

10. *Litt.* : « qui enseignent (part.) ceux qui les enseignent ». Interprétation de l'hébreu *hammōrîm* (rebelles) d'après la racine *yrh*
(instruire) et non *mārâ* (se révolter). Une autre exégèse midrashique
fréquente rattache le terme à μῶρος (fou) ; ainsi *Nombr. R* (759).
Cf. Urbach, *Sages*, 941, n. 59.

11. On pourrait aussi traduire *hā'* de N (et ms. 110) : « *Voici que
nous allons faire sortir* ». Nous aurions un « targumisme » qui supprime
le manque de foi de la part de Moïse. Voir Rashi pour d'autres
tentatives de l'aggadah de disculper Moïse.

de ce rocher[1] ? » **11.** Moïse éleva *la verge* et frappa par deux fois le rocher avec sa verge ; il *en* sortit de l'eau en abondance et *le peuple de* la communauté but, ainsi que leurs bêtes. **12.** Yahvé dit à Moïse et à Aaron : « Parce que vous n'avez pas cru en moi, *au Nom de ma Parole*, pour sanctifier *mon Nom* aux yeux des enfants d'Israël[k], *je le jure*, à cause de cela, vous ne ferez pas entrer cette assemblée au *lieu* que je leur ai donné ! » **13.** Ce sont là les « Eaux-de-la-Querelle » où les enfants d'Israël se querellèrent *devant* Yahvé et par lesquelles il sanctifia *son Nom*[m]. **14.** Moïse envoya des messagers de *Reqem* au roi <des Iduméens>[13] : « Ainsi parle *votre* frère Israël. *Vous, vous* savez toutes les épreuves qui nous sont survenues. **15.** Nos pères sont descendus en Égypte et nous sommes demeurés de nombreux jours en Égypte. Mais les Égyptiens nous ont mal traités ainsi que nos pères. **16.** Nous avons *prié devant* Yahvé ; il a entendu la voix *de notre prière* et envoyé <un ange>[15] *de miséricorde* qui nous *a sauvés* d'Égypte. Et nous voici à *Reqem*, ville *qui* se trouve sur les bords de ton territoire. **17.** Nous voudrions donc passer par ton pays.

---

i. 110 : écoutez donc, peuple (de gens) qui veulent en apprendre à leurs maîtres (et) ont refusé d'apprendre ! Est-ce que (c'est) de ce rocher que j'ai reçu ordre de faire sortir pour vous de l'eau? (ou : Voici que j'ai reçu ordre...)   j. = O   k. M : (mon Nom) glorieux au milieu de mon peuple des enfants d'Israël   l. = O M m. M : fut sanctifié son Nom glorieux   n. = O

ε. Nombr. R (759) ; Ex. R 4,9 (73) ; Tanh. B Nombr. (121)   ζ. LXX (λέγων)

---

12. Cf. GINZBERG, *Legends*, II, 322 ; III, 319 ; VI, 110. Élaboration midrashique de l'expression « par deux fois » du TM. Comme le montrent les parallèles cités, on a pensé à *deux* écoulements d'eau, d'abord goutte à goutte, puis à torrents. Enfin l'emploi du verbe *zwb*, terme technique de l'écoulement sanguin (*Lév.* 15,19.25), dans *Ps.* 78,20 et 105,41, qui rappellent l'épisode, a amené la mention du

de l'eau de ce rocher? » **11.** Moïse leva sa main et frappa par deux fois le rocher avec son bâton ; *la première fois, il laissa dégoutter du sang*[c] et, *la seconde fois*[12], il sortit de l'eau en abondance, et la communauté put boire, ainsi que leurs bêtes. **12.** Yahvé dit à Moïse et à Aaron : « *Je le jure*, parce que vous n'avez pas cru en *ma Parole*[j], pour me sanctifier sous les regards des enfants d'Israël, à cause de cela, vous ne ferez pas entrer cette assemblée au pays que je leur donnerai ! » **13.** Ce sont là les « Eaux-de-la-Dispute[1] » où les enfants d'Israël se disputèrent *devant* Yahvé, *au sujet du puits qui avait été caché*, et (où) il fut sanctifié par eux, *par Moïse et Aaron, lorsqu'il leur fut redonné*. **14.** Moïse dépêcha des émissaires de *Reqem* au roi d'Édom, *en disant*[14ζ] : « Ainsi parle ton frère Israël. Toi, tu sais toutes les angoisses qui nous sont arrivées. **15.** Nos pères sont descendus en Égypte et nous avons habité de nombreux jours en Égypte. Mais les Égyptiens nous ont mal traités ainsi que nos pères. **16.** Nous avons *prié devant* Yahvé ; il a accueilli notre *prière*[n] et envoyé *un des anges de service* qui nous a fait sortir d'Égypte. Et nous voici à *Reqem*, ville *qui est bâtie* à la limite de ton territoire. **17.** Nous voudrions bien passer

---

sang. Les rapports avec la tradition de *Jn* 19,34 sont difficiles à préciser : cf. R. Le Déaut, *La nuit pascale*, 332 et *BThB* 4 (1974), 277. N dit littéralement que Moïse « frappa *une seconde fois* par deux fois » ; peut-être faut-il conserver *tnyn* (que I supprime) et voir ici une allusion voilée à un premier essai de Moïse, avant le second (et double) coup qui donne l'eau en abondance (d'après une suggestion de G. Bienaimé).

13. Mot gratté par le censeur, à cause de l'équivalence Édom = Rome. Cf. note à *Gen.* 15,12 et à *Nombr.* 24,19. Remarquer que N laisse un blanc avant le v. 14, ce qui correspond à une division du cycle triennal palestinien : cf. M. Klein, *Textus* 8 (1973), 176 ; C. Perrot, *La lecture de la Bible*, Hildesheim 1973, 77.

14. Cf. *LXX* (influence de 21,21 ?).

15. Mot oublié (en début de ligne). Une tradition ancienne attribue la libération d'Égypte à Dieu seul : cf. note à *Ex.* 12,12.

Nous ne traverserons[o] pas de champs ni de vignes et nous
ne boirons pas l'eau *des citernes* ; nous irons par la voie
royale, nous ne dévierons ni à droite ni à gauche, jusqu'à
ce que nous ayons passé ton territoire. » **18.** <Mais *le roi
des* Iduméens *leur* dit : « *Vous* ne passerez pas par
(mes) frontières, sinon je sortirai avec l'épée à *votre*
rencontre »>[17]. **19.** Les enfants d'Israël lui dirent : « Nous
monterons par *la voie royale*. Si nous buvons de ton eau,
nous et *nos* bêtes, *nous* donnerons *l'argent pour l'acheter*.
De plus, il n'y aura à cela aucun *dommage, nous* passerons
à pied. » **20.** Mais il dit : « Tu ne passeras pas. » Et les
Iduméens sortirent à leur rencontre avec un peuple
puissant et des forces considérables[20]. **21.** Les Iduméens
se refusèrent donc à laisser Israël passer par leur territoire.
Et Israël se détourna d'eux, *car ils avaient reçu ordre de
leur Père qui est dans les cieux*[22] *de ne point aligner contre
eux les formations de combat*[t]. **22.** Ils partirent de *Reqem*
et les enfants d'Israël, toute la communauté, arrivèrent

o. F M[1] : nous ne violenterons point de fiancées, nous ne séduirons
point de jeunes filles et nous ne nous unirons point à des femmes
mariées ‖ M[2] : nous ne séduirons point de jeunes filles et nous ne
violenterons point de femmes mariées ; nous marcherons dans la
voie du Roi de l'univers   p. = O M   q. = M ‖ O : des (gens)
qui tuent par l'épée   r. = I ‖ O : par le chemin de la voie (pu-
blique)   s. = O M   t. = F

η. Nombr. R (764) ; B.Q. 81 a

16. Cf. 21,22. La paraphrase de Jo, M et F (dans le ms. 110 à
21,22) repose sur une interprétation allégorique des termes *champs,
vignes* et *puits* du texte biblique : cf. Y. Komlosh, *The Bible*, 258 ;
Ginzberg, *Legends*, VI, 118. Nous corrigeons la recension de FM
nb'y (demander, chercher) en *nb'wl* (s'unir à) avec Jo.

17. Verset oublié ; restitué en marge.

18. 27031 : *'ysrṭy'* (M à 20,17 : *'srṭ'*). *Ed. pr.* : *'sṭrṭy'*. Formes
dérivées de *strata (via)*.

par ton pays. *Nous ne séduirons point de jeunes filles,
nous ne violenterons point de fiancées et nous ne nous unirons
point à des femmes mariées*[16]. Nous marcherons dans la
voie du Roi *qui est dans les cieux*, nous ne dévierons ni
à droite ni à gauche *pour causer des dommages dans des
chemins privés*[n], jusqu'à ce que nous ayons passé ton
territoire. » **18.** Mais l'Iduméen lui dit : « Tu ne passeras
pas par ma *frontière*[p], sinon je sortirai à ta rencontre avec
des *spadassins*[q]. » **19.** Les enfants d'Israël lui dirent :
« Nous *marcherons* par *la route*[18] *du roi*[r]. Si nous buvons
de ton eau, moi et mes bêtes, je donnerai *le montant de*
son prix. De plus, il n'y a rien *de mal*[s] (à craindre), je
passerai *seul*[19]. » **20.** Mais il dit : « Tu ne passeras pas ! »
Et l'Iduméen sortit à sa rencontre avec une troupe
nombreuse et une force puissante. **21.** L'Iduméen se refusa
à laisser Israël passer par son territoire. Et Israël se
détourna de lui, *car ils avaient reçu ordre de devant la
Parole des cieux*[21] *de ne pas engager la bataille avec eux.
En effet*[23], *le moment n'était pas encore arrivé où la vengeance
(à tirer) d'Édom serait remise entre leurs mains.* **22.** Ils
partirent de *Reqem* et les enfants d'Israël, toute la commu-

---

19. Pour le sens du verset, comparer *T Deut.* 2,27.28 (Jo).
Etheridge traduit : « I will only pass through, without doing wrong ».
20. *Litt.* : « avec un peuple puissant et un bras levé ».
21. Même formule dans *T Eccl.* 4,4 ; 11,3. Exemple d'emploi du
terme « cieux » comme substitut du nom de Dieu, fréquent dans le
Targum : *T Lev.* 19,25 (Jo) ; *T Nombr.* 26,1 (Jo) ; *T Ruth* 1,1.
Comparer *Dan.* 4,23 ; *I Macc.* 3,18.19 ; 4,40 ; *Tob.* 7,11 ; *M Aboth* I, 3.
Dans le N.T., cf. *Matth.* 21,25 ; *Lc* 15,18 ; *Jn* 3,27. Voir G. DALMAN,
Die Worte Jesu, Leipzig 1898, 179 ; *SB* I, 862-865 ; A. MARMORSTEIN,
The Old Rabbinic Doctrine of God, Oxford 1927, 105-107 ; URBACH,
The Sages, 66-79.
22. Cf. note à *Ex.* 1,19.
23. Le mot *mṭwl* est omis dans 27031.

à Hor-la-Montagne. **23.** Yahvé parla à Moïse et à Aaron,
à Hor-la-Montagne, à côté des frontières des Iduméens,
en disant : **24.** « Aaron va être réuni à son peuple, car il
n'entrera pas dans le pays que j'ai donné aux enfants
d'Israël, puisque vous vous êtes rebellés contre *la décision
de ma Parole au sujet des* Eaux-de-la-Querelle. **25.** Prends
Aaron et Éléazar, son fils, et fais-les monter à Hor-la-
Montagne. **26.** Dépouille^v Aaron de ses vêtements et tu en
revêtiras Éléazar, son fils. C'est là qu'Aaron sera réuni
(à son peuple) et qu'il mourra. » **27.** Moïse fit donc comme
Yahvé l'avait prescrit. Ils montèrent à Hor-la-Montagne,
sous les yeux de tout *le peuple de* la communauté.
28. <Moïse>^{27 w} dépouilla Aaron de ses vêtements et en
revêtit Éléazar, son fils ; et Aaron mourut là au sommet de
la montagne. Puis Moïse et Éléazar descendirent de la
montagne. **29.** Tout *le peuple de* la communauté vit
qu'Aaron avait expiré et toute la maison d'Israël pleura
Aaron durant trente jours^x.

---

u. = O ‖ M : contre la parole de sa bouche   v. = O ‖ F : désha-
bille   w. M : Moïse déshabilla   x. F M : (le peuple vit) Moïse
descendant du sommet de la montagne, ses vêtements déchirés et la
cendre sur sa tête. Il pleurait et disait : Malheur à moi, à cause de
toi, Aaron, mon frère, colonne de la prière des enfants d'Israël, toi
qui faisais l'expiation pour eux une fois chaque année ! A cette
heure, les enfants d'Israël furent convaincus qu'Aaron était mort
‖ F : et tout le peuple de la communauté des enfants d'Israël pleura
Aaron durant trente jours

θ. Nombr. R (768) ; Mekh. Ex. 16,35 (II, 128) ; Taan. 9 a   ι.
ARN 12 (64) ; PRE 17 (115)

---

24. Chaîne de montagnes au N.-O. d'Antioche, qui est la limite
septentrionale de la Terre promise selon *T Nombr.* 34,7 (Jo-N). Jo a
identifié Hor-la-Montagne de *Nombr.* 20,22 (au sud, lieu de la mort

nauté, parvinrent au *Taurus Amanus*[24]. **23.** Yahvé parla
à Moïse[25], au *Taurus Amanus*, sur la frontière du pays
d'Édom, en disant : **24.** « Aaron va être réuni à son peuple,
car il n'entrera pas dans le pays que j'ai donné aux enfants
d'Israël, parce que vous vous êtes rebellés contre ma
Parole[u] aux Eaux-de-la-Dispute. **25.** Emmène Aaron et
Éléazar, son fils, et fais-les monter au *Taurus Amanus*.
26. Dépouille Aaron de ses *glorieux* vêtements *sacerdotaux*
et tu en revêtiras Éléazar, son fils. C'est là qu'Aaron sera
réuni (à son peuple) et qu'il mourra. » **27.** Moïse fit donc
comme Yahvé l'avait prescrit[26]. Ils montèrent au *Taurus
Amanus*, sous les regards de toute la communauté.
28. Moïse dépouilla Aaron de ses *glorieux* vêtements
sacerdotaux et (en) revêtit Éléazar, son fils ; et Aaron
mourut là, au sommet de la montagne. Puis Moïse et
Éléazar descendirent de la montagne. **29.** *Or, dès que
l'âme d'Aaron eut reposé (en paix), les nuées*[28] *de gloire
s'élevèrent*[θ]*, le premier du mois d'ab.* Toute la communauté
vit *Moïse descendant de la montagne, ses vêtements déchirés.
Il pleurait et disait : « Malheur à moi, à cause de toi, Aaron,
mon frère, colonne de la prière d'Israël*[29] *! » Les hommes et
les femmes*[l] d'Israël pleurèrent *eux aussi* Aaron durant
trente jours.

---

d'Aaron) avec celle de 34,7 : cf. aussi *T Nombr.* 21,1 ; *T Deut.* 32,50.
Voir note à *Nombr.* 34,7.

25. Noter l'omission (intentionnelle ?) de « et à Aaron ».

26. *Ed. pr.* : « *lui* (avait prescrit) ».

27. Oublié en début de ligne ; donné dans M.

28. Le verbe étant au pluriel, nous corrigeons ʿnn̊ (nuée) en ʿnny.
La présence des nuées était attribuée au mérite d'Aaron : cf. *T Nombr.*
21,1 (Jo-N). Éphrem attribue tout à Moïse (*Comm. in Exodum,
CSCO*, vol. 153, 131).

29. Sur cette formule, cf. R. Le Déaut, dans *JSJ* 1 (1970), 47.

CHAPITRE XXI

1. Le Cananéen, roi d'Arad, *qui* habitait dans le sud, apprit *qu'Aaron était mort*[a], *l'homme pieux pour le mérite de qui les nuées de la Gloire entouraient Israël; que Miryam, la prophétesse, était morte, par le mérite de qui le puits montait pour eux*[2], et qu'Israël arrivait par la route *par laquelle les explorateurs*[3] *étaient montés*. Ils engagèrent le combat contre Israël et en firent (un certain nombre) prisonniers[b]. **2.** Les Israélites firent alors un vœu à Yahvé et dirent[7] : « Si tu livres ce peuple entre nos mains, j'anéantirai leurs villes. » **3.** Et Yahvé entendit la voix *de la prière* d'Israël et livra les Cananéens *entre ses mains*. Il les anéantit ainsi que leurs villes ; et l'on donna à l'endroit le nom de Hormah. **4.** Ils partirent de Hor-la-Montagne, par le chemin de la mer des Roseaux, en contournant le

a. F M : apprit qu'Aaron était mort, l'homme pieux pour le mérite de qui les nuées de la Gloire protégeaient Israël et que s'était élevée la colonne de nuée ; que Miryam, la prophétesse, était morte, par le mérite de qui le puits marchait (avec eux) et que le puits avait été caché. Il répondit et dit (M : + au peuple) : Hommes de guerre, venez (M : + sortons) engager le combat contre ceux de la maison d'Israël, car ils sont parvenus à la route par laquelle sont entrés les explorateurs   b. = F ‖ M : nous alignerons les formations de combat contre ceux de la maison d'Israël et nous lui ferons de nombreux prisonniers   c. = O

α. Nombr. R (769) ; Tanh. B Nombr. (124) ; R.H. 3 a   β. Nombr. R (769) ; Tanh. B Nombr. (125) ; J. Yoma I 38 b

1. Cf. *T Nombr.* 33,40 (Jo) ; *T Deut.* 10,6 (Jo). *LXX* et Philon (*Mos.* I, § 250) font de l'adjectif *Cananéen* de l'hébreu un nom propre. Ginzberg (*Legends*, VI, 113 et 117) se demande si ce n'est pas sous l'influence du midrash qui faisait du roi d'Arad un Amalécite et non

CHAPITRE XXI

1. *Amalec*[1α], *qui* habitait *dans le pays* du sud — *il avait été changé et était venu* régner à Arad —, apprit *que l'âme d'Aaron reposait (dans la mort) et que s'était élevée la colonne de nuée qui, en vertu de son mérite, s'avançait au-devant du peuple de la maison d'Israël;* que les Israélites venaient par la route des *explorateurs au lieu où ils s'étaient révoltés contre le Maître de l'univers. En effet, lorsque les explorateurs étaient revenus, les enfants d'Israël qui campaient à Reqem étaient repartis en arrière, de Reqem jusqu'à Moséroth*[4], *en six étapes*[β], *durant quarante années. Ils étaient partis de Moséroth et étaient revenus à Reqem par la route des explorateurs. Parvenus au Taurus Amanus, Aaron y était mort. Voilà pourquoi*[5] *(Amalec) vint* pour engager la bataille contre Israël et lui fit de *nombreux*[6] prisonniers. **2.** Israël fit alors un serment *devant* Yahvé et dit : « Si tu livres ce peuple en ma main, je détruirai leurs villes. » **3.** Et Yahvé accueillit la *prière*[c] d'Israël et il livra les Cananéens. Il les détruisit ainsi que leurs villes ; et l'on donna à l'endroit le nom de Hormah. **4.** Ils partirent du *Taurus Amanus*, en direction de la mer des Roseaux,

---

un Cananéen. Aphraate connaît aussi le lien entre la mort d'Aaron et l'attaque contre Israël (*Patr. syriaca*, vol. II, col. 15).

2. Cf. *T Nombr.* 20,2.29 (Jo).

3. Sens de l'hébreu *hā'atārîm* incertain. *LXX* transcrit Αθαριν. Les autres versions ont compris « explorateurs » (Aquila et Symmaque : ὁδὸν τῶν κατασκόπων) en lisant *hattārîm*, du verbe *twr* (cf. O et *Pesh.*). *V* : « per exploratorum viam ».

4. Cf. *Nombr.* 33,30.

5. Ou : « Voici qu'alors — *h' bkyn* ».

6. *Litt.* : « il en captura une *grande* capture » ; 27031 omet « grande » *(rb')*.

7. *Litt.* : « et ils disent *(dicentes)* ».

pays des Iduméens. Mais en chemin l'âme du peuple *fut
affligée* ; **5.** le peuple parla contre[8] *la Parole de Yahvé*[d]
et *ils murmurèrent contre* Moïse : « Pourquoi *donc* nous
avez-vous fait monter d'Égypte pour *nous* faire mourir
dans le désert, puisque *nous n'avons* ni pain[e] *à manger* ni
eau *à boire*, et que notre âme en a assez de ce pain *qui est
une maigre nourriture*? » **6.** *Une bat qôl*[9f] *sortit*[g] *alors de
la terre et sa voix se fit entendre (jusque) dans les hauteurs:
« Venez, voyez, toutes les créatures*[h], *et venez, écoutez tous
les fils de la chair! Autrefois j'ai maudit le serpent*[δ] *et lui
ai dit: La poussière sera ta nourriture*[i]*! J'ai fait remonter
mon peuple du pays*[j] *d'Égypte et j'ai fait descendre pour eux
la manne du ciel; j'ai fait monter pour eux le puits de
l'abîme et pour eux transporté les cailles de la mer. Et mon
peuple s'est remis à murmurer devant moi au sujet de la
manne*[k] *qui serait un aliment trop maigre! Que vienne
(donc) le serpent*[11] *qui n'a pas murmuré à cause de sa
nourriture et qu'il domine*[l] *sur le peuple qui a murmuré
à cause de sa nourriture!* » *C'est pourquoi*, Yahvé[m] lança
contre le peuple les serpents brûlants ; ils mordirent le
peuple et, d'Israël, un grand nombre de gens[n] moururent.

---

d. M : le peuple se mit à déblatérer contre le Nom de la Parole de Y
et contre Moïse ‖ O : le peuple murmura devant Y (O[var] : contre la
Parole de Y) et s'en prit à Moïse   e. O : cette manne qui est une
maigre nourriture   f. *Une bat qôl...* moururent = F   g. M : Et
Y envoya une *bat qôl*   h. F M : tous les enfants des hommes et
écoutez et entendez, tous les fils de la chair   i. F M : + et il n'a
point murmuré à cause de sa nourriture   j. F M : j'ai fait sortir
mon peuple, libérés   k. F M : + en disant : Notre âme en a assez
de cet aliment qui est une maigre nourriture. C'est pourquoi, que
vienne le serpent   l. FM : et qu'il morde ce peuple   m. F M :
la Parole de Y   n. F M : de grandes foules

γ. Sanh. 110 a   δ. Nombr. R (771) ; Tanh. B Nombr. (126)

---

8. *Litt.* : « après *(btr)* » (de même au v. 7). Sur les vv. 5-6 et
T Deut. 1,1 (Jo-N), cf. B. J. MALINA, *The Palestinian Manna Tradition*, 67-74.

en faisant le tour du pays d'Édom. Mais en chemin l'âme du peuple *fut excédée* ; **5.** le peuple *se mit à ruminer dans son cœur et à déblatérer contre la Parole de Yahvé*[9] et à *s'en prendre* à Moïse : « Pourquoi nous avez-vous fait monter d'Égypte pour mourir dans le désert ? Car il n'y a ni pain ni eau et notre âme est excédée par cette *manne qui est un* maigre *aliment.* » **6.** *Une voix céleste tomba du haut des cieux, qui parlait ainsi : « Venez, voyez, tous les enfants des hommes, tous les bienfaits que j'ai octroyés au*[10] *peuple ! Je les ai fait remonter, libérés, d'Égypte ; j'ai fait descendre pour eux la manne du ciel. Et maintenant, ils se sont remis à murmurer contre moi. Voici que le serpent, au sujet duquel j'ai décrété, aux jours (anciens) des origines du monde, (que) la poussière serait sa nourriture, n'a point murmuré à cause d'elle, tandis que mon peuple murmure à cause de sa nourriture. Maintenant donc, que viennent les serpents, qui n'ont pas murmuré à cause de leur nourriture, et qu'ils mordent le peuple, qui a murmuré à cause de sa nourriture ! »* Alors *la Parole de* Yahvé lança contre le peuple les serpents *venimeux*[12] ; ils mordirent le peuple et, d'Israël, de grandes foules moururent. **7.** Le peuple

---

9. En araméen *brt ql'. Litt.* : « fille de la voix ». Nous utilisons l'expression classique en hébreu pour désigner une « voix divine » (cf. note à *Gen.* 38,26), à cause de l'expression « sortir de terre » (qui convient moins à une voix « céleste ») : cf. *Ap. de Moïse* 40,4. Sur la paraphrase qui suit, cf. GINZBERG, *Legends*, III, 335.

10. Ginsburger et Rieder corrigent : « à *ce* peuple ». Comparer le rappel des bienfaits de Dieu dans *I Cor.* 10, 1-4. Cf. aussi *T Deut.* 1,1 (Jo-N).

11. Rapprochement avec *Gen.* 3 à cause de la présence du même terme *serpent* (cf. note à *Ex.* 7,9). Comparer *Barnabé* 12,5 (*SC* 172, 169). Le targumiste voit ici réalisée la menace de *T Gen.* 3,15 (N-Jo) de victoire du serpent en cas d'infidélité d'Israël. Noter la mention de la Loi dans *Sag.* 16,6.

12. *ḥwrmnyn*. Espèce de serpents considérés comme particulièrement dangereux : cf. LEVY (I, 285) et JASTROW (440). *LXX* : τοὺς θανατοῦντας.

7. Le peuple vint vers Moïse, en disant[13] : « Nous avons péché, car nous avons parlé *contre*[o] *la Parole de* Yahvé et *murmuré* contre toi. *Prie devant* Yahvé pour qu'il éloigne de nous les serpents. » Et Moïse *pria* pour le peuple. **8.** Alors Yahvé[p] dit à Moïse : « Fais-toi un *serpent d'airain*[q] et place-le dans *un endroit élevé*[r] <et il adviendra que quiconque aura été mordu *par le serpent* et le regardera, restera en vie. » **9.** Moïse fit donc un serpent d'airain et le plaça sur *un endroit élevé*>[15]. Or, si le serpent mordait quelqu'un et que celui-ci tournait le regard vers le serpent d'airain, il restait en vie[s]. **10.** Les enfants d'Israël <partirent>[17] et campèrent à Oboth. **11.** Puis ils partirent d'Oboth et campèrent dans le *Défilé*-des-'Abrayyah[18], dans le désert qui est en face des Moabites, au soleil levant. **12.** Ils partirent de là et campèrent dans le torrent de Zéréd. **13.** Ils partirent de là et campèrent au-delà de l'Arnon, qui est dans le désert (et) qui sort des frontières

o. M : (contre) le Nom (de la Parole de Y) et contre le Nom de ta parole ‖ O : nous avons murmuré devant Y et nous nous en sommes pris à toi   p. M : la Parole de Y. Id. v. 16   q. O : un (serpent) « brûlant »   r. O : sur une enseigne. Id. v. 9 ‖ M : sur une hauteur. Et il adviendra que quiconque aura été mordu par le serpent (et) tournera le regard vers le serpent d'airain, vivra   s. F : le plaça sur un endroit élevé. Et il advint que, quiconque était mordu par le serpent (et) élevait sa face en prière vers son Père qui est dans les cieux et tournait le regard vers le serpent d'airain, vivait

---

ε. Mekh. Ex. 17,11 (II, 144) ; M R.H. III, 8

---

13. *Litt.* : « et ils disent (part.) ».

14. *'l 'tr tly* (*id.* N). O est plus proche de l'hébreu *nēs* en traduisant par *'āt* (= *Pesh.*). *LXX* : ἐπὶ σημείου. Pour une comparaison avec *Jn* 3, 14, cf. H. ODEBERG, *The Fourth Gospel*, Uppsala 1929, 106-109 ; *SB* II, 425 s. ; R. LE DÉAUT, *La nuit pascale*, 331. Sur tout l'épisode, voir la thèse de J. MANESCHG, *Die Erzählung von der Ehernen Schlange (Num 21, 4-9) in der Literatur des ' Spätjudentums '*, Rome 1979 (Institut biblique).

vint à Moïse, en disant : « Nous avons commis une faute,
car nous avons *ruminé et déblatéré contre la Gloire de la
Shekinah de* Yahvé et *nous nous en sommes pris* à toi.
Prie devant Yahvé pour qu'il écarte de nous *le fléau* des
serpents. » Et Moïse *pria* pour le peuple. **8.** Alors Yahvé
dit à Moïse : « Fais-toi un *serpent venimeux d'airain* et
place-le sur *un endroit élevé*[14]. Il adviendra que quiconque
aura été mordu *par le serpent* et *tournera* vers lui *le regard*,
restera en vie, *s'il dirige son cœur vers le Nom de la Parole
de Yahvé*ᵉ. » **9.** Moïse fit donc un serpent d'airain et le
plaça sur *un endroit élevé*. Et, lorsque le serpent mordait
quelqu'un, que celui-ci tournait le regard vers le serpent
d'airain *et dirigeait son cœur vers le Nom de la Parole de
Yahvé*[16], il restait en vie. **10.** Les enfants d'Israël partirent
de là et campèrent à Oboth. **11.** Puis ils partirent d'Oboth
et campèrent dans les « *Plaines-du-Défilé* », dans le désert,
un endroit qui fait face à Moab, au soleil levant. **12.** Ils
partirent de là et campèrent dans le torrent *qui produit
saules, laîches et violettes*[19]. **13.** *Et*[20] ils partirent de là et
campèrent par-delà l'Arnon, *dans le passage qui se trouve*
dans le désert, qui sort du territoire des Amorrhéens ;
car l'Arnon est la frontière de Moab, *situé* entre Moab

15. Omission due à un homoioteleuton ; texte restitué en marge
avec lemme hébreu et variantes.

16. Pour l'expression « Père des cieux » de F, cf. *PRE* 53 (437)
et note à *Ex.* 1,19. Comparer *Sag.* 16,7.

17. Mot oublié en début de ligne (après le lemme hébreu).

18. Interprétation de l'hébreu *'abārîm* : cf. aussi (dans N-O-Jo)
T Nombr. 27,12 ; 33,44 ; *T Deut.* 32,49. On peut comprendre « des
Hébreux » (JASTROW, 1040), ou « de ceux qui passent » (Y. KOMLOSH,
op. cit., 221) ou « de ceux qui sont au delà » (LEVY, II, 199). Cf. *LXX* :
ἐκ τοῦ πέραν ; *V* (à *Deut.* 32,49) : « Abarim, id est transituum ». Voir
F. M. ABEL, *Géographie de la Palestine*, I, Paris 1933, 379.

19. Plantes poussant au bord de l'eau ; explicitent le terme *zered*
pris au sens de « jeunes pousses » (JASTROW, 411). Pour *ḥlpy* (saules),
cf. la note de FLEISCHER dans LEVY, I, 425.

20. La conjonction est aussi donnée par le lemme hébreu dans
27031 (pas dans celui de *ed. pr.*).

des Amorrhéens ; car l'Arnon est la frontière des Moabites,
entre les Moabites et les Amorrhéens. **14.** C'est pourquoi[t]
se trouvent *écrits et expliqués*[u] *dans le livre de la Loi de
Yahvé — qui est comparable* au livre des Guerres —, *les
prodiges*[v][ζ] *que Yahvé*[w] *accomplit avec Israël quand ils se
tenaient à la mer des Roseaux et les prouesses qu'il accomplit
avec eux tandis qu'ils passaient* les torrents de l'Arnon[x].
15. *Tandis que*[y] *les Israélites passaient les torrents de
l'Arnon, les Amorrhéens*[z] *se cachèrent dans les grottes des
torrents de l'Arnon, se disant*[a] *: « Quand les enfants d'Israël
passeront, nous sortirons contre eux*[b] *et nous les tuerons. »
Mais le Maître de tout l'univers, Yahvé, fit un signe — lui
qui connaît ce qu'il y a dans les cœurs et devant qui est
manifesté ce qu'il y a dans les reins — il fit signe aux
montagnes qui rapprochèrent leurs sommets les uns des
autres et écrasèrent les têtes de leurs preux ;* et les torrents
débordèrent[c] *de leur sang. Mais (les Israélites) n'étaient
pas au courant*[l] *des prodiges et des prouesses que Yahvé
avait accomplis avec eux dans les torrents (de l'Arnon).
Après cela*[d] *(les montagnes) se séparèrent et s'en retournèrent
à leurs places. Lehayyat*[27], *la ville, qui n'était pas (entrée)
dans leur plan fut sauvée. Voici qu*'elle est proche des

t. C'est pourquoi... Arnon = F   u. F I : il est dit   v. F M :
+ et prouesses   w. M 110 : la Parole de Y   x. M 110 : ainsi
fera-t-il (M : fera la Parole de Y) quand ils passeront les torrents
de l'Arnon ‖ O : C'est pourquoi il sera dit dans le livre : Y a mené
des combats à la Mer des Roseaux et fait des prouesses sur les torrents
de l'Arnon   y. Tandis que... Moabites = F   z. F : Moabites
a. M 110 : les uns aux autres   b. M 110 : à leur rencontre et nous
les exterminerons et nous tuerons rois et princes. A cette heure,
Y fit signe aux montagnes et les sommets se rapprochèrent   c. M
110 : les torrents de leur sang s'écoulèrent ‖ F M : (débordèrent) du
sang de leurs tués. Et les Israélites marchaient sur les sommets des
montagnes, par-dessus, et ils n'étaient pas au courant des prodiges
(accomplis) dans les torrents de l'Arnon. Mais Lehayyat, la ville
d. 110 : mais après cela les montagnes se séparèrent et retournèrent

et les Amorrhéens. *Des prêtres (païens)*[21] *adorateurs d'idoles y habitaient.* **14.** Pour cela, il est dit dans le livre *de la Loi où sont écrites* les guerres de Yahvé : *Eth et Héb*[22], *qui étaient affligés de la lèpre*[23]η, *avaient été chassés à l'extrémité*[24] *du camp. C'est eux qui annoncèrent à Israël qu'Édom et Moab s'étaient cachés parmi les montagnes, pour tendre des embuscades au peuple de la maison d'Israël et l'exterminer. Alors le Seigneur de l'univers fit signe*[25] *aux montagnes qui se rapprochèrent*θ *l'une de l'autre: ils moururent et leur sang s'écoulait comme* torrents, *à côté de* l'Arnon. **15.** Les torrents *de leur sang* répandu s'écoulaient[26] *jusqu'aux habitations de Lehayyat*e. *Celle-ci cependant fut sauvée de cet anéantissement, car elle n'était pas (entrée)*ι *dans leur plan. Voici qu'*elle est (située)[28]

à leurs places et Israël connut les prodiges et les prouesses accomplis pour eux aux torrents de l'Arnon   e. = O   f. F : associée

---

ζ. Nombr. R (773)   η. Ber. 54 a-b   θ. Nombr. R 21,15 (774) ;
Tanh. B Nombr. (127)   ι. Nombr. R (774)

---

21. *kwmrny'* : cf. note à *Gen.* 39,20.

22. Une citation fort obscure du « Livre des guerres de Yhwh » est à l'origine de nombreux développements aggadiques sur les victoires de l'Arnon. Ainsi les deux premiers mots ont été pris pour des noms propres : '*et-wāhēb.* Cf. GINZBERG, *Legends*, VI, 116.

23. *Litt.* : « dans la tourmente de la lèpre » *('l'wl')*.

24. Le nom propre *sûpâ* est interprété d'après *swp* (fin, extrémité). N et O comprennent « mer des Roseaux » *(ym' dswp).* V : « sicut fecit in mari Rubro ».

25. Lire *rmz* au lieu de *dmn* (cf. N et F au v. 15).

26. Jo et N paraphrasent l'hébreu '*eshed* d'après le sens de l'araméen '*ashad* (s'écouler, se répandre) souvent employé pour l'écoulement du sang : cf. Y. KOMLOSH, *The Bible*, 227.

27. *lhyyt.* Le terme signifie « palissade, fortin, forteresse » ; traduit '*ār,* capitale de Moab ; appelée « la ville » à cause de 24,36.

28. Sans doute restituer *smyk'* (proche de) : cf. N, F et O.

frontières des Moabites. **16.** A partir de là, le puits *leur fut (re)donné*[g]. C'est le puits dont Yahvé avait dit à Moïse : « Rassemble le peuple et je leur donnerai de l'eau. » **17.** Alors[h] Israël chanta ce poème *de louange* : « Monte, puits ! » lui chantaient-ils[32]. *Et celui-ci montait*[j]. **18.** Le puits[k] que les princes *du monde, Abraham, Isaac et Jacob* ont creusé *autrefois*[34], *les (hommes) avisés*[l] *du peuple l'ont achevé, les soixante-dix sages qui avaient été mis à part, les*[m] *maîtres d'Israël, Moïse et Aaron, l'ont mesuré avec leurs verges. Et depuis le désert, il leur a été donné* (comme) un don[n]. **19.** Et[o] *après leur avoir été donné en don*[36], *le puits se transformait pour eux en torrents impétueux*[p] *; et après être devenu torrents impétueux, il se mit à monter avec eux sur la cime des montagnes et à descendre avec eux*

g. = O   h. F M : Voici qu'alors Israël chanta la louange de ce poème   i. = M 110   j. = F   k. Le puits ... comme un don = F   l. I : les hommes avisés de jadis ‖ 110 : les soixante-dix sages du Sanhédrin d'Israël ‖ F : le Sanhédrin, les soixante-dix sages   m. M : + deux   n. O : le puits qu'ont creusé les princes, les chefs du peuple, les maîtres l'ont foré avec leurs verges (O[var] : avec leurs calames). Et depuis le désert il leur a été donné   o. Et après... vallées profondes = F   p. F M : + débordants

χ. Nombr. R (775) ; Mekh. Ex. 16,35 (II, 128)   λ. Tanh. B Nombr. (127) ; Nombr. R (775)   μ. T Ps. 62,12 ; T Cant. 1,2 ; 2,4 ; 3,3   ν. *Document de Damas* 3,16 ; 6,4   ξ. Nombr. R (776) ; Tosephta Suk. III, 12 (197)

29. Les versions interprètent comme un nom commun le toponyme *Be'ēr*, allant au delà de l'explication donnée par le texte biblique lui-même. *LXX* : τὸ φρέαρ.

30. En lisant *hy'*. 27031 et *ed. pr.* ont *ḥy'* : « (le puits) vivant », i.e. d'eaux vives. L'examen des autres recensions (et la probabilité d'une erreur facile) invitent à corriger ; cf. cependant R. Le Déaut, dans *BThB* 4 (1974), 276. D'après *Sifré Nombr.* 11,21 (254), le puits fournissait aussi d'excellents poissons aux Israélites.

31. *hā'* manque dans 27031.

aux confins de Moab. **16.** A partir de là, le puits[29] *leur
fut (re)donné*[x]. C'est[30] le puits dont Yahvé avait dit à
Moïse : « Rassemble le peuple et je leur donnerai de l'eau. »
17. *Voici*[31] *qu'*alors Israël chanta ce poème *de louange,
au moment où revint le puits qui leur avait été donné par le
mérite de Miryam, après avoir été caché :* « Monte[33], puits !
Monte, puits[i] ! » lui chantaient-ils. *Et celui-ci montait.*
18. Le puits qu'ont creusé *les patriarches, Abraham, Isaac
et Jacob*, les princes[λ] *d'antan*, les chefs du peuple, *Moïse
et Aaron, les maîtres*[35µ] *d'Israël* l'ont foré[ν], *ils l'ont mesuré*
avec leurs verges. Et depuis le désert, *il leur a été donné
comme* un don. **19.** *Et après leur avoir été donné comme
un don, il se mit à monter avec eux sur les montagnes élevées
et, des montagnes élevées, à descendre avec eux dans les
vallons. Faisant le tour de tout le camp*[ξ] *d'Israël, il les*

---

32. *Litt.* : « ils étaient chantant pour lui », au lieu de l'impératif
du TM. Cf. *V* : « concinebant ».

33. *LXX* a lu une préposition (ἐπὶ τοῦ φρέατος) au lieu du verbe
« monte » (*ʿly*).

34. *Litt.* : « depuis le commencement ». Dans *T Nombr.* 22,28 (Jo),
le puits est l'une des dix choses créées avant le premier sabbat :
cf. note à *Gen.* 2,2.

35. *Litt.* : « scribes — *spryhwn* » ; cf. note à 9,8. A la base de cette
interprétation, il y a a la conception de l'eau symbole de la Loi (cf. note
à *Ex.* 15,22), comme dans le *Document de Damas* 6,4 (« le puits,
c'est la Loi »). Pour les interprétations anciennes de l'hébreu *meḥōqēq*
à Qumrân et dans le Targum, cf. G. VERMES, *Scripture and Tradition
in Judaism*, Leiden 1961, 49-55 ; N. WIEDER, *The Judean Scrolls
and Karaism*, London 1962, 356-364.

36. La paraphrase interprète les noms propres bibliques au sens
de « don », « torrents de Dieu » et « hauteurs ». Sur cette aggadah,
cf. H. St. J. THACKERAY, *The Relation of St. Paul to Contemporary
Jewish Thought*, London 1900, 205-212 ; *SB* III, 406-408 (à *I Cor.*
10,4). Dans *LAB* (10,7 ; 11,15 et 20,8), il y a une fusion du thème
du puits et de celui de l'eau de Marah. Pour un phénomène analogue
dans Ézéchiel le Tragique, voir la note à *Ex.* 15,27. Pour l'antiquité
de l'interprétation « fleuves impétueux », cf. Aquila : εἰς χειμάρρους
ἰσχυρῶν. Voir P. WERNBERG-MØLLER, dans *VT* 12 (1962), 319 s.

dans les vallées profondes[37]q. **20.** *El[r] après être monté avec
eux sur les cimes des montagnes élevées et être descendu avec
eux dans les vallées profondes, il leur fut caché[s] dans* la
vallée[t] qui se situe aux *frontières* des Moabites, au sommet
de la hauteur, celle qui regarde[u] en direction de *Beth*
Yeshimon. **21.** Israël envoya des messagers à Sihon, roi
des Amorrhéens, en disant : **22.** « Je voudrais *maintenant*
passer par ton pays ; nous ne dévierons point (pour passer)
dans des champs ou des vignes *et* nous ne boirons point
l'eau *des citernes* ; nous marcherons par la voie royale[w]
jusqu'à ce que nous ayons traversé ton territoire. » **23.** Mais
Sihon ne laissa point Israël passer par son territoire.
Sihon rassembla tout son peuple et sortit à la rencontre
d'Israël au désert ; il arriva à Yahasah, et ils engagèrent
le combat avec Israël. **24.** Et Israël l'extermina au fil de
l'épée. Ils s'emparèrent de son pays depuis l'Arnon jusqu'au
Jaboq, jusqu'aux *frontières des* fils d'Ammon, car elle était
forte la frontière des fils des Ammonites. **25.** Israël
s'empara de toutes ces villes et Israël s'établit dans toutes
les villes des Amorrhéens, à Hesbon et dans tous ses
villages. **26.** C'est que Hesbon était la ville de Sihon, roi
des Amorrhéens et celui-ci avait engagé le combat avec
le précédent roi des Moabites et lui avait enlevé tout le
pays jusqu'à l'Arnon. **27.** C'est pourquoi les *poètes*[42]x

---

q. O : et après leur avoir été donné, il descendait avec eux dans les
vallées et des vallées montait avec eux sur les hauteurs   r. Et
après ... profondes = M 110   s. F M : le puits leur fut caché
t. 110 : dans la plaine (glose marginale)   u. = F M   v. = 110
w. M 110 : la route royale   x. = F (*litt* : les faiseurs de proverbes)

---

o. *LAB* 11,15   π. T Cant. 2,15   ρ. T Cant. 2,16

---

37. Cf. *T Deut.* 2,6 (N).
38. Cf. la célèbre fresque de la synagogue de *Doura-Europos*
(reproduite dans *Bible et Terre sainte* n. 88, 1967, 11 et n. 188,
1977, 4). On peut voir une amorce de cette tradition dans *Nombr. R*

abreuvait tout un chacun à l'entrée de sa tente[38]. **20.** *Des montagnes élevées, il descendit avec eux dans les vallons*ᵒ *profonds ; mais il leur fut caché à la frontière* des Moabites, au sommet *de la hauteur qui* est orientée en direction de *Beth* Yeshimon, *parce qu'ils avaient négligé les paroles de la Loi*ᵖ. **21.** Israël dépêcha des émissaires à Sihon, roi des Amorrhéens, en disant : **22.** « Je voudrais passer par ton pays. *Nous ne violenterons point de fiancées, nous ne séduirons point de jeunes filles et nous ne nous unirons point à des femmes mariées*[39]ᵛ. Nous irons par la voie du Roi *qui est dans les cieux*, jusqu'à ce que nous ayons traversé ton territoire. » **23.** Mais Sihon ne permit point à Israël de passer par son territoire. Sihon rassembla tout son peuple et sortit à la rencontre d'Israël au désert ; il arriva à Yahasah[40], et il engagea le combat contre Israël. **24.** Et Israël le frappa *de l'anathème de Yahvé*ᵒ *qui tue comme* le fil de l'épée[41]. Il s'empara de son pays depuis l'Arnon jusqu'au Jaboq, jusqu'à *la frontière* des fils d'Ammon, car *Rabbath,* (à) la frontière des fils d'Ammon, était forte. *Et jusqu'à maintenant leur est concédé un répit.* **25.** Israël s'empara de toutes ces villes et Israël habita dans toutes les villes des Amorrhéens, à Hesbon et dans tous ses *villages.* **26.** Hesbon était en effet la ville de Sihon, roi des Amorrhéens, et celui-ci avait combattu contre le précédent roi de Moab et lui avait enlevé tout son pays jusqu'à l'Arnon. **27.** Pour cela les poètes diront *allégorique-*

---

(775) et *Tosephta Suk.* III, 11 (197) : chaque prince attirait l'eau vers sa tribu et sa famille. Comparer *Coran,* VII, 160.

39. Cf. note à 20,17.

40. *Ed. pr.* a *lyḥṣ* ; forme qui porte un signe d'abréviation dans 27031 (à l'intérieur d'une ligne). Donc lire *lyḥṣh.* La forme devait être abrégée (en fin de ligne) dans un ancêtre commun de nos deux témoins.

41. *pytgm dḥrb* : cf. note à *Ex.* 17,13.

42. *Litt.* : « les faiseurs de proverbes » (*mtwly mllyyh* ; Jo a seulement *mtwlyy'* : cf. TM). *V* : « Idcirco dicitur in proverbio » (= *Pesh.*).

disent : « Entrez à Hesbon ; elle est (bien) bâtie et bien achevée, la ville de Sihon ! **28.** Car[y] *un peuple de preux, ainsi qu'*un feu *dévorant*[45], est sorti de Hesbon ; *des guerriers sont sortis comme* la flamme[z] de la ville de Sihon[a] ; *ils ont anéanti Lehayyat*[b] des Moabites, <*tué les prêtres*>[46] *qui sacrifiaient devant les autels*[47c] de l'Arnon. **29.** Malheur à vous, Moabites ! Ils sont finis, *exterminés*, le peuple (de ceux) *qui sacrifiaient devant l'idole*[d] de Kamosh ! Il a livré leurs fils, emmenés *avec les chaînes au cou*[50e], ainsi que leurs filles devenues captives, à Sihon, le roi des Amorrhéens.

---

y. Car un peuple ... de l'Arnon = F ‖ M : un roi arrogant est sorti comme le feu de Hesbon et des légions de guerriers, comme des flammes de la géhenne, sont sorties de la ville de Sihon   z. F : + de feu   a. F : + ils ont tué les rois des Amorrhéens   b. F : + la ville   c. F M : les idoles ‖ O : car un vent d'est puissant comme le feu est sorti de Hesbon, des guerriers comme la flamme de la ville de Sihon. Ils ont tué les gens qui habitent à Lehayyat de Moab, les prêtres qui rendaient un culte dans les sanctuaires des divinités des hauteurs de l'Arnon   d. F M : vous êtes finis, perdus, (vous) qui rendez un culte aux idoles ‖ O : peuple (de gens) qui rendez un culte à Kamosh   e. F M : vous avez livrés vos fils, liés avec des chaînes au cou

---

σ. M Aboth II, 1 ; B.B. 78 b   τ. B.B. 78 b   υ. B.B. 78 b

---

43. Lire *bḥwdt'* (Jastrow, 430) avec 27031, au lieu de *bḥwrt'* *(ed. pr.)*. Ce qui suit est une paraphrase du nom de Hesbon, rattaché à la racine *ḥashab* (supputer, calculer). J. Hadot (*Penchant mauvais et volonté libre dans la Sagesse de Ben Sira*, Bruxelles 1970, 148 s.) rapproche ce midrash de la « délibération » de *Lc* 14,28. Sur l'emploi de l'*allégorie* par les rabbins (et une possible influence sur Origène), voir l'importante mise au point de N. de Lange, *Origen and the Jews*, 112.

44. Cette phrase est une série de jeux de mots sur les derniers termes du v. hébreu : « (parfaitement) instruit — *ytbny* — celui qui est zélé — *myt'r* — à s'entretenir — *msyḥ* — de la Loi ». La fin paraphrase le nom de Sihon et n'a rien à voir avec l'idée de « unctus in lege » (comme le note justement *SB* III, 777, à *I Jn* 2,20).

45. *Litt.* : « consumant comme le feu ».

ment[43] : « *Les justes qui ont maîtrisé leurs penchants disent:*
Venez, *que nous supputions*[σ] *le préjudice (que peut compor-*
ter) une œuvre bonne en regard du bénéfice (qu'elle apporte),
et le bénéfice (que peut comporter) une œuvre mauvaise en
regard du préjudice (qu'elle apporte). Il sera parfaitement
instruit celui qui est zélé à s'entretenir de la Loi[44]. **28.** Car
des paroles fortes comme le feu sortent *de la bouche des*
justes qui font un tel calcul, et des mérites puissants comme
la flamme *(sortent) de ceux qui lisent la Loi et s'en entre-*
tiennent. Leur feu a dévoré *l'ennemi et l'adversaire qui sont*
considérés en leur présence comme les adorateurs des autels
des idoles des torrents de l'Arnon[τ]. **29.** Malheur à vous,
ennemis des justes ! Vous êtes perdus, ô peuple *qui est*
flétri[48] *pour avoir honni*[49] *les paroles de la Loi*[υ]*! Point*
de remède pour eux, jusqu'à ce que leurs fils *soient contraints*
à s'exiler en un lieu où ils étudieront la Loi et que leurs
filles[51] *soient conduites au loin* comme captives *de guerre,*
en présence de ceux qui cherchent conseil dans le conseil
de la Loi, les docteurs[52] *qui s'entretiennent de la Loi.* **30.** *Les*

---

46. *qṭylw kwmry'* se lit encore sous le grattage du censeur. Le terme
kûmār qui désigne toujours des prêtres des idoles (cf. note à *Gen.* 39,20)
était supposé viser les prêtres chrétiens.

47. *bmth* transcrit l'hébreu *bāmôt* (hauteurs ; O : *rāmātā'*) en lui
donnant le sens de haut lieu, autel idolâtrique ; Jo emploie *bms'*
(= βωμός) : cf. note à *Ex.* 32,5. *LXX* : κατέπιεν στήλας Αρνων (a lu
blʿ, engloutir, au lieu de *bʿly*).

48. *kᵉmtsh* : jeu de mots sur le nom du dieu *Kamosh.*

49. En lisant *mdsynt* avec *ed. pr.* (reprend le début de la phrase :
« ennemis — *sn'y* — des justes »). 27031 : *mdhnyt* : « après t'être
engraissé (?) ». Cf. *T Deut.* 31,20 (Jo) et Levy, I, 163.

50. *qwlry'* (du latin *collare*).

51. *Ed. pr.* : « jusqu'à ce qu'ils soient contraints... et que leurs fils
et leurs filles soient conduits... ».

52. *Litt.* : « qui répètent et s'entretiennent de » ; cf. Levy, I, 38.
Dans 27031 et *ed. pr.* on lit *'mwr'yn* que Ginsburger corrige en *'mryn*
(« disant et s'entretenant »). Nous avons ici une allusion aux maîtres
appelés justement *Amoraïm.* Cf. Jastrow, 76.

30. *Finie[f] la royauté* pour Hesbon *et la suprématie pour* Dibon[g] ! *Les chemins sont désolés* jusqu'à *la Citadelle-des-Forgerons*[54] *qui est près* de Meydeba. » **31.** Israël s'établit[i] dans le pays des Amorrhéens. **32.** Moïse envoya explorer Yazêr ; ils conquirent ses *villages* et *exterminèrent*[k] les Amorrhéens qui y *demeuraient*. **33.** Puis ils montèrent en se dirigeant par la route de *Butnin*[56]. Og, roi de *Butnin*, sortit à leur rencontre, lui et tout son peuple, pour (disposer) les formations de combat à Édreï. **34.** *Or*[l], *quand Moïse vit Og, roi de Butnin*[m], *il fut pris de peur*[n] *et il se mit à trembler devant lui. Il dit : « N'est-ce pas là Og qui tournait en dérision*[p] *Abraham et Sarah et leur disait : Abraham et Sarah sont à comparer à de beaux arbres situés auprès des sources d'eau, mais qui ne font pas de fruits ! C'est pour cela que Yahvé*[s] *l'a fait vivre jusqu'à ce qu'il ait vu leurs fils et les fils de leurs fils*[t] *et qu'il vienne tomber entre leurs mains. »* *Ensuite* Yahvé[u] dit à Moïse : « N'aie aucune crainte devant lui, car je l'ai livré entre tes mains, ainsi que tout son peuple ; tu lui feras comme tu as fait à Sihon, roi des

---

f. Finie ... Meydeba = F   g. M : pour ceux de la maison de Hesbon et la suprématie pour ceux de la maison de Dibon   h. = M ‖ 110 : la Citadelle-des-Forgerons ‖ O : Finie la royauté pour Hesbon, passée la suprématie pour Dibon. Ils ont dévasté jusqu'à Nophakh qui est près de Meydeba   i. = F ‖ O : habita   j. = F M   k. = F ‖ O : chassèrent   l. Or... Hesbon = F   m. M : Og l'impie ‖ 110 : le roi impie   n. M 110 : il frémit et se mit à trembler   o. = FM   p. = I 110 (marge) ‖ F 110 : se moquait   q. = M   r. = M 110   s. F : le Saint, béni soit son Nom ‖ 110 : le Saint-béni-soit-il, loué soit son Nom, l'a maintenu en vie des années nombreuses   t. 110 : + nombreux comme la poussière de la terre   u. 110 : la Parole de Y

φ. B.B. 78 b   χ. Nombr. R (781) ; Gen. R 21,8 (469) ; Nid. 61 a

---

53. *dbwn'* : allusion au nom de Dibon.

54. *krkh* (M et Jo : *shûqa'*) *dnpḥyh* (cf. TM : *nōpaḥ*). *LXX* paraphrase : καὶ αἱ γυναῖκες ἔτι προσεξέκαυσαν (verbe *npḥ* ?) πῦρ ἐπὶ Μωαβ ; *V* : « lassi pervenerunt in Nophe et usque Medaba ».

55. District de Pérée (JASTROW, 781). Cf. *M Tam.* III, 8. Écrit

*impies disent: Il n'existe point de (Dieu)[p] élevé et exalté
qui voie tout cela! Votre calcul* est vain, du moment que
votre âme disparaîtra dans l'angoisse[53]. *Mais le Seigneur
de l'univers les confondra, jusqu'à ce que leur âme soit
réduite au désespoir et qu'ils soient désolés comme il a désolé
les villes des Amorrhéens et les palais de leurs princes,
depuis la grande porte du palais royal* jusqu'au *Souk-des-
Forgerons*[h] *qui est près* de Meydeba. » **31.** Israël habita
dans le pays des Amorrhéens, *après avoir mis à mort
Sihon.* **32.** Moïse dépêcha *Caleb et Pinekhas* pour explorer
Mikbar[55j] ; ils conquirent ses *villages* et *exterminèrent* les
Amorrhéens qui s'y trouvaient. **33.** Puis ils poursuivirent
en montant par la route de *Matnan.* Og, roi de *Matnan,*
sortit à <leur>[57] rencontre, lui et tout son peuple, pour
engager le combat à Édreï. **34.** *Or, lorsque Moïse vit Og*[58],
*il frémit et se mit à trembler devant lui. Il prit la parole et
dit: « C'est là Og, l'impie*[o], *qui tournait en dérision Abraham
et Sarah, nos ancêtres*[q], *en disant: Vous êtes comparables
à des arbres plantés*[r] *auprès des cours d'eau, mais ils ne
font pas de fruits*[59] *! C'est pourquoi le Saint-béni-soit-il
l'avait maintenu en vie pendant des générations pour qu'il
puisse voir les foules nombreuses (issues) de leurs enfants
et être livré entre leurs mains*[x]. » *Alors* Yahvé dit à Moïse :
« N'aie aucune crainte de lui, car je l'ai livré entre tes
mains, ainsi que tout son peuple et son pays[60] ; tu lui
feras comme tu as fait à Sihon, roi des Amorrhéens, qui

ici *mkwwr* dans FM et à 32,1.3 dans Jo (échange fréquent de *beth*
et double *waw*).

56. Forme habituelle dans N pour désigner le *Bāshān,* région à
l'est du lac de Tibériade, la *Batanée* de JOSÈPHE (*Ant.* IX, § 159 ;
Guerre I, § 398). O a toujours la forme *Matnan.*

57. Texte : « notre (rencontre) ».

58. Même aggadah à *T Deut.* 3,2 (FM). Sur les légendes concernant
Og, cf. GINZBERG, *Legends,* III, 343-348.

59. Vocabulaire plus proche de *T Jér.* 17,8 que de *T Ps.* 1,3.

60. *Ed. pr.* : « et *tout* son pays ». Dans N, « et son pays » est suppléé
par I.

Amorrhéens, qui demeurait à Hesbon. » **35.** Ils l'*exterminèrent* donc, ainsi que ses fils et tout son peuple, sans qu'il
lui reste un seul survivant, et ils s'emparèrent de son
pays.

CHAPITRE XXII

1. Les enfants d'Israël partirent et campèrent dans
la plaine de Moab, au passage du <Jourdain>[1] face à
Jéricho. **2.** Balaq, fils de Sippor, vit tout ce qu'Israël
avait fait aux Amorrhéens. **3.** Les Moabites furent pris
d'une grande peur devant le peuple, tant il était *fort*, et
les Moabites furent tourmentés à cause des enfants d'Israël.
4. Les Moabites dirent[3] alors aux *sages* des Madianites :
« Maintenant *cette* troupe va *anéantir* toutes *les villes* situées
aux alentours, de même que le bœuf broute *avec sa langue*
l'herbe de la surface de la campagne ! » Or Balaq, fils de
Sippor, *était* alors[5] roi des Moabites. **5.** Il envoya donc

a. = M

ψ. Ber. 54 b ; Deut. R 2,31 (26)
α. Nombr. R (789) ; Sifré Nombr. 31,2 (644) ; Sanh. 105 a ; Josèphe,
Ant. IV § 102

61. Cf. GINZBERG, *Legends*, III, 345 ; VI, 120. L'exploit de Moïse
est rappelé dans *T Nombr.* 34,15 (N).
1. Le copiste écrit *lyrh'* (mois) au lieu de *lyrdn'*. Pour une étude
comparative des traditions aggadiques des chap. XXII-XXIV, cf.
G. VERMES, *Scripture and Tradition in Judaism*, 127-177.
2. Même formule à *T Ex.* 1,12 (Jo).
3. *Litt.* : « disant ».
4. Avec alternativement un roi de chaque peuple pour la confé-
dération : cf. GINZBERG, *Legends*, VI, 122.
5. *Litt.* : « à cette heure ».

habitait à Hesbon. » **35.** *Or, il advint*[61] *que lorsque Og, l'impie, aperçut le camp d'Israël qui était (long) de six parasanges, il se dit: « Je vais engager la bataille contre ce peuple, de crainte qu'ils ne me fassent comme ils ont fait à Sihon. » Il s'en fut donc déraciner une montagne*[Ψ] *de six parasanges et se l'imposa sur la tête pour la lancer sur eux. Aussitôt la Parole de Yahvé eut recours à un ver qui fissura la montagne et la transperça, si bien que sa tête s'enfonça à l'intérieur. Il chercha à l'extraire de sur sa tête; mais il ne le put, car les molaires et les (autres) dents de sa bouche s'étaient allongées de-ci de-là. Moïse alla prendre une hache de dix coudées, il fit un bond de dix coudées et il le frappa à la cheville. Celui-ci tomba et mourut au-delà du camp d'Israël. En effet, ainsi est-il écrit:* Ils le frappèrent donc, ainsi que ses fils et tout son peuple, sans qu'il lui reste un seul rescapé, et ils s'emparèrent de son pays.

CHAPITRE XXII

1. Les enfants d'Israël partirent et campèrent dans les plaines de Moab, au-delà du Jourdain, face à Jéricho. **2.** Balaq, fils de Sippor, vit tout ce qu'Israël avait fait aux Amorrhéens. **3.** Les Moabites furent pris d'une grande peur devant le peuple, tant il était nombreux, et les Moabites furent tourmentés *dans leur existence*[2a] à cause des enfants d'Israël. **4.** Les Moabites dirent alors aux anciens des Madianites — *ils formaient en effet un seul peuple et un seul royaume jusqu'à ce jour-là*[4α] : « Maintenant la troupe va tout *anéantir* autour de nous, de même que le bœuf dévore l'herbe des champs ! » Or Balaq, fils de Sippor, *le Madianite*, était roi de Moab, en ce temps-là, *mais non à une autre période. Il y avait en effet entre eux cette convention qu'il y aurait des rois par périodes, de l'un et de l'autre (peuple).* **5.** Il dépêcha donc des émissaires à

des messagers à Balaam, fils de Beor, *l'interprète*[8] *des songes*[b], qui se trouvait sur *la rive du* Fleuve, (au) pays des fils de son peuple, pour l'appeler, en disant : « Voici qu'un peuple *nombreux* est sorti d'Égypte *et* qu'il cache la terre de vue[c]. Les *voilà* campés en face de moi. **6.** Et maintenant viens donc ! Maudis-moi ce peuple, car ils sont plus forts que *nous*. Peut-être pourrai-je (ainsi) les *exterminer* et les chasser[d] du pays. Je sais en effet que <celui>[10] que tu bénis sera béni et que celui que tu maudis, est maudit. » **7.** Les *princes*[e] des Moabites et les *princes* des Madianites s'en allèrent avec, dans leurs mains, les *salaires*[ζ] *scellés des* divinations[11f]. Ils arrivèrent chez Balaam et lui dirent les paroles de Balaq. **8.** Il leur dit : « Logez ici *aujourd'hui et* (cette) nuit et je vous rendrai réponse selon ce qui me sera dit *de devant* Yahvé. » Et les princes des Moabites demeurèrent avec[g] Balaam. **9.** *La Parole de Yahvé apparut*

---

b. = 110 ‖ O : à Pethor d'Aram qui est sur l'Euphrate   c. O : couvre l'œil du soleil de la terre. Id. v. 11   d. O M : engager le combat contre eux   e. F M : les sages   f. F M : et des salaires scellés   g. M : (selon) ce que m'aura dit la Parole de Y. Et les princes de Moab restèrent ‖ O : s'attardèrent   h. = O. Id. v. 20

β. Sanh. 105 a   γ. Nombr. R (792) ; Tanh. B Nombr. (134) ; *LAB* 18,2 ; Josèphe, *Ant.* IV § 104   δ. Nombr. R (793)   ε. Nombr. R (794) ; Tanh. B Nombr. (135)   ζ. Philon, *Mos.* I § 266

---

6. Cf. *T Nombr.* 31,8 (Jo). Sur cette identification, voir GINZBERG, *Legends*, III, 354 ; VI, 123. Elle repose sur une étymologie populaire de *Balaam* (*bālaʿ ʿam* : « engloutit le peuple ») et une interprétation midrashique de *Deut.* 26,5 (« L'Araméen a cherché à faire périr mon père » : cf. *T Deut.* 26,5 : Jo-N), célèbre dans le rituel pascal (voir E. D. GOLDSCHMIDT, *The Passover Haggadah,* Jérusalem 1960, 40 et 120). Pour un rapprochement avec le personnage d'Hérode dans *Matth.* 2, cf. D. DAUBE, *The New Testament and Rabbinic Judaism,* London 1956, 189-191. Voir aussi *V* à *Deut.* 26,5.

7. *SB* (II, 770) cite ce texte à propos de *Act.* 26,24.

8. Comparer *T Deut.* 23,5 (N-Jo). Le nom de lieu *Peʿtôr* est compris d'après la racine *ptr* (expliquer, interpréter). Cf. *Pesh.* et *V* (hariolum).

Laban, *l'Araméen,* — *c'est* Balaam[6β], *(appelé ainsi) car il cherchait à engloutir le peuple de la maison d'Israël* —, fils de Beor, *qui était devenu stupide à cause de l'abondance de sa sagesse*[7]. *Il n'avait aucune pitié d'Israël, la descendance des fils de ses filles. Son lieu de résidence était à Paddan,* c'est-à-dire Pethor, *(appelée ainsi) d'après son nom d'interprète des songes*[γ]. *Elle est construite en Aram* qui se trouve sur *l'Euphrate,* un pays où les fils de son peuple *lui rendaient un culte et le vénéraient.* (Balaq) le fit appeler, en disant : « Voici qu'un peuple est sorti d'Égypte *et*[9] qu'il recouvre la vue de la terre. Il est campé face à moi. **6.** Et maintenant viens, je t'en prie ! Maudis pour moi ce peuple, car il est plus fort que moi. Puissé-je être capable d'en *réduire le nombre*[δ] et je le délogerai du pays ! Car je le sais : celui que tu bénis est béni et celui que tu maudis est maudit. » **7.** Les anciens de Moab et les anciens de Madian s'en allèrent avec, dans leurs mains, *des bâtons portant des formules*[ε] magiques. Ils arrivèrent chez Balaam et lui transmirent les propos de Balaq. **8.** Il leur dit : « Logez ici cette nuit et je vous rendrai réponse selon ce que Yahvé me dira. » Et les princes de Moab *se mirent à table* avec Balaam. **9.** *Une parole de devant*[12h] *Yahvé* vint

---

9. *Litt.* : « *et* voici » (*id.* N) : cf. *LXX, Pesh.* et de nombreux mss hébreux.

10. Restituer *yt mh* avec I.

11. L'hébreu *qeşāmîm* est compris, par les modernes, au sens d'instruments de divination ou d'honoraires du devin. De même pour les versions anciennes : *LXX* : τὰ μαντεῖα ; *V* : « habentes divinationis pretium in manibus ». Le N.T. a retenu le thème du salaire (*Jude* 11 ; *II Pierre* 2,15) : cf. G. VERMES, *op. cit.,* 131. La tradition targumique est confuse. N : *gryn dqsmyn ḥtymyn bydhwn* ; M : *'grn ḥtymn,* que A. TAL propose (avec un ?) de traduire par *mktbym* (lettres) : *The Language of the Targum,* 128. Le ms. 27031 a *gdyn (= Arukh)* ; *ed. pr.* : *mygdyn* ; ms. 110 : *'gdn ḥtymn* (« sealed packets », selon M. KLEIN). Nous traduisons Jo comme LEVY, I, 7 et 125.

12. *Ed. pr.* : *mymr mn qdm* (*id.* v.20) ; 27031 : *mymr'* (avec un signe d'abréviation à l'intérieur d'une ligne : cf. note à 21,23).

à Balaam et dit : « Qui sont ces hommes *qui sont* avec toi ? »
10. Et Balaam dit *devant Yahvé*[i] : « Balaq, fils de Sippor,
roi des Moabites, m'a envoyé (dire) : **11.** Voici qu'un
peuple *nombreux* est sorti d'Égypte et qu'il cache la terre
de vue. *Et* maintenant, viens donc, maudis-les pour moi !
Peut-être (alors) pourrai-je engager le combat contre eux
et les chasser. » **12.** Mais *la Parole de Yahvé* dit à Balaam :
« Tu n'iras pas avec eux *et* tu ne maudiras pas le peuple,
car ils sont bénis. » **13.** Au matin, Balaam se leva et dit
aux princes de Balaq : « Allez-vous-en dans votre pays,
car *ce n'est point le bon plaisir de devant* Yahvé de me
laisser venir avec vous. »[j] **14.** Les princes des Moabites
se levèrent donc et se rendirent auprès de Balaq, disant :
« Balaam a refusé de venir avec nous. » **15.** Balaq envoya
à nouveau des *messagers* plus nombreux et plus considérés
que ceux-là. **16.** Ils vinrent donc vers Balaam et lui
dirent : « Ainsi a parlé Balaq, fils de Sippor : Ne refuse donc
pas de venir vers moi ; **17.** car je te veux honorer grandement et tout ce que tu me diras, je le ferai. Mais viens donc,
maudis-moi ce peuple ! » **18.** Balaam répondit et dit
aux serviteurs de Balaq : « Même si Balaq me donnait
plein sa maison d'argent et d'or, il ne me serait pas possible
de transgresser ce[19] qu'*a décidé la Parole* de Yahvé, mon
Dieu, en faisant petite ou grande (chose). **19.** Et maintenant *montez* ; restez donc ici vous aussi cette nuit, pour
que je sache ce qui doit encore m'être communiqué *de*

---

i. = O   j. = O ‖ M : la Parole de Y s'est refusée à me laisser
venir avec vous   k. = O

η. *LAB* 18, 5-6

---

13. En lisant *bʿn* (avec Ginsburger) et non *kʿn* (Rieder).
14. Cf. Rashi et Ginzberg (*Legends*, III, 359) pour la tradition
midrashique. Dieu refuse aussi la *bénédiction* de Balaam pour le peuple.
15. Peut-être erreur due au v. 14.

à Balaam et dit : « Que *veulent*[13] ces hommes *qui passent la nuit* chez toi? » **10.** Et Balaam dit *devant Yahvé* : « Balaq, fils de Sippor, roi des Moabites, m'a dépêché *des messagers* (me dire) : **11.** Voici qu'un peuple est sorti d'Égypte et qu'il recouvre la vue de la terre. *Et* maintenant, viens, maudis-le pour moi ! Puissé-je être capable d'engager la bataille avec lui et de le déloger ! » **12.** Mais *Yahvé* dit à Balaam : « Tu n'iras pas avec eux *et* tu ne maudiras pas le peuple, car ils sont bénis *de moi depuis les jours de leurs pères*[14n]. » **13.** Au matin, Balaam se leva et dit aux princes de *Moab*[15] : « Allez-vous-en dans votre pays, car *ce n'est point le bon plaisir devant*[16j] Yahvé de me laisser aller avec vous. » **14.** Les princes de Moab se levèrent donc et se rendirent auprès de Balaq et ils dirent : « Balaam a refusé de venir avec nous. » **15.** Balaq dépêcha derechef des princes plus nombreux et plus considérés que ceux-là. **16.** Ils vinrent donc vers Balaam et lui dirent : « Ainsi a parlé Balaq, fils de Sippor : Ne refuse donc pas de venir vers moi ; **17.** car je te veux honorer grandement et tout ce que tu me diras, je le ferai. Mais viens donc, maudis *près de moi*[17] ce peuple ! » **18.** Balaam répliqua et dit aux serviteurs de Balaq : « Même si Balaq me donnait plein son *trésor*[18] d'argent et d'or, je n'aurais pas *pouvoir* de transgresser *la décision de la Parole*[k] de Yahvé, mon Dieu, en faisant petite ou grande *chose*. **19.** Et maintenant, je vous en prie, *mettez-vous à table* ici, vous aussi, cette nuit, pour que je sache ce que doit encore me communiquer *la*

16. *Ed pr.* : « de devant Y ». Comparer avec les formules de *Matth.* 11,26 ; 18,14 (cf. *SB* I, 607 et 785 ; McNamara, *Targum*, 95-97). Même expression à 23,27 (Jo-N).

17. *Litt.* : « vers moi » *(lwty)*. TM (= N) : *lt*. Ginsburger corrige en *bgyny* : « pour moi » (cf. 23,7).

18. *Ed. pr.* : « plein *sa maison* son trésor » ; *lectio conflata* (cf. TM, N et O) non reproduite à 24,13.

19. *Litt.* : « la bouche de la décision de la Parole » *('l pwm gzyrt)*. Sans doute lire comme Jo, en supprimant *pwm* : *'l gzyrt*.

devant Yahvé[1]. » **20.** Et *la Parole de Yahvé se manifesta*
à Balaam pendant la nuit[m] et lui dit : « Si les hommes
sont venus pour t'appeler, lève-toi, pars avec eux. Mais tu
feras seulement la chose que je te dirai. » **21.** Le matin
Balaam se leva, *disposa*[n] son ânesse et s'en fut avec les
princes des Moabites. **22.** Mais la colère de *Yahvé*
s'enflamma parce qu'il s'en allait et l'Ange de Yahvé se
posta sur le chemin pour s'opposer à lui, qui était monté
sur son ânesse, ses deux garçons étant avec lui. **23.** L'ânesse
vit l'Ange de Yahvé posté sur le chemin avec l'épée
dégainée dans sa main ; l'ânesse dévia du chemin et alla
dans les champs[21] ; mais Balaam frappa l'ânesse pour
la ramener en direction du chemin. **24.** Mais l'Ange de
Yahvé se tint debout *entre les clôtures*[o] des vignes, une haie
de-ci, une haie de-là. **25.** Quand l'ânesse vit l'Ange de
Yahvé, elle se serra contre le mur et écrasa le pied de
Balaam contre le mur. Et celui-ci se remit à la frapper.
26. L'Ange de Yahvé se remit à avancer et il se tint dans
un endroit resserré, *où* il n'y avait pas de chemin pour
dévier ni à droite ni à gauche. **27.** L'ânesse vit l'Ange
de Yahvé et elle se coucha sous Balaam[24] qui se mit
à frapper l'ânesse avec son bâton. **28.** Alors Yahvé ouvrit

---

l. M : (ce que) la Parole de Y. Id. v.28.31.38   m. M : en visions
nocturnes   n. = F ‖ O : sangla   o. F M : au milieu des vignes
‖ O : dans un sentier de vignes, un endroit avec une (haie)

---

20. *ynys wymrys* : cf. note à *Ex.* 1,15.
21. *Litt.* : « sur la face de la campagne » *(b'py br')*. Jo : *bḥql'*
(cf. TM).
22. Cf. *T Gen.* 31, 45-52 (Jo-N-C). Identification que l'on ne
trouve que dans le Targum parmi les sources anciennes (selon
GINZBERG, *Legends*, VI, 127). On identifie aussi implicitement Laban
et Balaam (cf. v. 5), puisque celui-ci franchit la fameuse limite pour
aller maudire Israël (cf. toutefois GINZBERG, *ibid.*, 128).
23. *Litt.* : « caché d'*elle* » *(mynh)*. Il faut sans doute voir ici la
graphie ancienne du suffixe de 3ᵉ pers. du masc. écrit sans *yod*

Parole de Yahvé. » **20.** *Une parole de devant Yahvé* vint
à Balaam <pendant la nuit> et lui dit : « Si les hommes
sont venus pour t'appeler, lève-toi, mets-toi en route avec
eux. Mais tu feras seulement la chose que je te dirai. »
21. Le matin Balaam se leva, sangla son ânesse et s'en
fut avec les princes de Moab. **22.** Mais la colère de *Yahvé*
s'enflamma parce qu'il s'en allait *pour les maudire* et l'Ange
de Yahvé se posta sur la route pour s'opposer à lui. Il
était monté sur son ânesse et ses deux garçons, *Jannès
et Jam(b)rès*[20], (étaient) avec lui. **23.** L'ânesse vit l'Ange
de Yahvé posté sur la route avec son épée dégainée dans
sa main ; l'ânesse dévia du chemin et partit dans le champ ;
mais Balaam frappa l'ânesse pour la ramener en direction
de la route. **24.** Mais l'Ange de Yahvé se tint debout dans
un lieu resserré qui se trouvait situé entre les vignes, *l'endroit*[22]
*où Jacob et Laban avaient érigé un monceau (de pierres),
avec une stèle* d'un côté et *un observatoire* de l'autre, *et
(où) ils avaient juré de ne point passer cette limite pour
(se faire) du mal.* **25.** Quand l'ânesse vit l'Ange de Yahvé,
elle se serra contre la *clôture* et écrasa le pied de Balaam
contre la *clôture.* Et celui-ci se remit à la frapper, *tandis
que l'Ange était caché pour elle*[23]. **26.** L'Ange de Yahvé
se remit à avancer et il se tint dans un endroit resserré,
sans aucun passage pour dévier à droite ou à gauche.
27. L'ânesse vit l'Ange de Yahvé et elle se coucha sous
Balaam ; la colère de Balaam s'enflamma et il se mit à
frapper l'ânesse avec une trique. **28.** *Dix choses*[25] *ont été
créées après que le monde eut été achevé, au commencement
du sabbat, au crépuscule: la manne, le puits, le bâton de*

(= *mynyh* = caché de lui). C'est Balaam qui ne voit pas l'ange : cf.
le début du v. et vv. 31.32 et *Nombr. R* (800).

24. Une partie de l'hébreu n'est pas traduite : « et la colère de
Balaam s'enflamma » (omis par homoioteleuton).

25. Cf. note à *Gen.* 2,2.

la bouche de l'ânesse et elle dit à Balaam : « Que t'ai-je fait pour que tu m'aies frappée déjà par trois fois ? » **29.** Et Balaam dit à l'ânesse : « Parce que tu t'es jouée de moi ! Ah ! si j'avais une épée dans la main, je te tuerais sur-le-champ ! » **30.** L'ânesse[p] dit à Balaam : « *Où[q] vas-tu, impie Balaam? (Tu es) à court d'intelligence[r] ! Eh quoi ! si moi qui suis une bête impure, qui doit mourir en ce monde et ne peut entrer dans le monde à venir, tu n'es pas capable de me maudire[s], à plus forte raison les fils d'Abraham, d'Isaac et de Jacob à cause[t] desquels fut créé le monde dès l'origine et pour le mérite desquels celui-ci est rappelé devant Lui, comment pourrais-tu[u] les maudire? Et quant à ce que tu as abusivement prétendu[v] à la face de ces hommes : Cette ânesse n'est pas à moi; elle (m')est prêtée!* Ne suis-je pas ton ânesse sur laquelle tu as chevauché depuis ta *jeunesse* jusqu'à ce jour? Est-ce que j'ai jamais eu l'habitude[w] d'agir de la sorte à ton endroit? » Il dit : « Non. » **31.** Alors Yahvé dessilla les yeux de Balaam ; il vit l'Ange de Yahvé qui *se tenait* posté sur le chemin, son épée dégainée dans

p. L'ânesse dit ... non = F   q. F malheur à toi, impie Balaam
r. F : + et nulle sagesse (110 : + ni savoir) ne se trouve en toi
s. F : + dans la sagesse de ton intelligence   t. F : par le mérite
desquels   u. F : et comment toi pars-tu les maudire?   v. F :
quant à ce que tu as dit pour tromper ces gens   w. O : ai-je jamais
appris à agir de la sorte?

θ. M Aboth V, 6; Mekh. Ex. 16,32 (II, 124); Pes. 54 a; Sifré Deut.
33,21 (418)   ι. Nombr. R 22,23 (799); Tanh. B Nombr. (138)
κ. Nombr. R (802); Tanh. B Nombr. (138); Sanh. 105 b   λ. Tanh.
B Nombr. (139); Sanh. 105 a

26. Mentionné aussi dans la liste de *M Aboth* V, 6. Diamant prodigieusement dur (ou, selon une autre interprétation, ver miraculeux) de la grosseur d'un grain d'orge, qui servit à Moïse (*Git.* 68 a) à graver les noms des tribus sur l'éphod (*Ex.* 28,9). Salomon s'en servit aussi pour la construction du Temple ; le shamir disparut quand celui-ci fut détruit (*M Sot.* IX, 12). Cf. art. *Shamir* dans

Moïse, *le shamir*[26], *l'arc-en-ciel, les nuées de gloire, la bouche de la terre, l'écriture des tables de l'alliance, les démons et la bouche douée de parole de l'ânesse*[θ]. *(En effet)*, à ce moment, la Parole de Yahvé lui ouvrit la bouche, *la parole*[27] *lui fut octroyée* et elle dit à Balaam : « Que t'ai-je fait pour que tu m'aies frappée déjà par trois fois? »
29. Et Balaam dit à l'ânesse : « Parce que tu t'es jouée de moi ! Ah ! si j'avais un glaive dans la main, je te tuerais sur-le-champ ! » **30.** L'ânesse dit à Balaam : « *Malheur à toi, Balaam ! (Tu es) à court d'intelligence ! Car moi qui suis une bête impure, destinée à mourir en ce monde et qui ne peut entrer dans le monde à venir, tu n'es pas à même de me maudire. A fortiori*[ι], *les fils d'Abraham, Isaac et Jacob, pour le mérite desquels le monde fut créé*[28] *! Et tu es parti, toi, pour les maudire ! Et quant à ce que tu as dit pour essayer de tromper*[29] *ces gens: Cette ânesse n'est pas à moi; elle m'est prêtée et mon cheval se trouve dans le pré*[x], ne suis-je pas ton ânesse sur laquelle tu as chevauché depuis ta *jeunesse* jusqu'à ce jour? *Voici que j'ai joui de toi sexuelle-ment*[30λ] et je n'ai jamais eu l'habitude d'agir de la sorte à ton endroit. » Il dit : « Non ». **31.** Alors Yahvé dessilla les yeux de Balaam ; il vit l'Ange de Yahvé posté sur la route, son glaive dégainé dans sa main ; il s'inclina et tomba sur

---

J.E. XI, 229 (L. Blau) ; Ginzberg, *Legends,* V, 53 ; VI, 299 ; Levy, II, 495 s.

27. *Litt.* : « le parler » *(mmll).* Josèphe note par deux fois que l'ânesse parla d'une « voix humaine » *(Ant.* IV, §§ 109-110). Cf. Ginzberg *(Legends,* VI, 128) qui y voit une réaction contre une interprétation allégorique ou symbolique du miracle.

28. Sur ce thème classique, voir A. Marmorstein, *The Doctrine of Merits in Old Rabbinical Literature,* London 1920, 108-128.

29. Cf. Ginzberg, *Legends,* III, 365.

30. La tradition accusait Balaam de bestialité, les verbes *rākab* et *hit'allēl* (v. 29) étant interprétés dans un sens obscène (cf. Ginzberg, *op. cit.,* VI, 128). D'autre part, *Sanh.* 105 a rapproche *Be'or* de *be'tr* (bétail).

sa main, il s'inclina et se prosterna sur sa face. **32.** L'Ange
de Yahvé lui dit : « Pourquoi as-tu frappé ton ânesse déjà
par trois fois ? Voici que moi je suis sorti pour m'opposer
à toi, car c'est contre moi que (ta) route s'est égarée^x.
33. L'ânesse m'a vu et par trois fois déjà a dévié devant
moi. Si elle n'avait pas dévié de devant moi, je t'aurais
maintenant mis à mort et, elle, je l'aurais laissée vivre. »
34. Balaam dit à l'Ange de Yahvé : « J'ai péché, car je ne
savais pas que tu *te tenais* posté au-devant de moi sur le
chemin. Et maintenant, si cela te déplaît, je retournerai
chez moi. » **35.** Mais l'Ange de Yahvé dit à Balaam : « Va
avec les hommes, mais tu diras seulement les paroles que
je te dirai. » Balaam s'en fut donc avec les princes de
Balaq. **36.** Balaq apprit que Balaam arrivait et il sortit
à sa rencontre^y *au pays* des Moabites qui *jouxte* la frontière
de l'Arnon, aux extrémités du territoire. **37.** Balaq dit à
Balaam : « Est-ce que je n'avais pas envoyé (des gens) vers
toi pour te convoquer ? Pourquoi *donc* n'es-tu pas venu vers
moi ? Est-ce qu'en vérité je ne serais pas capable de
t'honorer ? » **38.** Et Balaam dit à Balaq : « Voici que je suis
arrivé près de toi. Maintenant est-ce que je pourrai dire quoi
que ce soit ? La parole que *Yahvé* placera dans ma bouche,
c'est elle (seulement) que je dirai. » **39.** Balaam partit avec
Balaq. Ils arrivèrent à la cité *royale, à savoir Maréshah.*

x. O : voici que je suis sorti comme opposant (= M) ; car il est
révélé devant moi que tu voulais partir en route contre moi
y. M : dans la ville de Moab qui est en face de l'Arnon qui est aux
extrémités   z. = O ‖ M : est-ce que vraiment il ne m'est pas possible
de t'honorer ?

---

31. La fin du v. est obscure en hébreu. Résumé de la tradition
midrashique dans Rashi.
32. A *Nombr.* 32,37, Jo a *Běrêshā'*, forme qu'il faut aussi lire
sans doute dans N (cf. édition). Probablement *Baris* (Jastrow, 166 ;
Levy, I, 118) sur le territoire de Ruben : cf. A. Neubauer, *La géogra-*

sa face. **32.** L'Ange de Yahvé lui dit : « Pour quelle raison as-tu frappé ton ânesse déjà par trois fois ? Voici que moi je suis sorti pour m'opposer *à toi : l'ânesse a pris peur, elle a vu, elle s'est écartée du* chemin. *Il est révélé devant moi que tu cherches à aller maudire le peuple et la chose ne me plaît nullement*[31]. **33.** L'ânesse m'a vu et par trois fois déjà a dévié de devant moi. Que si elle n'avait pas dévié de devant moi, c'est toi maintenant que j'aurais mis à mort et, elle, je l'aurais laissée vivre. » **34.** Balaam dit à l'Ange de Yahvé : « J'ai commis une faute, car je ne savais pas que tu étais posté au-devant de moi sur le chemin. Et maintenant, si cela te déplaît, je m'en retournerai. » **35.** Mais l'Ange de Yahvé dit à Balaam : « Va avec les hommes. Mais tu ne diras que les paroles que je te dirai. » Balaam s'en fut donc avec les princes de Balaq. **36.** Balaq apprit que Balaam arrivait et il sortit à sa rencontre à la ville de Moab qui se trouve sur la limite de l'Arnon qui (est situé) aux confins du territoire. **37.** Balaq dit à Balaam : « Est-ce que je n'avais pas dépêché (des gens) vers toi pour te convoquer ? Pourquoi n'es-tu pas venu vers moi ? Est-ce donc que vraiment *tu te disais*[z] *que* je ne serais pas capable de t'honorer ? » **38.** Et Balaam dit à Balaq : « Voici que je suis arrivé près de toi. Puis-je maintenant dire quoi que ce soit ? La parole que *Yahvé* disposera dans ma bouche, c'est elle (seulement) que je dirai. » **39.** Balaam partit avec Balaq. Ils parvinrent à la ville *qu'entourent des remparts, aux places de la grande ville, c'est-à-dire la ville de Sihon, à savoir Berusha*[32].

---

phie du Talmud, Paris 1868, 36. Targums et autres versions para-phrasent l'hébreu *qiryat ḥuṣôt* (« urbs platearum vel vicorum » : F. ZORELL). Cf. M : « à la ville qui (se trouve) aux *Deux-Marchés*, qui (est) Beth-Dibon » ; O : *qryt mḥwzwhy* : « sa ville capitale » ou « de ses marchés » (LEVY, II, 23) ; V : « (urbs) quae in extremis regni ejus finibus erat » ; *LXX* : πόλεις ἐπαύλεων (lit *ḥaṣērôt*).

40. Balaq immola du gros et du petit bétail et (en) envoya
à Balaam et à *ses* princes qui étaient avec lui. **41.** Puis,
au matin, Balaq emmena Balaam et le fit monter aux
Autels-de-Baal[a], d'où il put voir une partie du peuple.

CHAPITRE XXIII

1. Balaam dit à Balaq : « Construis-moi ici sept autels et
prépare-moi ici sept taureaux et sept béliers. » **2.** Balaq
fit comme l'avait dit Balaam ; puis Balaq et Balaam
offrirent un taureau et un bélier sur *chaque*[a] autel.
3. Balaam dit à Balaq : « Poste-toi près de ton holocauste
et je vais m'en aller. Peut-être *la Parole*[b] *de* Yahvé se
présentera-t-elle à ma rencontre, et la parole que (me)
fera connaître *Yahvé*, je t'en ferai part. » Et *Balaam* s'en
fut, *seul*[c], *d'un cœur tranquille, pour maudire Israël.*
4. *La Parole de Yahvé* se rencontra avec Balaam et celui-ci
lui dit : « J'ai disposé les sept autels et offert un taureau
et un bélier sur *chaque* autel. » **5.** *La Parole de* Yahvé mit
alors une parole dans la bouche de Balaam et dit :

a. M : aux idoles de Peor ‖ O : sur la hauteur de sa divinité
a. = O. Id. v. 4.14   b. O : une Parole de devant Y. Id. v. 4.16
c. = O ‖ F M : et Balaam s'en fut d'un cœur tranquille

---

33. Alors que l'hébreu emploie le verbe *zābaḥ* qui désigne une
immolation rituelle (cf. *N-O-Pesh.* : *nks* ; *LXX* : ἔθυσεν), Jo se sert
de *nḥr* (poignarder, tuer en enfonçant le couteau dans les naseaux)
pour bien marquer qu'il s'agit d'un sacrifice païen (cf. Levy, II, 102 ;
Jastrow 896).

34. *'ydwny ṣpr'*. Lire *b'ydwny ṣpr'* (avec Ginsburger, qui corrige
sans prévenir) ou *l'ydwny ṣpr'* avec *T Ex.* 14,27 (Jo-N).

35. Cf. *T Nombr.* 11,1 (Jo) et note à *Ex.* 17,8.

1. Cf. 21,41.

2. *'gwryn*, terme qui désigne tout autel idolâtrique (*LXX* : βωμούς).
N et O ont *mdbḥyn*. Cf. note à *Ex.* 32,5.

40. Balaq *abattit*[33] du gros et du petit bétail et (en) fit parvenir à Balaam et aux princes qui étaient avec lui. **41.** Puis, *au temps*[34] du matin, Balaq emmena Balaam et le fit monter sur *la hauteur de l'idole de Peor*, d'où il put voir *les campements de Dan*[35] *qui marchaient à* l'extrémité du peuple *(et) qui étaient visibles, (n'étant pas) sous les nuées de gloire.*

CHAPITRE XXIII

1. *Or, quand* Balaam *vit que l'on pratiquait parmi eux l'idolâtrie*[1], *il se réjouit en son cœur* et il dit à Balaq : « Construis-moi ici sept *autels (idolâtriques)*[2] et tiens-moi prêts ici sept taureaux et sept béliers. » **2.** Balaq fit comme l'avait dit Balaam ; puis Balaq et Balaam[3] offrirent un taureau et un bélier sur (chaque) autel. **3.** Balaam dit à Balaq : « Poste-toi près de ton holocauste et je m'en irai. Peut-être *la Parole de* Yahvé se présentera-t-elle à ma rencontre et, ce qu'il me fera connaître, je t'en ferai part. » Et il s'en fut *plié en deux, (se faufilant) comme un serpent*[4]. **4.** *La Parole de devant Yahvé* se présenta à Balaam et celui-ci dit *devant* lui : « J'ai disposé les sept autels et offert un taureau et un bélier sur *chaque* autel. » **5.** Yahvé mit alors une parole dans la bouche de Balaam

---

3. 27031 : « Balaam et Balaq ». Glose du TM que suivent N, O et *Pesh*. Pour *LXX*, Philon (*Mos.* I, § 277), seul Balaq sacrifie (cf. v. 30) ; pour Josèphe (*Ant.* IV, § 113) et *LAB* (18,10), c'est Balaam seul (cf. v. 4).

4. *ghyn khwy'*. L'hébreu *shept* (colline dénudée ?) a été très diversement compris. Jo le rattache au verbe *shûp* de *Gen.* 3,15 ; F et N à *sheᵖâ'* (être calme, tranquille), reprenant l'expression de *T Gen.* 22,8 (F-M). O traduit « seul » *(yḥydy)*, en interprétant l'hébreu d'après l'araméen (Y. Komlosh, *op. cit.*, 153). *V* : « cumque abisset velociter ». *LXX* présente une double version : ἐπορεύθη ἐπερωτῆσαι τὸν θεὸν καὶ ἐπορεύθη εὐθεῖαν.

« Retourne vers Balaq et c'est ainsi que tu parleras[d]. »
6. Il s'en retourna donc vers lui et voici qu'il était posté
auprès de son holocauste, ainsi que tous les princes des
Moabites. **7.** Et il proféra son oracle *prophétique*[e] : « D'Aram
il m'a fait venir, Balaq, le roi des Moabites, des montagnes
de l'Orient : Viens, maudis-moi Jacob ! Viens donc et *réduis
pour moi*[g] (le nombre de) *ceux de la maison d'*Israël !
8. Comment moi irais-je (les) maudire, quand *la Parole
de Yahvé les <bénit>*[6]? Comment pourrais-je moi *les
réduire*, quand *la Parole de* Yahvé *les multiplie*[h] ? **9.** Car[i]
je vois *ce peuple qui est conduit et mené ici*[7] *par le mérite
des pieux patriarches, qui sont comparables aux* montagnes,
Abraham, Isaac et Jacob, et *par le mérite des pieuses matriarches qui sont comparables aux* collines, *Sarah, Rébecca,
Rachel et Léa*. Voici *ce* peuple qui campe seul et ne *se
mélange* point aux *coutumes*[8] *des* nations. **10.** Qui *pourra*
dénombrer *les jeunes gens* de *la maison de* Jacob, *dont il a
été dit qu'ils seraient bénis comme* la poussière *du sol? Ou
qui pourra faire* le compte d'une seule des quatre *formations
du campement des enfants d'*Israël *dont il a été dit : Ils seront*

---

d. M : c'est suivant cette formule que tu parleras   e. = F   f. =
F M   g. F : réduis pour moi les tribus de la maison d'Israël ‖ O :
élimine pour moi Israël   h. F : comment moi irais-je maudire
ceux de la maison de Jacob, quand la Parole de Y les bénit?
Comment pourrais-je moi réduire ceux de la maison d'Israël, quand
la Parole de Y les multiplie? ‖ O : et comment pourrais-je l'éliminer
quand Y ne l'élimine point?   i. Car je vois ... nations = F ‖ O :
voici le peuple (de gens qui) seuls sont destinés à posséder le monde
et comme les nations (O[var] : parmi les nations) ils ne seront point
condamnés à l'extermination

α. Nombr. R (810)   β. Philon, *Mos.* I § 278

---

5. Toutes les versions anciennes paraphrasent les oracles de

et dit : « Repars vers Balaq et c'est ainsi que tu parleras. »
6. Il repartit donc vers lui et voici qu'il était posté près
de son holocauste, ainsi que tous les princes de Moab.
7. Alors il proféra son oracle *prophétique*[5], et il dit :
« D'Aram *qui est sur l'Euphrate*, m'a fait venir Balaq,
le roi des Moabites, des montagnes de l'Orient : Viens,
maudis pour moi *ceux de la maison de*[t] Jacob ! Viens donc
et *réduis pour moi* (le nombre d')Israël ! **8.** Comment moi
irais-je (les) maudire, quand *la Parole de Yahvé les bénit*?
Et comment pourrais-je moi (les) *réduire*, quand *la Parole
de* Yahvé *les multiplie*? » **9.** *L'impie Balaam dit:* « *Me voici
considérant ce peuple qui est conduit par le mérite de leurs
pieux patriarches, qui sont comparables*[α] *aux* montagnes,
et *par le mérite de leurs matriarches, qui sont comparables
aux* collines. Voici le peuple (de gens qui) seuls sont *destinés
à posséder le monde, parce qu'ils ne se conduisent point*
selon les *coutumes des* nations[β]. » **10.** *Or, quand Balaam,
le pécheur, vit que (ceux) de la maison d'Israël étaient en
train de circoncire leurs prépuces*[9] *et de les cacher dans* la
poussière *du désert, il dit* : « Qui *pourra* dénombrer *les
mérites de ces puissants* et la somme *des bonnes œuvres*

Balaam. Avant l'examen de leurs relations réciproques, il importe
d'étudier chacune d'elles dans sa tradition propre et ses rapports
avec l'hébreu. Sur l'utilisation du personnage de Balaam dans la
polémique judéo-chrétienne, cf. E. E. URBACH, « Homilies of the
Rabbis on the Prophets of the Nations and the Balaam Stories »,
Tarbiz 25 (1956), 272-289.

6. Le scribe a écrit « multiplie » ; deux points supérieurs notent
l'erreur.

7. *Litt.* : « et arrivant ».

8. *nymws* (νόμος). Pour l'interprétation de O, i.e. Israël destiné
« à posséder le monde (futur) », cf. Y. KOMLOSH, *op. cit.*, 202.
G. VERMES le comprend de ce monde (*op. cit.*, 146).

9. Cf. *Jos.* 5,3. Les Targums interprètent chacun à sa façon le
terme « poussière » de l'hébreu. O emploie le mot *dᶜdqy'* (« les petits » :
cf. LEVY, I, 183 ; JASTROW, 316 : « something powdered »).

aussi nombreux que les étoiles du ciel[j][γ] ? » *Balaam*[k] *dit dans
son oracle prophétique:* « *Si Israël le*[11] *mettait à mort par
le glaive, Balaam annonce qu'il n'aura point de part dans
le monde à venir. Mais si Balaam* venait à mourir de la
mort[12] des justes, *ah ! si sa fin,* ah ! si ses derniers jours
pouvaient être comme (ceux du) *moindre parmi* eux[m] ! »
11. Balaq dit à Balaam : « Qu'est-ce que tu m'as fait ? Je
t'ai fait venir pour maudire mes ennemis et voici que tu
les as bénis ! » **12.** Il répondit et dit : « N'est-ce pas ce que
sa Parole place dans ma bouche que je suis tenu de dire ? »
13. Alors Balaq lui dit : « Viens donc avec moi dans un autre
endroit d'où tu pourras les voir. Mais tu ne verras que
l'extrémité *du peuple* et tu ne les verras pas tous. Et de là
tu *les* maudiras pour moi. » **14.** Il l'emmena donc au Champ-
des-Guetteurs, au sommet de *la hauteur,* construisit sept
autels et offrit un taureau et un bélier sur *chaque* autel.
15. (Balaam) dit à Balaq : « Poste-toi ici près de ton
holocauste tandis que moi je me rendrai[15] là-bas. » **16.** *La
Parole de* Yahvé se présenta à Balaam, il lui mit une
parole dans la bouche et dit : « Retourne auprès de Balaq
et c'est ainsi que tu parleras. » **17.** Il vint donc vers lui et
voici qu'il était posté à côté de l'holocauste et les princes
des Moabites avec lui. Et Balaq lui dit : « Qu'est-ce qui a
été dit *de devant* Yahvé ? » **18.** Il se mit à proférer son oracle

j. F : Qui pourra dénombrer les jeunes gens de la maison de Jacob
dont il a été dit : Ils seront aussi nombreux que les étoiles du ciel?
k. Balaam dit ... parmi eux = F   l. = F   m. F M : (des justes), ah ! si ses derniers jours pouvaient être ‖ O : Qui pourra
dénombrer les petits de la maison de Jacob dont il est dit qu'ils
seront nombreux comme la poussière de la terre, ou un seul des quatre
camps d'Israël? Que meure mon âme de la mort de ses justes et
que ma fin soit comme la leur !   n. = O

γ. Josèphe, *Ant.* IV § 116   δ. Sanh. 105 a

10. Le sens de l'hébreu *rōbaʿ* est incertain. Le Targum le rattache
à la racine la plus familière.

qui sont avec un seul des quatre[10] *camps* d'Israël. » *L'impie Balaam*[1] *dit encore :* « *Si (ceux de) la maison d'Israël me mettent à mort par l'épée, j'ai déjà reçu l'annonce que je n'aurais point de part dans le monde à venir*[6]. *Mais si* je venais à mourir de la mort des justes, *ah* ! *si* ma fin pouvait être comme (celle du) *moindre*[13] *parmi* eux ! » **11.** Balaq dit à Balaam : « Qu'est-ce que tu m'as fait ? Je t'ai fait venir pour maudire mes adversaires et voici que tu *les*[n] as bénis ! » **12.** Il répliqua et dit : « N'est-ce pas ce que Yahvé a placé dans ma bouche que je suis tenu de dire ? » **13.** Alors Balaq lui dit : « Viens donc avec moi dans un autre endroit d'où tu pourras le voir. Mais tu ne verras que *le campement qui marche à* son extrémité, et *il* ne *te sera* pas *possible de* voir tous *ses campements.* Et de là tu le maudiras pour moi. » **14.** Il l'emmena donc au Champ-de-*l'Observatoire*[14], au sommet de *la hauteur* ; il construisit sept *autels (idolâtriques)* et offrit un taureau et un bélier sur *chaque* autel. **15.** (Balaam) dit à Balaq : « Poste-toi ici près de ton holocauste tandis que moi je vais me porter *jusque* là-bas. » **16.** *La Parole de devant* Yahvé rencontra Balaam, lui mit une parole dans la bouche et dit : « Repars vers Balaq et c'est ainsi que tu parleras. » **17.** Il vint donc vers lui et voici qu'il était posté à côté de son holocauste, et les princes de Moab avec lui. Et Balaq lui dit : « Qu'a dit Yahvé ? » **18.** Il se

---

11. Emploi de la 3ᵉ pers. par euphémisme (aussi dans F).

12. Lire *mwt* au lieu de *mwtyn* (F a *mwtnyn*). Cf. JASTROW, 752 et éd. de N.

13. *kzʿyrʾ*. Pluriel dans 27031 *(kzʿyryʾ)*. Comparer l'idée du « plus petit dans le royaume » *(Matth.* 11,11).

14. Même terme *(skwtʾ)* qu'à 22,24 (Jo). N : *skyyh.*

15. *Litt.* : « j'aurai rendez-vous avec » *(ʾzdmn)*. LXX : πορεύσομαι ἐπερωτῆσαι τὸν θεόν. Peut-être faut-il comprendre F dans le même sens que N : « en ma Parole, je te rencontrerai — *bmymry ʾyqr ytk* » (cf. JASTROW, 1418). Ou peut-être texte corrompu par *Nombr.* 22,17 : cf. M. L. KLEIN, *HUCA* 46 (1975), 123. G. VERMES traduit : « I will glorify you by my word » *(Scripture and Tradition,* 150).

prophétique et dit : « Lève-toi, Balaq, et écoute ! Prête *donc*
l'oreille *à mes paroles*, fils de Sippor ! **19.** *La*[p] *Parole de*
Yahvé[q] n'est point comme *la parole des fils de* l'homme,
ni les œuvres de Yahvé[r] *comme les œuvres des fils de l'homme,*
qui disent mais ne font point, décident et ne réalisent point,
qui reviennent sur leurs paroles et (les) démentent. Mais
Dieu dit et il fait, il décide et il accomplit, et à jamais
subsistent les paroles de sa prophétie[19s]. **20.** Voici[t] qu'*on*
m'a fait venir[20] pour bénir : *je*[21] *bénirai (donc) Israël* et je
ne *leur* refuserai point *la bénédiction*[u]. **21.** *Je* ne vois point[v]
de serviteurs[22 w] de mensonge parmi *ceux de la maison de*
Jacob, ni de *serviteurs du culte idolâtrique* parmi *ceux de la*
*maison d'*Israël. *La Parole de* Yahvé, leur Dieu, est avec
eux, et la fanfare[23] *de la splendeur*[x] *de la Gloire* de *leur* Roi
est (comme) un bouclier au-dessus d'eux. **22.** C'est Dieu qui

o. O : ma parole *(mymry)*　　　p. La Parole de Y ... prophétie = F
q. F : du Dieu vivant　　　r. F : Dieu　　　s. F : et à jamais subsistent ses décrets ‖ O : la Parole de Y n'est point comme les dires
des fils de l'homme ; les fils de l'homme disent et se renient ; ni non
plus comme les œuvres des enfants de la chair, car ils décident de faire
et (pourtant) se remettent à chercher conseil. Lui dit et fait et toute
sa Parole se réalise　　　t. Voici ... bénédiction = F　　　u. F M : les
bénédictions ‖ O : voici que j'ai reçu des bénédictions ; je bénirai
donc Israël et je ne retirerai point de lui ma bénédiction　　　v. Je
ne vois point ... au-dessus d'eux = F　　　w. F : adorateurs　　　x. =
110 ‖ F : la fanfare (provenant) de la Gloire de leur Roi ‖ O : J'ai
considéré, et il n'y a point d'adorateurs d'idoles parmi ceux de
la maison de Jacob, ni non plus de (gens) qui s'adonnent au
vain labeur (de l'idolâtrie) en Israël. La Parole de Y, leur Dieu,
vient à leur aide et la Shekinah de leur Roi est parmi eux
y. = F

16. Cf. note à *Gen.* 16,13.
17. *mkdb* (O : *mkdbyn*), verbe qui correspond à *kāzab* (mentir) de
l'hébreu. Mais les versions évitent de l'employer pour Dieu (cf.
G. VERMES, *op. cit.*, 151), comme « se repentir » du même verset.
Ed. pr. a *msrb* (« refuse, se récuse »). *LXX* : διαρτηθῆναι (rester en
uspens, hésiter) : cf. FRANKEL, *Einfluss*, 182. *Pesh.* a pourtant *dgl*
mentir, tromper).

mit à proférer son oracle *prophétique*, et il dit : « Lève-toi, Balaq et écoute ! Prête l'oreille *à mes paroles*⁰, fils de Sippor ! **19.** *La Parole du* Dieu *vivant et subsistant*¹⁶, *le Maître de tous les siècles*, Yahvé, n'est point comme *les dires du* fils de l'homme ; *car* le fils de l'homme *parle et se renie*¹⁷. *De même ses œuvres ne ressemblent point aux œuvres des enfants de la chair qui cherchent conseil et reviennent ensuite sur ce qu'ils ont décidé : mais le Maître de tous les siècles*¹⁸, Yahvé, *qui a promis de multiplier ce peuple comme les étoiles du ciel et de leur donner en héritage le pays des Cananéens, est-il possible qu'*il ait promis et ne fasse point et, *ce qu'*il a dit, *est-il possible qu'*il ne l'accomplisse point ?* **20.** Voici que *j'ai reçu les bénédictions de la bouche de la Parole de sainteté*, je ne *leur* refuserai point *la série de leurs bénédictions.* » **21.** *L'impie* Balaam dit *(encore) :* « *Je* n'aperçois point *d'adorateurs d'idoles* parmi *ceux de la maison de* Jacob et *il ne subsiste point de gens qui s'adonnent au vain* labeur *(de l'idolâtrie),* parmi ceux de la maison d'Israël. *La Parole de* Yahvé, leur Dieu, *vient à leur aide*, et la fanfare du Roi *Messie éclate* parmi eux. **22.** Le Dieu qui les a *rachetés*ʸ *et* fait

---

18. Lire ʿlmyʾ avec *ed. pr.* ; 27031 : ʿlmʾ (sing.).

19. Cf. *T Is.* 40,8 ; *T Ps.* 119,89. Paraphrase analogue dans *Pesh.* *(wmlth qymʾ lʿlmyn).* Rapprocher la formulation négative de *Matth.* 24,35.

20. *Litt.* : « j'ai été amené » *(ʾdbryt).* De même *Pesh.* *(ʾtdbrt),* V (« adductus sum ») et *LXX* (παρείλημμαι). Cela suppose un passif *(luqqaḥṭ),* alors que Jo et O suivent la leçon de TM *(laqaḥṭ).*

21. N opte pour une première personne (cf. *LXX, Sam.* et O), alors que l'hébreu est ambigu.

22. ʿbdy, au sens d'adeptes du culte des idoles.

23. *ybbwt zyw ʾyqr.* Cf. TM : *teruʿa* (acclamation). Pour cette leçon (qui paraît bien être une *lectio conflata*), noter l'accord (fréquent, et qui mériterait une étude) entre N et le ms. 110 de Paris. *LXX* : τὰ ἔνδοξα ἀρχόντων. P. GRELOT propose de joindre ce v. au suivant et traduit : « La Parole de YYY leur Dieu (est) avec eux, et l'éclat de la splendeur de la gloire de leur Roi (est) un bouclier au-dessus d'eux ; du Dieu qui les a fait sortir... » *(RB* 81, 1974, 457).

les a fait sortir *du pays* d'Égypte[z], — à qui appartiennent
la puissance, la louange et la majesté[24a]. **23.** Car[b] *je ne vois*
ni *augures* parmi *ceux de la maison de* Jacob, ni[c] *devins*
parmi *ceux de la maison d'*Israël[d]. En *ce* temps-*là* on annon-
cera à *la maison de* Jacob *le bonheur*[e] *et les consolations*[26]
qui doivent vous advenir, ainsi qu'à *ceux de la maison*
*d'*Israël. » *Balaam dit en son oracle prophétique :* « *Bien-*
heureux, vous les justes ! Quelle bonne récompense est préparée
pour vous de devant Yahvé[f] *dans le monde à venir*[27] !
24. Voici[g] que le peuple[h] (d'Israël) *repose comme le lion*
et se relève[28][i] *comme la lionne ; car ainsi que le lion* ne se
repose *ni ne dort*[j] avant d'avoir dévoré *la proie*[k] et bu
le sang, *de même ce peuple ne se reposera ni ne se tiendra*
tranquille avant d'avoir mis à mort <*ses*>[29] *ennemis et*
d'avoir répandu comme l'eau le sang de leurs tués[l]. » **25.** Balaq
dit à Balaam : « Eh bien, si tu ne peux les maudire, du moins
ne va pas les bénir ! » **26.** Balaam répondit et dit à Balaq :
« Ne t'avais-je point averti en disant : Tout ce que dira
Yahvé, c'est cela que je ferai ? » **27.** Balaq dit à Balaam :
« Viens donc que je t'emmène dans un autre endroit !
Peut-être sera-t-il trouvé bon *de devant Yahvé*[30][m] que de
là tu les maudisses pour moi. » **28.** Balaq conduisit donc

---

z. F : + libérés   a. = F ‖ O : la puissance et l'exaltation
b. Car je ne vois ... le monde à venir = F   c. F : ni non plus
d. F : au milieu des tribus des enfants d'Israël   e. F : quels
bonheurs et consolations Y (110 : la Parole de Y) doit faire venir
sur vous (110 : sur eux) de la maison de Jacob   f. F : auprès de
votre Père qui est dans les cieux ‖ O : car ils ne cherchent pas d'augures pour qu'il arrive du bien à ceux de la maison de Jacob et ils
ne veulent pas non plus de devins parmi les myriades de la maison d'Israël   g. Voici que ... leurs tués = F   h. F : ce peuple
i. F : l'emporte   j. F : reste tranquille   k. F : avant d'avoir
mangé et arraché la viande   l. F = le sang des tués de leurs
adversaires ‖ O : voici que le peuple repose comme la lionne et
se relève comme le lion. Il ne demeurera pas dans son pays avant
d'avoir fait un massacre et s'être emparé des richesses des nations
m. = O

sortir, *libérés, du pays* d'Égypte, *la puissance, la majesté, la louange et la force* lui appartiennent ! **23.** Car il n'*existe* pas d'*augures*[25] parmi *ceux de la maison de* Jacob ni de *devins* parmi *les myriades d'*Israël. En *ce* temps-*là*, il sera dit à *la maison de* Jacob et à *la maison d'*Israël combien *dignes de louange sont les signes et les prodiges que* Dieu a faits *pour eux.* **24.** *Unique est ce* peuple, *il repose tranquille* comme un lion *dans sa force,* et comme une lionne il se relève. Ils ne se couchent point avant d'*avoir fait un grand massacre de leurs ennemis et de s'être emparés des dépouilles des tués.* » **25.** Balaq dit à Balaam : « Tu ne veux point les maudire, mais aussi bien ne va pas les bénir ! » **26.** Balaam répliqua et dit à Balaq : « Ne t'avais-je point averti *dès le début* en disant : Tout ce que dira Yahvé, je le ferai ? » **27.** Balaq dit à Balaam : « Viens donc que je t'emmène dans un autre endroit ! Peut-être sera-t-il trouvé bon *de devant Yahvé* que de là tu le maudisses pour moi. » **28.** Balaq conduisit donc Balaam au sommet *de*

---

24. *rwmmwth* (= Jo-F ; O : *rwm'*). Cette doxologie paraphrase « les cornes du buffle » de l'hébreu (*re'ēm* est compris d'après la racine *rwm*, hauteur, exaltation). *Id.* à 24,8.

25. *Litt.* : « observateurs de présages » *(naḥshîn).* LEVY (II, 103) voit un rapport avec *nāḥāsh* (serpent) : divination basée sur le mouvement des serpents. Mais voir les lexiques modernes à l'hébreu *niḥēsh* (faire des présages).

26. *ṭbth wnyḥmth* (110 : *ṭbn wnyḥmn,* formule reprise dans N à 24,5). *Litt.* : « bonnes choses et consolations ». Cf. l'usage de ἀγαθά dans *Hébr.* 9,11 ; 10,1. Pour la signification messianique de « consolation », voir *Lc* 2,25 (et note à *Gen.* 49,1).

27. Pour « votre Père qui est dans les cieux » (F), cf. note à *Ex.* 1,19. Rapprocher la paraphrase de N (et F) de *Matth.* 5,12 ; *Lc* 6,23.

28. Ou bien : « est exalté, l'emporte » (*mtnṭlyn,* dans le sens de *mtgbryn* de F).

29. Texte erroné : « vos ».

30. Litt. : « Peut-être y aura-t-il bon plaisir de devant Y » (*id.* Jo) : cf. note à 22,13.

Balaam au sommet *des Idoles*-de-Peor qui regarde en
direction de *Beth* ha-Yeshimon. **29.** Et Balaam dit à Balaq :
« Construis-moi ici sept autels et prépare-moi ici sept
taureaux et sept béliers. » **30.** Balaq fit comme avait dit
Balaam et il offrit un taureau et un bélier sur *chaque* autel.

CHAPITRE XXIV

1. Balaam[a] vit qu'il était bon *devant*[1] Yahvé de bénir
Israël. Mais il ne s'en fut point, comme *il était allé toutes*
les autres fois en quête des devins *pour consulter des
spectres*[2]. Mais il *s'en fut* et tourna sa face vers le désert,
en rappelant contre eux l'affaire du veau (d'or)[b]. **2.** Balaam
leva les yeux et il vit les Israélites campés selon leurs
bataillons et un esprit *saint*[4] *de devant Yahvé* fut sur lui.
3. Il proféra[d] alors son oracle *prophétique* et dit : « Oracle[5]
de Balaam, fils de *Peor*[6e], oracle de l'homme *qui est plus
honorable que son père*[7f], *(car) ce qui a été caché à tous les
prophètes lui a été révélé*[8g]. **4.** Oracle de celui qui a entendu
une parole *de devant Yahvé, le Très-Haut*[h], qui a vu une

n. = O
a. Balaam vit ... veau d'or = F   b. F : + cherchant à maudire
Israël ‖ O[var] : il tourna sa face en direction du veau que les Israélites
avaient fabriqué dans le désert   c. = O   d. Il proféra ...
révélé = F   e. = F   f. F : son frère (ou : ses frères). Id. v. 15
g. O : oracle de l'homme qui voit clair. Id. v. 15   h. F : oracle
de l'homme qui a entendu un discours de devant Y. Id. v. 16

α. B.B. 60 a

31. Nos deux témoins avaient *Y^eshimôn* à 21,20. Ici confusion
avec 33,49 et *Jos.* 12,3.
1. *Litt.* : « de devant Y ».
2. *Litt.* : « pour consulter (les morts) par le moyen d'un membre
viril » (*bdkryh* ; lire *bdkyrh* ou *bdkwrw*? Cf. LEVY, I, 176). Voir note
à *Lév.* 19,31. Le ms. 110 n'a pas *bdkyr'* (comme F) : « pour consulter
(au devant) des devins ».

la hauteur[n] *qui* est orientée en direction de *Beth Yeshimoth*[31].
29. Et Balaam dit à Balaq : « Construis-moi ici sept
autels (idolâtriques) et tiens-moi prêts ici sept taureaux
et sept béliers. » **30.** Balaq fit comme avait dit Balaam et
il offrit un taureau et un bélier sur *chaque* autel.

CHAPITRE XXIV

1. Balaam vit qu'il était bon *devant* Yahvé de bénir
Israël. Mais il ne s'en fut point, comme les fois précédentes,
en quête de présages. Mais il tourna sa face vers le désert
*pour rappeler contre eux l'affaire du veau qu'ils y avaient
fabriqué.* **2.** Balaam éleva les yeux et il vit les Israélites
campés selon leurs tribus, *dans leurs maisons d'étude,
mais les portes des uns ne faisaient point face à celles des
autres*[3α]. Un esprit *de prophétie de devant Yahvé reposa*[c]
sur lui. **3.** Il proféra alors son oracle *prophétique* et il dit :
« Oracle de Balaam, fils de Beor, et oracle de l'homme
*qui est plus honorable que son père, car les mystères dissimulés,
ce qui a été caché aux prophètes, (cela) lui a été révélé.
— Toutefois, parce qu'il n'était point circoncis, il était
tombé sur sa face*[9], *tant que l'Ange était resté devant lui.*
4. Oracle de celui qui a entendu une parole *de devant*

3. Signe de la pureté de leur vie familiale : GINZBERG, *Legends*, III,
379 ; VI, 132.

4. *Litt.* : « un esprit de sainteté ». Sur l'esprit de prophétie de
Balaam, cf. P. SCHÄFER, *Die Vorstellung vom Heiligen Geist*, 41-44.

5. En lisant *'ymr* (au lieu de *'mr*) comme au v. 4. Même correction
au v. 15.

6. Sans doute faut-il corriger en Beor (cf. v. 15). Même erreur
dans M au v. 9.

7. Cf. RASHI.

8. Paraphrase de l'hébreu *sh*[e]*tum* (« qui oculum habet apertum »,
selon ZORELL) d'après la racine *štm* (fermer, cacher). Cf. *V* : « cujus
obturatus est oculus ». Voir G. VERMES, *op. cit.*, 156.

9. Cf. *T* Gen. 17,3 (Jo) ; GINZBERG, *Legends*, III, 366 ; VI, 128.

vision de Shaddaï. » *Tandis qu'il avait sa vision*[1], *il était prosterné*[j] *sur sa face et les secrets de la prophétie lui* furent révélés : *et il prophétisait au sujet de lui-même* qu'il devait tomber *par le glaive. Et en fin de compte sa prophétie devait se réaliser.* **5.** « Comme sont belles[k] les tentes de *la maison de* Jacob — *par le mérite des tentes où s'asseyait Israël, votre père ! Que de bonheurs et de consolations sa Parole doit faire venir sur vous*[12], *ceux de la maison de Jacob* —, *pour le mérite des maisons d'étude où servait Israël, votre père ! Comme est belle la Tente de Réunion qui réside parmi vous, ceux de la maison de Jacob, avec <vos>*[13] *tentes tout autour d'elle, ceux de la maison* d'Israël ! **6.** Comme[l] des torrents *qui débordent, ainsi Israël l'emportera sur vos ennemis*[m]. Comme des jardins *plantés* auprès *des sources d'eau, ainsi leurs villes produiront*[n] *sages et fils de la Loi.* Comme <*les cieux que* Yahvé *a étendus>*[16] *comme demeure pour sa Shekinah, ainsi Israël vivra et subsistera à jamais, beau et fameux* comme les cèdres (du bord) de l'eau[17], *fameux et exalté entre ses créatures*[o]. **7.** *D'entre*[p]

---

i. F : tandis qu'il demandait   j. il était prosterné ... se réaliser = F   k. F : Comme sont bonnes les tentes où priait Jacob, leur père, et la Tente de Réunion que vous avez fabriquée pour mon Nom avec vos tentes tout autour, pour vous de la maison d'Israël ! ‖ M : Comme sont bonnes tes maisons d'étude, (vous) de la maison de Jacob, et tes synagogues, (vous) de la maison d'Israël ! ‖ O : Comme est bonne ta terre, Jacob   l. Comme des torrents ... créatures = F   m. F : leurs ennemis   n. F : produiront des scribes et des docteurs de la Loi. Comme les cieux que la Parole de Y a étendus ‖ M : ainsi les assemblées d'Israël produiront des sages et des docteurs de la Loi. Comme les cieux que Y a étendus et achevés comme demeure pour sa Shekinah, ainsi (les Israélites) seront élevés et exaltés au-dessus de toutes les nations, beaux et fameux comme les cèdres, élevés et exaltés entre les créatures   o. O : comme des torrents qui s'écoulent, comme un jardin irrigué sur l'Euphrate, comme des plantes aromatiques que Y a plantées, comme des cèdres qui sont plantés au bord de l'eau   p. D'entre eux ... exalté = F

le Dieu *vivant*, qui a vu une vision *de devant El* Shaddaï.
— *Mais quand il a demandé qu'elle lui fût révélée, il était
prosterné sur sa face et les mystères dissimulés*[10]*, ce qui a été
caché aux prophètes, (cela) lui* a été révélé. **5.** Comme sont
belles tes *maisons d'étude*[11β]*, comme* les tentes *où servait*
Jacob, *votre père! Et comme est belle la Tente de Réunion
qui se trouve au milieu de vous, ainsi que* vos tentes *qui
sont tout autour d'elle, ô maison* d'Israël! **6.** Comme des
torrents *d'eau qui débordent, ainsi sont (ceux de) la maison
d'Israël, assis par groupes, devenant puissants dans l'enseignement de la Loi*[14] *et* comme des jardins *plantés* le long
du cours des fleuves, *tels sont leurs disciples par équipes
dans leurs maisons d'étude*[15]*! L'éclat de leur visage brillera
comme l'éclat des firmaments que* Yahvé *a créés le second
jour de la création du monde et qu'il* a étendus *pour la
Gloire de la Shekinah. (Ils sont) élevés et exaltés au-dessus
de toutes les nations* comme les cèdres *du Liban qui sont
plantés* le long *des sources* d'eau. **7.** *D'eux se lèvera leur*

β. Sanh. 105 b

10. *rzy' stymy'* : même expression dans *T Gen.* 49,1 (Jo-N).
McNamara (*Targum*, 139-141) rapproche cette révélation à Jacob
et à Balaam des mystères cachés de *Matth.* 13,17 et *Lc* 10,24.
11. Sur l'interprétation : tente = maison d'étude, cf. *T Gen.* 25,27
(Jo-N) et note à *Gen.* 9,27.
12. Pour toute la formule, cf. F (surtout ms. 110) à 23,23.
13. Texte : « leurs tentes ».
14. La paraphrase targumique repose sur le symbolisme eau =
Loi (cf. note à *Ex.* 15,22). Voir G. Vermes, *Scripture and Tradition*,
158.
15. Le mot *'ahālīm* (aloès) est lu *'ōhālīm* (tentes) : cf. v. 5. Puis
le mot « tente » est référé au ciel, demeure de Dieu : cf. aussi *Pesh.*
et *LXX*.
16. Texte corrompu ; restitué d'après FM.
17. En lisant *dmyyn* (avec F). Mais dans M nous lisons *rmyn* :
« (cèdres) élevés » ; la lecture *dmyn* est aussi défendable.

eux[18]q *se lèvera leur roi et leur libérateur*[19] *sera (l'un) d'eux.
Il rassemblera leurs exilés des provinces de leurs ennemis
et leurs fils domineront sur des nations* nombreuses[20]. Il
sera plus puissant que *Saül qui <eut pitié>*[21] *d'Agag, roi
des Amalécites*, et le règne *du Roi Messie* sera exalté[r].
8. C'est[s] Dieu qui les a fait sortir[t], *libérés*, d'Égypte — à
qui appartiennent *la puissance, la louange et la majesté.
Les enfants d'Israël* consommeront *les richesses*[u] des peuples,
leurs ennemis ; ils *tueront* leurs *preux*, *enlèveront*[24] *et partageront leurs cités*[v] **9.** *Ils* restent[w] tranquilles et reposent[x]
comme le lion et la lionne[25] ; *il n'est peuple ni royaume*
qui puisse se dresser *contre* <eux>[26]. *Qui les* bénit sera
béni et qui les maudit sera maudit[y]. » **10.** Alors la colère
de Balaq s'enflamma contre Balaam et il battit des mains[z].

q. = 110 ‖ F : pour leurs fils se lèvera leur Roi et leur libérateur
sera d'entre eux et parmi eux   r. F : triomphera ‖ O : Un roi
deviendra puissant qui sera exalté d'entre ses fils et dominera sur
des peuples nombreux   s. C'est Dieu ... leurs cités = F   t. F :
qui les a libérés et fait sortir, libérés   u. 110 : le reste des
dépouilles ‖ F : les dépouilles (lire *byzt*, comme 110)   v. F : + et
ils partageront ce qu'ils laisseront (*litt* : leurs restes) ‖ O : Le Dieu
qui les a fait sortir d'Égypte, la puissance et la majesté lui appartiennent. La maison d'Israël consommera les richesses des nations,
leurs adversaires, ils se régaleront des dépouilles de leurs rois et ils
posséderont leur pays   w. F : voici que ce peuple repose comme
le lion et l'emporte comme la lionne   x. M : + au milieu du
combat ‖ O : en force   y. F M : qui les maudit sera maudit, comme
Balaam, fils de Beor (M : Peor), et celui qui les bénit sera béni,
comme le prophète Moïse, le Maître d'Israël   z. = F ‖ O : frappa

γ. Philon, *Mos.* I § 290 ; *Praem.* § 95

18. *mn bynyhwn.* Il faut peut-être corriger en *mn bnyhwn* (« d'entre
leurs fils ») : cf. O et F.
19. *prwqhwn* (*id.* Jo). Selon G. VERMES (*op. cit.*, 159), nous avons
ici une cascade d'associations pour aboutir à l'interprétation : « Le
Messie se lèvera ». « L'eau ruisselle *(yzl mym)* » a été rapproché

roi, et leur libérateur sera d'entre eux et parmi eux. La descendance *des fils de Jacob dominera sur des peuples*ᵞ nombreux. *Le premier qui régnera sur eux engagera le combat contre ceux de la maison d'Amalec* et il sera exalté au-dessus d'Agag²², leur roi. Mais, *parce qu'il l'épargnera,* sa royauté *lui sera enlevée*²³. **8.** Le Dieu qui les a fait sortir, *libérés,* d'Égypte, *la puissance, la majesté, la louange et la force* lui appartiennent. *Il anéantira* les nations, leurs ennemis, *et il brisera leur puissance, il lancera contre eux* les flèches *de ses coups vengeurs, et il les anéantira.* **9.** *Ils* restent tranquilles et reposent, comme le lion et la lionne ; qui, une fois couché, le fera se relever? Ceux qui *les* béniront seront bénis, *comme le prophète Moïse, le maître d'Israël,* et ceux qui *les*²⁷ maudiront seront maudits, *comme Balaam, fils de Beor*²⁸. » **10.** Alors la colère de Balaq s'enflamma contre Balaam et il battit des mains.

---

d'*Is.* 45,8 *(yzlw ṣdq)* et *ṣdq* (justice) est un titre du Messie (cf. *T Jér.* 23,5 et 33,15 : « un Messie de justice »). *LXX* : ἐξελεύσεται ἄνθρωπος (cf. v. 17). Interprétation clairement messianique (VERMÈS, *ibid.,* 60). Cf. PHILON, *Praem.* § 95 ; *Mos.* I, § 290 ; voir A. JAUBERT, *La notion d'alliance dans le Judaïsme,* Paris 1963, 383.

20. Pour le midrash, *mym* (eau) désigne les nations (cf. *Apoc.* 17,15). D'autre part, les consonnes de l'hébreu *zrʿ* sont comprises au sens de « semence, descendance » et de « bras, force ». Comparer *LXX* : καὶ κυριεύσει ἐθνῶν πολλῶν. Cf. VERMÈS, *op. cit.,* 160.

21. En lisant *dḥs* (avec Jo et F) au lieu de *rḥm.*

22. *LXX, Sam.,* Aquila, Symmaque et Théodotion introduisent ici Gog, l'ennemi eschatologique sur lequel triomphera le Messie : cf. VERMÈS, *op. cit.,* 161.

23. Au lieu du sens de « être exalté », Jo donne à *tinnaśśēʾ* celui de « être enlevé ».

24. *yṭlwn.* Il s'agit probablement d'une dittographie de *yqṭlwn* (« ils tueront »).

25. En considérant *'rywwth* comme un sing. (*id.* à 23,24). Comparer *'rywt'* (440-Nur.) et *'rywwt'* (ms. 110).

26. Mot écrit de façon incomplète, sans suffixe : *lqb[lyhwn].*

27. 27031 : « *vous* maudiront ».

28. Cf. *T Gen.* 12,3 (Jo-M) ; 27,29 (Jo-N).

Et Balaq dit à Balaam : « Je t'ai fait venir pour maudire
mes ennemis et voici que tu *les* as déjà bénis par trois
fois ! **11.** Et maintenant, *va-t'en* chez toi ! J'avais dit que
je (te) comblerais d'honneurs ; mais voici que Yahvé t'a
refusé l'honneur. » **12.** Balaam dit à Balaq : « Mais n'avais-
je pas parlé (ainsi) à tes messagers que tu avais envoyés
vers moi, en disant : **13.** Même si Balaq me donnait plein
sa maison d'argent et d'or, il ne me serait pas possible
de transgresser ce qu'*a décidé la Parole de* Yahvé, en
faisant de mon propre *chef*[29] une chose bonne ou mauvaise :
ce que Yahvé dira, je le dirai ! **14.** Maintenant[b] donc que
je repars vers mon peuple, viens que je te donne un
conseil[c] ! *Fais-les pécher ! Sinon tu n'arriveras pas à les
dominer ; aussi bien, c'est* ce peuple *qui doit dominer* sur ton
peuple à la fin des jours[32] ». **15.** Alors[d] il proféra son oracle
prophétique et dit : « Oracle de Balaam, fils de Beor[e], oracle
de l'homme *qui est plus honorable que son père, (car) ce qui
a été caché à tous les prophètes, lui a été révélé.* **16.** Oracle
de celui qui a entendu une parole *de devant Yahvé* et qui a
reçu la connaissance *de devant* le Très-Haut et qui voit
la vision de Shaddaï. » *Tandis*[f] *qu'il demandait (une
révélation), il était prosterné sur sa face et les secrets de sa
prophétie lui* furent révélés : *et il prophétisait au sujet
de lui-même* qu'il devait tomber *par le glaive. Et en fin de*

a. = O   b. Maintenant ... fin des jours = F   c. F I : ce que
tu feras à ce peuple   d. Alors il proféra ... révélé = F   e. =
Nur ‖ 440 : Peor   f. Tandis qu'il demandait ... réaliser = F

δ. Sifré Nombr. 25,1 (509) ; Nombr. R 25,1 (821) ; Sanh. 106 a ;
J Sanh. X 28 c-d ; ARN 1 (7) ; PRE 47 (369) ; *LAB* 18,13 ; Philon,
Mos. I § 294-301 ; Josèphe, *Ant.* IV § 126-130   ε. Ber. 7 a

29. *mn d‘ty* ; même formule (avec assimilation) dans I ; cf. aussi
N à 16,28. Inutile de corriger (avec O-Jo) en *r‘wty*.
30. *pwndqyn* (πανδοκεῖον).

Et Balaq dit à Balaam : « Je t'ai fait venir pour maudire
mes adversaires et voici que tu *les* as déjà bénis par trois
fois ! **11.** Et maintenant, déguerpis chez toi ! J'avais dit
que je te comblerais d'honneurs ; mais voici que Yahvé
a refusé l'honneur *à Balaam.* » **12.** Balaam dit à Balaq :
« <Mais> n'avais-je pas parlé (ainsi) à tes émissaires que
tu m'avais dépêchés, en disant : **13.** Même si Balaq me
donnait plein son *trésor* d'argent et d'or, je n'aurais pas
le pouvoir de transgresser *la décision de la Parole*[a] de
Yahvé, en faisant de mon propre *gré* une chose bonne
ou mauvaise : ce que Yahvé dira, je le dirai ! **14.** Maintenant
donc que je *fais demi-tour et* repars vers mon peuple,
viens que je te donne un avis : *Va, prépare des tavernes*[30]
et places-y des femmes perdues[31δ] *qui vendront nourriture
et boissons, en dessous de leur prix. (Les gens de)* ce peuple
*viendront pour manger et pour boire ; ils s'enivreront et
coucheront avec elles, en reniant (ainsi) leur Dieu. En
un rien de temps, ils seront livrés entre tes mains et beaucoup
parmi eux tomberont. Toutefois, par la suite, ils sont destinés
à dominer* sur ton peuple à la fin des jours. » **15.** Alors
il proféra son oracle *prophétique*, et il dit : « Oracle de
Balaam, fils de Beor, et oracle de l'homme *qui est plus
honorable que son père, car les mystères dissimulés, ce qui
a été caché aux prophètes, (cela) lui a été révélé.* **16.** Oracle
de celui qui a entendu une parole *de devant* Dieu et qui
connaît *le temps que dure la colère*[c] *du Dieu* Très-Haut,
qui a vu une vision *de devant* Shaddaï. » *Tandis qu'il
demandait que (cela) lui fût révélé, il était prosterné et
tombé sur sa face : et les secrets dissimulés, ce qui a été*

31. Cf. *T Nombr.* 31,8 (Jo). Voir les commentaires de *Apoc.* 2,14.
Sur le lien entre fidélité à la Loi et prospérité d'Israël, cf. note à
Gen. 3,15. L'idée de corrompre Israël par l'impureté est connue de la
tradition samaritaine : cf. J.-P. Migne, *Dictionnaire des Apocryphes*,
tome II, Paris 1858, 887.

32. *Litt.* : « au terme final des jours » *(swp 'qb ywmy').* Comparer
le vocabulaire de *T Gen.* 3,15.

compte sa prophétie devait se réaliser. **17.** « Je le vois[g],
mais non (pour) maintenant[h] ; je le contemple, mais il
n'est pas proche. *Un roi[ζ] doit se lever* d'entre *ceux de la
maison de* Jacob, *un libérateur et un chef* d'entre *ceux de la
maison d'*Israël. Il *mettra à mort les puissants des* Moabites,
il exterminera tous les fils de Seth[i] *et dépossédera les
détenteurs de richesses.* **18.** Édom sera pays conquis et *la
montagne de Gabla[j]* sera pays conquis sur leurs ennemis.
Et Israël *prospérera avec de multiples richesses[k].* **19.** D'entre[l]
ceux de la maison de Jacob *doit surgir un roi et il exterminera
qui sera coupable* de la cité *pécheresse, à savoir...*[39] »
20. Puis voyant[m] les Amalécites[n], il proféra son oracle
prophétique et dit : « Le premier des peuples *qui engagèrent*

g. Je le vois ... Moabites = F M   h. F : mais il n'est pas
(encore) maintenant   i. F : il dépossédera et exterminera tous les
fils de l'Orient ‖ O : Quand se lèvera de Jacob un roi et que sera
exalté le Messie (issu) d'Israël, il tuera les princes de Moab et il dominera sur tous les enfants des hommes   j. = F   k. F : et
Israël l'emportera avec une grande force ‖ V : prospérera en
richesses   l. F : D'entre ceux de la maison de Jacob doit surgir
un roi et il exterminera tout ce qui restera de la cité pécheresse,
c'est-à-dire Rome ‖ O : Quelqu'un descendra d'entre ceux de la maison
de Jacob et il fera périr (tout) rescapé de la ville des nations   m.
Puis voyant... éternel = F   n. F : ceux de la maison d'Amalec

ζ. J Taan. IV 68 d ; *Document de Damas* 7, 18-21

33. G. Dalman publie *T Nombr.* 24, 17-24 (O-27031-F) dans
Aramäische Dialektproben, Leipzig 1927, 7-9 (reproduit à la fin de
sa *Grammatik*).

34. Ou bien : « oint » *(ytrby* ; O : *ytrb').* S. H. Levey (*The Messiah :
An Aramaic Interpretation*, Cincinnati 1974, 21 et 23) comprend *rby*
au sens de « oindre » ; de même G. Vermes (*op. cit.*, 165). E. E. Urbach
(*The Sages*, 999) traduit O : « When a king arises from Jacob and
the Messiah is raised up from Israel. » Pour l'interprétation messianique
dans le Judaïsme et le Christianisme ancien, cf. G. Vermes, *op. cit.*,
59 et 165 ; Ginzberg, *Legends*, VI, 133 s.

35. Dans 27031, mot raturé par le censeur à cause de l'équation
Édom = Rome.

caché aux prophètes, (cela) lui était révélé. **17.** « Je[33] le
vois, mais non (pour) maintenant ; je le contemple, mais
il n'est pas proche. *Quand régnera un roi puissant* d'entre
ceux de la maison de Jacob et *que sera exalté*[34] *le Messie
et* le sceptre *fort* (issu) d'Israël, *il tuera les princes des*
Moabites et il *évincera* tous les fils de Seth, *les camps de
Gog qui sont destinés à engager le combat contre Israël, et tous
leurs cadavres tomberont devant lui.* **18.** Les <Iduméens>[35]
seront *chassés* et *les fils de Gabla*[36] seront *chassés de devant
Israël,* leur adversaire, et Israël *s'emparera de leurs richesses
et en prendra possession.* **19.** D'entre *ceux de la maison de*
Jacob *surgira un chef,* il fera périr *et exterminera*[37] <*les
rescapés qui subsisteront de Constantinople, la ville pécheresse,
il dévastera et détruira la cité rebelle...*> *et Césarée*[38]*, la
force des* villes des *nations.* » **20.** Puis voyant *ceux de la
maison d'*Amalec, il proféra son oracle *prophétique,* et il
dit : « Le premier des peuples *qui engagèrent le combat*

36. Cf. note à *Gen.* 14,6.

37. Après ce mot, dans 27031, le texte est raturé par le censeur
jusqu'à « et Césarée ». Mais il est possible de reconnaître un texte
identique à celui de *ed. pr.* Après « rebelle », il faut sûrement lire
hy' rwmy (« c'est-à-dire Rome ») avec les mss de F (440-110 et Nur.)
comme l'avait bien vu DALMAN (*op. cit.,* 8). Cette glose n'avait pas
été reprise dans l'*éd. pr.* de Jo (ni dans le texte de F imprimé à côté) ;
même phénomène au v. 14.

38. *qysryn.* Il s'agit de *Césarée maritime,* capitale de la Palestine
romaine (cf. note à *Gen.* 14,14). Sur son importance aux premiers
siècles de notre ère, cf. L. I. LEVINE, *Caesarea under Roman Rule,*
Leiden 1975. Nous lisons ensuite *tqwp* (avec 27031) et non *tqyp*
(avec *ed. pr.*) : « (Césarée la ville) forte parmi les villes... ». En resti-
tuant le texte de 27031 comme nous le faisons, l'interprétation
proposée par A. DÍEZ MACHO (éd. de N) devient problématique :
« Césarée, résidence des Césars... » Jo semble avoir voulu grouper les
noms de trois villes représentant l'empire romain. Rome, Constantinople et Édom sont évoqués ensemble dans *T Ps.* 118, 11 et *T Lam.*
4,21-22.

39. La fin du v. n'est pas transcrite. Sans doute lire *hy'* <*rwmy*> :
« c'est-à-dire Rome » (avec F et 27031).

<le combat>[40] *avec Israël*, ce fut les Amalécites ; et, *à la fin, aux jours de Gog et Magog*[41o], *ils doivent (encore) contre eux engager le combat* : mais leur destin est l'anéantissement, *et leur anéantissement sera éternel*[p]. » **21.** Quand il vit[q] *les Shalméens*[43r], il proféra son oracle *prophétique* et dit : « *Qu'il* est fort ton campement, (toi qui) as placé *ta demeure* dans *l'anfractuosité de* la roche[s] ! **22.** Car si *le Shalméen* doit *être razzié*, (cela n'arrivera point) jusqu'à ce que l'Assyrien t'emmène en captivité[t]. » **23.** Il proféra encore son oracle *prophétique* et dit : « *Ah !* qui vivra[u] *en ces jours-là, quand*[v] *la colère de Yahvé s'enflammera*[45] *pour tirer vengeance des impies et donner aux justes leur récompense et lorsqu'il lancera les royaumes les uns contre*

o. F : à la fin, au terme des jours   p. M : En tête des rois et des peuples qui engagèrent le combat avec ceux de la maison d'Israël, ce fut ceux de la maison d'Amalec. Josué, fils de Noun, d'entre ceux de la maison d'Éphraïm, les défit ; (quand) une deuxième fois ils engagèrent le combat avec eux, Saül, fils de Quish, les supprima. Aussi bien leur destin est l'anéantissement éternel ‖ O : En tête des combats d'Israël fut Amalec   q. Quand il vit ... la roche = F   r = O   s. O : et place ta demeure dans une forte citadelle   t. F : car si le Shalméen doit être razzié, (cela ne sera point) que ne doive surgir l'Assyrien qui t'emmènera en captivité ‖ O : car si le Shalméen doit être exterminé, (cela ne sera point) que l'Assyrien ne t'emmène en captivité   u. F : Ah ! qui vivra quand la Parole de Y se disposera à donner une bonne récompense aux justes et à tirer vengeance des impies? ‖ 110 : Malheur aux pécheurs qui ont péché quand Dieu viendra pour tirer vengeance des impies et pour donner une bonne récompense aux justes et quand il lancera les royaumes des nations les uns contre les autres ! ‖ O : Malheur aux pécheurs qui vivront quand Dieu fera ces choses !   v. M : quand Y fixera son trône pour tirer vengeance

η. Ex. R 18,1 (325) ; Sanh. 106 a

40. Restituer le mot *qrbh* (avec F et M).
41. Cf. note à 11,26.

avec ceux de la maison d'Israël, ce fut *ceux de la maison d'*Amalec. *Leur destin, aux jours du Roi Messie, est d'engager le combat, avec tous les fils de l'Orient, contre ceux de la maison d'Israël.* Mais leur destin, *aux uns comme aux autres,* est d'être anéantis *pour toujours.* » **21.** Puis il vit *Jéthro*[n]*, qui était devenu prosélyte*[42] ; il proféra son oracle *prophétique,* et il dit : « *Qu'*il est fort ton campement, (toi) qui as placé *ta demeure* dans *l'anfractuosité des* rochers ! **22.** Car, s'*il a été décrété que les fils du Shalméen seraient razziés,* (cela n'arrivera point) jusqu'à ce que *vienne Sennachérib, roi d'*Assur, qui t'emmènera en captivité. » **23.** Il proféra[44] encore son oracle *prophétique,* et il dit : « Malheur à celui qui *existera au temps où la Parole de Yahvé se manifestera pour donner une bonne récompense aux justes et pour tirer vengeance des impies, pour fédérer*[46] *nations et rois et les lancer les uns contre les autres !* **24.** *Des*

42. Cf. *T Ex.* 18,6 (Jo). Voir Ginzberg, *Legends,* III, 380 ; VI, 134 ; G. Vermes, *op. cit.,* 167. Variante marginale du ms. 27031 (au lieu de Jéthro) : *shalmāyā'* (« le Shalméen ») = O.

43. Cf. note à *Gen.* 15,19. Pline les appelle *Salmani* (*Hist. nat.* VI, 26.30). Josèphe atteste indirectement cette assimilation Qénites = Shalméens : cf. S. Rappaport, *Agada und Exegese bei Flavius Josephus,* Frankfurt am Main 1930, p. xxiii (qui en conclut que Josèphe s'est servi d'un Targum).

44. *LXX* introduit la dernière prophétie de Balaam par : καὶ ἰδὼν τὸν Ὡγ. Z. Frankel (*Einfluss,* 172 et 184) pense qu'il faut lire Γώγ (car Og est déjà éliminé à 21,33 s.). La version alexandrine contiendrait donc une allusion au conflit eschatologique entre Gog (et Magog) et le Messie (cf. note à 24,7). La paraphrase de *LXX* est par ailleurs proche de celle des Targums (cf. Y. Komlosh, *The Bible,* 202). Noter l'interprétation eschatologique, même dans O (cf. *Sanh.* 106 a).

45. *Litt.* : « Quand Y placera la force de sa colère ».

46. *mktt.* Selon Jastrow (683) : « to ally, form into factions » (jeu de mots sur *Kittim* du v. 24). On pourrait aussi comprendre *ktt* dans le sens de « frapper, écraser » (ainsi Levy, I, 397).

les autres ! **24.** *Des foules*[w] *nombreuses à la langue* <*inso-
lente*> *sortiront* <*en galères*>, *de la province d'* <*Italie*>[49]
qui est...[50] *A elles s'adjoindront de nombreuses légions de*
<*Rome*>[51] qui asserviront les Assyriens et opprimeront
(le pays) *d'au-delà du Fleuve*[53]y. Mais *leur fin*[z] sera
l'anéantissement *et leur destruction (durera) à jamais.* »
25. Puis Balaam se leva pour partir et il retourna chez lui.

w. Des foules ... à jamais = F   x. F : des foules nombreuses sortiront en galères de la province d'Italie, à elles s'adjoindront de
nombreuses légions de Romains   y. M : les habitants d'au
delà de l'Euphrate ‖ F : tous les fils d'au delà du Fleuve   z.
F M : + des uns et des autres ‖ O : des troupes seront convoquées
par les Romains et ils subjugueront Assur et ils asserviront (le pays)
d'au delà de l'Euphrate ; mais eux aussi périront à jamais

θ. Sanh. 106 a   ι. Sifré Nombr. 25,1 (509) ; J Sanh. X 28 d

47. *ṣtm* (navires) de l'hébreu est rattaché à *yāṣā*' (sortir) par *LXX*
(ἐξελεύσεται), par N, F et *Pesh.* (« des légions sortiront » — *wlgywn'
npqn*). En plus du sens de « vaisseaux », le Targum y découvre celui
de « troupes » : N-F : *'wklwsyn* (ὄχλος) ; O : *sy'n* ; *id.* 27031 (en corrigeant *ṣy'n* en *sy'n*, erreur due au lemme hébreu *wṣym* qui précède) ;
ed. pr. : *ṣyṣyn* (ailes d'une armée : JASTROW, 1280 et LEVY, II, 322).

48. 27031 : *mn lmbrnyy'* ; *ed. pr.* : *mn lmbrny'* (leçon grattée
dans M). Faut-il comprendre : « de Liburnie » (entre l'Istrie et la
Dalmatie) avec JASTROW (691) ou « de Lombardie » avec LEVY
(I, 411) ? Nous pensons plutôt (comme L. ZUNZ, *Vorträge*, 79) à
une mauvaise transmission de la leçon *blbrny'* (440-Nur.) : « en
liburnes », la *liburna (navis)*, navire léger (dit *de Liburnie*) des
Romains. C'est le mot que l'on distingue encore dans N *(blbrnyyh)* :
comme *Italie* qui suit, il a été gratté par le censeur (qui a peut-être
compris *Lombardie*, comme dans M ?). H. SELIGSOHN et J. TRAUB,
dans *MGWJ* 6 (1857), 110, défendent le sens de *Lombardie*, car Jo
emploie un autre terme que *liburne* à *Deut.* 28,68 (F-N : liburnes).
Le ms. 110 a *b'rbrbny'* : « in confusion » (M. KLEIN), ou création de
copiste ?

49. On peut distinguer *'yṭlyh* sous le grattage du censeur. *V* :
« Venient in trieribus de Italia ». Sur l'identification ancienne

troupes[47] *seront convoquées en armes, elles sortiront en foules nombreuses <avec des galères>*[48] *du pays d'Italie*[x]*, elles se joindront aux légions*[θ] *qui sortiront de Rome et de Constantinople*[52]*.* Elles opprimeront les Assyriens et asserviront *tous les fils d'*Ébér. *Cependant, la fin des uns et des autres sera de tomber par la main du Roi Messie* et ils seront *à jamais* détruits. » **25.** Puis Balaam se leva pour partir et il s'en fut chez lui. Balaq, de son côté, s'en fut par son chemin *et il installa les filles*[54] *des Madianites dans des alcôves*[55ι]*, depuis Beth Yeshimoth jusqu'à la Montagne-*

Kittîm = Romains, cf. W. BACHER, « Rome dans le Talmud et le Midrasch », *REJ* 33 (1896), 187-196 ; G. VERMES, *op. cit.*, 168 ; A. DUPONT-SOMMER, *Les écrits esséniens découverts près de la mer Morte*[3]*, Paris 1964, 351-361 ; P. S. ALEXANDER, *The Toponymy of the Targumim* (D. Phil. thesis, Oxford 1974), 118-120.

50. Le mot suivant a été simplement omis par le copiste (sans laisser de blanc). Lire *rwmy* (Rome) : cf. notes au v. 19. L'*Arukh* doit sans doute se référer à une recension comme N, car il donne comme *Targum Yerushalmi* : *'ytly' dhy' rwmy* (qui ne correspond ni à Jo, ni à F : cf. FRANKEL, *Einfluss*, 184). Parmi les recensions de F, seul le ms. 110 ajoute : « (de la province d'Italie) *qui est Rome* » *(d' hy' rwmy).*

51. Mot remplacé par cinq points. Dans F on lit : « légions (provenant) de Romains », *mn rwm'ny* dans ms. 110 et *mn drwm'y* dans 440 et Nur. (« de gens du sud » ?).

52. *Ed. pr.* : « de Constantinople ». Omission voulue de la mention de Rome, comme au v. 19. Cela ne fournit donc aucune lumière pour une datation de cette recension, postérieure ou antérieure à 476 (fin de l'empire d'Occident), contrairement à ce que pense Y. KOMLOSH, *op. cit.*, 224.

53. *'br nhr'* (TM : *'ēber*), la région à l'est de l'Euphrate. Cf. O. *LXX* : κακώσουσιν Ἑβραίους (= *V*).

54. Cf. 24,14. Selon Jo à 25,15 et 31,8, Balaq a prostitué ses propres filles.

55. *qwlyn* (= *qylyn* = cellae). Nous avons traduit par *alcôve*, « tiré de l'arabe *al-qoubba*, la petite chambre » (A. DAUZAT, *Dictionnaire étymologique de la langue française*, Paris 1938, 23). Cf. TM à 25,8 : *qubbâ*. F et O : *qwbt'*. Pour ce mot et tout le verset, cf. note de K. G. KUHN. *Sifre zu Numeri*, 509.

Balaq aussi s'en retourna chez lui *et il installa ses filles dans la prostitution*[57].

CHAPITRE XXV

1. Israël[a] campa à Shittim et le peuple commença à forniquer[b] avec les filles des Moabites[6]. **2.** Elles invitèrent le peuple aux sacrifices de leurs *idoles*[c], le peuple mangea et se prosterna devant leurs *idoles*. **3.** Israël s'attacha[d] à *l'idole de* Peor ; et la colère de Yahvé s'enflamma contre

---

a. M : les enfants d'Israël   b. = F ‖ O : se livrer à la débauche
c. = F O   d. = O ‖ F : adhéra

α. Sifré Nombr. (507 et 509)   β. Nombr. R (822) ; Sifré Nombr. (511) ; Sanh. 106 a   γ. Sifré Nombr. (511) ; J Sanh. X 28 d
δ. Sifré Nombr. (513)   ε. Sifré Nombr. (513) ; J Sanh. X 28 d

---

56. *ṭwwr tlgʾ*. Forme hébraïque du nom dans *Sifré Nombr.* 25,1 (509). Cf. *T Nombr.* 34,11 (Jo) ; 34,15 (N) ; *T Deut.* 3,9 (N-Jo) ; 4,48 (N-Jo). C'est aussi le nom de l'Hermon dans *LAB* 40, 4-5 (cf. *SC* 230,190 : lire *montes Telag*) et dans le syriaque de *Sir.* 24,13 *(ṭwrʾ dtlgʾ)*. Ce nom a donné le nom arabe de la montagne, *Djebel-et-Teldj* : cf. F. M. Abel, *Géographie de la Palestine* I, 347. La Transjordanie entière devient un mauvais lieu : cf. K. G. Kuhn, *op. cit.*, 510, n. 56.

57. *ʿl prh rbh* (I : *rbyh*), i.e. pour la procréation. Litt. : « pour l'accroissement (et) multiplication » (*Gen.* 1,28). Expression traditionnelle qui désigne le devoir de la procréation (Jastrow, 1226). Ainsi à *Sifré Nombr.* 12,1 (260), Miryam apprend que Moïse s'abstient de relations conjugales, du *pryh wrbyh*. Cf. *M Yeb.* VI, 6.

1. *sheṭûṭāʾ*. Jeu de mots sur le nom de lieu *shiṭṭîm*. Interprétation anonyme dans *Sifré Nombr.* ; attribuée à R. Josué dans *Sanh.* 106 a et *Bek.* 5 b. On notera que le Targum, comme le Midrash, met en relation directe l'histoire de Balaam et l'épisode de Peor (cf. K. G. Kuhn, *Sifre zu Numeri*, 502).

2. Le verbe *wayyāḥel* (commencer) est rattaché à la racine *ḥll* (profaner). Id. *LXX* : ἐβεβηλώθη (se profana). Cf. note à *Gen.* 4,26.

3. Ou bien : « à se découvrir » *(lmpʿr grmyhwn)*. Le verbe *pʿr* (qui contient une allusion à l'idole de Peor) suggère une pratique

de-Neige[56]. *Elles vendaient toutes sortes de confiseries au-dessous de leur prix, selon le conseil de l'impie Balaam, aux carrefours des chemins.*

CHAPITRE XXV

1. Israël s'établit *au lieu appelé* Shittim, *à cause de la folie*[1] *et de la corruption qui régnaient parmi eux*[α]. Et (les gens du) peuple commencèrent *à profaner*[2] *leur sainteté, à découvrir*[β] *leurs corps*[3] *devant l'image*[γ] *de Peor* et à se livrer à la débauche avec les filles des Moabites *qui exhibaient l'image*[4] *de Peor de dessous leurs soutiens-gorge*[5]. **2.** Elles invitèrent le peuple aux sacrifices de leurs *idoles* ; le peuple mangea *de leurs banquets*[δ] et se prosterna devant leurs *idoles*. **3.** *Le peuple de la maison d'*Israël s'attacha à Baal-Peor, *comme le clou dans le bois*[7] *qu'on n'en sépare point sans (en arracher) un morceau*[ε]. Et la

cultuelle obscène : cf. K. G. Kuhn, *loc. cit.*, 311 s. ; Levy, II, 281 (« die Schamtheile entblössen »).

4. *ṭwps*' *(ṭwps* dans *Sifré)* ; cf. τύπος, Rapprocher *T Deut.* 7,3 (Jo) : épouser des païens, c'est épouser leurs idoles.

5. *psyqyyhwn*. Même mot dans *T Is.* 3,24 et dans *Sifré* (511) : *psyqy*' (= φασκία, *fascia*), bande d'étoffe couvrant la poitrine et nouée dans le dos : cf. S. Krauss (*Talmudische Archäologie*, I, 174 et 615) et surtout les fameuses mosaïques des « dix jeunes filles gymnastes » de *Piazza Armerina* en Sicile (ive siècle). Pour l'usage de porter une idole dans son sein, cf. *Sanh.* 64 a.

6. En corrigeant *mw*'*by*, forme (hébraïque ?) de sing., en *mw*'*b*'*y* (avec M).

7. *bqys*'. Mais la marge de 27031 donne comme variante « dans la porte » — *dashā*' : sur ce terme (que l'on ne trouverait pas dans Jo qu'en dépendance de O), cf. S. A. Kaufmann, dans *JAOS* 93 (1973), 326. *Sifré Nombr.* (513) parle aussi de porte *(delet)*. Pour une interprétation de *Col.* 2,14-15 à la lumière de *Nombr.* 25,1-5 (dans *LXX* et Targum), voir A. T. Hanson, *Studies in Paul's Technique and Theology*, London 1974, 4-7. Comparer l'image de la « foi inébranlable » des chrétiens parce que « cloués à la croix », dans Ignace d'Antioche (*Smyrn.*, 1,1 ; *SC* 10[4],132).

Israël. **4.** Alors Yahvé[e] dit à Moïse : « Prends tous les chefs
du peuple et *constitue-les en Sanhédrin devant* Yahvé *pour
qu'ils soient juges. Quiconque a mérité d'être mis à mort*[f],
ils le crucifieront sur la croix[8], *et on enterrera leur cadavre
au coucher* du soleil. *Ainsi* la fureur de la colère de Yahvé
se détournera d'Israël. » **5.** Moïse dit aux juges[g] d'Israël :
« Tuez chacun les hommes *de son peuple*[h] qui se sont asso-
ciés[i] *aux adorateurs de l'idole* de Peor. » **6.** Et voici que vint
un homme d'entre les enfants d'Israël qui fit avancer vers
ses frères la Madianite, aux yeux de Moïse et aux yeux de
toute la communauté des enfants d'Israël, tandis[j] qu'ils
étaient en train de pleurer à l'entrée de la Tente de
Réunion. **7.** Ce que voyant, Pinekhas, fils d'Éléazar, fils
d'Aaron, le prêtre[k], se leva du milieu de la communauté

---

e. F : Alors la Parole de Y dit à Moïse : Prends tous les chefs du
peuple et constitue-les en Sanhédrin devant Y et ils crucifieront quiconque a mérité d'être mis à mort. Et, au coucher du soleil, ils
feront descendre leur cadavre et l'enterreront   f. O : Prends tous
les chefs du peuple, juge et mets à mort qui a mérité la mise à mort
devant Y   g. F : officiers   h. F : de sa maison   i. = O ‖
F : ceux qui ont adhéré aux adorateurs des idoles de Peor   j.
F : et voici qu'ils pleuraient   k. F : + grand

ζ. Sifré Nombr. (518)   η. Sifré Nombr. (518)   θ. Sanh. 82 a
ι. Nombr. R (823) ; Sanh. 82 a   κ. Tanh. B Nombr. (148) ; Sanh.
82 a   λ. Nombr. R (824) ; Tanh. B Nombr. (148) ; J Sanh. IX 27 b ;
Sanh. 82 a

---

8. *yṣlbwn ytyh ʿl ṣlybh*. Jo et F emploient aussi le verbe *ṣᵉlab*
(non biblique) pour rendre le terme *hôqaʿ* ; de même *Sifré Nombr.*
(cf. note de K. G. KUHN). Il signifie « pendre, empaler, crucifier »
(LEVY, II, 325 ; JASTROW, 1282) et désigne le supplice habituellement
infligé par les Romains. Non mentionné dans le code juif de la
Mishnah (*Sanh.* VII, 1), il semble avoir été en usage dans le monde
juif avant 70. Pour une étude récente de ces problèmes, voir L. DÍEZ
MERINO, « La crucifixión en la antigua literatura judía », *Estudios*

colère de Yahvé s'enflamma contre Israël. **4.** Alors Yahvé dit à Moïse : « Prends tous les chefs du peuple et *établis*-les *comme juges*[ζ] *pour qu'ils prononcent des sentences de mort contre les gens qui se sont fourvoyés après Peor. Tu les crucifieras*[η] *sur le bois en présence de la Parole de* Yahvé, face au soleil, *au petit jour, et tu les descendras au coucher du soleil et les enterreras.* Alors la fureur de la colère de Yahvé s'écartera d'Israël. » **5.** Moïse dit aux juges d'Israël : « Tuez chacun les hommes *de sa tribu* qui ont adhéré à *l'idole* de Peor. » **6.** Et voici que vint un homme d'entre les enfants d'Israël, *il saisit les tresses*[θ] *de la Madianite* et *la* fit s'avancer vers ses frères, sous les regards de Moïse et sous les regards de toute la communauté des enfants d'Israël. *Il prit la parole et parla ainsi à Moïse: « Qu'y a-t-il là (de mal) à s'approcher d'elle? Que si tu dis, toi, qu'elle est interdite, est-ce que toi tu n'as pas pris une Madianite, la fille de Jéthro*[ι]*? » Quand Moïse entendit cela, il bouillit de colère et il oublia*[κ] *(la conduite à tenir)*[9], tandis que les (Israélites) pleuraient *et récitaient le shema, en se tenant* à l'entrée de la Tente de Réunion. **7.** Quand Pinekhas, fils d'Éléazar, fils d'Aaron, le prêtre, vit *cela, il se souvint de la conduite à tenir*[λ]. *Il prit la parole et dit: « Qui (est prêt à les) mettre à mort et à (être lui-même) mis*

Ecclesiásticos 51 (1976), 5-27 et *Liber Annuus Studii Biblici Franciscani* 26 (1976), 31-120 ; M. Wilcox, « Upon the Tree — Deut. 21 : 22-23 in the New Testament », *JBL* 96 (1977), 85-99. Il est remarquable de voir ici un Sanhédrin infliger une forme de peine capitale non mentionnée par la Mishnah ; cf. aussi *T Ruth* 1,17. *LXX* : παραδειγμάτισον ; *V* : « suspende » ; Symmaque : κρέμασον ; Aquila : ἀνάπηξον. Le Targum samaritain ne mentionne pas « les chefs du peuple », mais Moïse seul. Pour un rapprochement avec *Hébr.* 6,6, cf. L. Proulx - L. Alonso Schökel, dans *Biblica* 56 (1975), 203.

9. Voir le commentaire dans *Sanh.* 82 a : Moïse oublie la halakhah concernant l'union avec une femme païenne ; Pinekhas va la rappeler *(hylkt')* au v. 7.

et prit une lance dans sa main. **8.** Il entra à la suite de
l'homme d'Israël à l'intérieur de l'<alcôve>[131] et les
transperça tous deux, l'homme israélite et la femme par
le milieu du ventre[m]. Et le fléau (qui sévissait) sur les

---

l. F O : réduit   m. = O ‖ M : les parties honteuses ‖ F : dans
(leur) étreinte

μ. Sifré Nombr. (521) ; J Sanh. X 28 d   ν. Sifré Nombr. (521) ;
J Sanh. X 28 d   ξ. Sifré Nombr. (521) ; Nombr. R (824) ; J Sanh.
X 28 d   ο. Sifré Nombr. (523) ; Nombr. R (825) ; J Sanh. X 28 d ;
Sanh. 82 b ; Tanh. B Nombr. (149)   π. Philon, *Mos.* I § 302

---

10. Attitude typiquement « zélote » devant le forfait de Zimr
(*M Sanh.* IX, 6 ; cf. M. Hengel, *Die Zeloten*, Leiden 1961, 191)
Pinekhas est appelé *qn'h* au v. 11, terme qui correspond bien à
ζηλωτής : comparer *Matth.* 10,4 et *Lc* 6,15 (*SB* I, 537). A *Ex.* 20,5
et 34,14, la Vulgate emploie *zelotes.* Sur l'importance de l'épisode
de Pinekhas pour l'histoire du Zélotisme, cf. K. G. Kuhn, *Sifre zu
Numeri*, 519 et 525 ; M. Hengel, *op. cit.*, 178-181.
11. Dans *Nombr. R* (824) et *J Sanh.* X 28 d, Pinekhas cache son
arme dans ses vêtements ; cela rappelle le comportement des *Sicaires*
(Josèphe, *Guerre* II, § 425 ; cf. M. Hengel, *op. cit.*, 48).
12. Cf. Ginzberg, *Legends*, III, 386-388. La popularité de l'épisode
est attestée par la variété des recensions (cf. *Sifré Nombr.* 522-524)
et par une fresque de la *Via Latina* (ive siècle) représentant Pinekhas,
vêtu en officier romain, portant sur l'épaule, au bout de sa lance,
les corps transpercés de Zimri et Kozbi. Voir A. Ferrua, *Le pitture
della nuova Catacomba di Via Latina*, Città del Vaticano 1960,
planche XCII et 48 (« Scena nuova nell'arte cimiteriale »). Cf. aussi
LAB 47,1 : « et ambos suspendi in romphea mea ». Rapprocher la
liste des « cinq prodiges » de *T Gen.* 28,10 (Jo-N).
13. Texte : *qhl'* (assemblée). Lire *qwl'* (cf. Jo à 24,25). *V* :
« lupanar ».
14. En corrigeant *ed. pr. mdyn'* en *mdynyt'* (avec Rieder). 27031 :
ḥwṣ' (« vers l'extérieur »?). Dans M, nous lirions *ḥwṣny'* (« avant-
postes ». Cf. *T Jér.* 51,12).
15. *bbyt bhtt twrph* (pudenda). M : *bbyt twrph.* LXX : διὰ τῆς
μήτρας αὐτῆς. *V* : « in locis genitalibus ». *Pesh.* a une version double :
« par son ventre dans l'alcôve » *(bqlyt')*.
16. *'yl mynyh* ; *ed. pr.* : *nṭl mynyh* : « s'éleva (au-dessus) de lui ».
17. *Litt.* : « ses proches — *qrybwy* », i.e. de la tribu de Siméon (v. 14).

à mort[10µ]*? Où sont les lions de la tribu de Juda*[v]*? » Quand il vit qu'ils gardaient le silence*, il se leva du milieu de *son sanhédrin*[ξ] et prit une lance dans sa main[11]. **8.** *Douze*[o] *prodiges*[12] *ont été opérés en faveur de Pinekhas, au temps où* il entra à la suite de l'homme d'Israël, vers <*la Madianite*>[14]. *Premier prodige : qu'il aurait dû les séparer, mais ne les sépara point. Second prodige : que leur bouche fut fermée et qu'ils ne crièrent point, car s'ils avaient crié, ils auraient pu être sauvés. Troisième prodige : qu'il dirigea la lance de façon à* clouer *ensemble* l'homme israélite *par son sexe* et la *Madianite* par ses parties honteuses[15π]. *Quatrième prodige : que la lance demeura fixée dans la blessure et ne glissa point. Cinquième prodige : tandis qu'il les transportait, le linteau (de l'entrée) s'éleva au-dessus de lui*[16] *jusqu'à ce qu'il fût sorti. Sixième prodige : qu'il les transporta par tout le camp d'Israël, qui était (long) de six parasanges, et ne fut point épuisé. Septième prodige : qu'il les éleva de son bras droit, à la vue de tous les proches*[17] *(de Zimri), et ils ne purent lui faire aucun mal. Huitième prodige : que le bois de la lance fut rendu si solide qu'il ne se brisa point sous la charge. Neuvième prodige : que le fer (de la lance) s'allongea à la mesure des deux, de sorte qu'ils ne s'en détachèrent point. Dixième prodige : que l'ange vint et replaça la femme au-dessous et l'homme au-dessus, pour que toute la maison d'Israël puisse voir leur ignominie*[18]. *Onzième prodige : qu'ils furent conservés en vie, tant qu'il les promena par tout le camp, pour que le prêtre ne contracte point de souillure au contact d'un mort*[19]. *Douzième prodige : que leur sang se coagula et ne tomba point sur lui. Après qu'il les eut transportés dans le camp*, il secoua (la lance), les lança (à terre) et ils moururent. *Alors il prit la parole et dit devant le Maître de l'univers : « Est-ce possible qu'à cause de ceux-ci meurent vingt-quatre mille (hommes)*

18. Cf. *Sifré Nombr.* (524) : pour que le peuple constate le délit les rendant dignes de mort.

19. *Litt.* : « dans la tente d'un mort ». Cf. *Nombr.* 19,14.

enfants d'Israël fut arrêté. **9.** Les morts[n] *qui périrent*
du fléau furent (au nombre de) vingt-quatre mille. **10.**
Yahvé[o] parla à Moïse, en disant : **11.** « Pinekhas, fils
d'Éléazar, le fils d'Aaron, le *grand* prêtre, a détourné
mon courroux des enfants d'Israël, parce qu'il a été animé
de ma jalousie au milieu d'eux, et je n'ai point exterminé
les enfants d'Israël dans ma jalousie. **12.** *Je le jure*, dis
(ceci)[p] : Voici que je lui donne mon alliance de paix, **13.** et
elle sera pour lui, ainsi que pour (sa) descendance après
lui, une alliance (lui assurant) à jamais le sacerdoce,
pour s'être montré jaloux pour *le Nom de* son Dieu et avoir
fait expiation pour les enfants d'Israël. » **14.** Or le nom
de l'homme israélite *mis à mort*, celui qui avait été *tué*
avec la Madianite, était Zimri, fils de Salou, chef de clan
des fils des Siméonites ; **15.** et le nom de la femme madianite
mise à mort était Kozbi, fille de Sour ; celui-ci était chef
de peuplades d'un clan en Madian. **16.** Alors Yahvé parla

---

n. F : ceux qui périrent du fléau   o. M : la Parole de Y. Id. v. 16
p. F : Je le jure — Va, Moïse, et dis à Pinekhas — : Voici que je
lui donne ‖ 110 : Je le jure ! Va, Moïse, d'en-haut et dis à Pinekhas
q. = O

ρ. Sanh. 82 b   σ. Sifré Nombr. (525)   τ. Sifré Nombr. 25,8
(525) ; Nombr. R 25,12 (829) ; Sanh. 82 b   υ. Sifré Nombr.
(527) ; Hul. 134 b ; PRE 47 (370)   φ. Sanh. 82 b

---

20. *min sh^emt*. Toutefois la tournure est insolite pour dire « en
mon nom ». Comprendre sans doute, à la lumière du ms. 110, que
Moïse *quitte les cieux* où Dieu lui parle, pour transmettre le message.
Cf. note à 6,23.

21. Pinekhas identifié avec Élie : cf. note à *Ex.* 4,13. *Nombr. R*
(829) parle de la survie de Pinekhas, sans doute rapprochant notre
verset de *Mal.* 2,5.

22. Pouti est une abréviation de Poutiël qui est Jéthro, selon le
midrash : *T Ex.* 6,25 (Jo) ; *Sifré Nombr.* (525).

23. *yzkwn*. Sur la signification complexe du verbe *zkh* (mériter,
chercher à obtenir, obtenir), voir la note de K. G. KUHN à *Sifre zu*

d'Israël[o]? » *Sur-le-champ, la miséricorde du Ciel l'emporta* et la peste (qui sévissait) sur les enfants d'Israël fut arrêtée. **9.** *Le total* de ceux qui périrent de la peste fut de vingt-quatre mille. **10.** Yahvé parla à Moïse, en disant : **11.** « Pinekhas, *le zélé[σ]*, fils d'Éléazar, fils d'Aaron, le prêtre, a écarté ma fureur des enfants d'Israël, au moment où il a été animé de ma jalousie *en tuant les coupables qui se trouvaient* au milieu d'eux et, *à cause de lui*, je n'ai point exterminé les enfants d'Israël dans ma jalousie. **12.** *Je le jure*, dis-*lui en mon nom[20]* : Voici que *je conclus[q]* avec lui mon alliance de paix *et j'en ferai l'ange de l'alliance et il vivra à jamais pour annoncer la rédemption, à la fin des jours[21].* **13.** *Et parce qu'ils l'ont outragé, en disant :* « *N'est-il pas fils de Pouti[τ], le Madianite[22]?* » *voici que, moi, je l'élève à la dignité du souverain sacerdoce. Et parce qu'il a saisi la lance de son bras, a frappé la Madianite au ventre dans ses parties honteuses et qu'il a prié de sa bouche pour le peuple de la maison d'Israël, les prêtres obtiendront[23υ] les trois dons, épaule, mâchoire et panse[24].* Et ce sera pour lui, ainsi que pour ses *fils* après lui, une alliance (lui assurant) à jamais *la dignité* (sacerdotale), pour s'être montré jaloux pour son Dieu et avoir fait expiation pour les enfants d'Israël. » **14.** Or le nom de l'homme israélite *mis à mort*, celui qui avait été *tué* avec la Madianite, était Zimri, fils de Salou, chef de clan *de la tribu* de Siméon ; **15.** et le nom de la femme madianite *mise à mort* était Kozbi, fille de Sour, *qui était (aussi) appelée Shelonaï[φ], fille de Balaq[25]*, chef du peuple *de Moab*, dont *la demeure* était en Madian. **16.** Alors Yahvé parla

---

Numeri 18,20 (408). Il rapproche certains emplois de καταλαμβάνω et de ἐπιλαμβάνω dans le N.T. Les mots *bras, ventre, bouche* annoncent les trois dons.

24. Cf. *Deut.* 18,3. *Sifré Nombr.* (527) parle de vingt-quatre dons, énumérés à 18,20 (402 s.).

25. Cf. Ginzberg, *Legends*, III, 383.

à Moïse, en disant : **17.** « Encercle les Madianites ; et vous
les *mettrez à mort*, **18.** car ils vous ont affligés par les
mensonges[r] dont ils vous ont dupés pour l'affaire de *l'idole
de* Peor et celle de Kozbi, la fille d'un prince de Madian,
leur sœur qui *a été tuée* le jour du fléau (survenu) à cause
de *l'idole de* Peor. » **19.** Il advint, après le fléau[26],

CHAPITRE XXVI

1. que Yahvé[a] parla à Moïse et à Éléazar, fils d'Aaron,
le *grand* prêtre, en disant : **2.** « Relevez le montant *total*
de toute la communauté, depuis l'âge de vingt ans et
au-dessus, d'après leurs clans, tous ceux qui en Israël
peuvent sortir au combat. » **3.** Moïse et Éléazar, le prêtre,
leur parlèrent donc dans les plaines de Moab, à côté du
Jourdain (en face) de Jéricho, en disant : **4.** « Depuis
l'âge de vingt ans et au-dessus... », ainsi que Yahvé l'avait
commandé à Moïse. Or (voici) les enfants d'Israël qui
étaient sortis, *libérés*, du pays d'Égypte : **5.** Ruben,
premier-né d'Israël. Fils de Ruben : Hénoch[5], de la
famille *des fils* des Hénochites ; pour Pallou, la famille
des fils des Pallouites ; **6.** pour Hesron, la famille *des fils*
des Hesronites ; pour Karmi, la famille *des fils* des Karmites.
7. Telles sont les familles *des fils* de Ruben et leur *total* fut
de 43.730. **8.** Fils de Pallou : Éliab. **9.** Fils d'Éliab :
Nemouël, Dathan et Abiram. A savoir Dathan et Abiram,
ceux qui avaient été désignés[7] par la communauté, qui

---

r. = F ‖ O : artifices
    a. M : la Parole de Y. Id. v. 4   b. O : parlèrent (et) ils dirent
de les recenser

---

26. Rattaché au chap. suivant dans Jo.
1. Cf note à 20,21.
2. Même formule dans O à 31,3.
3. *Litt.* : « parla ».

à Moïse, en disant : **17.** « Attaque les Madianites ; et tu les *mettras à mort*, **18.** car ils vous ont attaqués *en tramant* les artifices qu'ils ont montés contre vous dans l'affaire de Peor et celle de Kozbi, la fille d'un prince de Madian, leur sœur qui *a été tuée*, le jour de la peste (survenue) à l'occasion de Peor. »

CHAPITRE XXVI

1. Il advint, après la peste, *que la miséricorde du Ciel*[1] *l'emporta pour sévir en vengeant la cause de son peuple*[2]. Yahvé parla à Moïse et à Éléazar, fils d'Aaron, le prêtre, en disant : **2.** « Relevez le compte *total* de toute la communauté des enfants d'Israël, depuis l'âge de vingt ans et au-delà, <d'après leurs clans>, quiconque en Israël est bon pour la milice. » **3.** Moïse et Éléazar, le prêtre, parlèrent[3] *aux officiers*[4], *et il dit*[b] *de les recenser*, dans les plaines de Moab, sur le Jourdain, (face à) Jéricho, en disant : **4.** « Depuis l'âge de vingt ans et au-delà... », ainsi que Yahvé l'avait commandé à Moïse. Or (voici) les enfants d'Israël qui étaient sortis du pays d'Égypte : **5.** Ruben, premier-né d'Israël. Fils de Ruben : Hénoch, (d'où) la parenté d'Hénoch[6] ; pour Pallou, la parenté de Pallou ; **6.** pour Hesron, la parenté de Hesron ; pour Karmi, la parenté de Karmi. **7.** Telles sont les parentés de Ruben et leur *total* fut de 43.730. **8.** <Fils de Pallou : Éliab.> **9.** Fils d'Éliab : Nemouël, Dathan et Abiram. Ce sont Dathan et Abiram, ceux qui convoquaient la communauté,

4. '*mrkly*' : cf. note à *Lév.* 4,15.

5. Comprendre : « pour Hénoch ». De même aux vv. 23.26.30.31.32.

6. Jo n'emploie pas l'adjectif (comme TM et N) ; *id.* dans les vv. suivants.

7. Cf. *LXX* : ἐπίκλητοι. L'hébreu *qrw'y* peut être compris au sens de « convoquer (l'assemblée) » (cf. Jo et O) ou d'« être convoqué, choisi » : voir les différentes versions de 1,16 et 16,2.

s'étaient insurgés *devant Yahvé* contre Moïse et contre
Aaron dans la conjuration de Coré, au moment où ils
avaient fait sécession *devant* Yahvé. **10.** Alors la terre
avait ouvert sa bouche et les avait engloutis, ainsi que
Coré, *tandis que* mourait *le peuple de* la communauté,
cependant que le feu consumait les deux cent cinquante
hommes qui servirent d'exemple. **11.** Mais les fils de Coré
ne moururent pas, *parce qu'ils n'étaient pas entrés dans
le dessein de*[c] *leur père*[d]. **12.** Fils de Siméon, d'après leurs
familles : pour Nemouël, la famille des Nemouélites, pour
Yamin, la famille *des fils* des Yaminites ; pour Yakin,
la famille *des fils* des Yakinites ; **13.** pour Zérakh, la famille
des fils des Zarkhites ; pour Saül, la famille *des fils* des
Saülites. **14.** Telles sont les familles des Siméonites :
22.200. **15.** Fils de Gad, d'après leurs familles : pour
Sephon, la famille *des fils* des Sephonites ; pour Haggi,
la famille des Haggites ; pour Shouni, la famille *des fils*
des Shounites ; **16.** pour Ozni, la famille *des fils* des
Oznites ; pour Éri, la famille *des fils* des Érites ; **17.** pour
Arod, la famille *des fils* des Arodites ; pour Aréli, la famille
des fils des Arélites. **18.** Telles sont les familles des fils de
Gad ; au *total* : 40.500. **19.** Fils de Juda : Er et Onan. Mais
Er et Onan moururent au pays de Canaan. **20.** Puis les
fils de Juda furent, d'après leurs familles : pour Shélah, la
famille *des fils* des Shélanites ; pour Pérés, la famille *des
fils* des Parsites ; pour Zérakh, la famille *des fils* des
Zarkhites. **21.** Les fils de Pérés furent : pour Hesron,
la famille *des fils* des Hesronites ; pour Hamoul, la famille
des fils des Hamoulites. **22.** Telles sont les familles *des fils*

---

c. I : de Coré   d. = F ‖ M : + ils suivaient l'enseignement de
Moïse, leur Maître. Ils ne moururent point dans le fléau, ils ne
furent point atteints par l'incendie ni ensevelis dans l'engloutissement de la terre

---

α. Mid. Ps. 45,1 (I, 449) ; Meg. 14 a ; Sanh. 110 a

qui *se réunirent et* s'insurgèrent contre Moïse et contre Aaron, dans la bande de Coré, au moment où ils *se réunirent et* s'insurgèrent contre Yahvé. **10.** Alors la terre avait ouvert sa bouche et les avait engloutis, ainsi que Coré, lorsque mourut la bande *des impies*, cependant que le feu consumait les deux cent cinquante hommes qui servirent d'exemple. **11.** Mais les fils de Coré *n'étaient pas entrés dans le dessein de leur père*[8], *ils suivaient l'enseignement de Moïse, le prophète.* Ils ne moururent point *dans le fléau, ils ne furent point atteints par l'incendie ni ensevelis dans l'engloutissement de la terre*[α]. **12.** Fils de Siméon, d'après leurs parentés : pour Nemouël, la parenté de Nemouël ; pour Yamin, la parenté de Yamin ; pour Yakin, la parenté de Yakin ; **13.** pour Zérakh, la parenté de Zérakh ; pour Saül, la parenté de Saül. **14.** Telles sont les parentés de Siméon : 22.200. **15.** Fils de Gad, d'après leurs parentés : pour Sephon, la parenté de Sephon ; pour Haggi, la parenté de Haggi ; pour Shouni, la parenté de Shouni ; **16.** pour Ozni, la parenté d'Ozni ; pour Éri, la parenté d'Éri ; **17.** pour Arod, la parenté d'Arod ; pour Aréli, la parenté d'Aréli. **18.** Telles sont les parentés des fils de Gad ; au *total* : 40.500. **19.** Fils de Juda : Er et Onan. Mais Er et Onan moururent, *à cause de leurs fautes*[9], au pays de Canaan. **20.** Puis les fils de Juda furent, d'après leurs parentés : pour Shélah, la parenté de Shélah ; pour Pérés, la parenté de Pérés ; pour Zérakh, la parenté de Zérakh. **21.** Les fils de Pérés furent : pour Hesron, la parenté de Hesron ; pour Hamoul, la parenté de Hamoul. **22.** Telles sont les parentés de Juda ; au *total* : 76.500.

8. Attitude ancienne par rapport aux fils de Coré ; tradition connue d'Origène (cf. N. DE LANGE, *Origen and the Jews*, 46). *Meg.* 14 a leur assigne une place réservée dans la géhenne (voir GEIGER, *Urschrift*, 477). Voir aussi *LAB* 16,4.

9. Cf. *T Gen.* 46, 12 (Jo).

de Juda : au *total* : 76.500. **23.** Fils d'Issachar, d'après leurs familles : (pour) Tola, la famille *des fils* des Tolaïtes ; pour Pouwah, la famille *des fils* des Pounites ; **24.** pour Yashoub, la famille *des fils* des Yashoubites ; pour Shimron, la famille *des fils* des Shimronites. **25.** Telles sont les familles *des fils* d'Issachar ; au *total* : 64.300. **26.** Fils de Zabulon, d'après leurs familles : pour Séréd, la famille *des fils* des Sardites ; pour Élon, la famille *des fils* des <Élonites>[11] ; (pour) Yakhléèl, la famille *des fils* des Yakhléèlites. **27.** Telles sont les familles *des fils* des Zabulonites ; au *total* : 60.500. **28.** Fils de Joseph, d'après leurs familles : Manassé et Éphraïm. **29.** Fils de Manassé : pour Makir, la famille *des fils* des Makirites ; et Makir engendra Galaad. Pour Galaad, la famille *des fils* des Galaadites. **30.** Voici les fils de Galaad : (pour) Iézér, la famille *des fils* des Iézérites ; pour Héléq, la famille *des fils* des Helquites ; **31.** (pour) Asriël, la famille *des fils* des Asriélites ; (pour) Shékém, la famille *des fils* des Shikmites ; **32.** (pour) Shemida, la famille *des fils* des Shemidaïtes ; (pour) Héphér, la famille *des fils* des Héphrites. **33.** Or Selopkhad, fils de Héphér, n'eut pas de fils, mais seulement des filles. Et (voici) le nom des filles de Selopkhad : Makhlah, Noah, Hoglah, Milkah et Tirsah. **34.** Telles sont les familles *des fils* de Manassé ; au total : 52.700. **35.** Voici les fils d'Éphraïm, d'après leurs familles : pour Shoutélakh, la famille *des fils* des Shoutalkites ; pour Békér, la famille *des fils* des Bakrites ; pour Takhan, la famille *des fils* des Takhanites. **36.** Et voici les fils de Shoutélakh : pour Éran, la famille *des fils* des Éranites. **37.** Telles sont les familles des fils d'Éphraïm ; au *total* : 32.500. Ce sont là les fils de Joseph, d'après leurs familles. **38.** Fils de Benjamin, d'après leurs familles : pour Béla, la famille *des fils* des Baléïtes ; pour Ashbel, la famille *des fils* des Ashbélites ; pour Ahiram, la famille *des fils* des Ahiramites ; **39.** pour Shephoupham, la famille *des fils* des Sheshoupha-

23. Fils d'Issachar, d'après leurs parentés : (pour) Tola, la parenté de Tola ; pour Pouwah, la parenté de *Pouwah* ; **24.** pour Yashoub, la parenté de Yashoub ; pour Shimron, la parenté de Shimron. **25.** Telles sont les parentés d'Issachar ; au *total* : 64.300. **26.** Fils de Zabulon, d'après leurs parentés[10] : pour Séréd, la parenté de Séréd ; pour Élon, la parenté d'Élon ; pour Yakhléël, la parenté de Yakhléël. **27.** Telles sont les parentés de Zabulon ; au *total* : 60.500. **28.** Fils de Joseph, d'après leurs parentés : Manassé et Éphraïm. **29.** Fils de Manassé : pour Makir, la parenté de Makir ; et Makir engendra Galaad. Pour Galaad, la parenté de Galaad. **30.** Voici les fils de Galaad : (pour) Iézér, la parenté de Iézér ; pour Héléq, la parenté de Héléq ; **31.** (pour) Asriël, la parenté d'Asriël ; (pour) Shékém, la parenté de Shékém ; **32.** (pour) Shemida, la parenté de Shemida ; (pour) Héphér, la parenté de Héphér. **33.** Or Selopkhad, fils de Héphér, n'eut pas de fils, mais seulement des filles. Et (voici) le nom des filles de Selopkhah : Makhlah, Noah, Hoglah, Milkah et Tirsah. **34.** Telles sont les parentés de Manassé ; au *total* : 52.700. **35.** Voici les fils d'Éphraïm, d'après leurs <parentés>[12] : pour Shoutélakh, la parenté de Shoutélakh ; pour Békér, la parenté de Békér ; pour Takhan, la parenté de Takhan. **36.** Et voici les fils de Shoutélakh : pour Éran, la parenté d'Éran. **37.** Telles sont les parentés des fils d'Éphraïm ; au *total* : 32.500[13]. Ce sont là les fils de Joseph, d'après leurs parentés. **38.** Fils de Benjamin, d'après leurs parentés : pour Béla, la parenté de Béla ; pour Ashbel, la parenté d'Ashbel ; pour Ahiram, la parenté d'Ahiram[14] ; **39.** pour Shephoupham, la parenté de Shephoupham ; pour

10. Oublié dans 27031. *Id.* vv. 28 et 50.
11. Le texte a par erreur : « Yakhléëlites ».
12. 27031 et *ed. pr.* ont : « d'après leur total » (vient du v. 37).
13. En corrigeant 22.500 de nos deux témoins.
14. 27031 écrit 'ḥyrm, puis ḥyrm (confusion avec le nom du roi de Tyr : *II Sam.* 5,11).

mites ; pour Houpham, la famille *des fils* des Houphamites.
40. Et les fils de Béla furent Arde et Naaman. (Pour
Arde), la famille *des fils* des Ardites ; pour Naaman, la
famille *des fils* des Naamanites. **41.** Tels sont les fils de
Benjamin, selon leurs familles ; au *total* : 45.600. **42.** Voici
les fils de Dan, selon leurs familles : pour Shouham, la
famille *des fils* des Shouhamites. Telles sont les familles
des fils de Dan, selon leurs familles. **43.** Toutes les familles
des fils des Shouhamites étaient au *total* 64.400. **44.** Fils
d'Aser, selon leurs familles : pour Yimnah, la famille *des
fils* de Yimnah ; pour Yishwi, la famille *des fils* des
Yishwites ; pour Beria, la famille *des fils* de Beria. **45.** Pour
les fils de Beria : pour Héber, la famille *des fils* de Héber ;
pour Malkiël, la famille *des fils* des Malkiélites. **46.** Le
nom de la fille d'Aser était Sérakh. **47.** Telles sont les
familles des fils d'Aser ; au *total* : 53.400. **48.** Fils de
Nephtali, d'après leurs familles : pour Yakhseël, la famille
des fils des Yakhseélites ; pour Gouni la famille *des fils*
des Gounites ; **49.** pour Yésér, la famille *des fils* des
Yisrites ; pour Shillem, la famille *des fils* des Shillémites.
50. Telles sont les familles *des fils* de Nephtali, selon leurs
familles et leur total : 45.400. **51.** Et voici la *somme* totale
des enfants d'Israël : 601.730. **52.** Yahvé parla à Moïse,
en disant : **53.** « C'est entre ces *tribus* que le pays sera
divisé en héritage, d'après le nombre de noms : **54.** à *la
tribu dont l'effectif est* nombreux, *vous* lui donnerez un
grand héritage, et à *la tribu dont l'effectif est* petit, *vous* lui
donnerez un héritage moindre. A chacun on donnera son
héritage d'après son (effectif) *total*. **55.** Mais c'est au sort
qu'on fera le partage du pays : ils hériteront d'après (le

β. D.E.Z. 1 (570)

---

15. *Ed. pr.* omet. Se trouve dans *Sam.*
16. *Ed. pr.* et 27031 : « de Gad » (erreur ; ont Dan à la fin du v.).

Houpham, la parenté de Houpham. **40.** Et les fils de Béla
furent Arde et Naaman. *Pour Arde*[15], la parenté d'Arde ;
pour Naaman, la parenté de Naaman. **41.** Tels sont les
fils de Benjamin, d'après leurs parentés, et leur *total* :
45.600. **42.** Voici les fils de <Dan>[16], d'après leurs
parentés : pour Shouham, la parenté de Shouham. Telles
sont les parentés de Dan, d'après leurs parentés. **43.** Toutes
les parentés de Shouham, d'après leurs *parentés*, (étaient
de) 64.400. **44.** Fils d'Aser, d'après leurs parentés : pour
Yimnah, la parenté de Yimnah ; pour *Yishwah*[17], la parenté
de *Yishwah* ; pour Beria, la parenté de Beria. **45.** Pour
les fils de Beria : pour Héber, la parenté de Héber ; pour
Malkiël, la parenté de Malkiël. **46.** Le nom de la fille
d'Aser était Sérakh, *qui fut emmenée par soixante myriades
d'anges et introduite de son vivant*β *dans le jardin d'Éden,
pour avoir annoncé à Jacob que Joseph était toujours en
vie*[18]. **47.** Telles sont les parentés des fils d'Aser ; au
total : 53.400. **48.** Fils de Nephtali, d'après leurs parentés :
pour Yakhseël, la parenté de Yakhseël ; pour Gouni, la
parenté de Gouni ; **49.** pour Yésér, la parenté de Yésér ;
pour Shillem, la parenté de Shillem. **50.** Telles sont les
parentés de Nephtali, d'après leurs parentés et leur
total : 45.400[19]. **51.** Et voici la *somme* totale des enfants
d'Israël : 601.730. **52.** Yahvé parla à Moïse, en disant :
53. « C'est entre ces *tribus* que le pays sera divisé en
héritage, d'après le nombre de noms : **54.** à *la tribu dont
l'effectif est* nombreux, *vous* leur donnerez un grand
héritage, et à *la tribu dont l'effectif est* petit, tu leur donneras
un héritage moindre. A chacun on donnera son héritage
d'après son (effectif) *total*. **55.** Toutefois, c'est au sort
qu'on fera le partage du pays : ils hériteront d'après

---

17. = *Sam.* Cf. TM à *Gen.* 46,17.
18. Cf. note à *Gen.* 46,17.
19. 27031 et *ed. pr.* : 45.700.

chiffre des) noms de leurs tribus ancestrales. **56.** Leur
héritage sera réparti au sort entre *tribu à effectif* nombreux
et *tribu à* moindre *effectif.* » **57.** Et voici les *sommes* des
Lévites[21], selon leurs familles : pour Gershon, la famille
des fils des Gershonites ; pour Quehath, la famille *des fils*
des Quehathites ; pour Merari, la famille *des fils* des
Merarites. **58.** Voici les familles *des fils* des Lévites : la
famille *des fils* des Libnites ; la famille *des fils* des Hébronites ; la famille *des fils* des Makhlites ; la famille *des fils*
des Moushites ; la famille *des fils* des Coréïtes. Or Quehath
engendra Amram, **59.** et le nom de la femme d'Amram
était Jokébéd, fille de Lévi, que (sa femme) avait enfantée
à Lévi en Égypte ; elle enfanta à Amram Aaron, Moïse
et Miryam, leur sœur. **60.** A Aaron étaient nés Nadab et
Abihou, Éléazar et Ithamar. **61.** Or Nadab et Abihou
moururent tandis qu'ils offraient devant Yahvé un feu
profane[24]. **62.** Leur *somme* totale était de 23.000, (comprenant) tous les mâles depuis l'âge d'un mois et au-dessus.
En effet, ils n'avaient pas été recensés parmi les enfants
d'Israël, car on ne leur avait point donné d'héritage au
milieu des enfants d'Israël. **63.** Telles sont les *sommes*
totales (du recensement) de Moïse et Éléazar, le prêtre,
qui recensèrent les enfants d'Israël dans les plaines de
Moab, à côté du Jourdain (en face) de Jéricho. **64.** Et
parmi ceux-là il n'y avait plus personne (de ceux) *comptés*
par Moïse et Aaron, le prêtre, qui avaient recensé les enfants
d'Israël dans le désert du Sinaï ; **65.** car Yahvé leur avait
dit : « Ils mourront dans le désert ! » Et il n'en restait plus
aucun en dehors de Caleb, fils de Yephounnéh, et de Josué,
fils de Noun.

γ. Sot. 12 a

---

20. 27031 : « leur tribu » (sans doute erreur).
21. I : « de Lévi » (comme TM et *LXX*). O, Jo, *Sam.* et *Pesh.* :
« Lévites ».

(le chiffre des) noms de leurs tribus[20] ancestrales. **56.** Leur héritage sera réparti au sort, pour les (groupes) nombreux comme pour les moindres. » **57.** Et voici les *sommes* des Lévites, d'après leurs parentés : pour Gershon, la parenté de Gershon ; pour Quehath, la parenté de Quehath ; pour Merari, la parenté de Merari. **58.** Voici les parentés des Lévites : la parenté de Libni, la parenté de Hébron, la parenté de Makhli, la parenté de Moushi, la parenté de Coré. Or Quehath engendra Amram, **59.** et le nom de la femme d'Amram était Jokébéd, fille de Lévi, qui naquit à Lévi[22] *tandis qu'ils pénétraient* en Égypte, *à l'intérieur même des remparts*[Y]. Elle enfanta à Amram Aaron, Moïse et Miryam, leur sœur. **60.** A Aaron étaient nés Nadab et Abihou, Éléazar et Ithamar. **61.** Or Nadab et Abihou moururent tandis qu'ils offraient devant Yahvé un feu profane, *(provenant) de foyers*[23]. **62.** Leur *somme* totale était de 23.000, (comprenant) tous les mâles depuis l'âge d'un mois et au-delà. En effet, ils n'avaient été dénombrés parmi les enfants d'Israël, car on ne leur avait point donné d'héritage au milieu des enfants d'Israël. **63.** Telles sont les *sommes* totales (du recensement) de Moïse et Éléazar, le prêtre, qui recensèrent les enfants d'Israël dans les plaines de Moab, sur le Jourdain (en face) de Jéricho. **64.** Et parmi ceux-là il n'y avait plus personne (de ceux) *comptés* par Moïse et Aaron, le prêtre, qui avaient recensés les enfants d'Israël dans le désert du Sinaï ; **65.** car Yahvé leur avait dit : « Ils mourront dans le désert ! » Et il ne *leur* restait plus personne en dehors de Caleb, fils de Yephounnéh, et de Josué, fils de Noun.

---

22. *dylydt lyh* (omis dans *ed. pr.*) *llwy* : « qui lui naquit à Lévi ». La forme *ylydt* est une contraction de *ytlydt* (cf. Jastrow, 578). Sur Jokébéd, cf. note à *Gen.* 46,27.

23. Cf. *T Lév.* 10,1 (Jo) ; *T Nombr.* 3,4 (Jo).

24. Cf. note à *Lév.* 10,1.

CHAPITRE XXVII

1. Alors s'approchèrent les filles de Selopkhad, fils de
Héphér, fils de Galaad, fils de Makir, fils de Manassé,
appartenant aux familles de Manassé, fils de Joseph. Et
voici les noms de ses filles : Makhlah, Noah, Hoglah,
Milkah et Tirsah. **2.** Elles se tinrent debout[1] devant Moïse
et devant Éléazar, le prêtre, devant les princes et *devant*
tout *le peuple de* la communauté, à l'entrée de la Tente de
Réunion, en disant : **3.** « Notre père est mort dans le désert.
Il ne faisait pas partie *des gens* de la communauté qui se
sont révoltés *devant* Yahvé dans la conjuration de Coré,
mais il est mort pour ses (propres) péchés et il n'a pas eu
d'enfants *mâles*. **4.** Pourquoi *maintenant* le nom de notre
père serait-il écarté du milieu de sa famille parce qu'il
n'a pas eu d'enfant *mâle*? Donne-nous un héritage au
milieu des frères de notre père. » **5.** *C'est là l'une des quatre
causes*[3a] *qui furent évoquées devant Moïse. En deux d'entre
elles, Moïse fut rapide, et en deux d'entre elles, Moïse fut
lent. Dans les unes comme dans les autres, il dit*[b] *: « Je n'ai*

---

a. = F   b. M : Moïse dit

α. Sifré Nombr. 27,2 (537) ; Tanh. B Nombr. (153)   β. Sifré
Nombr. (534)   γ. Sifré Nombr. (537)   δ. Sifré Nombr. (538)
ε. Sifré Nombr. 27,7 (542) ; B.B. 119 b

---

1. *Litt.* : « se tenant debout » *(qyymn).*
2. *knṭr' yybm* : « comme attendant un beau-frère (pour se marier) »
(cf. Lévy, I, 325). Elle serait donc considérée comme sans enfants...
et ses filles comme n'existant point (Ginzberg, *Legends*, III, 392).
3. Cf. note à 15,34 et à *Lév.* 24,12.
4. *wskm ythwn 'l d't' dl'yl* (« er brachte sie in Uebereinstimmung
mit der Ansicht des Allerhöchsten » : Levy, II, 163). Même formule
à *Sifré Nombr.* 7,3 : cf. le commentaire de K. G. Kuhn (145) où
G. Kittel rapproche l'usage de ἄνωθεν/ἄνω dans *Jn* 3,3 ; 8,23. Elle

CHAPITRE XXVII

1. Alors se présentèrent *au tribunal*[α] les filles de Selopkhad, fils de Héphér, fils de Galaad, fils de Makir, fils de Manassé, appartenant aux parentés de Manassé, fils de Joseph. *Lorsqu'elles avaient entendu que le pays allait être assigné aux (seuls) mâles, elles mirent leur confiance dans la miséricorde du Seigneur de l'univers*[β]. Et voici les noms de ses filles : Makhlah, Noah, Hoglah, Milkah et Tirsah. **2.** Elles se tinrent devant Moïse — *après s'être tenues* devant Éléazar, le prêtre, — devant les princes et toute la communauté, à l'entrée de la Tente de Réunion, <en disant> : **3.** « Notre père est mort dans le désert. Il ne faisait pas partie de la bande de ceux qui *murmurèrent*[γ] *et* se concertèrent *pour se rebeller* contre Yahvé, dans la bande de Coré ; mais c'est pour son (propre) péché qu'il est mort — *il n'en a pas induit d'autres à pécher*[δ] — et qu'il n'a pas eu d'enfants *mâles*. **4.** Pourquoi le nom de notre père serait-il écarté du milieu de sa parenté parce qu'il n'a pas eu d'enfant *mâle*? *Si, nous, nous ne pouvons être considérées comme (remplaçant) un fils et que notre mère a en vue un mariage léviratique*[2], *que notre mère prenne la part de notre père et la part du frère de notre père*[ε] ! *Mais si nous sommes considérées autant qu'un fils,* donne-nous un héritage au milieu des frères de notre père. » **5.** *C'est là l'une des quatre causes que l'on introduisit devant Moïse, le prophète, et qu'il décida selon la volonté d'en-haut*[4]. *Parmi elles, il y avait des causes d'ordre pécuniaire et parmi elles il y avait des causes capitales. Dans les causes d'ordre pécuniaire, Moïse fut rapide ; mais dans les causes capitales, Moïse fut lent. Dans les unes et dans les autres,*

se lit plusieurs fois dans *Yeb.* 62 a (avec *mqwm*, au lieu de ʻ*lywnh* de *Sifré*). Cf. note à *Gen.* 40,23.

pas entendu! » *Dans le cas de ceux qui étaient impurs et ne*
purent faire la Pâque en temps voulu, et dans le cas des deux
filles de Selopkhad, Moïse fut rapide, parce que leurs causes
étaient des causes d'ordre pécuniaire. Mais dans le cas de celui
qui ramassait du bois et avait avec impudence profané le
sabbat, et de celui du blasphémateur qui avait prononcé
le saint Nom en l'outrageant, Moïse fut lent, car leurs
causes étaient des causes capitales. (Cela) afin d'enseigner
aux juges qui devaient venir après lui[c] *à être rapides dans*
les causes pécuniaires et lents dans les causes capitales,
pour qu'ils ne se hâtent point de mettre à mort celui qui est
passible de mort par jugement et qu'ils n'aient point honte
de dire: « *Nous n'avons pas entendu!* » *puisque Moïse, leur*
Maître, dit: « *Je n'ai pas entendu!* » Moïse présenta donc
la procédure[d] de leur cas devant Yahvé. **6.** Yahvé[e] parla
à Moïse, en disant : **7.** « Les filles de Selopkhad ont dit
*juste*⁵. Tu devras leur donner une possession héréditaire au
milieu des frères de leur père et *vous* leur transmettrez
l'héritage de leur père. **8.** Et tu parleras aux enfants
d'Israël, en disant : Si un homme meurt et qu'il n'a pas
d'enfant *mâle*, vous transmettrez son héritage à sa fille.
9. Que s'il n'a pas de fille, vous donnerez son héritage
à ses frères. **10.** S'il n'a pas de frères, vous donnerez son
héritage aux frères de son père. **11.** Et si son père n'a pas
de frères, vous donnerez son héritage à son parent *consan-*
guin le plus proche dans sa famille, et celui-ci en prendra
possession. Ce sera là pour les enfants d'Israël une norme
de droit, ainsi que Yahvé l'a prescrit à Moïse. » **12.** Puis
Yahvé dit à Moïse : « Monte sur cette montagne des
'Abrayyah⁸ et vois⁹ le pays que j'ai donné aux enfants

c. I : après Moïse   d. = F   e. M : la Parole de Y. Id. v. 22
f. = O

ζ. Sifré Nombr. (540)   η. Sifré Nombr. (544)   θ. Sifré Nombr.
(547)

*Moïse dit : « Je n'ai pas entendu ! » (Cela) afin d'apprendre
aux chefs du Sanhédrin d'Israël qui étaient destinés à se
lever après lui, à être rapides pour les causes d'ordre
pécuniaire et lents pour les causes capitales, et qu'ils n'aient
point honte de faire enquête dans les cas qui leur font
difficulté. En effet Moïse, qui était le Maître d'Israël, avait
dû dire : « Je n'ai pas entendu ! »* C'est pourquoi Moïse
présenta leur cas devant Yahvé. **6.** Yahvé parla à Moïse,
en disant : **7.** « Les filles de Selopkhad ont *bien[5]* parlé :
*cela se trouvait déjà écrit devant moi[ζ], mais elles méritaient
que cela fût dit par elles[6].* Tu devras leur donner une
possession héréditaire au milieu des frères de leur père et
tu leur transmettras l'héritage de leur père. **8.** Et tu
parleras aux enfants d'Israël, en disant : Si un homme
meurt et qu'il n'a pas d'enfant *mâle*, vous transmettrez
son héritage à sa fille. **9.** Que s'il n'a pas[7] de fille, vous
donnerez son héritage à ses frères *du côté paternel[η]*. **10.** S'il
n'a pas de frère *du côté paternel*, vous donnerez son héritage
aux frères de son père. **11.** Et si son père n'a pas de frères,
vous donnerez son héritage à son plus proche parent de
la parenté *de son père[θ]*, et il en prendra possession. Ce
sera là pour les enfants d'Israël une prescription juridique,
ainsi que Yahvé l'a prescrit à Moïse. » **12.** Puis Yahvé
dit à Moïse : « Monte sur cette montagne <des 'Abrayyah>
et vois le pays que j'ai donné aux enfants d'Israël. **13.** Une

---

5. *Litt.* : « comme le droit » *(kdyn)*. Mais N a pu aussi comprendre
kēn dans le sens de « ainsi » *(= kdyn)*. Jo (= O) a correctement
compris comme un adjectif (juste, vrai) et traduit *y'wt* (« de belle
façon » = bien). *LXX* : ὀρθῶς.

6. Leur demande était déjà satisfaite dans la Torah préexistante
(i.e. dans 27,8-11) : cf. *SB* II, 353 ; IV, 435.

7. *Litt.* : « il n'y a pas *à lui* » *(lyt lyh)*. 27031 omet *lyh* (haplographie) ; oublié, dans nos deux témoins, au v. suivant. Sur l'ordre
de succession dans le droit juif ancien, voir K. G. Kuhn, *Sifre zu
Numeri*, 542 s.

8. Cf. note à 21,11. *LXX* : τὸ ἐν τῷ πέραν (τοῦτο ὄρος Ναβαυ).

9. *Litt.* : « et tu verras ».

d'Israël. **13.** Une fois que tu l'auras vu, tu seras toi aussi
réuni à ton peuple, comme ton frère Aaron l'a été. **14.** (Cela
parce que)[10] vous vous êtes rebellés contre ce qu'*avait
décidé ma Parole*, dans le désert de Tsin, aux « *Eaux-de-
la-Querelle* » *du peuple* de la communauté, (quand il s'est
agi) de sanctifier *mon Nom* en leur présence *au sujet de*
l'eau : ce sont les « Eaux-de-la-Querelle » de *Reqem*[11h]
dans le désert de Tsin ». **15.** Et Moïse parla à Yahvé, en
disant : **16.** « Que Yahvé[i], Dieu *qui commande au souffle*
de toute chair, prépose *au peuple de* la communauté, un
homme *fidèle*, **17.** qui sorte devant eux et qui entre devant
eux, qui les fasse sortir *aux combats* et les ramène *sains et
saufs des combats*, pour que la communauté de Yahvé ne
soit point comme petit bétail qui n'a pas de pasteur. »
18. Et Yahvé dit à Moïse : « Prends Josué, fils de Noun,
homme *sur qui repose* l'esprit *saint*[13j] *de devant Yahvé*,
et tu lui imposeras la main. **19.** Tu le feras se tenir devant
Éléazar, le prêtre, *devant les princes* et devant tout *le peuple
de* la communauté, et tu lui donneras tes ordres en leur
présence. **20.** Tu placeras sur lui (une part)[14] de ta dignité,
pour que toute la communauté l'écoute. **21.** Il se tiendra
devant Éléazar, le prêtre, et celui-ci consultera pour lui
le jugement des Ourim devant Yahvé. C'est selon *la décision
de* sa bouche qu'ils sortiront et selon *la décision de* sa bouche
qu'ils entreront, lui (et) les enfants d'Israël avec lui, et
tout *le peuple de* la communauté. » **22.** Moïse fit donc

g. = O   h. = O   i. F : Que la Parole de Y, Dieu qui commande au souffle de toute chair, prépose un homme prévu pour le
peuple de la communauté   j. O : de prophétie   k. = O

ι. Sifré Nombr. (569)   κ. Sifré Nombr. (570)

10. *Litt.* : « de même que » (*hyk mh* ; cf. TM). A comprendre comme
Sam., Pesh., LXX (διότι) et Jo (« parce que »). C'est aussi la leçon de
Sifré Nombr. (564) : 'al 'asher.
11. Voir note à *Gen.* 14,7.

fois que tu l'auras vu, tu seras toi également réuni à ton
peuple, comme ton frère Aaron l'a été. **14.** (Cela) *parce
que* vous vous êtes rebellés contre ma *Parole*[g], dans le
désert de Tsin, *aux « Eaux-de-*la-Dispute » de la communauté, (quand il s'est agi) de me sanctifier par l'eau à
leurs yeux : ce sont les « Eaux-de-la-Dispute » de *Reqem*,
dans le désert de Tsin. » **15.** Et Moïse parla *devant* Yahvé,
en disant : **16.** « Que *la Parole de* Yahvé, *qui commande
au souffle du fils de l'homme et par qui sont donnés* l'esprit
(et) le souffle[l] à toute chair[12], prépose à la communauté
un homme *fidèle*, **17.** qui sortira devant eux *pour les
combats*[x] et qui rentrera *des combats* au-devant d'eux ;
qui les fera sortir *des mains de leurs ennemis* et qui les fera
entrer *dans le pays d'Israël*, pour que la communauté de
Yahvé ne soit point *sans sages, pour qu'ils n'errent point
parmi les nations* comme le petit bétail *qui erre et* n'a pas
de pasteur. » **18.** Et Yahvé dit à Moïse : « Prends Josué,
fils de Noun, homme *sur qui repose* l'esprit *de prophétie
de devant Yahvé* et tu lui imposeras la main. **19.** Tu le
feras se tenir devant Éléazar, le prêtre, et devant toute
la communauté, et, sous leurs yeux, tu lui donneras tes
ordres. **20.** Tu placeras sur lui (une part) de *l'éclat de* ta
gloire, pour que toute la communauté des enfants d'Israël
lui obéisse. **21.** *Il servira* devant Éléazar, le prêtre, et
lorsque quelque chose lui demeurera caché, celui-ci consultera
pour lui le jugement des Ourim devant Yahvé. C'est sur
l'ordre[k] *d'Éléazar, le prêtre*, qu'ils sortiront *au combat* et
sur son *ordre* qu'ils entreront *pour rendre la justice*, lui et
tous les enfants d'Israël avec lui, et toute la communauté. »

12. Comparer *T Nombr.* 16,22 (Jo-N).

13. Sur le rapport entre « esprit saint » et « esprit de prophétie »
(Jo-O), voir P. Schäfer dans *VT* 20 (1970), 304-314 et (pour notre
texte) *Die Vorstellung vom Heiligen Geist*, 26.

14. *Litt.* : « de » (cf. TM). Le texte porte : *yt* (à supprimer) *mn
rbwtk*.

comme Yahvé le lui avait commandé : il prit Josué et
il le fit se tenir devant Éléazar, le prêtre, et devant tout
le peuple de la communauté. **23.** Il lui imposa les mains et
lui donna ses ordres, ce que[15] Yahvé avait dit par l'intermédiaire de Moïse.

CHAPITRE XXVIII

1. Yahvé[a] parla à Moïse, en disant : **2.** « Ordonne[b]
aux enfants d'Israël et tu leur diras : L'offrande d'aliment
qui m'est faite, *le pain de proposition de ma table, ce que vous
offrez devant moi*[c], *n'est-ce point le feu qui doit le dévorer
pour qu'il soit reçu devant* moi en odeur agréable *de votre
part*[1] ? *Mon peuple, enfants d'Israël, soyez attentifs* à l'offrir[d]
en temps voulu ! **3.** Tu leur diras aussi : Voici *le rituel des
offrandes*[e] que vous offrirez *devant* Yahvé : chaque jour
deux agneaux parfaits, *sans tare*, nés dans l'année, en
holocauste perpétuel. **4.** L'un des agneaux, *vous l'offrirez*
le matin et le deuxième agneau, *vous l'offrirez* au crépuscule, **5.** avec, pour la minhah, un dixième de *mekhilta*
de fleur de farine trempée dans un quart de hin d'huile
d'olives broyées. **6.** C'est un holocauste perpétuel *comme
celui qui fut offert* sur la montagne du Sinaï, en odeur
agréable, *offrande accueillie devant* Yahvé. **7.** Avec chaque

1. I : ainsi que la Parole de Y l'avait commandé
   a. M : la Parole de Y   b. Ordonne ... temps voulu = F   c. F :
+ sur l'autel   d. F : + devant moi ‖ O : mon offrande, le pain de
proposition pour mon offrande (destinée) à être reçue avec faveur,
vous aurez soin de l'offrir devant moi en temps voulu   e. O :
voici l'offrande que vous offrirez devant Y   f. = O   g. = O
‖ M : (offrande) accueillie pour le Nom de Y. Id. v.8.13

α. Sifré Nombr. (580) ; M Sheq. IV, 1 ; Menah. 65 a   β. Nombr. R
(848)   γ. Sifré Nombr. (584)   δ. Sifré Nombr. (585)

22. Moïse fit donc comme Yahvé le lui avait commandé :
il prit Josué et il le fit se tenir devant Éléazar, le prêtre,
et devant toute la communauté. **23.** Il lui imposa les
mains et lui donna ses ordres, ainsi que Yahvé l'*avait
commandé*[161] à Moïse.

CHAPITRE XXVIII

1. Yahvé parla à Moïse, en disant : **2.** « Ordonne aux
enfants d'Israël et tu leur diras : *Les prêtres pourront
manger* l'offrande de pain *de proposition de ma table,
mais ce que vous offrez sur l'autel, nul n'a le droit d'en
manger. N'est-ce point le feu qui doit le dévorer pour qu'il
soit reçu devant* moi en odeur agréable ? *Mon peuple,
enfants d'Israël, soyez attentifs* à l'offrir *(en le prenant)
du prélèvement du Trésor du Temple*[2α] *comme offrande
devant* moi, en temps voulu ! **3.** Tu leur diras aussi : Voici
le rituel des offrandes que vous offrirez *devant* Yahvé :
par jour, deux agneaux parfaits, nés dans l'année, en
holocauste perpétuel. **4.** Tu feras (le sacrifice) du premier
agneau le matin, *pour faire expiation pour les fautes de
la nuit*, et tu feras (le sacrifice) du second agneau au
crépuscule, *pour faire expiation pour les fautes de la
journée*[β], **5.** avec, <pour la minhah>, un dixième de
trois seah[ε] de fleur de farine *de froment*[Υ], pétrie avec un
quart de hin d'huile d'olives broyées. **6.** C'est un holocauste
perpétuel *comme celui qui fut offert* sur la montagne du
Sinaï[δ], *pour qu'il soit reçu avec faveur en offrande devant*[g]

---

15. Sans doute restituer *hyk (mh)* : « ainsi (que) » (avec I ; cf. TM
et les autres versions).

16. *LXX* : συνέταξεν ; *V* : « mandaverat ».

1. Texte corrompu ; corriger sans doute d'après Jo, qui distingue
bien le pain de proposition de l'holocauste : cf. GEIGER, *Urschrift*, 477.

2. Cf. note à 19,2.

agneau, *vous offrirez* les libations correspondantes d'un
quart de hin *de vin.* La libation[h] de *vin de choix*[i] pour
le Nom de Yahvé sera versée dans *les vases du* sanctuaire[3].
8. Et le deuxième agneau, *vous l'offrirez* au crépuscule ;
vous l'offrirez avec la même minhah que l'*agneau du* matin
et les mêmes libations, *offrande accueillie* en odeur agréable
devant Yahvé. **9.** Le jour du sabbat, *vous offrirez* deux
agneaux nés dans l'année, parfaits, *sans tare* et, comme
minhah, deux dixièmes de fleur de farine trempée dans
l'huile, *accompagnés de* leurs libations. **10.** L'holocauste du
sabbat, *vous l'offrirez le jour (même) du* sabbat ; *on l'offrira
à côté* de l'holocauste du sacrifice perpétuel et de sa libation.
11. A vos néoménies, vous offrirez un holocauste *devant*
Yahvé : deux taureaux, un bélier et <sept>[6] agneaux
nés dans l'année, parfaits, *sans tache.* **12.** Comme minhah
vous offrirez pour chaque taureau trois dixièmes de fleur
de farine trempée dans l'huile, et, avec chaque bélier,
deux dixièmes de fleur de farine trempée dans l'huile,
comme minhah. **13.** Avec chaque agneau *vous offrirez*
comme minhah un dixième *de mekhilta* de fleur de farine
trempée dans l'huile : c'est un holocauste en odeur
agréable, *offrande accueillie devant* Yahvé. **14.** Quant à
leurs libations, *à ce que vous aurez à offrir avec eux, vous
offrirez* un demi-hin de vin[i] avec le taureau ; *vous offrirez*
un tiers de hin avec le bélier et *vous offrirez* un quart de hin
avec l'agneau. C'est là l'holocauste *que vous offrirez* à
chaque début de mois, *à son renouvellement*[8]. *C'est selon ce
rituel que vous présenterez vos offrandes, mon peuple, à toutes*

---

h. La libation ... sanctuaire = F   i. O : vin vieux   j. = O.
Id. v.13.24.27   k. = O   l. M : + de l'holocauste   m. O :
c'est là l'holocauste du début de mois à son renouvellement ; ainsi
pour toutes les néoménies de l'année

ε. B.B. 97 a   ζ. Sifré Nombr. (593)   η. Menah. 86 b

---

3. *bêt qûdshā'* (*id.* dans F et Jo). B. J. BAMBERGER, dans *JQR* 61

Yahvé. **7.** Sa libation sera d'un quart de hin pour chaque
agneau. C'est dans *les vases du* sanctuaire que sera versée
la libation de *vin vieux*[e], *et, si l'on ne trouve pas de vin
vieux, on apportera du vin âgé de quarante jours pour faire
la libation devant* Yahvé[4]. **8.** Quant au second agneau,
tu (en) feras (le sacrifice) au crépuscule ; tu feras comme
pour l'oblation[5] du matin et pour sa libation, *offrande
accueillie avec faveur devant*[j] Yahvé. **9.** Le jour du sabbat,
(vous offrirez) deux agneaux nés dans l'année, parfaits,
et, *pour* la minhah, deux dixièmes de fleur de farine
pétrie avec de l'huile *d'olives*, avec sa libation. **10.** L'holocauste du sabbat *sera fait*[k] (le jour même)[ζ] du sabbat,
et *viendra s'ajouter* à l'holocauste perpétuel avec sa libation.
11. A vos néoménies, vous offrirez un holocauste *devant*
Yahvé : deux taureaux, nés de bovidés *d'espèces non
mélangées*, un bélier et sept agneaux parfaits, nés dans
l'année ; **12.** pour chaque taureau, trois dixièmes de fleur
de farine pétrie dans de l'huile *d'olives*, *pour* la minhah ;
pour chaque bélier, deux dixièmes de fleur de farine pétrie
dans de l'huile *d'olives*, *pour* la minhah ; **13.** et pour chaque
agneau, un dixième de fleur de farine pétrie dans de l'huile
d'olives, *pour* la minhah : c'est un holocauste *(destiné)
à être reçu avec faveur, une offrande devant* Yahvé. **14.** Les
libations *qui seront offertes avec eux* seront d'un demi-hin
de vin *de raisin*[η] pour le taureau, d'un tiers de hin pour
le bélier et d'un quart de hin pour l'agneau. C'est là
l'holocauste *qui sera offert* à *chaque début de* mois, *au
moment du renouvellement*[m] *de toutes* les néoménies de

(1975), 36, interprète comme « in consecrated vessels » et voit ici
un usage différent de celui de *Sifré* (586) et *Tosephta Suk.* III, 15 (197).

4. Comparer l'interprétation de *Sifré Nombr.* 6,3 (77).

5. Noter l'emploi de *dwrwn'* (δῶρον) pour traduire *minḥāh* (de
même au v. 26).

6. Oublié par le scribe.

7. i.e. de grappes fraîches et non de raisins séchés au soleil dont
on faisait un vin appelé *'lysṭwn* — ἡλιαστόν : cf. JASTROW, 69.

8. I et M ajoutent : « en son temps ».

les néoménies de l'année. **15.** *Vous offrirez* aussi un bouc en
sacrifice pour le péché *devant* Yahvé ; *on l'offrira* à côté de
l'holocauste du sacrifice perpétuel et de ses libations.
16. Le premier mois[9], le quatorzième jour du mois,
(c'est) *le sacrifice*[o] *de* la Pâque *devant* Yahvé, **17.** et le
quinzième jour de ce mois (est jour de) fête. Pendant sept
jours *vous*[p] mangerez des azymes. **18.** Le premier jour
(sera) *jour festif*[q] *et* (il y aura) assemblée sainte[10]. Vous
ne ferez aucun travail servile. **19.** Vous présenterez comme
offrandes[r], en holocaustes *devant* Yahvé : <deux>[11]
jeunes taureaux, un bélier et sept agneaux nés dans l'année
que vous vous choisirez[12] parfaits, *sans tare.* **20.** Vous
offrirez pour leur minhah, trois dixièmes de fleur de farine
trempée dans l'huile <avec le taureau[s], et deux dixièmes,
avec le bélier>[13]. **21.** Avec chaque agneau, *vous* offrirez
chaque fois un dixième *de mekhilta. C'est selon ce rituel que
vous ferez votre offrande*[t] pour les sept agneaux. **22.** (Il y
aura) aussi un bouc en sacrifice pour le péché, pour faire
pour vous l'expiation. **23.** Vous *offrirez* ces (victimes)
indépendamment de l'holocauste du matin[u] qui constitue
l'holocauste du sacrifice perpétuel. **24.** C'est selon[v] ce *rituel*
que vous ferez chaque jour vos offrandes pendant les
sept jours ; c'est une nourriture, une *offrande accueillie avec
faveur*[w] *devant* Yahvé. On *l'offrira* à côté de l'holocauste
du sacrifice perpétuel et de ses libations. **25.** Le septième
jour sera pour vous *jour festif avec* assemblée sainte ; vous

---

o. C : C'est (= M) le sacrifice de la Pâque devant Y   p. = C
q. = C. Id. v. 25   r. = C ‖ O M : offrande   s. C M : chaque
taureau   t. C M : c'est selon ce rituel que vous offrirez pour le
nombre des sept agneaux (M : id. v. 29)   u. C M : qui est joint à
l'holocauste du sacrifice perpétuel   v. C'est selon ... libations = C
w. C I : en odeur agréable

θ. Hul. 60 b ; Shebu. 9 a   ι. Sifré Nombr. (600)

l'année. **15.** (Il y aura) aussi un bouc en sacrifice pour le
péché *devant* Yahvé, *à cause de la diminution de la lune*⁹ ;
on en fera (l'offrande) en plus de l'holocauste perpétuel avec
ses libations. **16.** Au mois de *nisan*, le quatorzième jour
du mois, (c'est) *le sacrifice de* la Pâque *devant* Yahvé,
17. et le quinzième jour de ce mois (est jour de) fête.
Pendant sept jours on mangera des azymes. **18.** Le premier
jour *de la fête*, (il y aura) assemblée sainte. Vous ne ferez
aucun travail servile. **19.** Vous présenterez comme *offrande*
en holocauste *devant* Yahvé : deux jeunes taureaux, un
bélier et sept agneaux nés dans l'année, que vous choisirez
parfaits. **20.** Vous ferez, pour leur minhah, (l'offrande de)
trois dixièmes de fleur de farine *de froment* pétrie dans
de l'huile *d'olives*, pour le taureau, et deux dixièmes pour
le bélier. **21.** Avec¹⁴ chaque agneau, tu feras (l'offrande
d')un dizième, (et) *de même* pour les sept agneaux. **22.** (Il
y aura) aussi un bouc en sacrifice pour le péché, pour
faire pour vous l'expiation. **23.** Vous ferez ces *offrandes*
indépendamment de l'holocauste du matin qui constitue
l'holocauste perpétuel. **24.** Comme ces *offrandes du premier
jour*ᴸ, (ainsi) ferez-vous pour chacun des sept jours *de
la fête*¹⁵, *offrande (destinée) à être accueillie avec faveur*
devant Yahvé. On la fera en plus de l'holocauste perpétuel
avec sa libation. **25.** Le septième jour, vous aurez assemblée

9. Rappelons que le ms. F du Caire (qui contient le Targum des
trois grandes fêtes) donne *T Nombr.* 28,16-25 et 26-31 (P. Kahle,
Masoreten des Westens, 54 et 61).

10. Ou, plus exactement : « assemblée du Saint » (*id.* v. 25).
De même pour Jo. Voir la note à *Lév.* 23,2.

11. Ajouté par I.

12. *Litt.* : « ils seront pour vous ».

13. Oublié par le scribe principal ; restitué en marge.

14. Le v. commence par la conjonction « et » *(waw)* dans 27031
et *ed. pr.* (même dans le lemme hébreu) : cf. *Sam., Pesh., V* et quelques
mss hébreux.

15. Peut-être faut-il restituer ensuite (avec Ginzburger et Rieder)
lḥym : « (c'est) une nourriture, une offrande... ». Cf. TM, N et O.

ne ferez aucun travail servile. **26.** Le jour des Prémices, quand vous offrirez une minhah de la nouvelle (récolte) *devant* Yahvé, *au moment de vos fêtes des* Semaines, sera pour vous *jour festif avec* assemblée sainte ; vous ne ferez aucun travail servile. **27.** Vous offrirez en holocauste (destiné à être reçu) en agréable odeur *devant* Yahvé deux jeunes taureaux, *et* un bélier (et) sept agneaux nés dans l'année. **28.** Pour leur minhah, *vous offrirez* avec chaque taureau trois dixièmes de fleur de farine trempée dans l'huile et *vous offrirez* deux dixièmes avec chaque bélier. **29.** Avec chaque agneau, *vous offrirez* chaque fois un dixième *de mekhilta. C'est selon ce rituel que vous offrirez* les sept agneaux, **30.** (et) un bouc pour faire pour vous l'expiation. **31.** Vous (les) *offrirez* indépendamment de l'holocauste du sacrifice perpétuel avec sa minhah : vous vous les procurerez[18] parfaits, *sans tare*, (pour les offrir) avec leurs libations. »

CHAPITRE XXIX

1. « Le septième mois, le premier[a] du mois, ce sera pour vous *un jour festif avec* assemblée sainte ; vous ne ferez aucun travail servile. Ce sera pour vous le jour de la sonnerie *de shofar*, en fanfare, *et en staccato*[1]. **2.** Vous *offrirez*, comme holocauste en odeur agréable *devant* Yahvé, un jeune taureau, un bélier, sept agneaux nés dans l'année,

---

x. = O
  a. M : + jour   b. = O. Id. v.6.8.13.36

---

x. Sifré Nombr. (604)
  α. R.H. 16 b

---

16. Jo et O ont le mot '*aṣartā*' (cf. note à *Ex.* 34,22 et *SB* II, 597) que Jo paraphrase : « quand seront remplies — *kd ytmlwn* — les

sainte ; vous ne ferez aucun travail servile. **26.** Le jour
des Prémices, quand vous offrirez une oblation *de la*
nouvelle *récolte devant* Yahvé, à l'occasion de votre *(fête
de) clôture*[16x], *quand seront accomplies les sept* semaines,
vous aurez une assemblée sainte ; vous ne ferez aucun
travail servile. **27.** Vous offrirez en holocauste *(destiné)
à être reçu avec faveur devant* Yahvé deux jeunes taureaux
et[17x] un bélier, (et) sept agneaux nés dans l'année. **28.** Leur
minhah (sera) de trois dixièmes de fleur de farine *de
froment* pétrie dans de l'huile *d'olives* pour chaque taureau,
de deux dixièmes pour chaque bélier ; **29.** avec chaque
agneau, chaque fois un dixième, (et) *de même* pour les
sept agneaux. **30.** (Il y aura) un bouc pour faire pour vous
l'expiation. **31.** Vous (en) ferez (l'offrande) indépendamment
de l'holocauste perpétuel avec sa minhah : vous vous les
procurerez parfaits, ainsi que *le vin de*[19] leurs libations. »

CHAPITRE XXIX

1. « Le septième mois, *qui est le mois de tishri*, le premier
du mois, vous aurez une assemblée sainte ; vous ne ferez
aucun travail servile. Ce sera pour vous un jour de fanfare,
pour dérouter, par le bruit de votre sonnerie, Satan[2] *qui
vient pour vous accuser*[α]. **2.** Vous ferez en holocauste
(destiné) à être reçu avec faveur devant[b] Yahvé (l'offrande
d')un jeune taureau, d'un bélier, de sept agneaux parfaits

sept semaines ». Cf. *Act.* 2,1 : ἐν τῷ συμπληροῦσθαι τὴν ἡμέραν τῆς
πεντηκοστῆς.

17. Avec *Sam., Pesh.* et de nombreux mss hébreux.

18. *Litt.* : « ils seront pour vous » (= TM).

19. Selon *Sifré Nombr.* (605), la libation de vin doit être aussi
parfaite, i.e. avec l'exacte quantité prescrite.

1. Allusion à deux types de sonneries, en lié *(tqy'h)* ou en staccato
(ybbw), une suite de sons continus ou discontinus.

2. Cf. *T Nombr.* 10,10 (Jo).

parfaits, *sans tare.* **3.** Pour leur minhah, *vous offrirez* avec
le taureau trois dixièmes de fleur de farine trempée dans
l'huile ; avec le bélier, *vous offrirez* deux dixièmes. **4.** Avec
chaque agneau *vous offrirez* un dixième *de mekhilta. C'est
selon ce rituel que vous ferez votre offrande* avec les sept[c]
agneaux. **5.** Et *l'on offrira* aussi un bouc en sacrifice pour
le péché, pour faire pour vous l'expiation. **6.** (Cela)
indépendamment de l'holocauste de néoménie avec sa
minhah et de l'holocauste du sacrifice perpétuel avec sa
minhah, et de leurs libations réglementaires, en odeur
agréable comme <*offrande*>[4] *accueillie devant* Yahvé[d].
7. Le dixième *jour* de ce septième mois sera pour vous
jour festif avec assemblée sainte ; vous vous imposerez
à vous-mêmes un jeûne *ce jour-là* ; vous ne ferez aucune
espèce de travail. **8.** Vous offrirez en holocauste *devant*
Yahvé en odeur agréable, un jeune taureau, un bélier, sept
agneaux nés dans l'année que vous choisirez parfaits,
sans tare. **9.** Pour leur minhah *vous offrirez*, avec le taureau,
trois dixièmes de fleur de farine trempée dans l'huile ;
avec le bélier, *vous offrirez* deux dixièmes. **10.** Avec chaque
agneau *vous offrirez* chaque fois un dixième *de mekhilta.
C'est selon ce rituel que vous ferez votre offrande* avec les sept
agneaux. **11.** *Et l'on offrira* aussi un bouc en sacrifice pour
le péché, indépendamment du sacrifice pour le péché (de
la fête) des Expiations et de l'holocauste du sacrifice
perpétuel avec sa minhah et leurs libations. **12.** Le
quinzième jour du septième mois sera pour vous *jour festif
avec* assemblée sainte[9] ; vous ne ferez aucun travail servile.

c. M : que vous offrirez pour le nombre des sept. Id. v.10.14.15
d. M : offrande accueillie en odeur agréable pour le Nom de Y
e. = M

β. M Yoma VIII, 1 ; Sifra 23,27 (594)

3. Cf. *Sam., Pesh., LXX* et quelques mss hébreux.

nés dans l'année. **3.** Leur minhah sera de trois dixièmes de fleur de farine *de froment* pétrie dans de l'huile *d'olives* pour le taureau, *et*[3] de deux dixièmes pour le bélier ; **4.** un dixième pour chaque agneau, (et) *de même* pour les sept agneaux. **5.** (Il y aura) aussi un bouc en sacrifice pour le péché, pour faire pour vous l'expiation. **6.** (Cela) indépendamment de l'holocauste de la néoménie avec sa minhah et de l'holocauste perpétuel avec sa minhah, et de leurs libations réglementaires, pour *être reçus avec faveur* comme *une offrande devant* Yahvé. **7.** Le dixième *jour* du septième mois, *qui est le mois de tishri*, il y aura pour vous assemblée sainte ; vous *affligerez* vos âmes, *(vous abstenant) de nourriture et de boisson, de l'usage des bains et des onctions, (du port) des sandales et de l'usage du lit (conjugal)*[5β]. Vous ne ferez aucun travail *servile*[6e]. **8.** Vous offrirez en holocauste *devant* Yahvé *(destiné) à être reçu*[7] *avec faveur*, un jeune taureau, un bélier, sept agneaux nés dans l'année, que vous choisirez parfaits. **9.** Leur minhah (sera) de trois dixièmes de fleur de farine *de froment* pétrie dans de l'huile *d'olives*, pour le taureau, deux dixièmes pour le bélier ; **10.** avec chaque agneau, chaque fois un dixième, (et) *de même* pour les sept agneaux. **11.** (Il y aura)[8] aussi un bouc en sacrifice pour le péché, indépendamment *de l'offrande* du sacrifice pour le péché (de la fête) des Expiations et de l'holocauste perpétuel, avec *leur* minhah et *le vin de* leurs libations. **12.** Le quinzième jour du septième mois, vous aurez une assemblée sainte ; vous ne ferez aucun travail servile. Vous célébrerez

---

4. Restitué avec M ; cf. 28,6.

5. Cf. note à *Lév.* 16,29.

6. *kl 'ybydt pwlḥn'* : cf. Pesh., V (« omne opus servile ») avec quelques mss hébreux et grecs.

7. *l'tqbl'*. *Ed. pr.* : « à être offert » *(l'tqrb')*.

8. 27031 unit les vv. 10 et 11.

9. Voir note à 28,18.

Vous célébrerez la fête *devant* Yahvé sept jours durant.
13. Vous offrirez en holocauste, *offrande accueillie* en
odeur agréable *devant* Yahvé, treize jeunes taureaux,
deux béliers, quatorze agneaux nés dans l'année (qui) seront
parfaits, *sans tare*. **14.** Pour leur minhah, *vous offrirez*,
avec chaque taureau, trois dixièmes de fleur de farine
trempée dans l'huile : *c'est selon ce rituel que vous ferez
votre offrande* avec les treize taureaux. Avec chaque bélier,
vous offrirez deux dixièmes : *c'est selon ce rituel que vous
ferez votre offrande* avec les deux béliers. **15.** Avec chaque
agneau *vous offrirez* chaque fois un dixième *de mekhilta*.
C'est selon ce rituel que vous ferez votre offrande avec les
quatorze. **16.** Et *l'on offrira* aussi un bouc en sacrifice
pour le péché, indépendamment de l'holocauste du sacrifice
perpétuel, de sa minhah et de sa libation. **17.** Le deuxième
jour *de la fête des Tentes, vous offrirez* <douze jeunes
taureaux, deux béliers>[11], quatorze agneaux nés dans
l'année, parfaits, *sans tare*. **18.** Quant à leur minhah et
au vin de leurs libations, *ce que vous aurez à offrir avec eux*,
avec les taureaux, avec les béliers, avec les agneaux, (ce
sera) en rapport avec leur nombre selon le rituel prescrit.
19. *On offrira* aussi un bouc en sacrifice pour le péché,
indépendamment de l'holocauste du sacrifice perpétuel,
de sa minhah et de leurs libations. **20.** Le troisième jour
de la fête des Tentes, vous offrirez onze taureaux, deux
béliers, quatorze agneaux nés dans l'année, parfaits, *sans
tare*. **21.** Quant à leur minhah et[f] leurs libations, *ce que vous
aurez à offrir avec eux*, avec les taureaux, avec les béliers,

---

f. M : et au vin de. Id. v.24.27.30.33.37

γ. Suk. 55 b ; Nombr. R 29,35 (851)   δ. M Suk. V, 6

---

10. Cf. *T Deut*. 32,8 (Jo) ; *T Gen*. 11,8 (Jo). Voir GINZBERG,
Legends, V, 194.

11. Omis par homoioteleuton ; donné par M.

12. *Ed. pr*. : « *douze* taureaux pour *douze* classes » (cf. v. 17).

la fête *des Tentes devant* Yahvé, sept jours durant. **13.** Vous
offrirez en holocauste, *offrande qui est (destinée) à être
reçue avec faveur devant* Yahvé : treize jeunes taureaux
— *dont vous irez chaque jour diminuant le nombre, (ce qui
donnera en tout) soixante-dix, d'après les soixante-dix
nations*[10]γ, *treize classes (de prêtres) en assurant l'offrande*
— deux béliers — *que deux classes offriront* — quatorze
agneaux *parfaits* nés dans l'année — *que huit classes
offriront, parmi lesquelles six en offriront deux chacune, et
les deux autres chacune un*[δ]*;* ils seront parfaits. **14.** Leur
minhah (sera) de trois dixièmes de fleur de farine *de
froment* pétrie dans de l'huile *d'olives* pour chaque taureau
des treize taureaux, de deux dixièmes pour chaque bélier
des deux béliers ; **15.** et chaque fois un dixième pour chaque
agneau des quatorze agneaux. **16.** Et (l'on offrira) aussi
un bouc en sacrifice pour le péché — *qu'une classe offrira* —,
indépendamment de l'holocauste perpétuel, *de la fleur de
farine de froment* (offerte) en minhah et *du vin* de libation.
17. Le deuxième jour *de la fête des Tentes, vous offrirez*
douze jeunes taureaux *pour douze classes*, deux béliers
pour deux classes, quatorze agneaux parfaits nés dans
l'année *pour neuf classes, dont cinq offriront chacune deux
et quatre chacune un.* **18.** Quant à leur minhah *de fleur
de farine de froment* et *au vin de* leurs libations, *ce que
vous aurez à offrir* avec les taureaux, avec les béliers et
les agneaux, (ce sera) en rapport avec leur nombre selon
le rituel prescrit. **19.** Puis un bouc, *pour une classe*, en
sacrifice pour le péché, indépendamment de l'holocauste
perpétuel, *de la fleur de farine de froment* pour *leur* minhah
et *du vin* de leurs libations. **20.** Le troisième jour *de la
fête des Tentes, vous offrirez* onze[12] taureaux *pour onze
classes*, deux béliers *pour deux classes*, quatorze agneaux
parfaits nés dans l'année *pour dix classes, dont quatre
offriront chacune deux et six chacune un.* **21.** Quant à leur
minhah *de fleur de farine de froment* et *au vin de* leurs

avec les agneaux, (ce sera) en rapport avec leur nombre
selon le rituel prescrit. **22.** (Il y aura) aussi un bouc en
sacrifice pour le péché, indépendamment de l'holocauste
du sacrifice perpétuel, de sa minhah et de sa libation.
23. Le quatrième jour *de la fête des Tentes, vous offrirez*
dix taureaux, deux béliers, quatorze agneaux nés dans
l'année, parfaits, *sans tare.* **24.** Quant à leur minhah et
leurs libations *que vous aurez à offrir avec eux*, avec les
taureaux, avec les agneaux et avec les béliers, (ce sera)
en rapport avec leur nombre selon le rituel prescrit.
25. *On offrira* aussi un bouc en sacrifice pour le péché,
indépendamment de l'holocauste du sacrifice perpétuel,
de sa minhah et de sa libation. **26.** Le cinquième jour *de
la fête des Tentes, vous offrirez* neuf taureaux, deux béliers,
quatorze agneaux nés dans l'année, parfaits, *sans tare.*
27. <Quant à leur minhah et leurs libations, *ce que vous
aurez à offrir* avec les taureaux, avec (les béliers) et avec
les agneaux, (ce sera) en rapport avec leur nombre selon
le rituel prescrit>[16]. **28.** (Il y aura) aussi un bouc en sacrifice pour le péché, indépendamment de l'holocauste du
sacrifice perpétuel, de sa minhah et de sa libation. **29.** Le
sixième jour *de la fête des Tentes, vous offrirez* huit taureaux,
deux béliers, quatorze agneaux nés dans l'année, parfaits,
sans tare. **30.** Quant à leur minhah et leurs libations, *ce que
vous aurez à offrir avec eux*, avec les taureaux, avec les
béliers et avec les agneaux, (ce sera) en rapport avec leur
nombre selon le rituel prescrit. **31.** (Il y aura) aussi un bouc

13. *Ed. pr.* : « douze ».
14. Texte : « douze ».
15. Mot omis dans *ed. pr.*, sous l'influence du lemme hébreu,
alors que 27031 le répète (après « froment »).
16. Verset restitué en marge (avec lemme et variantes).

libations, *ce que vous offrirez* avec les taureaux, les béliers
et les agneaux, (ce sera) en rapport avec leur nombre selon
le rituel prescrit. **22.** Puis un bouc, *pour une classe*, en
sacrifice pour le péché, indépendamment de l'holocauste
perpétuel, *de la fleur de farine de froment* pour sa minhah
et *du vin* de sa libation. **23.** Le quatrième jour *de la fête
des Tentes*, (vous offrirez) dix taureaux *pour dix classes*,
deux béliers *pour deux classes*, quatorze agneaux parfaits
nés dans l'année *pour onze*[13] *classes, dont trois offriront
chacune deux et huit offriront chacune un.* **24.** Quant à
leur minhah *de fleur de farine de froment* et *au vin de* leurs
libations, *ce que vous offrirez* avec les taureaux, les béliers
et les agneaux, (ce sera) en rapport avec leur nombre
selon le rituel prescrit. **25.** Puis un bouc, *pour une classe*,
en sacrifice pour le péché, indépendamment de l'holocauste
perpétuel, *de la fleur de farine de froment* pour sa minhah
et *du vin* de sa libation. **26.** Le cinquième jour *de la fête
des Tentes*, (vous offrirez) neuf taureaux *pour neuf classes*,
deux béliers *pour deux classes*, quatorze agneaux parfaits
nés dans l'année *pour douze classes, dont deux offriront
chacune deux et <dix>*[14] *chacune un.* **27.** Quant à leur
minhah[15] *de fleur de farine de froment* et *au vin de* leurs
libations, *ce que vous offrirez* avec les taureaux, les béliers
et les agneaux, (ce sera) en rapport avec leur nombre
selon le rituel prescrit. **28.** Puis un bouc, *pour une classe*,
en sacrifice pour le péché, indépendamment de l'holocauste
perpétuel, *de la fleur de farine de froment* pour sa minhah
et *du vin* de sa libation. **29.** Le sixième jour *de la fête des
Tentes*, (vous offrirez) huit taureaux *pour huit classes*,
deux béliers *pour deux classes*, quatorze agneaux parfaits
nés dans l'année *pour treize classes, dont une (en) offrira
deux et douze chacune un.* **30.** Quant à leur minhah *de
fleur de farine de froment* et *au vin de* leurs libations, *ce
que vous offrirez* avec les taureaux, les béliers et les agneaux,
(ce sera) en rapport avec leur nombre selon le rituel
prescrit. **31.** Puis un bouc, *pour une classe*, en sacrifice

en sacrifice pour le péché, indépendamment de l'holocauste du sacrifice perpétuel *et de la fiasque*[17] *d'eau qui est offerte sur l'autel le sixième jour*[18] *en rappel favorable pour la fertilisation de la pluie*, <de sa minhah>[21], de sa libation *et de la libation d'eau*. **32.** Le septième jour *de la fête des Tentes, vous offrirez* sept taureaux, deux béliers, quatorze agneaux nés dans l'année, parfaits, *sans tare*. **33.** Quant à leur minhah et leurs libations, *ce que vous aurez à offrir avec eux*, avec les taureaux, avec les béliers, avec les agneaux, (ce sera) en rapport avec leur nombre selon le rituel prescrit. **34.** (Il y aura) aussi un bouc en sacrifice pour le péché, indépendamment de l'holocauste du sacrifice perpétuel, de sa minhah et de sa libation. **35.** Le huitième[g] jour, *laissant vos tentes*[23], *vous vous réunirez dans vos maisons ; dans la joie, vous vous réunirez et ferez l'aumône*. Vous ne ferez aucun travail servile. **36.** Vous offrirez en holocauste, *offrande accueillie* en odeur agréable *devant* Yahvé, un taureau, un bélier, sept agneaux nés dans l'année, parfaits, *sans tare*. **37.** Quant à leur minhah et leurs libations, *ce que vous aurez à offrir avec eux*, avec *les* taureaux et avec *les* béliers et avec les agneaux, (ce sera) en rapport avec leur nombre selon le rituel prescrit. **38.** (Il

g. M : le huitième (jour) vous vous réunirez avec joie à l'intérieur de vos maisons (après avoir quitté) vos tentes ; ce sera une réunion joyeuse

ε. Sifré Nombr. 29,13 (606) ; Taan. 2 b   ζ. Sifré Nombr. (607) η. Nombr. R (852)   θ. Suk. 55 b

17. *ṣlwḥyt* : cf. note à *Ex.* 16,33. *Sifré Nombr.* (606) fonde bibliquement le rite de la libation d'eau sur la présence de trois lettres « superflues » (aux vv. 19.31.33) qui composent le mot *mym* (= eau). Cf. *Taan.* 2 b et Rashi à 29,18.
18. Opinion attribuée à Aqiba dans *Taan.* 2 b - 3 a. S'agit-il d'une libation supplémentaire le sixième jour, puisque *M Suk.* IV,1 prescrit une libation d'eau durant les sept jours de la fête? Cf. B. J. Bamberger, *art. cit.*, 33. Voir *SB* II, 802 s.

pour le péché, indépendamment de l'holocauste perpétuel, *de la fleur de farine de froment* pour sa minhah et *du vin* de sa libation^ε. *Et, le <...>[19] jour de la fête des Tentes, vous verserez en libation une fiasque d'eau en rappel favorable[20] pour la fertilisation de la pluie.* **32.** Le septième jour *de la fête des Tentes, vous offrirez* sept taureaux *pour sept classes,* deux béliers *pour deux classes,* quatorze agneaux parfaits nés dans l'année *pour quatorze classes. La somme de tous les agneaux (sera de) quatre-vingt-dix-huit, pour expier pour les quatre-vingt-dix-huit malédictions*[22]. **33.** Quant à leur minhah *de fleur de farine de froment* et *au vin de* leurs libations, *ce que vous offrirez* avec les taureaux, les béliers et les agneaux, (ce sera) en rapport avec leur nombre selon le rituel prescrit. **34.** Puis un bouc, *pour une classe,* en sacrifice pour le péché, indépendamment de l'holocauste perpétuel, *de la fleur de farine de froment* pour sa minhah et *du vin* de sa libation. **35.** Le huitième jour, *laissant vos tentes, vous vous réunirez dans vos maisons dans la joie; ce sera pour vous une réunion joyeuse, un jour festif avec assemblée sainte*^ζ. Vous ne ferez aucun travail servile. **36.** Vous offrirez en holocauste, *offrande qui est (destinée) à être reçue avec faveur devant* Yahvé, *des offrandes moindres*^η : un taureau — *(offert) devant le Dieu Un* —, un bélier — *pour le peuple unique*^θ —, sept agneaux parfaits nés dans l'année — *pour la joie des sept jours.* **37.** Quant à leur minhah *de fleur de farine de froment* et *au vin de* leurs libations, *ce que vous offrirez* avec les taureaux, les béliers et les agneaux, (ce sera) en rapport avec le nombre selon le rituel prescrit. **38.** Puis un bouc en sacrifice pour

---

19. Noter que 27031 a laissé un espace blanc ; un chiffre est à restituer, sans doute « sixième » comme dans N.

20. *Litt.* : « (comme) bon mémorial » *(dwkrn ṭb).*

21. Mot restitué en marge.

22. Celles mentionnées dans *Deut.* 28, 16-68. Cf. RASHI à 29,18.

23. *mḷlykwn* : mot qui traduit régulièrement *sukkôt,* les huttes de la fête (cf. v. 17 s.).

y aura) aussi un bouc en sacrifice pour le péché, indépendamment de l'holocauste du sacrifice perpétuel, de sa
minhah et de sa libation. **39.** C'est *selon ce rituel* que vous
offrirez <cela>²⁴ *devant* Yahvé, lors de vos solennités^h
— indépendamment de vos offrandes votives ou spontanées —, pour vos holocaustes, pour vos oblations, pour
<vos>²⁵ libations et pour <vos> *sacrifices de choses
saintes.* »

CHAPITRE XXX

1. Moïse dit aux enfants d'Israël tout ce que Yahvé^a
avait prescrit à Moïse. **2.** Et Moïse parla aux chefs des
tribus des enfants d'Israël, en disant : « Voici la chose que
Yahvé a prescrite : **3.** Quand un homme fait un vœu *au
Nom de* Yahvé ou a juré avec serment *d'accomplir une
promesse*² *au Nom de Yahvé*, il ne négligera pas de tenir
sa parole : il fera tout ce qui est sorti de sa bouche. **4.** Quand
une femme fait un vœu *devant* Yahvé ou *s'engage par un
serment*, (tandis qu'elle est encore) dans la maison de son
père, dans sa jeunesse, **5.** et que son père, ayant appris
le vœu et *l'engagement* qu'elle *s'est imposé* à elle-même,
son père ne lui a rien dit, tout vœu et tout *engagement*

h. M : c'est là ce que vous offrirez devant Y au temps des fêtes
de vos solennités   i. = O
   a. M : la Parole de Y. Id. v.2.17   b. = M ‖ O : négligera

ι. Sifré Nombr. (608)
   α. Sifré Nombr. (612)   β. Sifré Nombr. (612)   γ. Sifré Nombr.
(617)

24. Restitué en marge (en écriture carrée).
25. Texte : « leurs libations » (*id.* 27031).
1. *Litt.* : « pour lier une obligation sur son âme » (= TM). Noter
l'emploi, dans le même verset, de « lier » *('aśar)* et « délier » *(sheᵉrt)*.
Le v. 6 a de plus *sheᵉbaq*. Voir note à *Gen.* 4,13 et *SB* I, 738-741.

le péché, indépendamment de l'holocauste perpétuel, *de la fleur de farine* pour sa minhah et *du vin* de sa libation. **39.** C'est là ce que vous *offrirez devant* Yahvé, *au temps de* vos solennités, indépendamment de vos offrandes votives *vouées durant la fête (même), de celles que vous apporterez à la fête*[l], ainsi que des offrandes spontanées (que vous ajoutez) à vos holocaustes, à vos oblations, à vos libations et à vos *sacrifices de choses saintes*[1]. »

CHAPITRE XXX

1. Moïse parla aux enfants d'Israël selon tout ce que Yahvé avait prescrit à Moïse. **2.** Et Moïse parla aux officiers des tribus des enfants d'Israël, en disant : « Voici la chose dont Yahvé *a parlé, en disant* : **3.** Quand un homme, *de treize ans*[α] *(au moins)*, fait un vœu *devant* Yahvé ou s'impose à lui-même par serment l'obligation[1] de s'abstenir *de quelque chose de permis*[β], il ne violera[b] pas sa parole. *Toutefois, le tribunal peut le délier ; mais si le tribunal ne le délie point*, il agira selon tout ce qui est sorti de sa bouche. **4.** Quand une femme, *qui n'a pas passé douze ans*[γ], fait un vœu *devant* Yahvé ou se lie par une obligation, tandis qu'elle est encore dans la maison de son père *jusqu'à l'âge de douze ans*[3], **5.** et que son père, ayant appris son vœu et l'obligation[4] dont elle s'est liée elle-même, son père a gardé *intentionnellement* le silence à son endroit, tous ses vœux seront valides et toute obligation dont elle

---

Pour la « solution » des vœux dans la tradition ancienne, cf. Z. W. FALK, « Binding and Loosing », *JJS* 25 (1974), 92-100.

2. *qyym* : serment, promesse, vœu ou engagement (terme que nous utilisons par la suite).

3. Une fille était considérée comme mineure jusqu'à l'âge de douze ans et demi. Cf. la notation de *Mc* 5,42 (ἐτῶν δώδεκα) : la fille de Jaïre était une *na'arâ* (*SB* II, 10), jeune fille non encore nubile.

4. *Ed. pr.* : « et *toute* obligation » (erreur due à la fin du v.).

qu'elle *se sera imposé* à elle-même sera valide. **6.** Mais si
son père la désavoue le jour où il l'apprend, aucun vœu ni
engagement qu'elle *se serait imposé* à elle-même ne sera
valide, et il lui sera pardonné[6] *par devant* Yahvé[c], du
moment que son père l'a désavouée. **7.** Si elle est *donnée
en mariage* à un homme et qu'elle est tenue par un vœu
ou une déclaration de ses lèvres par laquelle elle *s'est
engagée* elle-même, **8.** si son mari l'apprend et ne lui dit
rien le jour où il l'apprend, ses vœux seront valides et
l'engagement qu'elle *s'est imposé* à elle-même <sera valide.
9. Mais si, le jour où il l'apprend, son mari la désavoue,
il annulera le vœu qui la tient et la déclaration de ses
lèvres par laquelle elle *s'est engagée* elle-même>[7] et il lui
sera pardonné *par devant* Yahvé. **10.** Le vœu d'une veuve
ou d'une (femme) répudiée, tout ce à quoi elle *s'est engagée*
elle-même, sera valide pour elle. **11.** Si (une femme), dans
la maison de son mari, fait un vœu ou *s'impose* à elle-même
un engagement par serment, **12.** et que son mari, l'apprenant, ne lui dise rien (et) ne la désavoue pas, son vœu
quel qu'il soit sera valide et tout *engagement* qu'elle se *sera
imposé* à elle-même sera valide. **13.** Mais si son mari les
annule le jour où il l'apprend, toute *déclaration* de ses lèvres
en fait de vœu et d'*engagement* (par lequel elle s'est liée)

c. M : et (par devant) la Parole de Y il lui sera remis et pardonné.
Id. v.9.13 ‖ O : et par devant Y il lui sera pardonné, du moment
que son père les a supprimés. Id. v. 9.13

δ. Sifré Nombr. (625)   ε. Sifré Nombr. (632)   ζ. Ket. 49 a

5. Pluriel aussi dans *Sam., LXX,* O et *Pesh.* N a le sing. *l' yqwm*
(= TM). *Id.* v. 12.

6. Dans M, la « Parole de Y » est sujet de formes passives (de
sh[e]*rt* et *sh*[e]*baq*) ; de même aux vv. 9.13. On peut traduire (comme N)
en suppléant *mn qdm* ou voir ici un exemple de « divine passive »
(cf. note à *Lév.* 1,1). Voir *T Gen.* 16,13 (Jo) : « Y dont la Parole
s'était entretenue avec elle » *(dmymryh mtmll lh* ; O : *d'tmll 'ymh).*

se sera liée elle-même sera valide. **6.** Mais si son père la désavoue le jour où il l'apprend, *ou bien, n'ayant jamais eu l'intention de le confirmer, qu'il l'annule après l'avoir appris*, tous ses vœux et obligations dont elle se sera liée elle-même seront invalides[5], et il lui sera *remis et* pardonné *par-devant* Yahvé, du moment que son père l'a dispensée *de l'obligation du vœu.* **7.** Si elle est *donnée en mariage* à un homme et qu'elle est tenue par un vœu ou une déclaration de ses lèvres par laquelle elle s'est liée elle-même *dans la maison de son père, et que son père ne l'a point dispensée avant qu'elle soit mariée, à partir du moment où elle est donnée en mariage à un homme, ils sont valides*[6]. **8.** *Si elle a fait un vœu après être mariée* et que son mari l'apprenne, (si) le jour où il l'a appris *il a l'intention de les confirmer et* ne lui dit rien, ses vœux seront valides et les obligations dont elle se sera liée elle-même seront valides. **9.** Mais si, le jour où il l'apprend, son mari la désavoue, il déliera le vœu qui la tient et la déclaration de ses lèvres par laquelle elle s'est liée elle-même et il lui sera *remis et* pardonné *par-devant* Yahvé. **10.** Le vœu d'une veuve ou d'une (femme) renvoyée, tout ce qu'elle s'est imposé à elle-même, sera valide pour elle. **11.** Si (une femme), *alors qu'elle se trouve* dans la maison de son mari, *mais n'est pas encore majeure*[ε], a fait un vœu ou s'est imposé à elle-même une obligation avec serment, **12.** et que son mari, l'apprenant, ne lui dise rien *et* ne la désavoue pas, *qu'il vienne à mourir avant qu'elle ne soit majeure*, tous ses vœux seront valides et toutes les obligations dont elle se sera liée elle-même seront valides ; *son père n'est plus à même de les lui annuler*[ζ]. **13.** Que si son mari les tient pour nuls[8] le jour où il l'apprend, rien de ce qui est sorti de ses lèvres en fait de vœu et d'obligation

---

7. Omission due à un homoioteleuton ; texte restitué en marge.
8. *Litt.* : « les délie » (verbe *sheri*, alors que N a *bṭl*).

elle-même, ne sera pas valide : son mari les a annulés[d] et *par devant* Yahvé il lui sera pardonné. **14.** Tout vœu et tout serment comportant l'*engagement* de se mortifier, son mari pourra les valider et son mari pourra les annuler. **15.** Que si, un jour *après* l'autre, son mari continue à ne rien lui dire, c'est qu'il valide tous ses vœux ou tous les *engagements* qui la tiennent ; il les a rendus valides puisqu'il ne lui a rien dit le jour où il l'a appris. **16.** Mais si *son mari*[12] vient à les annuler, après l'avoir appris, il encourra (la responsabilité) de sa faute (à elle). » **17.** Telles sont les lois que Yahvé prescrivit à Moïse (en ce qui concerne les relations) entre un homme et sa femme, entre un père et sa fille (qui), dans sa jeunesse[e], (est encore) dans la maison de son père.

CHAPITRE XXXI

1. Yahvé[a] parla à Moïse, en disant : **2.** « Accomplis la vengeance que les enfants d'Israël (ont à tirer) des Madianites ; *et* après quoi tu seras réuni à ton peuple. » **3.** Alors Moïse parla avec le peuple, en disant : « Équipez[b] d'entre vous des hommes pour l'armée *de combat*, pour qu'ils aillent contre Madian, pour infliger à Madian la

d. = O ‖ F M : cassés. Id. v. 14   e. F M : aux jours de son adolescence
a. M : la Parole de Y. Id. v.7.25.31.41.47   b. = F ‖ O : armez d'entre vous   c. O : pour exercer la vengeance de la cause du peuple de Y

η. Sifré Nombr. (634)   θ. Sifré Nombr. (642)   ι. Sifré Nombr. (643)

9. *Sifré Nombr.* (641) précise : un laps de 24 heures.
10. *bywm'* : omis dans 27031.
11. Ou bien : « délier pour elle » *(yishrê lah)* : équivalent de l'hébreu *mwtr lk* ; cf. K. G. KUHN, *Sifre zu Numeri*, 611.

ne sera valide. *Que si* son mari les a annulés *sans qu'elle le sache et qu'elle (les) transgresse*[η], *par-devant* Yahvé il lui sera pardonné. **14.** Tout vœu et tout engagement juré d'affliger son âme, son mari pourra les valider et son mari pourra les annuler. **15.** Que si son mari garde le silence, (ne) lui (disant rien) *intentionnellement*, depuis le jour *où il l'apprend* jusqu'au *lendemain*[90], tous ses vœux ou toutes ses obligations qui lui incombent seront valides : *par son silence*, il les a rendus valides, puisqu'il ne lui a rien dit *intentionnellement dans la journée*[10] *et qu'il ne les a pas tenus pour nuls*, le jour (même) où il l'a appris. **16.** Mais s'il entend *la*[11] délier, *une journée* après l'avoir appris, *cette dispense ne lui suffit pas et si elle enfreint la parole (jurée), son mari ou son père* encourra (la responsabilité) de sa faute (à elle). » **17.** Telles sont les *instructions des* lois que Yahvé prescrivit à Moïse (en ce qui concerne les relations) entre un homme et sa femme, entre un père et sa fille, *aux jours de* son adolescence, *tant qu'elle se trouve* dans la maison de son père, — *mais non quand, aux jours de son adolescence, elle se trouve (déjà) dans la maison de son mari*[ι].

CHAPITRE XXXI

1. Yahvé parla à Moïse, en disant : **2.** « Exécute la vengeance que les enfants d'Israël (ont à tirer) des Madianites ; *et* après quoi, tu seras réuni à ton peuple. » **3.** Alors Moïse parla avec le peuple, en disant : « Que des hommes équipés pour l'armée (se groupent) *autour de*[1] vous pour qu'ils *engagent le combat* contre Madian, pour exercer contre Madian la vengeance *du peuple*[c] de Yahvé.

12. Quelques mss grecs : ὁ ἀνὴρ αὐτῆς (cf. v. 13).
1. *lwwtkwn.* Lire prob. *mn lwwtkwn* (avec Ginsburger et Rieder) : « équipez d'entre vous... » (cf. TM et N).

vengeance de Yahvé. **4.** Vous enverrez à l'armée *de combat* mille pour chaque tribu, mille (hommes) de toutes les tribus d'Israël. » **5.** Furent donc incorporés[2], d'entre les milliers d'Israël, mille de chaque tribu, soit douze mille, armés pour le combat. **6.** Moïse les envoya donc, mille de chaque tribu, dans l'armée *de combat*, eux et <Pinekhas, fils d'>[4]Éléazar, le prêtre[d], pour les formations de combat, avec en main les objets du sanctuaire et les trompettes de la fanfare. **7.** *Ils s'équipèrent*[e] contre Madian, ainsi que Yahvé l'avait prescrit à Moïse, et mirent à mort tous les mâles. **8.** En plus de leurs (autres) tués, ils mirent à mort les rois des Madianites : Éwi, Réqém, Sour, Hour et Réba, les cinq rois des Madianites. Ils tuèrent aussi par

d. M : + grand   e. O M : ils firent campagne

α. Sifré Nombr. (646)   β. Nombr. R (856) ; *LAB* 46,1   γ. Sifré Nombr. (648)   δ. Nombr. R 23,24 (816)

2. *'thylw* (= O et Jo au v. 7). Traduit une forme passive (unique) de *māsar* (*litt.* : « ils furent livrés »). Un copiste a corrigé la forme de N en *'thblw* (lire *'tbhrw*, comme O et Jo : « furent choisis »).

3. *Litt.* : « qui livrèrent leurs âmes ». Cf. *T Is.* 53,12 (*LXX* : παρεδόθη) ; *Act.* 15,26 (ἀνθρώποις παραδεδωκόσι τὰς ψυχὰς αὐτῶν). Voir références rabbiniques dans *SB* II, 537 et 740 et le commentaire de K. G. Kuhn à *Sifré Nombr.* (646) où la relation Targum-Midrash est évidente.

4. Ajouté dans l'interligne (en écriture carrée).

5. Cf. 27,21 ; Ginzberg, *Legends*, III, 409.

6. Selon R. Nathan (dans *Sifré*) : pour laisser aux Madianites la la quatrième direction pour s'enfuir.

7. Cf. *T Nombr.* 25,15 (Jo).

8. Sur cette paraphrase, cf. Ginzberg, *Legends*, III, 409 : VI, 143-144 ; G. Vermes, *Scripture and Tradition*, 171. Z. Frankel (*Vorstudien* 187 ; cf. *Dict. de la Bible* V, col. 1647) voyait une allusion à cette aggadah dans le grec de *Jos.* 13,22 : ἀπέκτειναν ἐν τῇ ῥοπῇ (« im Falle, Herabsturze »). Mais cf. E. Tov, *RB* 85 (1978), 55 (lire τροπῇ — déroute). Sur Pinekhas et les légendes chrétiennes concernant les exploits aéronautiques de Simon le Magicien, cf. P. Winter, « Simon Magus in der Haggada ? », *ZNW* 45 (1954),

4. Vous enverrez à l'armée mille (hommes) pour chacune des tribus de toutes les tribus d'Israël. » **5.** *Des hommes justes furent donc choisis qui* s'offrirent *eux-mêmes*[3α], mille par tribu d'entre les milliers d'Israël, soit douze mille, équipés pour l'armée. **6.** Moïse les envoya donc à l'armée, mille par tribu, eux et Pinekhas, fils d'Éléazar, le prêtre, à l'armée, ayant à sa disposition *les ourim et les toummim*[5β] de sainteté *pour consulter par eux (Yahvé)* et les trompettes de la fanfare *pour les rassemblements et pour faire arrêter ou partir le camp d'Israël.* **7.** Ils firent campagne contre Madian, *l'encerclant sur trois de ses côtés*[6γ], ainsi que Yahvé l'avait prescrit à Moïse, et ils mirent à mort tous les mâles. **8.** En plus des (autres) tués *de leurs camps*, ils mirent à mort les rois Madianites : Éwi, Réqém, Sour, — *c'est Balaq*[7] —, Hour et Réba, les cinq rois de Madian. Ils tuèrent aussi par le glaive Balaam, fils de Beor. *Or, lorsque l'impie Balaam*[8] *vit que Pinekhas, le prêtre, le poursuivait, il eut recours à un artifice de sorcellerie et s'envola dans l'air du ciel*[6]. *Aussitôt Pinekhas fit mémoire du Nom grand et saint et il s'envola derrière lui. Il le saisit par la tête et il le fit redescendre ; il tira le glaive et il s'apprêtait à le mettre à mort, quand celui-ci ouvrit la bouche avec des paroles suppliantes et dit à Pinekhas : « Si tu épargnes ma vie, je te jure que, de tous les jours où je vivrai, je ne maudirai point ton peuple ! » Prenant la parole, il lui dit : « N'es-tu point Laban, l'Araméen*[9], *toi qui as cherché à exterminer Jacob, notre père, et es descendu en Égypte pour détruire sa descendance ; qui, après qu'ils furent sortis d'Égypte, as lancé contre eux Amalec, l'impie, et maintenant as été*

---

167 ; H. J. Schoeps, dans *HUCA* 21 (1948), 268-274 ; Urbach, *The Sages*, 740 (n'admet pas l'identification que fait Schoeps de Balaam et Simon). Sur le personnage de Pinekhas dans *LAB* et la tradition judéo-samaritaine, voir A. Spiro, « The Ascension of Phinehas », dans *Proceedings of the American Academy for Jewish Research* 22 (1953), 91-114.

9. Cf. note à 22,5.

l'épée Balaam, fils de Beor. **9.** Puis les enfants d'Israël
firent prisonnières les femmes des Madianites, avec leurs
petits enfants, et razzièrent leur bétail, ainsi que tous leurs
troupeaux et tous leurs biens. **10.** Ils brûlèrent par le feu
toutes leurs villes où ils étaient établis et toutes leurs
préfectures[12f]. **11.** Puis ils prirent tout le butin et toutes
les prises <en hommes et en bétail ; **12.** et ils amenèrent
à Moïse et à Éléazar, le prêtre, et à la communauté des
enfants d'Israël, les prisonniers et le>[14] butin, au campement, dans les plaines de Moab, à côté du Jourdain (en
face) de Jéricho. **13.** Moïse, Éléazar, le prêtre, et tous les
princes de la communauté sortirent à leur rencontre en
dehors du camp. **14.** Et Moïse s'irrita contre ceux qui
étaient à la tête des troupes, les chefs de milliers et les
chefs de centaines qui rentraient de l'armée de combat.
15. Moïse leur dit : « Ainsi vous avez laissé vivre toutes
les femmes? **16.** Ce sont pourtant elles qui ont été *un
traquenard* pour les enfants d'Israël, sur le *conseil*[g] de
Balaam, en (leur) faisant commettre une infidélité *au
Nom de* Yahvé[h] dans l'affaire de *l'idole de* Peor, et il est
survenu un fléau contre *le peuple de* la communauté de

f. M : leurs citadelles ‖ O : leurs temples   g. = O ‖ M : dans l'affaire
h. M : au Nom de la Parole de Y ‖ O : devant (Y)

ε. J Sanh. X 29 a ; Sanh. 106 b   ζ. Sifré Nombr. (649)

10. Cf. *T Nombr.* 24,14 (Jo).
11. Peut-être faut-il restituer (avec Ginsburger et Rieder)
bmwtbnyhwn (= O) : « où ils habitaient » (cf. TM et N).
12. '*prkywwthwn* (= ἐπαρχία). L'hébreu a *ṭrōtām* (campements
entourés d'un mur). Les interprétations de *Sifré Nombr.* (voir les
notes de K. G. Kuhn, 649) expliquent celles du Targum : temples
d'idoles ou palais, résidence de princes (cf. Rashi). La première
rattache *ṭyrh* à l'araméen *ṭayyēr*, tirer des présages ; la seconde voit
un rapport avec τύραννος. Dans Jo, *bty ṭyrwnyyhwn* et *bmsy byt
sygdyhwn* représente une double traduction. O : *byt sgdthwn* (erreur
dans Sperber : *sndthwn*) : « temple idolâtrique » (cf. 33,52).

soudoyé pour les maudire? Mais quand tu as vu que ce
que tu faisais ne servait à rien et que la Parole de Yahvé
ne t'écoutait point, tu as donné à Balaq le conseil pervers
de placer ses filles aux carrefours de ses chemins pour les
fourvoyer[10]*; et c'est pourquoi vingt-quatre mille d'entre eux*
sont tombés! C'est pourquoi il est impossible d'épargner
plus longtemps la vie. » Sur-le-champ, il sortit son glaive
de son fourreau, et il l'occit^ε. **9.** Puis les enfants d'Israël
firent prisonnières les femmes des Madianites, avec leurs
petits enfants, et razzièrent tout leur bétail, ainsi que tous
leurs troupeaux et toutes leurs richesses. **10.** Ils brûlèrent
par le feu toutes leurs villes[11], *les maisons de leurs princes*
et les autels de leurs temples^ζ. **11.** Puis ils emmenèrent tout
le butin et toutes les prises en hommes et en bétail ;
12. et ils amenèrent à Moïse et à Éléazar, le prêtre, et à
toute[13] la communauté des enfants d'Israël, les prisonniers,
prise et butin, au campement, dans les plaines de Moab,
sur le Jourdain (en face) de Jéricho. **13.** Moïse, Éléazar,
le prêtre, et tous les officiers de la communauté sortirent
à leur rencontre en dehors du camp. **14.** Et Moïse se fâcha
contre les *commandants*[15] *qui avaient été préposés à* l'armée,
les chefs de milliers et les chefs de centaines qui revenaient
de l'armée de combat. **15.** Moïse leur dit : « Ainsi vous avez
laissé vivre toutes les femmes ? **16.** Ce sont elles pourtant
qui ont été *un traquenard* pour les enfants d'Israël, sur
le *conseil* de Balaam, en (leur) faisant commettre une
infidélité *devant* Yahvé[16], dans l'affaire de Peor, et il est
survenu une plaie[17] contre la communauté de Yahvé.

13. Sic *Sam.*, *Pesh.* et de nombreux mss hébreux.

14. Omis dans le texte ; restitué en marge (avec le lemme).

15. *'yṣṭrṭygyn* (στρατηγός). N prend *pqwdym* de l'hébreu au sens
de « recensés » (cf. 26,63), au lieu de « commandants », et traduit par
skwmwy (litt. : « les sommes de »).

16. *Pesh.* et *LXX* paraphrasent aussi un texte hébreu obscur.
LXX : τοῦ ἀποστῆσαι καὶ ὑπεριδεῖν τὸ ῥῆμα κυρίου.

17. *mwtn'* : peste, épidémie ; en général, mort envoyée par Dieu.

Yahvé. **17.** Maintenant donc mettez à mort tous les mâles
parmi les petits enfants et tuez toute femme qui a connu
un homme charnellement. **18.** Parmi les femmes, laissez
en vie pour vous toutes les petites filles qui n'ont pas
connu de relation charnelle. **19.** Pour vous, demeurez à
l'extérieur du camp durant sept jours. Quiconque a tué
quelqu'un et quiconque a touché un tué, vous vous
purifierez le troisième jour et le septième jour, vous et vos
prisonniers. **20.** Vous purifierez aussi tous les vêtements,
tous les objets en peau, tous les ouvrages en poils de chèvre
et tous les objets en bois. » **21.** Puis Éléazar, le prêtre, dit
au peuple des gens de guerre qui étaient revenus *de* l'armée
en campagne : « Voici la prescription de la Loi que Yahvé
a ordonnée à Moïse : **22.** Uniquement l'or et l'argent, le
bronze, le fer, l'étain[221] et le plomb[23], **23.** toute chose qui
peut aller au feu, vous (la) ferez passer au feu et ce sera
pur, pourvu que ce soit aussi purifié dans l'eau lustrale.

i. = F (Ô : autre mot)

η. Yeb. 60 b   θ. Hul. 25 b   ι. Sifré Nombr. 31,21 (657)
κ. Sifré Nombr. (659)   λ. Sifré Nombr. (660)   μ. Sifré Nombr.
(660)

---

18. Le diadème du grand prêtre (*Ex.* 28,36 ; 39,30). Sur cette
ordalie, cf. Ginzberg, *Legends*, III, 413 ; VI, 145 qui signale un
curieux parallèle dans le *Protévangile de Jacques* 5,1. Lire le verbe
suivant *(fixent)* au fém. (avec *ed. pr.*).

19. Toujours provenant de chèvres, selon *Hul.* 25 b.

20. La conjonction 'ak de l'hébreu est sans doute comprise par Jo
(*brm* = O) dans le sens de *Sifré* : Éléazar rectifie une proclamation
de Moïse, qui s'était trompé pour s'être mis en colère (v. 14).

21. Exégèse restrictive de la particule 'ak qui doit *exclure* quelque
chose : on comprend que l'on doit débarrasser les métaux de leur
rouille avant de les purifier (cf. Rashi).

22. N nomme par deux fois l'étain : d'abord en araméen *(b'sh),*
puis par le terme grec *ksytr'* (κασσίτερος) ; écrit *qstyr'* dans Jo.

17. Maintenant donc mettez à mort tous les mâles parmi les petits enfants et tuez toute femme qui a eu une union charnelle avec un homme. **18.** Quant aux petites filles, *placez-les toutes face à la lamelle du diadème de sainteté*[18] *et qu'elles la fixent : celle qui a appartenu à un homme, son visage deviendra jaune, et* celle qui n'a pas connu d'union charnelle, *son visage sera rouge comme le feu*[n] ; (celles-là) vous les laisserez en vie pour vous. **19.** Pour vous, demeurez à l'extérieur du camp durant sept jours. Quiconque a tué un homme et quiconque a touché un tué, *faites sur lui des aspersions* le troisième jour et le septième jour, (sur) vous et vos prisonniers. **20.** *Vous aspergerez* aussi tous les vêtements, tous les objets en peau, tous les ouvrages en poils de chèvre, *en corne*[θ] *et en os*[19], et tous les objets en bois. » **21.** Puis Éléazar, le prêtre, dit aux hommes de l'armée qui étaient arrivés *des* combats : « Voici *l'instruction de* la prescription de la Loi que Yahvé a ordonnée à Moïse : **22.** *Pourtant*[20ι] (vous passerez au feu), *eux* seulement — *sans leur rouille*[21] —, l'or, l'argent, le bronze, le fer, l'étain et le plomb, *(à savoir) les objets (qui en sont fabriqués), non ceux qui sont (seulement) ébauchés ou les (simples) blocs*[χ] *(de ces métaux)*[24]. **23.** Toute chose qui *est destinée à* aller au feu, *chaudrons, marmites, broches et grils*[25λ], vous (la) ferez passer au feu et ce sera pur. *Après cela*, on les *aspergera*[μ] avec de l'eau *pouvant servir à* la purification *d'une femme qui a ses règles*. Mais tout ce que l'on ne fait pas passer au feu, *fioles, verres,*

---

23. '*brh* : même terme dans O et F. Mot différent dans Jo : *kark*ᵉ*mtshā*'.

24. Cf. Levy, I, 143 et II, 305.

25. *Sifré* ajoute « couteaux » ; mais les autres termes sont les mêmes : chaudrons (*lbysy*' — λέβης) ; marmites *(qdyrt*') ; broches *(shappûdayyā*') et grils ('*sklt*' — ἐσχάρα). Cf. S. Krauss, *Talmudische Archäologie*, I, 120.

Et toute chose qui ne peut aller au feu, vous (la) passerez
dans l'eau. **24.** Vous laverez aussi vos vêtements le septième
jour et vous serez purs ; après quoi vous pourrez rentrer
à l'intérieur du camp. » **25.** Yahvé parla à Moïse, en disant :
26. « Relève <la somme>[27] de ce qui a été capturé
comme prisonniers, en hommes et en bétail, toi ainsi
qu'Éléazar, le prêtre, et les chefs de clans de la communauté. **27.** Tu diviseras la prise entre les hommes de guerre
qui sont sortis pour (rejoindre), l'armée *en campagne* et
entre tout *le peuple de* la communauté. **28.** Puis *vous*
prélèverez sur *le peuple* des gens de guerre qui sont sortis
pour (rejoindre) l'armée *en campagne*, *une offrande* pour
le Nom de[j] Yahvé, un individu sur cinq cents, des hommes,
du gros bétail, des ânes et du petit bétail. **29.** Vous
prendrez cela sur leurs parts respectives, et tu (le) donneras
à Éléazar, le prêtre, comme offrande de séparation de
Yahvé. **30.** Sur la moitié (qui constitue la part) des enfants
d'Israël, tu prendras une part sur cinquante, des hommes,
du gros bétail, des ânes et du petit bétail — de toutes les
bêtes —, et tu les donneras aux Lévites qui assurent la
garde de la Tente de Yahvé. » **31.** Moïse et Éléazar, le
prêtre, firent donc selon ce que Yahvé avait ordonné
à Moïse. **32.** Or la prise, le reste du butin qu'avait pillé
le peuple *des gens* de guerre, se composait ainsi : petit
bétail, 675.000 (têtes) ; **33.** gros bétail, 72.000 ; **34.** ânes,
61.000 ; **35.** personnes humaines, d'entre les femmes qui
n'avaient pas connu d'union charnelle, en tout 32.000 personnes. **36.** Et la moitié, (c'est-à-dire) la part *des gens* qui

---

j. O : devant. Id. v. 29.37.38.39.40.50.52   k. = O. Id. v. 42

---

26. Les quatre termes sont encore les mêmes dans Targum et
Sifré : fioles *(krnbl'* — χερνίϐιον) ; verres *(ksy')* ; coupes *(qylwny'*
κώθων) et flacons *(qwmqmwsy'* — κουκκουμίον ; servait à faire
rafraîchir les boissons). Cf. S. Krauss, *op. cit.*, II, 290-294. Avec

coupes, flacons[26], vous (les) ferez passer par *quarante seah* d'eau. **24.** Vous laverez aussi vos vêtements le septième jour et vous serez purs ; après quoi vous pourrez rentrer dans le camp. » **25.** Yahvé parla à Moïse, en disant : **26.** « *Prends les prémices* de ce qui a été razzié comme prisonniers, <en hommes et en bétail>, *et* tu (en) feras le compte, toi ainsi qu'Éléazar, le prêtre, et les chefs de clans de la communauté. **27.** Tu diviseras la prise entre *les hommes* qui, après être partis en campagne, *ont cherché le butin et s'en sont emparés, en prenant part au combat*, et entre toute la communauté. **28.** Puis tu prélèveras, sur les hommes qui ont combattu (et) sont sortis au combat, une taxe pour *le Nom de* Yahvé, *une femme* sur cinq cents (et) *de même* pour <les hommes>, le gros bétail, les ânes et le petit bétail. **29.** Vous prendrez cela sur la moitié *qui est la part des hommes qui ont combattu*, et *vous* (le) donnerez à Éléazar, le prêtre, comme offrande de séparation pour *le Nom de* Yahvé. **30.** Sur la moitié (qui constitue la part) des enfants d'Israël, tu prendras une partie sur cinquante, des *femmes*, du gros bétail, des ânes, <du petit bétail> et de toutes les bêtes, et tu les donneras aux Lévites qui assurent la garde de la Tente de Yahvé. » **31.** Moïse et Éléazar, le prêtre, firent donc selon ce que Yahvé avait ordonné à Moïse. **32.** Or *la somme totale* de la prise, le reste du butin qu'avait pillé le peuple *qui était sorti*[k] au combat, *se montait*, pour le petit bétail, *à* 675.000 (têtes) ; **33.** pour le gros bétail, à 72.000 ; **34.** pour les ânes, à 61.000 ; **35.** pour les personnes humaines, d'entre les femmes qui n'avaient pas eu de rapports charnels, à un total de 32.000 personnes. **36.** Et la moitié, (c'est-à-dire)

l'affinité entre Targum et Midrash, on notera le grand nombre d'emprunts au grec pour des objets de la vie courante.

27. Mot restitué en marge. Jo interprète l'hébreu *rŏ'sh* (cens, somme, compte) comme *rē'shît* — prémices.

étaient sortis pour faire campagne *dans l'armée*, représentait les chiffres (suivants) : petit bétail, 337.500. **37.** et
la quantité mise à part pour *le Nom de* Yahvé, sur le petit
bétail, fut de six cent <soixante-quinze>[28] ; **38.** <gros
bétail>, 36.000, et la quantité qu'on en mit à part pour
le Nom de Yahvé fut de soixante-douze *taureaux* ; **39.** ânes,
30.500, et la quantité qu'on en mit à part pour *le Nom de*
Yahvé fut de soixante et un *ânes* ; **40.** personnes humaines,
16.000 et la quantité qu'on en mit à part pour *le Nom de*
Yahvé fut de trente-deux personnes. **41.** Alors Moïse
remit à Éléazar, le prêtre, ce qui avait été retenu comme
prélèvement de Yahvé, ainsi que Yahvé l'avait ordonné
à Moïse. **42.** Quant à la moitié (qui était le lot) des enfants
d'Israël, celle que Moïse avait retranchée (de la part) des
hommes qui étaient partis en campagne, **43.** (cette) moitié
qui revenait *au peuple de* la communauté, comprenait :
337.500 (têtes) de petit bétail ; **44.** 36.000 (têtes) de gros
bétail ; **45.** 30.500 ânes **46.** et 16.000 personnes. **47.** Moïse
prit sur la moitié (qui était le lot) des enfants d'Israël
la retenue de un pour cinquante, des hommes et du bétail,
et il les remit aux Lévites qui assuraient la garde de la
Tente de Yahvé, ainsi que Yahvé l'avait ordonné à Moïse.
48. Alors s'avancèrent vers Moïse les chefs *qui avaient été
préposés* sur *les (divers) corps de* l'armée, chefs de milliers
et chefs de centaines, **49.** et ils dirent à Moïse : « Tes
serviteurs ont fait le recensement *du peuple* des gens de
guerre qui étaient sous nos ordres et il n'y a personne parmi
eux qui n'ait été enregistré. **50.** Nous venons[n] donc

---

l. = O ‖ M : de ceux qui étaient sortis   m. = O ‖ M : qui n'ait été
recensé   n. Nous venons ... devant Yahvé = F

---

v. Cant. R 4,4 (185)

---

28. A partir de « Nom de Yahvé », le v. est écrit en marge (en
écriture carrée), avec le début du suivant (avec lemme et variante).

la part *des hommes*[1] qui étaient sortis au combat, (faisait)
un total de 337.500 (têtes de) petit bétail, **37.** et *le montant*
de la taxe sur le petit bétail pour *le Nom de* Yahvé fut
de 675. **38.** *La somme du* gros bétail fut de 36.000, et
le montant de la taxe correspondante pour *le Nom de*
Yahvé fut de soixante-douze ; **39.** les ânes, 30.500, et
le montant de la taxe correspondante pour *le Nom de*
Yahvé <fut de soixante et un ; **40.** les personnes humaines,
16.000, et *le montant de* la taxe correspondante pour *le*
Nom de Yahvé fut de>[29] trente-deux personnes. **41.** Alors
Moïse remit à Éléazar, le prêtre, *le montant de* la taxe de
prélèvement de Yahvé, ainsi que Yahvé l'avait ordonné
à Moïse. **42.** Quant à la moitié (qui était le lot) des enfants
d'Israël, celle que Moïse avait retranchée (de la part) des
hommes qui *étaient sortis* au combat, **43.** *le montant de*
(cette) moitié qui revenait à la communauté, comprenait :
337.500 (têtes) de petit bétail ; **44.** *le montant* pour le gros
bétail (était) de 36.000 ; **45.** *le montant* pour les ânes
(était) de 30.500 **46.** et pour les *femmes* de 16.000. **47.** Moïse
prit sur la moitié (qui était le lot) des enfants d'Israël,
(sur) ce qui avait été saisi, une partie sur cinquante, des
femmes et du bétail, et il les remit aux Lévites assurant
la garde de la Tente de Yahvé, ainsi que Yahvé l'avait
ordonné à Moïse. **48.** Alors s'avancèrent vers Moïse les
commandants qui avaient été préposés aux milliers de
l'armée, chefs de milliers et chefs de centaines, **49.** et
ils dirent à Moïse : « Tes serviteurs ont fait le recensement
des hommes, des combattants qui étaient *avec* nous :
nul d'entre nous n'*a manqué*[30]mv. **50.** Nous venons donc

29. Omission due à un homoioteleuton. Au début du v., Rieder
et Ginsburger restituent « les femmes ».

30. C'est ainsi que Levy (II, 545) et Jastrow (1521) comprennent
sh^egā' dans ce passage. On pourrait aussi l'entendre au sens moral
de péché (cf. *Cant. R*) avec Ginzberg (*Legends*, III, 412) ; ce sens
serait explicité au v. 50.

présenter l'offrande de Yahvé, chacun de nous[o] qui *avons pénétré dans les maisons des Madianites, dans les chambres à coucher*[31] *de leurs rois. Nous avons (bien) vu*[33] *que leurs filles étaient belles et gracieuses, fraîches et appétissantes*[p] ; *nous détachions*[q] *les diadèmes, les couronnes* d'or *de leurs têtes*, les boucles *de leurs oreilles*, les colliers *de leurs cous*, les bracelets *de leurs bras*, les gourmettes *de leurs mains*, les anneaux *de leurs doigts*, les broches *de leurs gorges*[r] ; *malgré cela nul d'entre nous ne s'est uni à l'une d'elles en ce monde, pour ne point se retrouver avec elle dans la géhenne, dans le monde à venir. Que cela vaille pour nous au jour du grand jugement* pour faire expiation pour nos âmes devant Yahvé ! » **51.** Moïse et Éléazar, le prêtre, reçurent d'eux l'or, tous les objets travaillés, **52.** et l'or du prélèvement qu'ils mirent à part pour *le Nom de* Yahvé se montait à 16.750 sicles, provenant des chefs de milliers et des chefs de centaines. **53.** Quant aux hommes de guerre, ils avaient pillé chacun pour soi[s]. **54.** Moïse et Éléazar, le prêtre, prirent donc l'or, provenant des chefs de milliers et de centaines, et ils l'apportèrent à la Tente de Réunion, comme *bon* mémorial pour les enfants d'Israël devant Yahvé.

o. F M : quand nous avons pénétré   p. F M : belles et appétissantes
q. F M : dégrafions   r. F M : + Loin de nous, Moïse, notre Maître : Nul d'entre nous n'a fixé son regard sur l'une d'entre elles et nul d'entre nous ne s'est uni à l'une d'elles, pour n'être point associé avec elle dans la géhenne, dans le monde à venir   s. M : Les gens de l'armée de combat avaient pillé chacun (pour?) son compagnon

31. *qyṭwn* (= κοιτών).
32. *ṭryqlyn* (= triclinium).
33. En lisant *ḥmyyn* au lieu de *ḥmdyn* (« nous convoitions »).
34. *qwryyh* (= F) : bijou figurant une ville (selon Levy, II, 388) ; 27031 : *klyly'*. N offre une *lectio conflata* : *qryh klylyyh*. L'hébreu *'ṣ'dh*

présenter une oblation *au Nom de* Yahvé. *Lorsque Yahvé a livré les Madianites entre nos mains et que nous avons soumis leur pays et leur capitale, que nous pénétrions dans leurs appartements*[32], *nous avons (bien) vu que leurs filles étaient belles, fraîches et appétissantes ; tout* homme qui trouvait *sur elles* des objets d'or *détachait les diadèmes*[34] *de leurs têtes,* les boucles *de leurs oreilles,* les chaînettes *de leurs cous,* les gourmettes *de leurs bras,* les anneaux *de leurs doigts,* les *pendentifs*[35] *(obscènes) de leurs gorges*[36]. *Mais en dépit de tout cela, loin de nous d'avoir levé nos yeux ! Nous n'avons fixé nos regards sur aucune d'entre elles, pour ne point nous rendre coupables avec l'une d'elles et ne point mourir de la mort dont meurent les impies dans le monde à venir*[37]. *Que cela soit rappelé en notre faveur au jour du grand jugement* pour faire expiation pour nos âmes devant Yahvé !* » **51.** Moïse et Éléazar, le prêtre, reçurent d'eux l'or, tous les objets travaillés. **52.** *Le montant* total de l'or du prélèvement qu'ils mirent à part pour *le Nom de* Yahvé fut de 16.750 sicles, provenant des chefs de milliers et des chefs de centaines. **53.** Quant aux hommes de l'armée, ils avaient pillé chacun pour soi. **54.** Moïse et Éléazar, le prêtre, prirent donc l'or, provenant des chefs de milliers et de centaines, et ils l'apportèrent à la Tente de Réunion, comme *bon* mémorial pour les enfants d'Israël devant Yahvé.

désigne des anneaux portés aux chevilles (L. Koehler - W. Baumgartner, 79 : Schrittkette).

35. *mḥwkyy'* (= O). Pour l'interprétation du Targum, cf. *Shab.* 64 a (et Jastrow, 758).

36. *Litt.* : « de l'endroit de leurs seins » *(byt ʾdyyhn)*.

37. Comparer *T Gen.* 39,10 (Jo-N). Pour le mérite, en vue de l'autre monde, cf. *T Deut.* 6,25 (Jo).

CHAPITRE XXXII

1. Or les fils de Ruben et les fils de Gad avaient un nombreux bétail, très considérable, et ils virent que le pays de *Mikbar*[a] et le pays de Galaad étaient un endroit *excellent pour le pâturage*[b]. **2.** Les fils de Gad et les fils de Ruben vinrent donc (en) parler à Moïse, à Éléazar, le prêtre, et aux princes *du peuple* de la communauté, en disant : **3.** « <Ataroth, Dibon>[2], *Mikbar*, *Beth Nimrin*, Hesbon, Élealeh, *Simath*[d], Nebo et Beon, **4.** le pays que Yahvé a conquis devant la communauté d'Israël, est un pays *de pâturage*. Or tes serviteurs ont un *nombreux* bétail. » **5.** Puis ils dirent : « Si nous avons trouvé grâce *et faveur* devant ta face. que l'on donne ce pays à tes serviteurs en propriété. Ne nous fais pas passer le Jourdain. » **6.** Moïse dit aux fils de Gad et aux fils de Ruben : « Est-ce que vos frères vont aller *aux formations de* combat, tandis que vous demeureriez ici ? **7.** Et pourquoi *maintenant* allez-vous décourager[6f] les enfants d'Israël de passer dans le pays que Yahvé[g] leur a donné ? **8.** C'est aussi ce qu'ont fait vos pères lorsque je les ai envoyés de *Reqem-de-Gêah* pour voir le pays ; **9.** ils sont montés jusqu'au Torrent-de-la-Grappe.

a. = F. Id. v. 3   b. F M : un endroit à troupeaux ‖ O : propice à l'élevage. Id. v. 4   c. = F   d. F M : Sebam   e. = O[var]
f. = F ‖ O : démoraliser   g. M : la Parole de Y. Id. v. 9.31   h. = O

1. *mkwwr*. Comparer 21,32.
2. Omis dans le texte : donné par I.
3. i.e. « Couronnes » et « Ville-du-miel », paraphrase des noms hébreux (cf. GINZBERG, *Legends*, III, 415) ; de même les noms suivants (Hesbon : « Ville-des-calculs »). Voir la règle concernant lecture et traduction de ce v. dans *Ber.* 8 b.

CHAPITRE XXXII

1. Or les fils de Ruben et les fils de Gad avaient de grands troupeaux, très considérables, et ils virent que le pays de *Mikwar*[1] et le pays de Galaad étaient un endroit *propice à l'élevage.* **2.** Les fils de Gad et les fils de Ruben vinrent donc (en) parler à Moïse, à Éléazar, le prêtre, et aux princes de la communauté, en disant : **3.** « *Makhlalta et Madbashta*[3c], *Mikwar, Beth Nimrin, Beth Houshbaney, Ma'alath Mera, Shiran, le Tombeau-de-Moïse*[e] et Beon, **4.** le pays que Yahvé a conquis *et dont il a frappé les habitants*[4] devant la communauté d'Israël, est un pays *propice à l'élevage.* Or tes serviteurs ont du bétail. » **5.** Puis ils dirent : « Si nous avons trouvé miséricorde devant toi, que ce pays soit donné en propriété à tes serviteurs. Ne nous fais pas passer le Jourdain. » **6.** Moïse dit aux fils de Gad et aux fils de Ruben : « Est-ce que vos frères viendront au combat, tandis que vous resteriez ici? **7.** Pourquoi *découragez*[5]-vous les enfants d'Israël de passer dans le pays que Yahvé leur a donné? **8.** C'est aussi ce qu'ont fait vos pères lorsque je les ai envoyés de *Reqem Géah*[7h] pour voir le pays ; **9.** ils sont montés jusqu'au Torrent-de-la-Grappe et, après avoir vu le pays, ils ont

---

4. Double traduction : cf. O et N. Jo compile ainsi souvent la tradition palestinienne et celle de O.

5. *Litt.* : « annulez-vous le bon vouloir » *(tbṭlwn r'wt)*.

6. *Litt.* : « briser le cœur ». *Id.* v. 9. O = TM.

7. Cf. note à *Gen.* 14,7. Le ms. 27031 écrit par erreur *gynn'*, au lieu de *gy''* (le *ayin* ayant été décomposé en deux *nun*). N et O écrivent *gy'h* et *gy'h* respectivement. Ce deuxième terme désigne une vallée à l'est de Petra. Le nom composé est régulièrement employé par Targum et Peshitta pour rendre *Qādesh-Barnēa'*. Voir la dissertation de P. S. ALEXANDER, *The Toponymy of the Targumim*, 193.

et, après avoir vu le pays, ils ont découragé les enfants
d'Israël d'entrer dans le pays que Yahvé leur avait donné.
10. Et la colère de Yahvé s'enflamma en ce jour-là et il
jura *avec serment*, en disant : **11.** Les hommes qui sont
montés d'Égypte, depuis l'âge de vingt ans et au-dessus,
ne verront point le pays que j'ai promis avec serment à
Abraham, à Isaac et à Jacob, car <ils ne m'ont pas suivi
en toute fidélité>[9], **12.** à l'exception de Caleb, fils de
Yephounnéh, le Quenizzien, et de Josué, fils de Noun, car
ils ont suivi parfaitement *la Parole de* Yahvé. **13.** La
colère de Yahvé s'enflamma donc contre Israël et, pendant
quarante années, il les fit errer dans le désert jusqu'à
l'extinction de toute la génération qui avait fait *ce qui
est détestable et abominable devant* Yahvé. **14.** Et voici que
vous prenez la relève de vos pères, engeance d'hommes[k]
pécheurs, pour ajouter encore à l'ardeur de la colère de
Yahvé contre Israël. **15.** Que si vous vous détournez de
suivre *sa Parole*, il continuera encore à *vous* faire *errer*
dans le désert et vous provoquerez l'anéantissement de
tout ce peuple. » **16.** Ils s'avancèrent alors vers lui et
dirent : « Nous construirons ici des parcs à moutons pour
nos bêtes et des villes pour nos petits enfants. **17.** Mais
nous, nous *passerons en armes*[m] en avant des enfants
d'Israël, jusqu'à ce que nous les ayons introduits au lieu
qui leur est destiné, tandis que nos petits enfants demeure-
ront dans des villes fortifiées[n], à cause des habitants du

i. = O   j. = O   k. O : disciples d'hommes pécheurs ‖ F M :
vous avez multiplié le (nombre des) hommes pécheurs   l. = O
m. M : nous sortirons en armes ‖ O : nous nous équiperons sans délai
n. = F ‖ O : villes fortes

8. *Litt.* : « annulé le bon vouloir de cœur d'Israël ». Omet « des
enfants » du TM.

9. La fin du v. manque (ainsi que le lemme du v. 12).

10. *Litt.* : « ils n'ont pas suivi ma crainte avec perfection ». Expression technique désignant le service fidèle de Dieu.

découragé[8] (les enfants d')Israël pour qu'ils n'entrent pas dans le pays que Yahvé leur avait donné. **10.** Et la colère de Yahvé s'enflamma en ce jour-là et il jura, en disant : **11.** Les hommes qui sont montés d'Égypte, depuis l'âge de vingt ans et au-delà, ne verront point le pays que j'ai promis avec serment à Abraham, à Isaac et à Jacob, car ils n'ont pas agi en parfait accord avec *la crainte qui m'est due*[10i], **12.** à l'exception de Caleb, fils de Yephounnéh, le Quenizzien[11], et de Josué, fils de Noun, car ils ont agi en parfait accord avec *la crainte de*[j] Yahvé. **13.** La colère de Yahvé s'enflamma donc contre Israël et, pendant quarante années, il les fit errer dans le désert jusqu'à l'extinction de toute la génération qui avait fait *ce qui est* mal *devant* Yahvé. **14.** Et voici que vous prenez la succession de vos pères, *disciples* d'hommes pécheurs, pour ajouter encore à l'ardeur de la colère de Yahvé contre Israël. **15.** Si vous cessez d'agir d'après *sa crainte*[l], il vous fera tarder davantage encore dans le désert et vous provoquerez l'anéantissement de tout ce peuple. » **16.** Ils s'avancèrent alors vers lui et dirent : « Nous construirons ici des parcs à moutons pour nos bêtes et des villes pour nos petits enfants. **17.** Mais nous, nous nous équiperons sans délai *au milieu des* enfants d'Israël, jusqu'à ce que nous les ayons introduits au lieu qui leur est destiné, tandis que nos petits enfants resteront dans les villes-

---

11. *LXX* : ὁ διακεχωρισμένος (« celui qui s'est séparé »). Z. Frankel (*Vorstudien*, 188) a reconnu ici une explication midrashique du nom *bn ypnh* : Caleb est « le fils qui s'est détourné, séparé, désolidarisé » de l'attitude pessimiste des explorateurs (*Nombr.* 13,30). Comparer *T I Chr.* 4,15 : « parce qu'il avait détourné son cœur du conseil des explorateurs » (autres références dans Ginzberg, *Legends*, VI, 185). Il convient de rappeler à ce propos que les « variantes » de *LXX* par rapport à l'hébreu ne sont souvent que des variantes « interprétatives » : voir des exemples dans M. H. Goshen-Gottstein, « Theory and Practice of Textual Criticism », *Textus* 3 (1963), 130-158.

pays. **18.** <Nous ne reviendrons pas dans nos maisons tant que les enfants d'Israël n'auront point pris possession chacun de son héritage>[13] ; **19.** car nous n'hériterons point avec eux de l'autre côté du Jourdain et au-delà, puisque l'héritage que *nous avons reçu*[140] nous (est échu) à l'est, de l'autre côté du Jourdain. » **20.** Moïse leur dit : « Si vous faites ce que vous venez de dire, si vous prenez les armes devant Yahvé pour (vous joindre à) *l'armée de* combat, **21.** et si tous vos (hommes) armés passent le Jourdain devant Yahvé, jusqu'à ce qu'il ait exterminé ses ennemis de devant lui, **22.** et que le pays ait été conquis devant Yahvé, après cela vous pourrez vous en retourner ; vous serez quittes *devant* Yahvé et envers Israël et ce pays sera votre possession devant Yahvé. **23.** Mais si vous n'agissez pas ainsi, voici que vous vous serez rendus coupables *devant* Yahvé et sachez que vos fautes vous atteindront. **24.** Construisez-vous des villes pour vos petits enfants et des parcs[q] pour votre petit bétail et faites ce qui est sorti de vos bouches. » **25.** Les fils de Gad et les fils de Ruben parlèrent[15] alors à Moïse, en disant : « Tes serviteurs feront comme mon seigneur l'ordonne. **26.** Nos petits enfants, nos femmes, nos troupeaux et toutes nos bêtes, seront là dans les villes de Galaad[16], **27.** tandis que tes serviteurs,

---

o. = O   p. = O. Id. v.21.22.27.29.32   q. = F ‖ O : enclos

---

12. *ḥqr'* (= ἄκρα ; cf. ἀκρόπολις). *Id.* v. 36. C'est le nom de la citadelle de Jérusalem (*I Macc.* 3,45), restée célèbre dans la tradition juive (cf. *Megillat Ta'anit* 2, qui en commémore l'évacuation en 141 : *I Macc.* 13,51). Voir V. TCHERIKOVER, *Hellenistic Civilization and the Jews*, New York 1970, 189 et 227.

13. Verset entièrement omis.

14. Le Targum se place dans la perspective d'un établissement déjà réalisé à l'est du Jourdain (cf. RASHI). Pour le nom du Jourdain *(yrdnh)*, M note la variante *ywrdnh* (*id.* vv. 21.29.32 et déjà à *Gen.* 13,11 ; 32,11 ; 50,11) : c'est la forme de Jo aux vv. 5.19.21.29.32. La voyelle *o* apparaît sous l'action du phonème voisin *r*, phénomène

citadelles¹², à cause des habitants du pays. **18.** Nous ne reviendrons pas dans nos maisons tant que les enfants d'Israël n'auront point pris possession chacun de son héritage ; **19.** car nous n'hériterons point avec eux de l'autre côté du Jourdain et au-delà, puisque notre héritage nous est échu au-delà du Jourdain, à l'est. » **20.** Moïse leur dit : « Si vous faites ce que vous venez de dire, si vous vous équipez devant *le peuple de*ᴾ Yahvé pour *engager* le combat, **21.** et si tous ceux d'entre vous qui seront équipés passent le Jourdain devant *le peuple de* Yahvé *pour engager le combat* jusqu'à ce qu'il ait chassé ses ennemis de devant lui, **22.** et que le pays ait été conquis devant *le peuple de* Yahvé, après cela vous pourrez vous retirer ; vous serez quittes *devant* Yahvé et envers Israël et ce pays sera votre possession devant Yahvé. **23.** Mais si vous ne faites pas *cette chose-là*, voici que vous aurez commis une faute *devant* Yahvé, *votre Dieu*, et sachez que votre faute vous atteindra. **24.** Construisez-vous des villes pour vos petits enfants et des parcs pour votre petit bétail et faites ce qui est sorti de vos bouches. » **25.** Les fils de Gad et les fils de Ruben parlèrent alors *d'un commun accord* à Moïse, en disant : « Tes serviteurs feront *tout* ce que mon seigneur ordonne. **26.** Nos petits enfants, nos femmes, nos troupeaux et toutes nos bêtes, seront là dans les villes de Galaad, **27.** tandis que tes serviteurs, tous ceux qui sont équipés

fréquent dans les textes d'origine palestinienne (cf. G. Svedlund, *The Aramaic Portions of the Pesiqta de Rab Kahana*, Uppsala 1974, 31 s.) et qui pourrait être utile à considérer dans l'explication de la double forme, Ναζαρηνός de *Mc* 1,24 et Ναζωραῖος de *Matth.* 2,23 (suggestion de A. Díez Macho).

15. *Litt.* : « et disant » (part. pluriel). L'hébreu a un verbe au singulier (« et *dit* les fils de Gad ») ; d'où Jo conclut qu'ils parlèrent « d'un commun accord ». Même type de midrash à *T Gen.* 31,14 (Jo). 27031 garde le sing. *(w'mr)*, *ed. pr.* a un pluriel *(w'mrw)*. La tradition manuscrite de O est partagée.

16. N écrit *glᶜdh* (*id.* vv. 26.39), sous l'influence de la forme hébraïque du v. 39 avec *hé* paragogique (accusatif de mouvement).

tous ceux qui sont équipés pour l'armée *de combat*, passeront devant Yahvé dans *les formations de* combat, ainsi que le dit mon seigneur. » **28.** Alors <Moïse>[17] donna des ordres à leur sujet à Éléazar[18] et à Josué, fils de Noun, ainsi qu'aux chefs de clans des tribus des enfants d'Israël. **29.** <Moïse leur dit>[20] : « Si les fils de Gad et les fils de Ruben, tous ceux qui sont équipés pour l'armée *de combat*, passent avec vous le Jourdain devant Yahvé, et que le pays est conquis devant vous, vous leur donnerez en possession le pays de Galaad. **30.** Mais s'ils ne passent point en armes avec vous, ils auront leur héritage parmi vous, au pays de Canaan. » **31.** Les fils de Gad et les fils de Ruben répondirent, en disant : « Ce que Yahvé a dit à tes serviteurs, nous le ferons[21]. **32.** Nous, nous passerons en armes devant Yahvé dans le pays de Canaan, et nous retiendrons l'héritage de notre possession au-delà du Jourdain. » **33.** Moïse leur donna donc — aux fils de Gad, aux fils de Ruben et à la demi-tribu de Manassé, fils de Joseph — le royaume de Sihon, roi des Amorrhéens, et le royaume d'Og, roi de *Mutnin*[22], le pays avec les villes (comprises) dans ses frontières, (et) les villes du pays alentour. **34.** Les fils de Gad bâtirent Dibon, Ataroth et *Lehayyat*, **35.** Ataroth-Shophan, Yazêr et Yogbehah, **36.** Beth-Nimrah, et Beth-*Ramatah*, villes fortifiées et parcs pour petit bétail. **37.** Et les fils de Ruben bâtirent Hesbon, Élealeh et Quiriataïm, **38.** Nébo, Baal-Meon, (villes) *entourées de hautes murailles*[t], et Sibmah. Et ils donnèrent (leurs) noms aux villes qu'ils

---

r. = F M   s. F M : Yogbehah   t. M : la ville que ses tours encerclent tout autour avec, gravés sur elles, les noms de ses princes et de ses héros

---

17. Restitué par I.

18. Sans doute restituer : « le prêtre ».

19. Omis dans nos deux témoins ; restitué par Ginsburger (sans prévenir).

20. Omission due à la présence du lemme hébreu ; donné par I.

pour l'armée, passeront devant *le peuple de* Yahvé pour
combattre, ainsi que le dit mon seigneur. » **28**. Alors
Moïse donna des ordres à leur sujet à Éléazar, le prêtre,
<et à Josué, fils de Noun>[19], ainsi qu'aux chefs de
clans des tribus des enfants d'Israël. **29**. Moïse leur dit :
« Si les fils de Gad et les fils de Ruben, tous ceux qui sont
équipés pour le combat, passent avec vous le Jourdain
devant *le peuple de* Yahvé, et que le pays est conquis
devant eux, vous leur donnerez en possession le pays
de Galaad. **30**. Mais s'ils ne passent point équipés avec
vous, ils auront leur héritage parmi vous, au pays de
Canaan. » **31**. Les fils de Gad et les fils de Ruben répli-
quèrent *et dirent* : « *Tout* ce que Yahvé a dit à tes serviteurs,
nous le ferons. **32**. Nous, nous passerons équipés devant
le peuple de Yahvé au pays de Canaan, et nous retiendrons
notre possession héréditaire au-delà du Jourdain. » **33**.
Moïse leur donna donc — aux fils de Gad, aux fils de
Ruben et à la demi-tribu de Manassé, fils de Joseph —,
le royaume de Sihon, roi des Amorrhéens, et le royaume
d'Og, roi de *Matnan*, le pays avec ses villes, dans les frontières des villes du pays alentour. **34**. Les fils de Gad bâtirent
Madbashta, Makhlalta[23] *et Lehayyat*[r], **35**. *Makhlalat-*
Shophana, *Mikwar* et *Ramatha*[s], **36**. *la ville forte de* Beth
Nimrin et Beth Haran, villes-citadelles et parcs pour
petit bétail. **37**. Les fils de Ruben bâtirent *Beth Housbaney,*
Ma'alath Mera, et *la ville dont les deux rues sont pavées*
de marbre, c'est-à-dire Beresha[24], **38**. *le Tombeau-de-Moïse,*
la ville de Balaq — *d'où ils démolirent les idoles de Peor,*
sur le site contenant les autels —, *la ville que ses murailles*
entourent avec, gravés, les noms de ses héros, et *Shiran.*
Après les avoir reconstruites, ils les appelèrent du nom

21. *Litt.* : « ainsi ferons-nous » (*Id.* Jo ; cf. TM).
22. *mwtnyn*. Contamination de la forme *Matnan* de O (au lieu
de l'habituel Butnin) ? Cf. note à 21,33.
23. Cf. v. 3. Pour Lehayyat, voir 21,15.
24. Cf. note à 22,39.

reconstruisirent. **39.** Alors les fils de Makir, fils de Manassé, allèrent en Galaad et le conquirent. Ils exterminèrent les Amorrhéens qui y *habitaient*. **40.** Moïse donna le Galaad à Makir, fils de Manassé, qui s'y établit. **41.** Puis Jaïr, fils de Manassé, alla s'emparer de leurs villages et il les nomma « Villages-de-Jaïr ». **42.** Nobakh alla s'emparer de Quenath et de ses *villages*, et il l'appela de son propre nom Nobakh.

CHAPITRE XXXIII

1. Voici les étapes des enfants d'Israël qui sortirent *libérés* du pays d'Égypte, selon leurs formations, sous la conduite de Moïse et d'Aaron. **2.** Moïse avait mis par écrit leurs points de départ pour leurs (diverses) étapes, en accord avec *la décision de la Parole de* Yahvé. Voici donc leurs étapes selon leurs points de départ (successifs). **3.** Ils partirent de *Pelusium*ᵇ le premier mois, le quinzième jour du premier mois. Après *le premier jour festif* de la Pâque, les enfants d'Israël sortirent *libérés, la tête décou-verte*, sous les yeux de tous les Égyptiens, **4.** tandis que les Égyptiens ensevelissaient ceux que Yahvéᵈ avait *tués* parmi eux, tous les premiers-nés, et que Yahvé exécutait contre leurs *idoles*ᵉ des sentences *variées*⁵ᶠ. **5.** Les enfants d'Israël partirent de *<Pelusium>*⁶ et campèrent à

a. = O. Id. v. 38   b. = F   c. = O   d. M : la Parole de Y. Id. v. 50   e. = O   f. M : + ainsi avait parlé Y

α. Nombr. R (864) ; Tanh. B Nombr. (162)

25. Voir Ginzberg, *Legends*, III, 416.
1. 27031 : *'l mymr'* (= O) ; *ed. pr.* : *'l mymr* ; N : *'l pm* (cf. TM) *gzyrt mmryh dyyy (lectio conflata)*.
2. La victime pascale : *nykst pysḥ'*.

des héros qui les avaient bâties[25]. **39.** Alors les fils de Makir, fils de Manassé, allèrent en Galaad et le conquirent. Ils chassèrent les Amorrhéens qui s'y trouvaient. **40.** Moïse donna le Galaad à Makir, fils de Manassé, qui s'y installa. **41.** Puis Jaïr, fils de Manassé, alla s'emparer de leurs villages et il les nomma « Villages-de-Jaïr ». **42.** Nobakh alla s'emparer de Quenath et de ses *villages*, et il l'appela Nobakh, d'après son nom.

CHAPITRE XXXIII

1. Voici les étapes des enfants d'Israël qui sortirent du pays d'Égypte, selon leurs formations, *après que des prodiges eurent été opérés pour eux*[α] par l'intermédiaire de Moïse et d'Aaron. **2.** Moïse avait mis par écrit leurs points de départ pour leurs (diverses) étapes, sur *la Parole*[1a] *de* Yahvé. Voici donc leurs étapes, selon leurs points de départ (successifs). **3.** Ils partirent de *Pelusium*, au mois *de nisan*, <le quinzième jour du premier mois>. Après *avoir mangé le sacrifice de* la Pâque[2], les enfants d'Israël sortirent, *la tête découverte*[3c], à la vue de tous les Égyptiens. **4.** Les Égyptiens ensevelissaient ceux que Yahvé avait *tués* parmi eux, tous les premiers-nés, tandis que *la Parole de* Yahvé exécutait contre leurs *idoles* les sentences (suivantes) : *les idoles de métal fondu se liqué-fiaient, les idoles de pierre étaient mises en morceaux, les idoles d'argile étaient réduites en pièces, les idoles de bois étaient réduites en poussière*[4] *et celles (prises) du bétail mouraient.* **5.** Les enfants d'Israël partirent de *Pelusium* et ils campèrent à Soukkoth, *endroit où ils furent recouverts*

---

3. i.e. la tête haute, libres. Cf. note à *Gen.* 40,18.
4. Cf. *T Ex.* 12,12 (Jo).
5. Pour l'ajout de M, cf. *Ex.* 12,12.
6. Le texte porte *pylwswpyn* (!) au lieu de *pylwsyn*.

Soukkoth. **6.** Ils partirent de Soukkoth et campèrent
à Étham, qui se trouve aux confins du désert. **7.** <Ils
partirent>[8] d'Étham et *campèrent*[9g] aux « *Tripots-du-
Libertinage* » qui se trouvent à proximité de *l'idole* (de)
Sephon, puis ils campèrent devant Migdol. **8.** Ils partirent
de devant *les* « *Tripots-du-Libertinage* », passèrent au milieu
de la mer, vers le désert, <puis firent une route de trois
jours *de marche* dans le désert>[12] d'Étham et campèrent
à Marah. **9.** Ils partirent[h] de Marah et arrivèrent à Eylim.
A Eylim, il y avait douze fontaines d'eau, *correspondant
aux douze tribus d'Israël*, et soixante-dix palmiers-*dattiers,
correspondant aux soixante-dix*[13] sages[i] *des enfants d'Israël*.
Ils y campèrent[j]. **10.** Ils partirent d'Eylim et campèrent
près de la Mer des Roseaux. **11.** Ils partirent de la Mer
des Roseaux et campèrent dans le désert de Sin. **12.** Ils
partirent du désert de Sin et campèrent à Dophqah.
13. Ils partirent de Dophqah et campèrent à Aloush.
14. Ils partirent d'Aloush et campèrent à Rephidim où
il n'y avait pas d'eau à boire pour le peuple. **15.** Ils
partirent de Rephidim et campèrent dans le désert du
Sinaï. **16.** Ils partirent du désert du Sinaï et campèrent
aux « Tombeaux-*des-Réclameurs*[17]. » **17.** Ils partirent des

g. F M : retournèrent aux Tripots-du-Libertinage qui sont en face
de l'Idole Sephon   h. Ils partirent ... campèrent = F   i. F :
anciens du Sanhédrin d'Israël   j. M : + sur la mer (sic)   k. =
M ‖ O : des Réclameurs

---

7. Cf. *T Ex.* 12,37 (Jo) et 13,20 (Jo).
8. Omission due à la présence du lemme hébreu.
9. = *Pesh.* et *LXX* (καὶ παρενέβαλον).
10. Cf. *T Ex.* 14,2 (Jo) ; mais, au v. 8, même expression que N :
pwndqy ḥyrt' (πανδοκεῖον ; pour le sens cf. McNamara, *Targum*, 202).
Preuve nouvelle du caractère composite de Jo.
11. Cf. *T Ex.* 14,9 (Jo). Ce parallèle invite à corriger *'wnkyn*
(*ed. pr.* et 27031) en *'bnyn* (pierres). Levy (I, 41) conserve *'wnkyn*
(« Edelstein, Onyx ») ; Jastrow (29) corrige en *qwnkyn* (κόγχη) :
« purple shells ».

par les sept nuées de gloire[7]. **6.** Ils partirent de Soukkoth
et campèrent à Étham, qui se trouve à la limite du désert.
7. Ils partirent d'Étham et revinrent auprès des « Bouches-
des roches-carrées[10] » qui se trouvent devant *l'idole* Sephon,
puis ils campèrent devant Migdol. **8.** Ils partirent des
« *Tripots-du-Libertinage* » et passèrent au milieu de la mer,
<vers le désert>. *Puis ils sortirent de la mer et longèrent
le rivage de la mer, ramassant pierres précieuses*[11] *et perles.*
Ils firent *après cela* une marche de trois jours dans le
désert d'Étham et campèrent à Marah. **9.** Ils partirent
de Marah et arrivèrent à Eylim. A Eylim, il y avait douze
sources d'eau *(correspondant) aux douze tribus* et soixante-
dix palmiers *correspondant aux soixante-dix sages*[14]. Ils
campèrent là *au bord des eaux*[15]. **10.** Ils partirent d'Eylim
et campèrent sur *le rivage de* la Mer des Roseaux. **11.** Ils
partirent *du rivage* de la Mer des Roseaux et campèrent
dans le désert de Sin. **12.** Ils partirent du désert de Sin
et campèrent à Dophqah. **13.** Ils partirent de Dophqah
et campèrent dans *la Ville-Forte.* **14.** Ils partirent de *la
place forte* et campèrent à Rephidim ; *et, parce que leurs
mains s'étaient relâchées des paroles de la Loi*[16], il n'y
avait pas là d'eau à boire pour le peuple. **15.** Ils partirent
de Rephidim et campèrent dans le désert du Sinaï.
16. Ils partirent du désert du Sinaï et campèrent aux
« Tombeaux-des-*Réclameurs-de-viande*[k] ». **17.** Ils partirent

12. Omis par homoioteleuton ; donné par M.

13. I corrige le texte qui porte « les sept ».

14. Cf. *T Ex.* 15,27 (Jo-N).

15. Sans doute faut-il corriger M *('l ym')* d'après Jo *('l my')*.

16. Cf. note à *Ex.* 17,1. Le verbe « relâcher » *(rpwn)* fait jeu de
mots avec le nom Rephidim. Comparer Jérôme (*PL* 22,707) : « remissio
manuum ». Pour Origène, cf. N. DE LANGE, *Origen and the Jews*, 82
et 113. Jo utilise un autre verbe *(bṭylw)* à *Ex.* 17,1.

17. *Litt.* : « des demandeurs de demandes » (racine *shā'al*). Cf. N
et Jo à 11,34.

« Tombeaux-de-la-Convoitise » et campèrent à Haséroth.
18. Ils partirent de Haséroth et campèrent à Ritmah.
19. Ils partirent de Ritmah et campèrent à Rimmon-
Parès. **20.** Ils partirent de Rimmon-Parès et campèrent
à Libnah. **21.** Ils partirent de Libnah et campèrent à
Rissah. **22.** Ils partirent de Rissah <et campèrent>²²
à Quehélatah. **23.** Ils partirent de Quehélatah et campèrent
à Har-Shaphér. **24.** Ils partirent de Har-Shaphér et
campèrent à Haradah. **25.** Ils partirent de Haradah et
campèrent à Maqhéloth. **26.** Ils partirent de Maqhéloth
et campèrent à Takhath. **27.** Ils partirent de Takhath et
campèrent à Tarakh. **28.** Ils partirent de Tarakh et
campèrent à Mitqah. **29.** Ils partirent de Mitqah et campèrent à Hashmonah. **30.** Ils partirent de Hashmonah et
campèrent à Moséroth. **31.** Ils partirent de Moséroth et
campèrent à Benêy-Yaaqan. **32.** Ils partirent de Benêy-
Yaaqan et campèrent à Hor-Hagidgadah. **33.** Ils partirent

β. T Prov. 23,27

---

18. *Litt.* : « arbustes de genêts » *('ylny rtmy)*. Interprétation
populaire du toponyme *Ritmah*. Les versets suivants fondent aussi
leurs explications sur des étymologies populaires. Ces paraphrases ne
sont pas reprises dans les passages parallèles du Targum (e.g.
Deut. 10).

19. *rwmn'*. TM : Rimmōn (qui signifie *grenade* en hébreu). On peut
comprendre « aux-fruits-durs » ou « serrés » (allusion à la densité des
pépins de grenade : cf. *Cant. R* 4,4), ou « qui multiplie ses fruits »
(mtqyp pyrwy) : cf. *T Cant.* 4,13 : « Tes jeunes gens sont remplis
de préceptes (accomplis), ainsi que des grenades ; ils aiment leurs
femmes qui (leur) donnent des enfants justes comme eux. »

20. *lbynt'* (cf. LEVY, I, 401). Rapprocher peut-être la tradition
de la Vulgate d'*Is.* 16,7.11 : « muros cocti lateris ».

21. *Litt.* : « champ de courses » (TM : *Rissâ*). Même expression
dans *T Gen.* 14,17 (Jo-O) et *T Jér.* 31,40 qui font allusion à l'Hippo-
drome de Jérusalem (cf. *LXX* de *Gen.* 48,7 et *Test. Joseph* 20,3).
Voir note à *Gen.* 14,17.

22. Mot oublié (en début de ligne).

des « Tombeaux-des-*Réclameurs-de-viande* » et campèrent
à Haséroth, *endroit où Miryam, la prophétesse, fut frappée
de lèpre*. **18.** Ils partirent de Haséroth et campèrent à
Ritmah, *endroit qui produit des genêts*[18]. **19.** Ils partirent
de *l'endroit qui produit des genêts* et campèrent à
Grenade[19]-*aux-fruits-durs*. **20.** Ils partirent de *Grenade-
aux-fruits-durs* et campèrent à Libnah, *endroit dont les
limites sont construites en briques*[20]. **21.** Ils partirent de
Libnah et campèrent à *Beth Rissa*[21]. **22.** Ils partirent de
Rissah et campèrent à Quehélath, *endroit où Coré et sa
bande se réunirent contre Moïse et Aaron*. **23.** Ils partirent
de Quehélath et campèrent à la Montagne-*aux-beaux-fruits*.
24. Ils partirent de la Montagne-*aux-beaux-fruits*[23] et
campèrent à Haradah, *endroit où ils prirent peur devant
le malheur de la peste*[24]. **25.** Ils partirent de Haradah
et campèrent à Maqhéloth, *lieu du rassemblement*[25]. **26.** Ils
partirent de Maqhéloth et campèrent à *Maqhéloth-le-Bas*.
27. Ils partirent de *Maqhéloth-le-Bas*[25*] et campèrent à
Tarakh. **28.** Ils partirent de Tarakh et campèrent à
Mitqah, *endroit dont les eaux sont douces*[26]. **29.** Ils partirent
de *l'endroit dont les eaux sont douces* et campèrent à
Hashmonah. **30.** Ils partirent de Hashmonah et campèrent
au *Lieu-du-Châtiment*[27]. **31.** Ils partirent du *Lieu-du-
Châtiment* et campèrent aux *Puits-de-Détresse*[28β]. **32.** Ils
partirent des *Puits-de-Détresse* et campèrent dans *les
Falaises, et l'endroit est appelé* Gidgad. **33.** Ils partirent

23. Le nom propre du TM est rattaché à *shappir* (beau, agréable).

24. Ou simplement : « le fléau » *(mwtn')*. *Ḥarādā* est rapproché de
ḥārad, (craindre, être effrayé).

25. *'ir kynwpy'* (*kᵉnap* = rassembler). L'hébreu *maqhēlōt* est
rattaché à *qāhāl*, assemblée.

25*. Interprétation de l'hébreu *taḥat* (au-dessous) : mais *ed. pr.*
ajoute ici une étape à Takhath.

26. La racine *mtq* signifie « être doux ».

27. *'ir mrdwt'*. L'hébreu *mōsērôt* est interprété d'après *mûsār*
(châtiment, discipline).

28. *byry 'qth*. Interprétation de l'hébreu *ya'aqān*.

de Hor-Hagidgadah et campèrent à Yotbatah. **34.** Ils
partirent de Yotbatah et campèrent à Abronah. **35.** Ils
partirent d'Abronah et campèrent à *Kerak-Tarngolah*.
36. Ils partirent de *Kerak-Tarngolah*[1] et campèrent dans
le désert de Tsin, c'est-à-dire *Reqem*[m]. **37.** Ils partirent
du désert de Reqem et campèrent à Hor-la-Montagne aux
confins du pays des Iduméens. **38.** Aaron, le prêtre, monta
à Hor-la-Montagne, selon *la décision de la Parole* de Yahvé
et y mourut, quarante années *s'étant écoulées* depuis que
les enfants d'Israël étaient sortis *libérés* du pays d'Égypte,
le cinquième mois, le premier du mois. **39.** Aaron était âgé
de cent vingt-trois ans, quand il mourut[n] à Hor-la-
Montagne. **40.** Le Cananéen, roi d'Arad, l'apprit *parce-
qu'*il demeurait dans le sud du pays de Canaan, *au moment
où* les enfants d'Israël arrivèrent. **41.** Ils partirent de Hor-
la-Montagne et campèrent à Salmonah. **42.** Ils partirent de
Salmonah et campèrent à Pounon. **43.** Ils partirent de
Pounon et campèrent à Oboth. **44.** Ils partirent d'Oboth
et campèrent aux *Défilés-des-ʿAbrayyah*[37], sur la frontière

l. = 110   m. = O. Id. v. 37   n. M : fut réuni (à ses pères)

γ. M Suk. III, 1 ; Josèphe, *Guerre* IV § 454

29. *ṭb wnyyḥ* ; paraphrase l'hébreu *yṭbth*.
30. « Citadelle-du-Coq » (Hahnstadt : LEVY, II, 560). Traduction
de *ʿeṣyôn geber* : cf. T *Deut.* 2,8 (Jo-N). Le mot *geber* signifie aussi
coq en hébreu rabbinique.
31. *ṣynyn* (TM : *ṣin*) : espèce de palmier au bois très dur et épineux
(rôniers ?) : « stinging palm, stone-palm » (JASTROW, 1290).
32. Montagne de la région de Moab, selon JOSÈPHE (*Guerre* IV,
§ 454), mais que *Suk.* 32 b semble situer près de Jérusalem. Une
comparaison avec *Er.* 19 a (qui fait allusion à *Nombr.* 16,33) montre
qu'il s'agit d'une région du désert de Petra (cf. P. S. ALEXANDER,
The Toponymy of the Targumim, 189 s., qui cite aussi *I Hénoch* 67,
4-13). Cf. note de A. DÍEZ MACHO à 34,4. ALEXANDER (*ibid.*, 191)
fait observer que la rencontre de Jo et de *M Suk.* III, 1, qui déclare
valide un *lulab* fait de « palmiers de la Montagne-de-Fer » ne doit

des *Falaises*-de-Gidgad et campèrent à Yotbath, *endroit bon et reposant*[29]. **34.** Ils partirent de *l'endroit bon et reposant* et campèrent aux *Défilés*. **35.** Ils partirent des *Défilés* et campèrent à *Kerak-Tarngolah*[30]. **36.** Ils partirent de *Kerak-Tarngolah* et campèrent dans le désert *des palmiers*[31] *de la Montagne-de-Fer*[32]ᵞ, c'est-à-dire *Reqem*. **37.** Ils partirent de *Reqem* et campèrent au *Taurus Amanus*, à l'extrémité du pays d'Édom. **38.** Aaron, le prêtre, monta au *Taurus Amanus*[33], sur *la Parole de* Yahvé, et y mourut dans la quarantième année de la sortie d'Égypte des enfants d'Israël, le cinquième mois, le premier du mois. **39.** Aaron avait cent vingt-trois ans, lorsqu'il mourut au *Taurus Amanus*. **40.** Or *Amalec, le pécheur,* l'apprit. *Il s'était fédéré*[34] avec les Cananéens et régnait à Arad, sa *résidence* étant dans *le pays* du Sud[35]. Quand arrivèrent les enfants d'Israël, *il combattit contre eux, mais ceux-ci les anéantirent ainsi que leurs villes.* **41.** Ils partirent du *Taurus Amanus* et campèrent à Salmonah, *lieu de bruyères et ronces*[36], *au pays des Iduméens. C'est là que l'âme du peuple eut à souffrir de la route.* **42.** Ils partirent de Salmonah et campèrent à Pounon, *endroit où Yahvé lança contre eux des serpents brûlants et où leur clameur monta jusqu'aux cieux.* **43.** Ils partirent de *l'endroit où Yahvé avait lancé contre eux les serpents brûlants* et ils campèrent à Oboth. **44.** Ils partirent d'Oboth et campèrent aux *Défilés-des-*

pas faire conclure à une dépendance de la Mishnah. C'est la Mishnah qui pourrait être ici tributaire du Targum et de son jeu de mots étymologique.

33. Cf. note à 20,22.
34. Cf. note à 21,1.
35. GINSBURGER et RIEDER restituent « au pays de Canaan » (= TM). Mais l'omission doit être intentionnelle et requise par la paraphrase.
36. *hwb'y wbwr* : « ronces et chardons » (LEVY, I, 191 : Dorn und Distel). J. F. STENNING traduit la même expression de *T Is.* 7,23 : « briars and thorns » (*The Targum of Isaiah*, Oxford 1949, 26).
37. Cf. note à 21,11.

des Moabites. **45.** Ils partirent de 'Iyyin et campèrent à
Dibon-Gad. **46.** Ils partirent de Dibon-Gad et campèrent
à Almon-Diblataimah. **47.** Ils partirent d'Almon-Diblataimah et campèrent dans la montagne des 'Abrayyah,
en face du Nébo. **48.** Ils partirent des montagnes des
'Abrayyah et campèrent dans les plaines de Moab, à côté
du Jourdain (en face) de Jéricho. **49.** Ils campèrent près
du Jourdain, depuis Beth-Yeshimoth jusqu'à Abel-
Shittin, dans les plaines de Moab. **50.** Yahvé parla à
Moïse dans les plaines de Moab, à côté du Jourdain
(en face) de Jéricho, en disant : **51.** « Parle aux enfants
d'Israël et tu leur diras : Quand vous aurez passé le
Jourdain vers le pays de Canaan, **52.** vous exterminerez
de devant vous tous les habitants du pays, vous anéantirez
toutes leurs *idoles*, vous détruirez[p] toutes leurs <images>[40]
de métal fondu et vous démolirez tous leurs *autels*[q].
53. Après avoir exterminé *les habitants du*[r] pays, vous vous
y établirez, car c'est à vous que j'ai donné le pays pour en
prendre possession. **54.** Vous distribuerez le pays au sort,
d'après vos familles : à *la tribu dont l'effectif est* nombreux,
vous ferez une grande part d'héritage et à *la tribu dont
l'effectif est* réduit, tu lui feras un héritage moindre ; à
chacun reviendra ce qui lui sera échu par le sort. Vous ferez
la répartition selon vos tribus paternelles. **55.** Mais si
vous n'exterminez pas les habitants du pays de devant vous,
tous ceux d'entre eux que vous aurez laissés[s] seront

---

o. = O ‖ F : idoles   p. F M : vous mettrez en pièces   q. = F
‖ O : hauts lieux   r. = O   s. O : deviendront des bandes armées
contre vous et des camps vous entourant

---

38. *byt mzl'* : interprétation de l'hébreu *gād*. LEVY (II, 20) comprend : « Dibon, der Tempel des Jupiter » (planète, qui passait pour
favorable entre toutes).

'Abrayyah, sur la frontière des Moabites. **45.** Ils partirent
des *Défilés* et campèrent à Dibon-*la-Chance*[38]. **46.** Ils
partirent de Dibon-*la-Chance* et campèrent à Almon-
Diblataimah ; *là aussi le puits leur fut caché, parce qu'ils
avaient délaissé les paroles de la Loi, qui sont douces comme
les figues (sèches)*[39]. **47.** Ils partirent d'Almon-Diblataimah
et campèrent dans la montagne des 'Abrayyah, en face
du *Tombeau-de-Moïse.* **48.** Ils partirent des montagnes
des 'Abrayyah et campèrent dans les plaines de Moab,
sur le Jourdain (en face) de Jéricho. **49.** Ils campèrent
près du Jourdain, depuis Beth-Yeshimoth jusqu'à *la
plaine de* Shittin, dans les plaines de Moab. **50.** Yahvé
parla à Moïse dans les plaines de Moab, sur le Jourdain
(en face) de Jéricho, en disant : **51.** « Parle aux enfants
d'Israël et tu leur diras : Quand vous aurez passé le Jourdain
vers le pays de Canaan, **52.** vous chasserez de devant
vous tous les habitants du pays, vous anéantirez tous
leurs *lieux de culte*°, vous détruirez toutes leurs images de
métal fondu et vous démolirez tous leurs *autels.* **53.** Après
avoir chassé *les habitants du* pays, vous y habiterez, car
c'est à vous que j'ai donné le pays pour en prendre
possession. **54.** Vous distribuerez le pays au sort, d'après
vos parentés : à *la tribu dont l'effectif est* nombreux, *tu*
feras une grande (part)[41] et à *la tribu dont l'effectif est*
réduit, tu feras (une part) moindre ; à chacun reviendra
ce qui lui sera échu par le sort. Vous ferez la répartition
selon vos tribus paternelles. **55.** Mais si vous ne chassez
pas *tous* les habitants du pays de devant vous, ceux d'entre
eux qui resteront deviendront des *gens vous regardant*

---

39. *dblt'* : figues séchées et empilées (Jastrow, 277). Paraphrase
du nom propre du TM.

40. *ṣlmy* : gratté par le censeur.

41. Peut-être faut-il restituer « d'héritage » (cf. TM, O et N).
Comparer 26,54 (Jo).

(comme) des épines dans vos yeux et des *lances* dans vos flancs et ils vous oppresseront sur la terre où vous habiterez. **56.** Et ainsi, ce que j'avais dessein de leur faire, c'est à vous que je le ferai. »

CHAPITRE XXXIV

1. Yahvé[a] parla à Moïse, en disant : **2.** « Ordonne (ceci) aux enfants d'Israël et tu leur diras : Quand vous entrerez dans le pays de Canaan, voici le pays qui doit vous échoir en héritage, le pays de Canaan selon ses limites. **3.** Vous aurez comme frontière au sud, depuis le désert de Tsin[b] jusqu'aux *frontières*[c] des Iduméens et vous aurez, comme frontière sud, depuis les extrémités de la mer de Sel à l'orient. **4.** Puis[d] votre frontière s'infléchira au sud *depuis* la montée des Aqrabbin[3] et passera par *la Montagne-du-Fer* pour déboucher au sud de *Reqem-de-Gêah*, aboutir à *Tirath-*Addarayyah et passer[f] par *la frontière de Shouq-*

a. M : la Parole de Y. Id. v.13.16.29   b. F : Reqem   c. = F
d. Puis ... Quésam = F   e. = O   f. F M : et passer par Quésam

α. Sifré Deut. 11,24 (117)

42. Paraphrase de l'hébreu *śikkīm* (épines) d'après l'araméen *sky* (regarder) : cf. LEVY, II, 162. La leçon de l'*Arukh* (cf. LEVY, *ibid.*, 161) est exactement celle de N.

43. *trysyn* (cf. JASTROW, 1698). La leçon de N correspond encore à celle de l'*Arukh* (LEVY, II, 426).

1. La détermination des frontières était importante pour la halakhah, certaines prescriptions ne s'appliquant qu'à la « terre d'Israël ». Plusieurs listes sont données dans la littérature juive : depuis celle de R. Gamaliel II, vers 100 de notre ère (*M Hal.* IV, 8 ; *M Sheb.* VI, 1), jusqu'à celle de *Sifré Deut.* 11,24 (Finkelstein, 117), *Tosephta Sheb.* IV, 11 (66) ou *J Sheb.* VI, 36 c (vers 200), celle de *M Git.* I, 2 et *Git.* 8 a représentant un stade intermédiaire. Ces listes ont été soigneusement étudiées par P. S. ALEXANDER (*The Toponymy of the Targumim,* Oxford 1974). Il a montré que les frontières du

du mauvais œil[42] et *vous entourant* les flancs *de boucliers*[43] ;
et ils vous oppresseront sur la terre où vous demeurerez.
56. Et ainsi, ce que j'avais prémédité de leur faire, c'est
à vous que je le ferai. »

CHAPITRE XXXIV

1. Yahvé parla à Moïse, en disant : **2.** « Ordonne (ceci)
aux enfants d'Israël et tu leur diras : Quand vous entrerez
dans le pays de Canaan, voici le pays qui vous *sera distribué*
en héritage, le pays de Canaan d'après ses limites[1]. **3.** Vous
aurez comme frontière sud, depuis le désert *des palmiers
de la Montagne-de-Fer*[2], sur les *frontières* d'Édom et la
frontière sud (partira) des extrémités orientales de la mer
de Sel. **4.** Puis votre frontière[α] s'infléchira au sud vers la
montée d'*Aqrabbith* et passera aux *palmiers de la Montagne-
de-Fer* pour déboucher au sud de *Reqem-Gêah*[4e] et aboutir

Targum reflètent la tradition la plus ancienne qui leur donne la plus
grande extension et dont la valeur est confirmée par les indications
de *1 QGenAp* 21, 14-19. Il a également décelé diverses couches
rédactionnelles dans nos recensions, souvent transmises de façon
défectueuse. A côté du travail de P. S. ALEXANDER, rappelons :
A. NEUBAUER, *La géographie du Talmud*, Paris 1868, 430-432 ;
H. HILDESHEIMER, *Beiträge zur Geographie Palästinas*, Berlin 1886 ;
S. KLEIN, « Das Tannaitische Grenzverzeichnis Palästinas », *HUCA* 5
(1928), 244-258 ; F. M. ABEL, *Géographie de la Palestine*, I, 301-310 ;
Y. SUSSMAN, « The Boundaries of Eretz-Israel », *Tarbiz* 45 (1976),
213-257.
  2. Cf. note à 33,36.
  3. Transcription de l'hébreu (cf. O). ALEXANDER (*op. cit.*, 191 s.)
a prouvé que la leçon originale du TP est celle de Jo : ʿ*qrbyt*. A date
très ancienne (cf. *Jubilés* 29,14 : éthiopien ʾ*Aqrâbêth*), on avait
identifié ʿ*Aqrabbîm* de la Bible et la ville que JOSÈPHE appelle
Ἀκράβετα (*Guerre* III, § 55), ville principale du district d'Acrabatène
(*Ant.* XII, § 328), la moderne ʿ*Aqrabeh*, au S.-E. de Naplouse.
Cf. F. M. ABEL, *Géographie*, II, 153.
  4. Cf. note à 32,8.

Mazay à Quésam[6]. **5.** Puis la frontière tournera de *Quésam* vers *le Nil* des Égyptiens[g] pour aboutir à *l'ouest*, **6.** (où) la frontière[h] sera (constituée par) la *Grande* Mer, *l'Océan — ce sont les eaux originelles*[7] —, *ses îles, ses ports et ses vaisseaux, avec les eaux primordiales qu'il contient.* Telle sera pour vous la frontière maritime[i]. **7.** Et voici quelle sera pour vous la frontière nord : vous tracerez une ligne depuis la Grande Mer jusqu'au *Taurus Amanus*[12], *à l'orient* ; **8.** du *Taurus Amanus*[k] vous tracerez une ligne jusqu'à l'entrée d'*Antioche* et la frontière aboutira *aux*

g. F M : le Nil d'Égypte   h. la frontière ... maritime = F (avec ordre différent)   i. F O M : occidentale   j. = F   k. du Taurus ... Cilicie = F

5. *ṭyrt 'dry'* (comparer l'hébreu *ṭṭrōṭām* à *Nombr.* 31,10). Cf. v. 9.
6. Correspond à *ʿAin Quseimeh* (McNAMARA, *Targum*, 199), à l'est du *Wadi el-ʿArish* (cf. ABEL, *Géographie*, I, 306). N a incorporé une glose marginale (cf. v. 15), la mention de *Sycomazon* (au sud, entre Gaza et Raphia), ville bien connue des textes byzantins (= *Kh. Suq Māzen*, selon ABEL, II, 172). L'insertion doit dater d'une époque où elle connaissait quelque importance (cf. P. S. ALEXANDER, 199). Même identification au v. 15 dans F et N (par suite d'une confusion de *rpywn* (N) / *rpyḥ* (F) avec Raphia, au sud de Gaza). Cf. ALEXANDER, 227 et 231.
7. Ou bien : « eaux de la création » *(mê bᵉrēʾshtt)*. Id. Jo. Cf. T *Deut.* 11,24 (Jo).
8. P. S. ALEXANDER (*op. cit.*, 201) propose de lire *bgwwh* (« au milieu ») au lieu de *bgwyh* (« au milieu de lui »). Il explique que, selon la conception ancienne, l'Océan entoure la terre représentée comme une île au centre de laquelle serait la Méditerranée (la « mer intérieure »). Celle-ci est désignée par « eaux de la création », soit parce que toutes les mers résultent de la séparation des eaux et de la terre (*Gen.* 1,9), soit parce que l'on s'imagine la Méditerranée comme formée par les eaux passant par Gibraltar.
9. *'byrwy*. G. DALMAN (*Wörterbuch*, 2) comprend ce mot comme un équivalent de ἀήρ, transcription commune palestinienne (cf. G. G. SCHOLEM, *Les grands courants de la mystique juive*, Paris 1950, 376). Voir aussi P. S. ALEXANDER (*op. cit.*, 202) qui propose encore

Tirath-Addarayyah[5] et passer *par Quésam*. **5.** Puis la
rontière tournera de *Quésam* vers *le Nil* des Égyptiens
)our aboutir à *l'ouest*. **6.** Votre frontière *occidentale* sera
a Grande Mer, *l'Océan* et sa limite : *ce sont les eaux de la
création, avec les eaux primordiales qui étaient en son sein*[8],
ses espaces (?)[9] *et ses districts*[10], *ses villes et ses cités, ses
'les, ses ports, ses vaisseaux et ses profondeurs (?)*[11]. Telle
sera pour vous la frontière *occidentale*. **7.** Et voici quelle
sera pour vous la frontière nord : vous tracerez une ligne
lepuis la Grande Mer jusqu'au *Taurus Amanus*[j] ; **8.** du
Taurus Amanus vous tracerez une ligne en direction de
Tibériade[13]. Les aboutissements de la frontière, *de ses
deux côtés*[14], *se dirigeront vers les citadelles de Bar-Zo'emah*[15],

---

d'autres explications. '*byr* peut désigner dans le Talmud un espace
aérien au-dessus d'un territoire.

10. *prkyrwy* = τὰ περίχωρα (régions avoisinantes).

11. '*lgwwtyh* : non mentionné dans les lexiques. ALEXANDER (200)
propose « its merchant-men ». Il note justement que le propos de ces
gloses est d'étendre les limites de la « terre d'Israël » au delà des côtes
palestiniennes jusqu'à l'Atlantique, en incluant tout ce qui est
compris dans cet espace (cf. la discussion de *Git.* 8 a).

12. En fait, deux chaînes de montagnes au nord et au N.-O.
d'Antioche (F. M. ABEL, *Géographie*, I, 335). Voir P. S. ALEXANDER
(*op. cit.*, 204-206) pour l'explication du double nom. Le *Taurus
Amanus* (nom fréquemment déformé dans les textes) est souvent
donné comme limite septentrionale : ainsi dans *Tosephta Hal.* II,
11 (99). C'était la frontière nord de la province romaine de Syrie
(ABEL, *ibid.*, I, 305). JOSÈPHE parle des « monts Tauros et Amanos »
(*Ant.* I, § 122). Pour la confusion avec Hor-la-Montagne du sud,
cf. note à 20,22.

13. Leçon erronée due à un rédacteur désirant harmoniser ce
verset et *Deut.* 3,17 (cf. ALEXANDER, 207 et 221). Le terme correct
est *Antioche* (F et N), traduction habituelle de *Ḥamāt* dans le Targum.

14. Interprétation midrashique de l'hébreu *ṣddh* (d'après *ṣad*,
côté). Cette incise (jusqu'à « Césarée ») est une insertion postérieure
dont les éléments se retrouvent au v. 15 dans N et F (cf. Ginsburger).

15. i.e. Soaemus, à qui Caligula (en 38) concéda un territoire au
nord de l'Iturée (Dion Cassius, LIV, 12,2).

11

Portes[18] *de Cilicie.* **9.** Puis la frontière débouchera à
Zephirin[20] pour aboutir à *Tirath-'Eynwathah*, ce qu
constituera pour vous la frontière nord. **10.** Comme frontière[1] orientale, vous tracerez une ligne depuis *Tirath-
'Eynwathah* jusqu'à *Apamée*[24]. **11.** La frontière descendra
depuis *Apamée* jusqu'à *Daphné*[25], à l'est de *'Aynah*[26]

---

l. Comme frontière ... Apamée = F

---

16. *snygwr'* : déformation de Zénodore. Ce dernier avait loué une
partie du territoire de Lysanias, en Iturée (en 23 avant J.-C.) dont
il devint tétrarque à la mort de Cléopâtre (cf. Josèphe, *Ant.* XV,
§ 344 ; *Guerre* I, § 398). Le Targum fait sans doute allusion à des
citadelles construites dans cette région infestée de brigands. Cf.
P. S. Alexander, *op. cit.*, 224-226 ; Abel, I, 309.

17. P. S. Alexander (*op. cit.*, 229) estime que ce passage dans Jo
(et N-F au v. 15) est une corruption (peut-être intentionnelle) de
« L'image du coq » *(dywwqynws dtrngwl')*. Le premier mot, qui se
présente sous des formes diverses *(dywqyt'* / *dywqytws* : N ; *dywqnys* :
M ; *dywqṭs* : 440), n'est qu'une déformation de εἰκών (image, idole).
Tarngola n'est donc pas un nom de lieu (contre Hildesheimer, 42,
suivi par Abel, I, 309).

18. *'wwls* (= F) ; Jo : *'bls*. Le terme ne se rencontre pas ailleurs
dans les textes rabbiniques. Il doit se rattacher au grec αὐλών
(dépression naturelle, défilé) et désigner ici les « Portes ciliciennes »
dans la chaîne du Taurus. Voir P. S. Alexander, 207-209.

19. Le v. contient des ajouts qui appartiennent au v. 15 (cf. N-F)
dont le texte actuel de Jo distribue les gloses entre 8.9.11. Lire sans
doute *qryy (zkwt')*, « les villages de Zakoutha » (moderne *Zakiye*,
au S.-O. de Damas), qui pourrait être le *sākûtā'* de *A.Z.* 58 b (cf.
Alexander, 227), mentionné dans les frontières de *Sifré Deut.* 11,24
(118).

20. Alexander (210) estime qu'il s'agit d'une simple transcription
de l'hébreu, et non de la ville de *Zephirin* (en Cilicie?) que R. Aqiba
aurait visitée, selon *Sifré Nombr.* 5,8 (23) et *B.Q.* 113 a. Elle est
trop en dehors du tracé des frontières.

21. *gbt' dḥtmn'*. Alexander (227) traduit par « the hills of
Ḥatmana » qui serait le même site que les « collines de Ḥatam »
(ygry ḥtm) de *J Dem.* II, 22 d, et peut-être le site moderne de *'Ataman*
(au nord de *Dera'ā* en Syrie).

22. Alexander (209) traduit : « the middle of the great court-
yard ». Il ne localise pas *Beth-Sekel*, connu par ailleurs par une
variante de *Tosephta Sheb.* IV, 11 (66). Neubauer, *Géographie du*

les citadelles de Bar-Sanigora[16], *de Diwwaqinos et Tarngola*[17], *jusqu'à Césarée, en direction des Portes des Ciliciens.* **9.** Puis la frontière débouchera à *Qérén-Zakoutha*[19] et *Gabta de Hatmona*[21] pour aboutir *au puits de Beth-Sekel et au milieu de Dartha Rabtha*[22] *qui tient le milieu entre Tirath-'Eynwatha*[23] *et Damas*, ce qui constituera pour vous la frontière nord. **10.** Comme frontière orientale, vous tracerez une ligne depuis *Tirath-'Eynwatha* jusqu'à *Apamée.* **11.** La frontière descendra depuis *Apamée* jusqu'à *Daphné*, à l'est de *'Eynwatha.* [*Puis*[27] *la frontière descendra*

Talmud, 20, préfère la leçon *byt swkwt* de *Sifré Deut.* 11,24 (118).

  23. *ṭyrt 'ynwwt'* est une simple traduction de l'hébreu *ḥazar 'ēnān*, le « clos-des-sources » (cf. ABEL, I, 304). C'est aussi la leçon de M (et de N au v. 15). Mais N a ici *ṭyrt 'gbth*. C'est peut-être une authentique variante passée dans le texte ; elle est inspirée de *T Éz.* 47,16 où *ḥzr ḥtykwn* est traduit par *brykt 'gyb'y* (« la piscine des Agabéens ») qui pourrait évoquer *Agaba* de JOSÈPHE (*Ant.* XIII, § 424), en Iturée ou Trachonitide. Cf. P. S. ALEXANDER, *Toponymy* (211) et *JJS* 27 (1976), 211.

  24. *'pmyh*. Toutefois le *mem* semble corrigé en *nun* pour donner *'pnyh*. Jo : *'pmy'h*. Ce pourrait être *Apamée* sur l'Oronte, qui avait une communauté juive (JOSÈPHE, *Guerre* II, § 479) et était considérée comme faisant partie de la « terre d'Israël » (*M Ḥal.* IV, 11). Cf. ABEL, I, 304. Mais il vaut mieux comprendre ici *Panéas* (écrit avec *aleph* prothétique), i.e. Césarée de Philippe, au pied de l'Hermon. Le v. suivant mentionne Daphné, situé au S.-O. de Panéas. Cf. P. S. ALEXANDER, *Toponymy*, 212 ; MCNAMARA, *Targum*, 191 ; A. DÍEZ MACHO, *ad loc.*

  25. *dpny*, localité mentionnée par JOSÈPHE (*Guerre* IV, § 3) et dont le nom est conservé dans *Dafna* (au S.-O. de Dan en Israël). Il existait un « Daphné d'Antioche » connu de JOSÈPHE (*Ant.* XIV, § 451) et des rabbins. Le Targum a identifié *Riblah* de notre texte et « Riblah, au pays de Hamath » (= Antioche, dans le Targum) de *Jér.* 52,27. V : « Rebla contra fontem Daphnim ». JÉRÔME (cf. son commentaire sur *Éz.* 47,18 : *PL* 25,478) pense donc à Daphné d'Antioche, parce que (comme le Targum) il identifiait *Shepām* et *Apamée* (« quam Hebraei Apamiam nominant »). Sur tout ceci, cf. P. S. ALEXANDER, *Toponymy*, 214-217.

  26. *'yynh*, i.e. « la source », simple traduction du nom propre de l'hébreu. Jo a le pluriel.

  27. La suite appartenait primitivement au v. 15.

puis la frontière descendra pour contourner les extrémités de la mer de *Génésareth*, à l'est[m]. **12.** Puis la frontière descendra au Jourdain pour aboutir à la mer de Sel. Tel sera pour vous le pays avec la frontière qui en fait le tour. » **13.** Moïse transmit cet ordre aux enfants d'Israël, en disant : « Tel est le pays dont vous entrerez en possession par le sort, celui que Yahvé[n] a ordonné de donner aux neuf tribus et à la demi-tribu. **14.** Car la tribu des fils de Ruben, d'après leurs clans, et la tribu des fils de Gad, d'après leurs clans, ont déjà pris (leur héritage) et la demi-tribu de Manassé a (aussi) reçu son héritage. **15.** Les deux tribus et la demi-tribu *de Manassé* ont reçu leur héritage de l'autre côté du Jourdain (en face) de Jéricho, à l'est, à l'orient. » *Leur frontière s'en va vers Kinnéreth*[350], *citadelle des rois*

m. F M : puis la frontière descendra pour arriver à côté de la mer de Génésareth à l'ouest   n. M : la Parole de Y   o. F M : Depuis la plaine de la mer de Sel, leur frontière s'en va vers Kinnéreth, citadelle du royaume des Amorrhéens. Et de Kinnéreth, citadelle du royaume des Amorrhéens, leur frontière s'en va à la Montagne-de-Neige et à Humatha (fortification?) du Liban. Puis de la Montagne-de-Neige et de Humatha du Liban, leur frontière s'en va à Hobah qui se trouve au nord des Sources de Damas. Puis du nord leur frontière s'en va à *Dywqnys* (Nur : *Dywqynws*) à *Twrnglh* de Césarée qui se trouve à l'est de la < grotte > de Dan (Nur : et depuis *Ywqynws Twrngl'* de Césarée qui se trouve à l'est de la < grotte > de Dan), leur frontière s'en va vers le Grand Fleuve, le fleuve de l'Euphrate

28. La tradition juive identifie (à tort) *Panéas* et le *Dan* biblique (*T I Chr.* 21,2 ; *T Cant.* 5,4 ; *Meg.* 6 a ; *Bek.* 55 a). Le nom dérive du πανεῖον, sanctuaire du dieu Pan dans une grotte au-dessus de la cité (ABEL, I, 477). La désignation officielle au IIe siècle était *Caesarea Paneas* (cf. note à *Gen.* 14,14) et *Césarée (qsrywn)* est donné par N (v. 15).

29. Cf. note à 24,25.

30. Cf. note à 33,36.

31. Pour cette traduction de *'bl wdmwkh*, cf. P. S. ALEXANDER, *Toponymy*, 230 et *JJS* 27 (1976), 211. Allusion aggadique à la mort (= sommeil) et au deuil d'Aaron, juste après l'épisode de Meribah (*Nombr.* 20,13 et 28-29). Sur l'allusion au deuil d'Aaron dans *T Deut.* 10,6 (Jo), cf. ABEL, I, 387. On pourrait peut-être comprendre aussi :

jusqu'à la grotte de Panéas[28]*; de la grotte de Panéas, la
frontière descendra jusqu'à la Montagne-de-Neige*[29]*; de la
Montagne-de-Neige, la frontière descendra jusqu'à 'Eynan;
de 'Eynan, la frontière descendra pour contourner la plaine,
la plaine des torrents de l'Arnon, et arrivera au désert des
palmiers de la Montagne-de-Fer*[30]*, les Eaux-de-la-Dispute,
deuil et sommeil*[31]*, près de Génésareth, ville du royaume
des Iduméens, héritage de la tribu de Ruben et (de celle)
de Gad et de la demi-tribu de Manassé*]. Puis la frontière
descendra pour contourner *la limite* de la mer de
Génésareth[32], à l'est. **12.** Puis la frontière descendra au
Jourdain pour aboutir à la mer de Sel : *Reqem-Gêah au
sud, le Taurus Amanus au nord, la Grande Mer à l'ouest
et la mer de Sel à l'est*[33]. Tel sera pour vous le pays *d'Israël*,
avec *le tracé de* ses frontières tout autour. » **13.** Moïse
transmit cet ordre aux enfants d'Israël, en disant : « Tel
est le pays dont vous entrerez en possession par le sort,
celui que Yahvé a ordonné de donner aux neuf tribus
et à la demi-tribu. **14.** Car la tribu des fils de Ruben,
d'après leurs clans, et la tribu des fils de Gad, d'après
leurs clans, ont déjà reçu (leur héritage) et la demi-tribu
de Manassé a (aussi) reçu son héritage. **15.** Les deux
tribus et la demi-tribu ont reçu leur héritage de l'autre
côté du Jourdain[34], à l'orient. » **16.** Puis Yahvé parla à

« englobant (en lisant *'kl*) les Eaux-de-la-Dispute et s'arrêtant auprès
de... ».

32. *gynysr* (= O), en grec Γεννησάρ. Cf. ABEL, I, 495. Nous
renvoyons à la dissertation de P. S. ALEXANDER qui tente de mettre
quelque clarté dans ce salmigondis de Jo qui a copié ici un tracé qui
appartient aux tribus transjordaniennes (v. 15).

33. Bref rappel des limites extrêmes de l'ensemble du territoire.

34. Sans doute restituer : « de Jéricho, à l'est ».

35. Ce nom, sous l'influence de *Deut.* 3,17, a dû remplacer un
autre plus approprié, comme Hesbon. Sur ce verset, cf. ALEXANDER,
218-232 et les notes au v. 11. Le matériel utilisé pour préciser les
frontières de Ruben, Gad et de la demi-tribu de Manassé (comme le
TM le faisait plus haut pour les autres tribus) est tiré de commentaires
sur *Nombr.* 32, 33-42, *Deut.* 3, 1-17 et *Éz.* 47.

*des Amorrhéens. (Puis) leur frontière s'en va vers la citadelle
de* ʿ*Iyyon*[36]*, qui est à l'est de Beth-Yérah*[37]*. Et de l'est de la
mer de Beth-Yérah, leur frontière s'en va à Dioqueta, et de
Dioquetos à Tarnegol de Césarée*[38]*, qui est à l'est de la
<grotte>*[39] *de Dan. (Puis) leur frontière s'en va à la
Montagne-de-Neige aux confins*[40] *du Liban qui se trouve au
Nord des Sources*[41] *de Damas. Puis du nord des Sources de
Damas, leur frontière s'en va vers le Grand Fleuve — le
fleuve Euphrate —, sur lequel ont été remportés les combats
victorieux de Yahvé*[42]*. Et du Grand Fleuve*[p] *— le fleuve
Euphrate —, leur frontière s'en va à Qrn Zwwy*[43]*, à Bathyra*[44]
et à toute la Trachonitide de Beth-Zimra[45]*, la capitale de
Sihon, <roi>*[46] *des Amorrhéens, et la capitale de Og, roi
de Butnin*[q]*, celui que Moïse, le prophète de Yahvé*[β]*, mit à
mort*[47]*. Elle s'en va (ensuite) à Raphyon*[48][r]*, à Shouq-Mazay
et à la grotte d'Engaddi pour atteindre le rivage de la Mer
de Sel. C'est là la frontière des deux tribus et de la demi-tribu.*
16. Puis Yahvé parla à Moïse, en disant : **17.** « Voici les
noms des hommes qui vous feront entrer en possession du
pays : Éléazar, le prêtre[s], et Josué, fils de Noun. **18.** Vous
prendrez aussi un prince de chaque tribu pour (cette)
prise de possession du pays. **19.** Et voici les noms de
(ces) hommes : De la tribu *des fils* de Juda : Caleb, fils
de Yephounnéh ; **20.** de la tribu des fils de Siméon : Samuel,

---

p. Du Grand Fleuve ... demi-tribu = F   q. F : Matnan   r. F M :
Raphiah   s. M : + grand

β. Ber. 54 b

---

36. Selon A. Díez Macho, la moderne ʿ*Ayūn* (= puits), 4 km à
l'est de la rive sud du lac de Tibériade. P. S. Alexander (228)
identifie le ʿ*ywn* de *Sifré Nombr.* 11,24 (117) avec la plaine de *Merdj*
ʿ*Ayūn* (en lisant *nqypt*', dépression, au lieu de *nqybt*'), à l'ouest de
l'Hermon (cf. aussi Abel, I, 309). La « citadelle » serait au nord de
la plaine à *Tell Dibbin*, site du ʿ*Iyyôn* de la Bible (*III Rois* 15,20).
Ce qui suit dans N serait alors une précision malencontreuse d'un
glossateur qui pensait à ʿ*Ayūn* près du lac.

Moïse, en disant : **17.** « Voici les noms des hommes qui vous feront entrer en possession du pays : Éléazar, le prêtre, et Josué, fils de Noun. **18.** Vous prendrez aussi un officier de chaque tribu pour (cette) prise de possession du pays. **19.** Et voici les noms de (ces) hommes : pour la tribu *de la maison* de Juda : Caleb, fils de Yephounnéh ; **20.** pour la tribu de Siméon : Samuel, fils d'Ammihoud ;

37. *byt yrḥ*, au sud du lac au *Kh. Kérak* (près de l'actuel Deganya).

38. Il faut sans doute corriger N comme Jo au v. 8 : « de l'image du coq de Césarée » (= Panéas). De même F et M.

39. Corriger *m'rbh* (ouest) en *m'rth*, la « grotte » de Panéas du v. 11 (Jo). De même dans F et M.

40. *thwmh* de N et *hwmth* de FM sont sans doute des corruptions de *Ḥamtā'*, nom de plusieurs sites (cf. JASTROW, 481) que *Liban* vient préciser. Cette mention viendrait de Hamath dans *Éz.* 47, 16-17 (cf. ALEXANDER, 223).

41. *'yynwwtyh*. Sans doute inspiré d'*Éz.* 47,17. La mention de *Ḥôbah* dans FM s'explique par l'interprétation de *Ḥôbāh* de *Gen.* 14,15 dans Jo (cf. ALEXANDER, *ib.*).

42. *Litt.* : « sur lequel l'ordre *(sdr)* des victoires des combats de Y (furent) accomplis ». Même texte dans *Nur.* (omis par homoioteleuton dans 440). ALEXANDER (230) propose plusieurs corrections. L'allusion est aux « guerres de Y » sur l'Arnon (cf. « torrents de l'Arnon » dans Jo au v. 11) et non sur l'Euphrate : cf. *T Nombr.* 21, 14-15 (Jo-N). De plus, en lisant *spr* et en déplaçant le mot, on obtient une phrase plus correcte : « les torrents de l'Arnon sur lequel les victoires du *Livre des guerres de Y* furent remportées ».

43. F (440 et Nur.) a *qryn zwwt'* : sans doute lire *zkwt'* et comprendre comme Jo (au v. 9). F (dans l'*ed. pr.* de Jo) a *qyrwn zkt'*.

44. *dbtryh*. Lire (avec F) *lbtrh* : cf. note suivante (= *btyrh*).

45. Du nom de *Zamaris* qu'Hérode mit à la tête d'un groupe de « Juifs babyloniens » (JOSÈPHE, *Vie*, § 54) en Batanée. « Il y éleva des forts et une bourgade qu'il nomma Bathyra » (*Ant.* XVII, § 26). Le texte de F et N est en désordre. Cf. ALEXANDER, *Toponymy*, 426 ; ABEL, I, 261.

46. Texte : « royaume ».

47. Cf. *T Nombr.* 21,35 (Jo).

48. Cf. note au v. 4. Il s'agit d'un site de Transjordanie, et non de Raphia (au sud de Gaza) comme le laisserait supposer la mention de Shouq-Mazay (ALEXANDER, 228).

fils d'Ammihoud ; **21.** de la tribu *des fils* de Benjamin :
Élidad, fils de Kislon ; **22.** de la tribu des fils de Dan :
le prince <Bouqqui>[50], fils de Yogli ; **23.** pour les fils de
Joseph, de la tribu des fils de Manassé : le prince Hanniël,
fils d'Éphod ; **24.** pour la tribu des fils d'Éphraïm : le
prince Quemouël, fils de Shiptan ; **25.** de la tribu des fils
de <Zabulon>[51] : le prince Élisaphan, fils de Parnac ;
26. de la tribu des fils d'Issachar : le prince Paltiël, fils
d'Azzan ; **27.** de la tribu des fils d'Aser : le prince Akhihoud,
fils de Shelomi ; **28.** de la tribu des fils de Nephtali : le
prince Pedahêl, fils d'Ammihoud. » **29.** C'est à ceux-là
que Yahvé commanda *à Moïse* de donner aux enfants
d'Israël leur possession dans le pays de Canaan[t].

CHAPITRE XXXV

1. Yahvé[a] parla à Moïse dans les plaines de Moab, à côté
du Jourdain (en face) de Jéricho, en disant : **2.** « Ordonne
aux enfants d'Israël qu'ils donnent aux Lévites, sur
l'héritage qu'ils possèdent, des villes pour y demeurer.
Les banlieues[b] qui se trouvent tout autour des villes, vous
les donnerez aussi aux Lévites. **3.** Les villes leur serviront
d'habitat et les banlieues de celles-ci seront pour leur
bétail, pour leurs biens et pour tous leurs troupeaux.
4. Les banlieues des villes que vous donnerez aux Lévites

---

t. M : Telles sont les tribus auxquelles Y commanda de prendre possession du pays
   a. M : la Parole de Y. Id. v. 9   b. = F ‖ O : abords. Id. v. 4

---

   49. « des fils de » est omis (de même vv. 25.27).
   50. Nom oublié par le scribe. A « prince » *(rbh)* dans N correspond
'*amarkal* dans Jo : cf. note à *Lév.* 4,15.
   51. Texte : « Éphraïm ». Un point supérieur montre qu'un scribe

21. pour la tribu de Benjamin : Élidad, fils de Kislon ; **22.** pour la tribu de[49] Dan : l'officier Bouqqui, fils de Yogli ; **23.** pour *la tribu* des fils de Joseph, pour la tribu des fils de Manassé : l'officier Hanniël, fils d'Éphod ; **24.** pour la tribu *de la maison* d'Éphraïm : l'officier Quemouël, fils de Shiptan ; **25.** pour la tribu de Zabulon : l'officier Élisaphan, fils de Parnac ; **26.** pour la tribu *de la maison*[52] d'Issachar : l'officier Paltiël, fils d'Azzan ; **27.** pour la tribu d'Aser : l'officier Akhihoud, fils de Shelomi ; **28.** pour la tribu des fils[53] de Nephtali : l'officier Pedahêl, fils d'Ammihoud. » **29.** C'est à ceux-là que Yahvé commanda de donner aux enfants d'Israël leur possession dans le pays de Canaan.

CHAPITRE XXXV

1. Yahvé parla à Moïse dans les plaines de Moab, sur le Jourdain (en face) de Jéricho, en disant : **2.** « Ordonne aux enfants d'Israël qu'ils donnent aux Lévites, sur l'héritage qu'ils détiennent, des villes pour y habiter. Les banlieues[1] alentour des villes, vous les donnerez aussi aux Lévites. **3.** Les villes leur serviront pour habiter et les banlieues de celles-ci seront pour leur bétail, pour leurs possessions et pour toutes leurs *nécessités*[2]. **4.** Les banlieues des villes que vous donnerez aux Lévites (auront

a reconnu l'erreur. Dans le ms. 27031, la tribu de Zabulon vient après celle d'Aser.

52. Omis dans 27031.

53. Omis dans 27031.

1. *prwylyn.* Cf. note à *Lév.* 25,34. Le même terme apparaît sous diverses formes corrompues (dans *ed. pr.* et 27031) aux vv. 3.4.7. N a *prwyryn* (comme à *Lév.* 25,34), de même sens que *prwylyn* (Jastrow, 1220).

2. Selon *Ned.* 81 a, l'hébreu *lᵉkōl ḥayyātām* signifierait « pour les besoins *de leur vie* », et non « pour toutes *leurs bêtes* ».

(auront un rayon), depuis le mur de la ville jusqu'à l'extérieur, de mille coudées tout autour. **5.** Vous mesurerez deux mille coudées en dehors de la ville, du côté oriental ; deux milles coudées du côté *occidental* ; deux mille coudées du côté du nord et deux mille coudées du côté du midi, avec la ville au milieu. Telles seront pour *vous* les banlieues des villes. **6.** Les villes que vous donnerez aux Lévites comprendront les six villes de refuge, que vous donnerez pour que les meurtriers puissent s'y enfuir, et, en plus de celles-là, vous *ajouterez* quarante-deux villes. **7.** (Ainsi) le total des villes que vous donnerez aux Lévites sera de quarante-huit villes, avec leurs banlieues. **8.** En donnant ces villes (prises) sur l'héritage des enfants d'Israël, vous en prendrez davantage de *la tribu dont l'effectif est* nombreux et vous en prendrez peu de *la tribu dont l'effectif est* moindre : chacun donnera de ses villes aux Lévites selon l'héritage dont on aura pris possession. » **9.** Yahvé parla à Moïse, en disant : **10.** « Parle aux enfants d'Israël et dis-leur : Quand vous aurez passé le Jourdain vers le pays de Canaan, **11.** vous vous assignerez des villes qui seront pour vous des villes de refuge, où puisse s'enfuir le meurtrier, *quiconque* aura par mégarde *tué* quelqu'un. **12.** Elles vous serviront de villes de refuge devant *le vengeur du sang*[c], (de sorte) que le meurtrier ne meure point avant d'avoir paru en jugement devant *le peuple de* la communauté. **13.** Quant aux villes que vous aurez à donner[d], elles seront pour vous six villes de refuge : **14.** vous donnerez trois villes au-delà du Jourdain et trois villes dans le pays de Canaan, qui seront *pour vous* villes <de

c. = O   d. M : que vous mettrez à part

α. Sifré Nombr. (663) ; Mak. 10 a

3. Cf. *LXX*, *Sam.*, *Pesh.* et de nombreux mss hébreux. TM : « pour eux » (= O).

un rayon), depuis la muraille de la ville jusqu'à l'extérieur,
de mille coudées tout autour. **5.** Vous mesurerez deux mille
coudées hors de la ville, du côté oriental ; deux mille
coudées dans la direction du sud ; deux mille coudées dans
la direction de l'*ouest* et deux mille coudées dans la direction
du nord, avec la ville au milieu. Telles seront pour *vous*[3]
les banlieues des villes. **6.** Les villes que vous donnerez
aux Lévites comprendront les six villes de refuge, pour
que le meurtrier puisse s'y enfuir, et, en plus de celles-là,
vous donnerez quarante-deux[4] villes. **7.** (Ainsi) le total
des villes que vous donnerez aux Lévites sera de quarante-
huit villes, avec leurs banlieues. **8.** En donnant ces villes
(prises) sur l'héritage des enfants d'Israël, vous en prendrez
davantage de *la tribu dont l'effectif est* nombreux et vous
en prendrez peu de *la tribu dont l'effectif est* moindre :
chacun donnera de ses villes aux Lévites en proportion
de l'héritage dont on aura pris possession. » **9.** Yahvé
parla à Moïse, en disant : **10.** « Parle aux enfants d'Israël
et dis-leur : Quand vous aurez passé le Jourdain vers le
pays de Canaan, **11.** vous vous assignerez des villes *avec
des souks et des magasins de vivres*[5α], qui seront pour vous
des villes de refuge, où puisse s'enfuir le meurtrier qui
aura *tué un homme* par mégarde. **12.** Elles vous serviront
de villes de refuge *pour le meurtrier* devant *le vengeur du
sang*, (de sorte) que le meurtrier ne meure point avant
d'avoir paru en jugement devant la communauté. **13.** Quant
aux villes que vous aurez à donner, elles seront pour vous
six villes de refuge *pour le meurtrier* : **14.** vous donnerez
trois villes au-delà du Jourdain et trois villes dans le
pays de Canaan, qui seront villes de refuge. **15.** Pour

---

4. *Ed. pr.* et 27031 : « quarante-huit ». Corrigé dans les éd. postérieures en « quarante-deux ».

5. Pour préciser l'importance de ces villes. Cf. note 15 de
K. G. Kuhn dans *Sifre zu Numeri*, 663.

refuge>⁶. **15.** Pour les enfants d'Israël comme pour les immigrants et les résidents (établis) parmi eux, ces six villes serviront de refuge où pourra s'enfuir quiconque aura *tué* quelqu'un par mégarde. **16.** S'il l'a frappé avec un objet de fer et qu'il en soit mort, <c'est>⁹ un meurtrier : le meurtrier devra être mis à mort. **17.** S'il l'a frappé avec une pierre, (assez grosse) *pour remplir*ᵉ la main (et) provoquer la mort de quelqu'un, et qu'il en soit mort, c'est un meurtrier : le meurtrier devra être mis à mort. **18.** Ou s'il l'a frappé avec un (morceau de) bois, (assez gros) *pour remplir* la main (et) provoquer la mort de quelqu'un, et qu'il en soit mort, c'est un meurtrier : le meurtrier devra être mis à mort. **19.** C'est *le vengeur* du sang qui mettra à mort le meurtrier ; quand il le rencontreraᵍ, il le mettra à mort. **20.** Que si, par haine, il l'a poussé ou lancé contre lui (un objet) insidieusement¹², et qu'il soit mort ; **21.** si, par inimitié, il l'a frappé de la main et qu'il en soit mort, celui qui a tué devra être mis à mort, c'est <un meurtrier>¹⁵ : *le vengeur* du sang tuera le meurtrier quand il le rencontrera. **22.** Mais si c'est à

e. O : une pierre prise en main. Id. v. 18   f. = O M. Id. v. 18
g. O : lorsqu'on l'aura condamné, c'est légalement qu'il pourra le mettre à mort (ou : quand il aura été reconnu coupable en jugement, il le mettra à mort)   h. = O

β. Sifré Nombr. (669) ; J Sanh. IX 27 a ; Sanh. 76 b ; γ. Sanh. 45 b
δ. Sifré Nombr. (674)   ε. Sifré Nombr. 35,17 (671)   ζ. Sanh. 45 b

6. Mot oublié ; donné par M.
7. Le Targum (N-O-Jo) transpose simplement en araméen les termes de l'hébreu (N : *gywryyh / twtbyyh*). Pour une comparaison avec *Sifré* et une synthèse du droit pénal juif, cf. K. G. Kᴜʜɴ, *op. cit.*, 667 s.
8. *bᵉmashehû. Litt.* : « avec quoi que ce soit », i.e. de quelque grosseur que ce soit *(Sifré)*.
9. Restituer *hw'*, oublié en début de ligne. Cf. v. 17.

les enfants d'Israël comme pour les immigrants et les
résidents[7] *qui se trouvent* parmi eux, ces six villes serviront
de refuge où pourra s'enfuir quiconque aura *tué un homme*
par mégarde. **16.** S'il l'a frappé avec un objet de fer
quelconque[8β] et qu'il *le tue*, c'est un meurtrier : le meurtrier
devra être mis à mort. **17.** S'il l'a frappé avec une pierre,
(assez grosse) *pour remplir* la main[10] (et) *suffisante pour*[f]
provoquer la mort de quelqu'un, et qu'il *le tue*, c'est un
meurtrier : le meurtrier devra être mis à mort. **18.** Ou
s'il l'a frappé avec un morceau de bois, (assez gros) *pour
remplir* la main (et) *suffisant pour* provoquer la mort
de quelqu'un, et qu'il *le tue*, c'est un meurtrier : le meurtrier
devra être mis à mort. **19.** C'est *le vengeur* du sang qui
mettra à mort le meurtrier ; lorsqu'il le rencontrera *en
dehors de ces villes*, c'est *légalement*[11γ] qu'il pourra le mettre
à mort. **20.** Que si, par haine, il l'a bousculé *et fait tomber
intentionnellement* ou s'il a, avec *préméditation*[δ], lancé
contre lui *des billes (de bois)*[13] *ou des poutres ou fait rouler
sur lui des roches*[14ε], et qu'il *l'a tué* ; **21.** s'il *a nourri contre
lui* de l'inimitié *et* l'a frappé de sa main et qu'il *l'ait tué*,
c'est un meurtrier ; il devra être mis à mort, c'est un
meurtrier. *Le vengeur* du sang tuera le meurtrier, *lorsqu'on
l'aura condamné*[hζ]. **22.** Mais si c'est par mégarde, sans

---

10. Même expression dans *Sifré* : *'bn ml' yd.* Cf. K. G. Kuhn,
op. cit., 669 et Rashi.

11. *bdyn'*, i.e. conformément au droit ; ou « par jugement (de
tribunal) ? ». Cf. vv. 21.30 et *Sanh.* 45 b.

12. *Litt.* : « par embûche » *(bkmnh).* Traduit l'hébreu *ṣᵉdiyyâ* dont
le sens est incertain. Il pourrait aussi signifier « préméditation »
(cf. *Sifré*). Díez Macho propose de lire *bkwwnh* (comme dans Jo :
bkwwnwt lyb').

13. *klwnsn (Sifré : klwnswt),* terme que l'on a rattaché à divers
mots grecs : καλινός (Levy), κελεόντες (Jastrow), χελωνίς (Dalman).
S. Krauss, *Talmudische Archäologie,* II, 267 pense au pluriel latin
columnas (suivi par K. G. Kuhn, *op. cit.*, 672).

14. *kypyn (Sifré : sl'ym),* plur. de *kêpâ'.*

15. Omis par haplographie ; restitué par I.

l'improviste et non par inimitié[16] qu'il l'a poussé ou s'il a
lancé contre lui un objet quelconque, mais non insidieuse-
ment ; **23.** ou s'il a fait choir sur lui une pierre quelconque
capable de donner la mort, sans qu'il *l'*ait vu, et qu'il en
meurt, mais sans qu'il ait eu contre lui de la haine ni voulu
du mal *à sa personne*, **24.** *le peuple de* la communauté sera
juge entre le *meurtrier* et *le vengeur* du sang, en se basant
sur ces règles. **25.** *Le peuple de* la communauté sauvera
le meurtrier des mains *du vengeur* du sang et *le peuple de*
la communauté le fera retourner dans la ville de refuge
où il a fui. Et il y demeurera jusqu'à ce que soit mort le
grand prêtre qu'on aura oint de l'huile *du sanctuaire*[j].
26. Mais si le meurtrier sort de la limite de la ville de refuge
où il s'est enfui, **27.** que *le vengeur* du sang le rencontre en
dehors de la limite de sa ville de refuge et que *le vengeur* du
sang tue le meurtrier, il n'*encourt* point *la faute d'effusion*
de sang *innocent*. **28.** En effet, il doit demeurer dans sa ville
de refuge jusqu'à la mort du grand prêtre. Après la mort du
grand prêtre, le meurtrier pourra retourner à la terre qu'il
possède. **29.** Ces (dispositions) seront pour vous les normes
juridiques (à suivre), au long de vos générations, en tout
lieu où vous demeurerez. **30.** Quiconque *tue* une personne,
c'est sur déclaration de témoins que le meurtrier sera mis
à mort ; mais un seul témoin ne pourra répondre[k] contre

---

i. = O   j. M : de l'onction   k. M : témoigner

η. Mak. 11 a   θ. Sifré Nombr. (683)

---

16. *b'l dbbw. Id. T Gen.* 3,15 (N). Erreur ou évolution sémantique ?
Litt. : « ennemi » (inimitié = *dbbw* ou *bbw* : cf. Jo).

17. TM répète « la communauté ». Cf. N et O.

18. Lire *sgn'* (27031) et non *sgy' (ed. pr.).* Cf. note à 19,3.

19. Cf. *T Deut.* 23,10 (Jo). Voir note à *Gen.* 13,13 (sur ces trois
fautes capitales).

avoir nourri contre lui de l'inimitié, qu'il l'a bousculé
ou s'il a lancé contre lui un objet quelconque sans *dessein
de provoquer sa mort,* **23.** ou encore quelque pierre *suffisante
pour*[i] provoquer sa mort, sans l'avoir *fait exprès ; s'il a
lancé contre lui quelque chose et l'a tué,* mais sans qu'il ait
eu contre lui de la haine ni voulu lui (faire) du mal, **24.** la
communauté jugera entre celui qui a frappé et *le vengeur*
du sang, selon ces règles *de procédure.* **25.** La communauté
sauvera le meurtrier de la main *du vengeur* du sang et[17]
le fera repartir dans la ville de refuge où il s'était enfui.
Et il y habitera jusqu'au temps où mourra le grand prêtre
que *le sagan*[18] aura oint de l'huile de *l'onction. — C'est
parce qu'il n'a pas prié*[η]*, le jour des Expiations, dans le
Saint des Saints, au sujet des trois transgressions graves —
pour que le peuple de la maison d'Israël ne soit point
(induit) à tomber dans l'idolâtrie, l'inceste et l'effusion de
sang innocent*[19] —, *alors qu'il était en son pouvoir de les
écarter par sa prière et qu'il n'a point prié, c'est pour cela
qu'il a été condamné à mourir cette année-là*[20] —. **26.** Mais
si le meurtrier sort de la limite de la ville de refuge où
il s'est enfui, *tant que le grand prêtre est encore en vie,*
27. que *le vengeur* du sang le trouve hors de la limite de
sa ville de refuge et que *le vengeur* du sang tue le meurtrier,
il n'est pas *soumis à la procédure concernant les meurtriers.*
28. En effet, il doit résider dans sa ville de refuge jusqu'à
la mort du grand prêtre. Après la mort du grand prêtre,
le meurtrier pourra retourner à la terre qu'il possède.
29. Telles seront pour vous *les indications* réglant la procédure, au long de vos générations, en toutes vos résidences.
30. Quiconque *tue un homme,* c'est sur *la déposition* de
témoins *aptes à témoigner contre lui* que *le vengeur du
sang ou bien le tribunal*[θ] mettra à mort le meurtrier ;
mais un seul témoin ne pourra *témoigner* contre *un homme*

---

20. Cf. R. Le Déaut dans *JSJ* 1 (1970), 46 et *BThB* 4 (1974),
281-283 (à propos de *Jn* 11,49).

une personne pour la faire (condamner) à mort. **31.** Vous
n'accepterez point d'*argent*[1] pour la vie d'un meurtrier
qui est passible de la peine de mort : mais on devra le
mettre à mort. **32.** Vous n'accepterez pas non plus
d'*argent*[m] pour celui qui s'est enfui dans sa ville de refuge
pour qu'il puisse retourner habiter dans le pays, avant la
mort du *grand* prêtre. **33.** Ainsi vous ne chargerez point
d'une faute le pays où vous *demeurez* ; car le sang rendrait
coupable le pays, et il n'y a pour le pays d'autre moyen
d'expier pour le sang qui y a été versé sinon par le sang
de qui l'a répandu. **34.** *Vous* ne rendrez point impure la
terre où vous demeurez, celle au milieu de laquelle demeure
la Gloire de ma Shekinah ; car je suis Yahvé qui *ai fait
résider la Gloire de ma Shekinah* au milieu des enfants[p]
d'Israël. »

CHAPITRE XXXVI

1. Alors s'approchèrent les chefs de *tribus*[2] de la famille
des fils de Galaad, fils de Makir, fils de Manassé[3], de la
famille des fils de Joseph. Ils prirent la parole devant
Moïse et devant les princes, chefs des clans des enfants
d'Israël **2.** et dirent : « Yahvé[a] a donné ordre à mon
seigneur de donner au sort le pays en héritage aux enfants
d'Israël ; et mon seigneur a reçu ordre[b] *de devant* Yahvé
de donner l'héritage de notre frère Selopkhad à ses filles.

---

l. = O   m. = O ‖ M : de présent en argent   n. = O   o. = O
p. M : (je suis Y) dont la Gloire de la Shekinah demeure parmi les
enfants (d'Israël) ‖ O : dont la Shekinah demeure au milieu des enfants
d'Israël

    a. M : la Parole de Y. Id. v.6.10   b. O : a reçu ordre de la Parole
de Y

---

    21. *Litt.* : « et vous n'accepterez » (= TM). 27031 omet le *et*
(même dans le lemme hébreu).

pour (une condamnation) à mort. **31.** Vous[21] n'accepterez
point de rançon *pour sauver* un *homme* meurtrier qui est
passible de mort : mais on devra le mettre à mort. **32.** Vous
n'accepterez pas non plus de rançon pour celui qui s'est
enfui dans sa ville de refuge pour qu'il puisse revenir
demeurer dans le pays, avant la mort du prêtre. **33.** Ainsi
vous ne souillerez point le pays où vous êtes ; car c'est
le sang *innocent*[n] *qui n'est point vengé* qui souille le pays,
et il n'y a, pour le pays, d'autre moyen d'expier pour
le sang *innocent* qui y a été versé, sinon par *l'effusion
du* sang de qui l'a versé. **34.** *Vous*[22] ne rendrez point
impure la terre où vous êtes[23], celle au milieu de laquelle
demeure *ma Shekinah*[o] ; car je suis Yahvé dont *la Shekinah*
demeure au milieu des enfants d'Israël. »

CHAPITRE XXXVI

1. Alors se présentèrent *au tribunal*[1] les chefs de clans
de la parenté des fils de Galaad, fils de Makir, fils de
Manassé, de la parenté des fils[4] de Joseph. Ils prirent la
parole devant Moïse et devant les princes, chefs des clans
des enfants d'Israël **2.** et dirent : « Yahvé a donné ordre
à mon seigneur de donner au sort le pays en héritage aux
enfants d'Israël ; et mon seigneur a reçu ordre *de devant*
Yahvé de donner l'héritage de notre frère Selopkhad à

---

22. Pluriel aussi dans *LXX, Sam., Pesh.,* O et quelques mss
hébreux.

23. Sans doute restituer *ytbyn* (avec des recensions de O) : « (où
vous êtes) établis ». Influence du v. 33.

1. *by dyn'*. Cf. *T Nombr.* 27,1 (Jo).

2. *Id.* dans le lemme hébreu. M : « clans — *'bhth* » (= TM-O).

3. Le copiste avait ensuite écrit « fils de Joseph », qui a été gratté.

4. *bny* est omis dans 27031. *Ed. pr.* : « et de la parenté des fils de
Galaad, fils de Joseph ».

3. Or, si elles sont données pour femmes à l'un des fils des (autres) tribus des enfants d'Israël, leur héritage se verra retranché de l'héritage de nos pères pour être ajouté à l'héritage de la tribu à laquelle elles vont appartenir, et ainsi il sera retranché du lot de notre héritage. **4.** Et quand arrivera le jubilé pour les enfants d'Israël, leur héritage s'ajoutera à l'héritage de la tribu dont elles feront partie, et leur héritage sera retranché de l'héritage de la tribu de nos pères. » **5.** Moïse, selon *la décision de la Parole* de Yahvé, adressa donc cet ordre aux enfants d'Israël, en disant : « C'est une chose juste que *réclame* la tribu des fils de Joseph. **6.** Voici donc ce que Yahvé a prescrit pour les filles de Selopkhad, en disant : Elles deviendront femmes de qui bon leur semblera, mais elles se marieront dans la famille de leur tribu paternelle. **7.** Ainsi l'héritage des enfants d'Israël ne circulera point de tribu à tribu, car les enfants d'Israël resteront attachés chacun à l'héritage de sa tribu paternelle. **8.** Toute fille qui hérite d'une propriété, d'une tribu des enfants d'Israël, se mariera à quelqu'un de la famille de sa tribu paternelle, afin que les enfants d'Israël aient chacun en héritage le patrimoine de ses pères, **9.** et que l'héritage ne circule pas d'une tribu à l'autre ; car les tribus des enfants d'Israël resteront attachées chacune à son patrimoine. » **10.** Selon que Yahvé l'avait ordonné à Moïse, ainsi firent les filles de Selopkhad. **11.** Makhlah, Tirsah, Hoglah[8], Milkah et Noah, filles de Selopkhad, <se marièrent>[9] avec les fils des *frères de leur père*. **12.** Elles se marièrent donc dans la

c. = O

———

α. B.B. 120 a ; Taan. 30 b

———

5. Manque dans 27031.

ses filles. **3.** Or, si elles sont données pour femmes à l'un
des fils des (autres) tribus des enfants d'Israël, leur héritage
se verra retranché de l'héritage de nos pères pour être
ajouté à l'héritage des tribus auxquelles elles vont appartenir, et ainsi il sera retranché du lot de notre héritage.
4. Et quand arrivera le jubilé pour les enfants d'Israël,
leur héritage s'ajoutera à l'héritage des tribus dont elles
feront partie, et leur héritage sera retranché de l'héritage
de la tribu de nos pères. » **5.** Moïse, sur *la Parole*[c] de
Yahvé, adressa donc cet ordre aux enfants d'Israël,
en disant[5] : « C'est une chose juste que dit la tribu des
fils de Joseph. **6.** Voici donc ce que Yahvé a prescrit,
— *non pas pour les générations qui doivent naître après
la division du pays*[α], *mais* pour les filles de Selopkhad —,
en disant : Elles deviendront femmes de qui leur plaira,
mais elles se marieront dans la parenté de la tribu de leur
père. **7.** (Cela) *pour que* l'héritage des enfants d'Israël
ne circule[6] point d'une tribu à une *autre* tribu, car les
enfants d'Israël resteront attachés chacun à l'héritage de
la tribu de ses pères. » **8.9.** [manquent][7] **10.** Selon que
Yahvé l'avait ordonné à Moïse, ainsi firent les filles de
Selopkhad. **11.** Makhlah, Tirsah, Hoglah, Milkah et Noah,
filles de Selopkhad, se marièrent avec les fils de leurs
oncles paternels. **12.** Elles se marièrent donc dans la

---

6. *tytqp.* Inutile de corriger en *tystqp* avec Jastrow, 1021 (à *sqp*).
N : *tqp* (*id.* v. 9). Formes à rattacher à *nqp.*

7. Omission due à un homoioteleuton, les vv. 7 et 9 se terminant
par « enfants d'Israël ». Les éditions postérieures ont complété par
O. A. Geiger (*Urschrift*, 477) pense que l'omission est intentionnelle,
ces versets devenant sans raison après l'ajout du v. 6 (conforme à la
halakhah traditionnelle). Il faut pourtant observer qu'il y a, dans
une compilation comme Jo, beaucoup d'insertions qu'il est difficile
de mettre en accord avec le contexte.

8. *Litt.* : « et Hoglah » (= TM). Jo : « Hoglah » (sans *et* ; cf. *Sam.*).

9. Oublié après le lemme hébreu. Restitué par M : *wthwwyyn*
(cf. TM). *Litt.* : « et furent (données) à ».

famille des fils de Manassé, fils de Joseph, et leur héritage resta dans la tribu du *patrimoine* de leur père. **13.** Tels sont les préceptes et les ordonnances que Yahvé[d] prescrivit à Moïse, concernant les enfants d'Israël, dans les plaines de Moab, à côté du Jourdain (en face) de Jéricho.

d. M : que la Parole de Y prescrivit aux enfants d'Israël par l'organe de Moïse dans les plaines (de Moab)

parenté des fils de Manassé, fils de Joseph, et leur héritage
resta dans la tribu de la parenté de leur père. **13.** Telles
sont les prescriptions et les ordonnances que Yahvé
prescrivit aux enfants d'Israël, par l'organe de Moïse,
dans les plaines de Moab, sur le Jourdain (en face) de
Jéricho.

TABLE DES MATIÈRES

———

*Les divers Index seront publiés
dans le dernier tome de cet ouvrage.*

SOURCES CHRÉTIENNES

LISTE COMPLÈTE DE TOUS LES VOLUMES PARUS

N. B. — L'ordre suivant est celui de la date de parution (n° 1 en 1942) et il n'est pas tenu compte ici du classement en séries : grecque, latine, byzantine, orientale, textes monastiques d'Occident ; et série annexe : textes para-chrétiens.

Sauf indication contraire, chaque volume comporte le texte original, grec ou latin, souvent avec un apparat critique inédit.

La mention *bis* indique une seconde édition. Quand cette seconde édition ne diffère de la première que par de menues corrections et des *Addenda et Corrigenda* ajoutés en appendice, la date est accompagnée de la mention « réimpression avec supplément ».

1. Grégoire de Nysse : **Vie de Moïse.** J. Daniélou (3e édition) (1968).

2 bis. Clément d'Alexandrie : **Protreptique.** C. Mondésert, A. Plassart (réimpression de la 2e éd., 1976).

3 bis. Athénagore : **Supplique au sujet des chrétiens.** *En préparation.*

4 bis. Nicolas Cabasilas : **Explication de la divine Liturgie.** S. Salaville, R. Bornert, J. Gouillard, P. Périchon (1967).

5. Diadoque de Photicé : **Œuvres spirituelles.** É. des Places (réimpr. de la 2e éd., avec suppl., 1966).

6 bis. Grégoire de Nysse : **La création de l'homme.** *En préparation.*

7 bis. Origène : **Homélies sur la Genèse.** H. de Lubac, L. Doutreleau (1976).

8. Nicétas Stéthatos : **Le paradis spirituel.** M. Chalendard. *Remplacé par le n° 81.*

9 bis. Maxime le Confesseur : **Centuries sur la charité.** *En préparation.*

10. Ignace d'Antioche : **Lettres — Lettres et Martyre** de Polycarpe de Smyrne. P.-Th. Camelot (4e édition) (1969).

11 bis. Hippolyte de Rome : **La Tradition apostolique.** B. Botte (1968).

12 bis. Jean Moschus : **Le Pré spirituel.** *En préparation.*

13. Jean Chrysostome : **Lettres à Olympias.** A.-M. Malingrey. Trad. seule (1947).

13 bis. 2e édition avec le texte grec et la **Vie anonyme d'Olympias** (1968).

14. Hippolyte de Rome : **Commentaire sur Daniel.** G. Bardy, M. Lefèvre. Trad. seule (1947).
2e édition avec le texte grec. *En préparation.*

15 bis. Athanase d'Alexandrie : **Lettres à Sérapion.** J. Lebon. *En préparation.*

16 bis. Origène : **Homélies sur l'exode.** H. de Lubac, J. Fortier. *En préparation.*

17. Basile de Césarée : **Sur le Saint-Esprit.** B. Pruche. Trad. seule (1947).

17 bis. 2e édition avec le texte grec (1968).

18 bis. Athanase d'Alexandrie : **Discours contre les païens.** P. Th. Camelot (1977).

19 bis. Hilaire de Poitiers : **Traité des Mystères.** P. Brisson (réimpression, avec supplément, 1967).

20. Théophile d'Antioche : **Trois livres à Autolycus.** G. Bardy, J. Sender. Trad. seule (1948).
2e édition avec le texte grec. *En préparation.*

21. Éthérie : **Journal de voyage.** H. Pétré (réimpression, 1975).

22 bis. Léon le Grand : **Sermons, t. I.** J. Leclercq, R. Dolle (1964).

23. Clément d'Alexandrie : **Extraits de Théodote.** G. Quispel (réimp., 1970).

24 bis. PTOLÉMÉE : **Lettre à Flora.** G. Quispel (1966).

25 bis. AMBROISE DE MILAN : **Des Sacrements. Des Mystères. Explication du Symbole.** B. Botte (1961).

26 bis. BASILE DE CÉSARÉE : **Homélies sur l'Hexaéméron.** S. Giet (réimpr. avec suppl., 1968).

27 bis. **Homélies Pascales,** t. I. P. Nautin. *En préparation.*

28 bis. JEAN CHRYSOSTOME : **Sur l'incompréhensibilité de Dieu.** J. Daniélou, A.-M. Malingrey, R. Flacelière (1970).

29 bis. ORIGÈNE : **Homélies sur les Nombres.** A. Méhat *En préparation.*

30 bis. CLÉMENT D'ALEXANDRIE : **Stromate I.** *En préparation.*

31. EUSÈBE DE CÉSARÉE : **Histoire ecclésiastique,** t. I. G. Bardy (réimpression, 1965).

32 bis. GRÉGOIRE LE GRAND : **Morales sur Job,** t. I Livres I-II. R. Gillet, A. de Gaudemaris (1975).

33 bis. **A Diognète.** H. I. Marrou (réimpr. avec suppl., 1965).

34. IRÉNÉE DE LYON : **Contre les hérésies,** livre III. F. Sagnard. *Remplacé par les nᵒˢ 210 et 211.*

35 bis. TERTULLIEN : **Traité du baptême.** F. Refoulé. *En préparation.*

36 bis. **Homélies Pascales,** t. II. P. Nautin. *En préparation.*

37 bis. ORIGÈNE : **Homélies sur le Cantique.** O. Rousseau (1966).

38 bis. CLÉMENT D'ALEXANDRIE : **Stromate II.** *En préparation.*

39 bis. LACTANCE : **De la mort des persécuteurs.** 2 vol. *En préparation.*

40. THÉODORET DE CYR : **Correspondance,** t. I. Y. Azéma (1955).

41. EUSÈBE DE CÉSARÉE : **Histoire ecclésiastique,** t. II. G. Bardy (réimpression 1965).

42. JEAN CASSIEN : **Conférences,** t. I. E. Pichery (réimpression, 1966).

43. JÉRÔME : **Sur Jonas.** P. Antin (1956).

44. PHILOXÈNE DE MABBOUG : **Homélies.** E. Lemoine. Trad. seule (1956).

45. AMBROISE DE MILAN : **Sur S. Luc,** t. I. G. Tissot (réimpr. avec suppl., 1971).

46. TERTULLIEN : **De la prescription contre les hérétiques.** P. de Labriolle et F. Refoulé (1957).

47. PHILON D'ALEXANDRIE : **La migration d'Abraham.** R. Cadiou (1957).

48. **Homélies Pascales,** t. III. F. Floëri et P. Nautin (1957).

49 bis. LÉON LE GRAND : **Sermons,** t. II. R. Dolle (1969).

50 bis. JEAN CHRYSOSTOME : **Huit Catéchèses baptismales inédites.** A. Wenger (réimpr. avec suppl., 1970).

51 bis. SYMÉON LE NOUVEAU THÉOLOGIEN : **Chapitres théologiques, gnostiques et pratiques.** J. Darrouzès. *En préparation.*

52 bis. AMBROISE DE MILAN : **Sur S. Luc,** t. II. G. Tissot (réimpr. avec suppl., 1976).

53 bis. HERMAS : **Le Pasteur.** R. Joly (réimpr. avec suppl., 1968).

54. JEAN CASSIEN : **Conférences,** t. II. E. Pichery (réimpression, 1966).

55. EUSÈBE DE CÉSARÉE : **Histoire ecclésiastique,** t. III. G. Bardy (réimpression, 1967).

56. ATHANASE D'ALEXANDRIE : **Deux apologies.** J. Szymusiak (1958).

57. THÉODORET DE CYR : **Thérapeutique des maladies helléniques.** 2 volumes. P. Canivet (1958).

58 bis. DENYS L'ARÉOPAGITE : **La hiérarchie céleste.** G. Heil, R. Roques, M. de Gandillac (réimpr. avec suppl., 1970).

59. **Trois antiques rituels du baptême.** A. Salles. Trad. seule. *Épuisé.*

60. AELRED DE RIEVAULX : **Quand Jésus eut douze ans.** A. Hoste, J. Dubois (1958).

61 bis. GUILLAUME DE SAINT-THIERRY : **Traité de la contemplation de Dieu.** J. Hourlier (réimpression, 1977).

62. IRÉNÉE DE LYON : **Démonstration de la prédication apostolique.** L. Froidevaux. Nouvelle trad. sur l'arménien. Trad. seule (réimpr. 1971).

63. RICHARD DE SAINT-VICTOR : **La Trinité.** G. Salet (1959).

175. Césaire d'Arles : **Sermons au peuple.** Tome I. Sermons 1-20. M.-J. Delage (1971).

176. Salvien de Marseille : **Œuvres.** Tome I. G. Lagarrigue (1971).

177. Callinicos : **Vie d'Hypatios.** G.J.M. Bartelink (1971).

178. Grégoire de Nysse : **Vie de sainte Macrine.** P. Maraval (1971).

179. Ambroise de Milan : **La Pénitence.** R. Gryson (1971).

180. Jean Scot : **Commentaire sur l'évangile de Jean.** É. Jeauneau (1972).

181. **La Règle de S. Benoît.** Tome I. Introduction et Chapitres I-VII. A. de Vogüé et J. Neufville (1972).

182. **Id. —** Tome II. Chapitres VIII-LXXIII, Tables et concordance. A. de Vogüé et J. Neufville (1972).

183. **Id. —** Tome III. Étude de la tradition manuscrite. J. Neufville (1972).

184. **Id. —** Tome IV. Commentaire (Parties I-III). A. de Vogüé (1971).

185. **Id. —** Tome V. Commentaire (Parties IV-VI). A. de Vogüé (1971).

186. **Id. —** Tome VI. Commentaire (Parties VII-IX), Index. A. de Vogüé (1971).

187. Hésychius de Jérusalem, Basile de Séleucie, Jean de Béryte, Pseudo-Chrysostome, Léonce de Constantinople : **Homélies pascales.** M. Aubineau (1972).

188. Jean Chrysostome : **Sur la vaine gloire et l'éducation des enfants.** A.-M. Malingrey (1972).

189. **La chaîne palestinienne sur le psaume 118.** Tome I. Introduction, texte critique et traduction. M. Harl (1972).

190. **Id. —** Tome II. Catalogue des fragments, Notes et Index. M. Harl 1972.

191. Pierre Damien : **Lettre sur la toute-puissance divine.** A. Cantin (1972).

192. Julien de Vézelay : **Sermons.** Tome I. Introduction et Sermons 1-16. D. Vorreux (1972).

193. **Id. —** Tome II. Sermons 17-27, Index. D. Vorreux (1972).

194. **Actes de la Conférence de Carthage en 411.** Tome I. Introduction. S. Lancel (1972).

195. **Id. —** Tome II. Texte et traduction de la Capitulation et des Actes de la première séance. S. Lancel (1972).

196. Syméon le Nouveau Théologien : **Hymnes.** J. Koder, J. Paramelle, L. Neyrand. Tome III. Hymnes XLI-LVIII, Index (1973).

197. Cosmas Indicopleustès : **Topographie chrétienne,** t. III. Livres VI-XII, Index. W. Wolska-Conus (1973).

198. **Livre (cathare) des deux principes.** Ch. Thouzellier (1973).

199. Athanase d'Alexandrie : **Sur l'incarnation du Verbe.** C. Kannengiesser (1973).

200. Léon le Grand : **Sermons,** tome IV. Sermons 65-98, Éloge de S. Léon, Index. R. Dolle (1973).

201. **Évangile de Pierre.** M.-G. Mara (1973).

202. Guerric d'Igny : **Sermons.** Tome II. J. Morson, H. Costello, P. Deseille (1973).

203. Nersès Šnorhali : **Jésus, Fils unique du Père.** I. Kéchichian. Trad. seule (1973).

204. Lactance : **Institutions divines,** livre V. Tome I. Introd., texte et trad. P. Monat (1973).

205. **Id. —** Tome II. Commentaire et index. P. Monat (1973).

206. Eusèbe de Césarée : **Préparation évangélique,** livre I. J. Sirinelli, É. des Places (1974).

207. Isaac de l'Étoile : **Sermons.** A. Hoste, G. Salet, G. Raciti. Tome II. Sermons 18-39 (1974).

208. Grégoire de Nazianze : **Lettres théologiques.** P. Gallay (1974).

209. Paulin de Pella : **Poème d'action de grâces et Prière.** C. Moussy (1974).

210. Irénée de Lyon : **Contre les hérésies,** livre III. A. Rousseau, L. Doutreleau. Tome I. Introduction, notes justificatives et tables (1974).

211. **Id. —** Tome II. Texte et traduction (1974).

212. Grégoire le Grand : **Morales sur Job.** Livres XI-XIV. A. Bocognano (1974).

Hors série :

SOUS PRESSE

PROCHAINES PUBLICATIONS

SOURCES CHRÉTIENNES

(1-261)

Également aux Éditions du Cerf :

LES ŒUVRES DE PHILON D'ALEXANDRIE
publiées sous la direction de
R. ARNALDEZ, C. MONDÉSERT, J. POUILLOUX.
Texte grec et traduction française.

ACHEVÉ D'IMPRIMER EN 1979
SUR LES PRESSES DE L'IMPRIMERIE A. BONTEMPS, LIMOGES (FRANCE)

DÉPÔT LÉGAL : 3e TRIMESTRE 1979

IMPRIMEUR N° 1543   ÉDITEUR N° 7092